令和6年12月改訂

減価償却
実務問答集

早子　忠 編

公益財団法人　納税協会連合会

ま　え　が　き

減価償却の目的は、適正に期間損益を計算するため、企業の有する減価償却資産について、その取得価額を使用可能期間に応じて各事業年度の費用として配分することにあります。

この減価償却の実務については、税法で、減価償却資産の範囲、取得価額、償却の方法、耐用年数、特別償却の適用要件など必要な事項を数多く定めていますが、手続面を含め複雑かつ多岐にわたっているため、一般的に理解しにくいと言われています。

本書は、実務に携わっている方が活用しやすいよう、問答形式で編集しているほか、耐用年数省令別表第一の減価償却資産を中心に50音順での耐用年数早見表を収録しております。

また、今回の改訂に当たっては、令和６年度改正により創設された生産方式革新事業活動用資産等の特別償却制度などを織り込んでおります。

別途発刊されている「法人税の決算調整と申告の手引」とともにご利用いただき、適正な申告を行う上で一助となれば幸いです。

なお、本書は大阪国税局法人課税課に勤務する者が休日等を使って執筆したものであり、本文中意見にわたる部分につきましては、執筆者の個人的見解であることをお断りしておきます。

令和６年11月

早子　忠

目　　　次

第１章　普通償却関係

第１節　減価償却資産の範囲等

【問１－１】　展示用建物の減価償却…… 2
【問１－２】　展示実演用機械の減価償却…… 3
【問１－３】　モデルルームの備品の減価償却…… 4
【問１－４】　土地の取得に伴って行った下水道の改修費用…… 5
【問１－５】　物故社員の供養塔の建設費の取扱い…… 6
【問１－６】　置物の購入費用の取扱い…… 7
【問１－７】　美術品等についての減価償却資産の判定…… 8
【問１－８】　平成26年12月31日以前に取得した美術品等の取扱い…… 9
【問１－９】　事業の用に供した日の判定…… 11
【問１－10】　遊休資産の減価償却の取扱い…… 12
【問１－11】　稼働休止資産と事業の用に供していない資産…… 13
【問１－12】　機械及び装置等の予備部品の取扱い…… 14
【問１－13】　非常用食品の購入費用の取扱い…… 15
【問１－14】　ホームページの製作費用の取扱い…… 16
【問１－15】　電話加入権と電話設備等の取扱い…… 17
【問１－16】　工業所有権の取扱い…… 21
【問１－17】　登録していない商標…… 23
【問１－18】　蛍光灯型LEDランプへの取替費用の取扱い…… 24
【問１－19】　織機登録権の償却開始の時期…… 25
【問１－20】　所有権が留保されている資産の償却…… 26
【問１－21】　取次店の開設に際して支出した改装費等の取扱い…… 27
【問１－22】　償却費として損金経理をした金額の意義…… 28
【問１－23】　資産に計上しなかった受贈品の取扱い…… 30

第２節　減価償却資産の取得価額

【問１－24】　減価償却資産の取得価額と消費税の免税事業者…………　32
【問１－25】　減価償却資産の取得価額とインボイス制度………………　33
【問１－26】　減価償却資産の取得価額と控除対象外消費税額等………　35
【問１－27】　借地権付建物の取得価額……………………………………　37
【問１－28】　貯油タンク設置のための地質調査費用……………………　38
【問１－29】　取得価額に含める付随費用…………………………………　39
【問１－30】　機械と同時に取得するソフトウエアの取扱い……………　40
【問１－31】　自社製作したソフトウエアの取得価額……………………　41
【問１－32】　ソフトウエアの取得価額に算入しないことができる費用…　42
【問１－33】　開発を外部委託したソフトウエアの取得価額……………　43
【問１－34】　既存のソフトウエアの仕様を大幅に変更した場合の取得価額……………………………………………………………　44
【問１－35】　建物購入契約の解除により支出した違約金の取扱い……　45
【問１－36】　固定資産税相当額の取扱い…………………………………　46
【問１－37】　建物の取得に係る借入金利子………………………………　47
【問１－38】　店舗新築に係る開発負担金…………………………………　48
【問１－39】　地鎮祭等に要した費用の取扱い……………………………　49
【問１－40】　建物等の建設に当たって支出した日照権等の解決金の取扱い……………………………………………………………　50
【問１－41】　住民の反対により工事が遅延した期間に発生した費用の取扱い…………………………………………………………　51
【問１－42】　建物の建設に当たって支出した交際費等の取扱い………　52
【問１－43】　訴訟費用等の取扱い…………………………………………　53
【問１－44】　リノリューム床張り費用の取扱い…………………………　54
【問１－45】　仮営業所の支出費用の取扱い………………………………　55
【問１－46】　建物の建替えに伴う旧建物の取壊損失の取扱い…………　56
【問１－47】　砂利の敷設費用………………………………………………　57
【問１－48】　道路の造成費用………………………………………………　58

【問１－49】　宅地造成に当たって他人所有の隣接地との間に防壁を設置した費用の取扱い……………………………… 59
【問１－50】　機械を購入した後の事業年度において値引き等があった場合の取扱い……………………………………… 60
【問１－51】　自動車の取得に伴う諸費用の取扱い………………… 61
【問１－52】　特約販売店等が製造業者等から交付を受けた自動車の取得価額………………………………………………… 63
【問１－53】　太陽光発電設備の連系工事負担金の取扱い………… 65

第３節　少額の減価償却資産の取得価額の損金算入

【問１－54】　少額又は使用可能期間が１年未満の減価償却資産……… 67
【問１－55】　パソコンの取得価額の判定………………………………… 69
【問１－56】　少額のソフトウエアの取扱い……………………………… 70
【問１－57】　レンタル用DVDの取得価額の損金算入………………… 71
【問１－58】　照明器具（蛍光灯）の少額の減価償却資産の取得価額の判定……………………………………………………… 72
【問１－59】　書籍の少額の減価償却資産の取得価額の判定………… 73
【問１－60】　賃貸マンションのカーテンの取扱い……………………… 74
【問１－61】　貸衣装の少額の減価償却資産の取得価額の判定……… 75
【問１－62】　料理店業等のちゅう房用機器等の取扱い……………… 76
【問１－63】　組立式商品棚の取引単位………………………………… 77
【問１－64】　新社屋へ移転するに伴って取得した備品の取扱い……… 78
【問１－65】　道路工事用地盤補強鋼板の少額の減価償却資産の取得価額の判定………………………………………………… 79
【問１－66】　共同所有している資産の少額の減価償却資産の取得価額の判定………………………………………………… 80
【問１－67】　一括償却資産の損金算入………………………………… 81
【問１－68】　一括償却資産の損金算入の計算例等…………………… 83
【問１－69】　一括償却資産につき滅失等があった場合の取扱い……… 85
【問１－70】　中小企業者等の少額減価償却資産の取得価額の損金算入の特例…………………………………………………… 86

【問１－71】 少額減価償却資産等を貸付けの用に供した場合の取扱い…… 90
【問１－72】 中小企業者等の少額減価償却資産の取得価額の合計が300万円を超えた場合の取扱い …………………………… 94
【問１－73】 事務負担に配慮する必要があるものかどうかの判定の時期……………………………………………………………… 96
【問１－74】 「常時使用する従業員の数」の範囲 ……………………… 97
【問１－75】 少額の減価償却資産及び一括償却資産の取得価額と消費税等………………………………………………………… 98

第４節　減価償却資産の償却限度額

【問１－76】 減価償却方法について………………………………………… 100
【問１－77】 償却方法のみなし選定………………………………………… 103
【問１－78】 定額法の計算方法……………………………………………… 104
【問１－79】 定率法の計算方法……………………………………………… 105
【問１－80】 平成19年３月31日以前に取得した減価償却資産の取扱い… 108
【問１－81】 定率法の特例…………………………………………………… 109
【問１－82】 200％定率法 …………………………………………………… 112
【問１－83】 法定耐用年数が２年の場合の償却額の計算方法………… 115
【問１－84】 償却可能限度額………………………………………………… 116
【問１－85】 転用資産の償却限度額………………………………………… 118
【問１－86】 事業年度の中途において取得した資産の償却限度額…… 119
【問１－87】 事業年度の中途で事業の用に供した減価償却資産の定率法における償却限度額の計算……………………………… 120
【問１－88】 特定資産の買換えの圧縮記帳と譲渡資産の減価償却費… 122
【問１－89】 期中損金経理額の意義………………………………………… 124
【問１－90】 適格分割と期中損金経理額（償却超過額がない場合）… 126
【問１－91】 適格分割と期中損金経理額（償却超過額がある場合）… 128
【問１－92】 非適格合併等が行われた場合の減価償却資産の範囲等… 130
【問１－93】 建築中の建物の減価償却………………………………… 131

【問１－94】　資本的支出をした事業年度の償却限度額…………………… 132
【問１－95】　事業年度が１年未満の場合の償却限度額の計算………… 134
【問１－96】　同じ種類の資産がある場合の償却限度額の計算………… 136
【問１－97】　事業所別償却の場合の償却限度額の通算計算…………… 137
【問１－98】　償却超過額がある場合の償却限度額の計算……………… 138
【問１－99】　賃借建物について行った内部造作の減価償却の方法…… 139
【問1－100】　償却方法等の変更…………………………………………… 140
【問1－101】　償却方法を定額法から定率法に変更した場合の計算…… 141
【問1－102】　償却方法を定率法から定額法に変更した場合の計算…… 142
【問1－103】　評価換えが行われた場合の減価償却費の計算…………… 144
【問1－104】　特別償却を適用する場合の取得初年度の普通償却限度額の計算………………………………………………………… 145
【問1－105】　特別償却不足額と普通償却不足額との差異……………… 146

第５節　資本的支出と修繕費

【問1－106】　資本的支出をした場合の取扱い……………………………… 147
【問1－107】　建物附属設備等について平成28年３月31日以前に資本的支出をした場合の取扱い……………………………………… 157
【問1－108】　資本的支出と修繕費…………………………………………… 159
《参考》　法人税基本通達（第７章 第８節　資本的支出と修繕費）………… 161
【問1－109】　平成19年３月31日以前に取得した減価償却資産に資本的支出を行った場合の取扱い……………………………… 166
【問1－110】　平成19年４月１日以後に取得をした減価償却資産に資本的支出を行った場合の取扱い……………………………… 169
【問1－111】　平成19年４月１日以後に取得をした減価償却資産に対して同一年に複数回資本的支出を行った場合の取扱い… 171
【問1－112】　平成19年４月１日から平成24年３月31日までに取得した減価償却資産について平成24年４月１日以後に資本的支出を行った場合の取扱い……………………………… 173

【問1−113】 平成10年３月31日以前に取得した建物に資本的支出をした場合の取扱い………………………………………………175
【問1−114】 取得価額の５％まで償却の済んだ減価償却資産に対して資本的支出をした場合の取扱い……………………………177
【問1−115】 資本的支出をした場合の中小企業者等の少額減価償却資産の取得価額の損金算入の特例の適用の有無…………179
【問1−116】 設備の更新と通達の関係……………………………………………180
【問1−117】 機械等の移設費用………………………………………………………181
【問1−118】 地盤沈下に伴って要した費用…………………………………………182
【問1−119】 地下貯蔵ガソリンタンクに対する危険物流出防止対策費用の取扱い………………………………………………………………183
【問1−120】 使用中の借地の砂利敷設費用…………………………………………185
【問1−121】 「用途変更のための模様替え等」の意味……………………………186
【問1−122】 取り替えた部分品の品質の改良に要した費用……………………187
【問1−123】 「同一の固定資産」の意義……………………………………………189
【問1−124】 「20万円に満たない場合」の意義……………………………………190
【問1−125】 「要した費用」の意味…………………………………………………191
【問1−126】 「合理的な区分」の意義………………………………………………192
【問1−127】 「おおむね３年以内」の取扱い………………………………………193
【問1−128】 形式基準による修繕費の判定…………………………………………194
【問1−129】 「60万円に満たない場合」の計算……………………………………196
【問1−130】 修理、改良等の費用の残額が60万円未満の場合…………………198
【問1−131】 「７：３基準」の選定…………………………………………………199
【問1−132】 「７：３基準」による場合の継続適用の要件………………………200
【問1−133】 災害の場合の資本的支出と修繕費の区分の特例…………………201
【問1−134】 被災した資産に対する補強工事………………………………………202
【問1−135】 ソフトウエアに係る資本的支出と修繕費…………………………203
【問1−136】 消費税のインボイス制度の実施に伴うシステム修正費用の取扱い…………………………………………………………………204
【問1−137】 「耐用年数の算定方式」の活用………………………………………206

【問1－138】 購入した中古資産について支出した費用…………………… 209
【問1－139】 リース物件に対する資本的支出の取扱い…………………… 210
【問1－140】 塗装費用の取扱い………………………………………… 211
【問1－141】 メリヤス編機の針釜の取替費用…………………………… 212
【問1－142】 ガラス飛散防止フィルムの取付費用………………………… 213

第６節　増加償却

【問1－143】 増加償却の適用……………………………………………… 214
【問1－144】 増加償却の適用単位………………………………………… 217
【問1－145】 週５日制を採用している場合の標準稼働時間の計算…… 219
【問1－146】 隔週５日制を採用している場合の標準稼働時間の計算… 220
【問1－147】 貸与資産の増加償却………………………………………… 221
【問1－148】 日曜操業と増加償却………………………………………… 222
【問1－149】 耐用年数の短縮を受けた機械及び装置の増加償却……… 223

第７節　除却損失等

【問1－150】 合成樹脂成型用金型の有姿除却…………………………… 224
【問1－151】 埋立てに伴い不用化する旧護岸の除却処理……………… 225
【問1－152】 有姿除却と取壊費用………………………………………… 226
【問1－153】 ソフトウエアの除却………………………………………… 227
【問1－154】 機械装置の評価損…………………………………………… 228

第８節　リース取引

【問1－155】 リース取引と税務…………………………………………… 230
【問1－156】 国外リース資産と旧国外リース期間定額法……………… 236
【問1－157】 所有権移転外リース取引…………………………………… 237
【問1－158】 リース期間定額法…………………………………………… 239
【問1－159】 旧リース期間定額法………………………………………… 240
【問1－160】 リース資産について賃借料として損金経理した金額…… 243
【問1－161】 リース資産に対する特別償却等の適用の有無…………… 244

第9節　グループ法人税制

【問1－162】　グループ法人税制と減価償却……………………………… 245
【問1－163】　減価償却資産を簿価で譲り受けた場合の申告調整……… 247
【問1－164】　譲渡損益調整資産に係る譲渡損益の計算等……………… 249
【問1－165】　譲渡損益調整資産（減価償却資産）に係る通知義務…… 251

第10節　グループ通算制度と減価償却

【問1－166】　グループ通算制度と減価償却……………………………… 253
【問1－167】　グループ通算制度と時価評価した減価償却資産に係る評価後の減価償却の方法………………………………… 254

第2章　特別償却関係

第1節　共通事項

【問2－1】　特別償却の適用を受ける機械の引取運賃・据付費……… 258
【問2－2】　固定資産の値引きと特別償却……………………………… 259
【問2－3】　租税特別措置法の圧縮記帳の適用を受けた機械の特別償却………………………………………………………… 260
【問2－4】　法人税法の圧縮記帳の適用を受けた工業用機械等の特別償却………………………………………………………… 261
【問2－5】　定額法を採用している減価償却資産について特別償却をする場合の取扱い………………………………………… 262
【問2－6】　収用換地等の場合の所得の特別控除の適用を受けた場合の機械の特別償却………………………………………… 264
【問2－7】　繰越償却不足額がある場合の償却限度額の計算………… 265
【問2－8】　繰越償却不足額がある場合の当期償却額の充当順序…… 267
【問2－9】　直接控除方式と準備金方式の選択適用…………………… 268
【問2－10】　遊休資産と特別償却不足額の繰越し……………………… 269
【問2－11】　譲渡した特別償却対象資産の特別償却準備金の取崩し… 270

【問２－12】 耐用年数の改正が行われた場合の特別償却準備金の均分取崩し…… 271

第２節　中小企業者等の特定機械装置等の特別償却

【問２－13】 中小企業者等が機械等を取得した場合の特別償却…… 272
【問２－14】 ソフトウエアを取得した場合の特別償却…… 275
【問２－15】 中小企業者の範囲…… 278
【問２－16】 中小企業者等の判定の時期…… 280
【問２－17】 製作後「事業の用に供されたことのないもの」の判定…… 282
【問２－18】 通算法人が中小企業者に該当するかの判定…… 283
【問２－19】 一部中古品を使用した製材設備の特別償却の可否…… 286
【問２－20】 開発研究用資産の中小企業者等が機械等を取得した場合の特別償却…… 287
【問２－21】 クレーン付トラックとトラッククレーンの中小企業者等が機械等を取得した場合の特別償却…… 288
【問２－22】 登録を要しない貨物自動車の中小企業者等が機械等を取得した場合の特別償却…… 289
【問２－23】 貨物運送用の小型自動車の中小企業者等が機械等を取得した場合の特別償却…… 290
【問２－24】 特別償却の適用対象となる事業が主たる事業でない場合…… 291
【問２－25】 医療用機器を取得した場合の特別償却…… 292

第３節　国家戦略特別区域において機械等を取得した場合の特別償却

【問２－26】 国家戦略特別区域において機械等を取得した場合の特別償却…… 293

第４節　国際戦略総合特別区域において機械等を取得した場合の特別償却

【問２－27】　国際戦略総合特別区域において機械等を取得した場合の特別償却……………………………………………………… 297
【問２－28】　国際戦略総合特別区域において建物を取得しその一部を貸付けの用に供した場合………………………………… 300

第５節　地域経済牽引事業の促進区域内において特定事業用機械等を取得した場合の特別償却

【問２－29】　地域経済牽引事業の促進区域内において特定事業用機械等を取得した場合の特別償却……………………………… 302

第６節　地方活力向上地域等において特定建物等を取得した場合の特別償却

【問２－30】　地方活力向上地域等において特定建物等を取得した場合の特別償却……………………………………………………… 307

第７節　中小企業者等が特定経営力向上設備等を取得した場合の特別償却

【問２－31】　中小企業者等が特定経営力向上設備等を取得した場合の特別償却……………………………………………………… 311
【問２－32】　経営力向上設備等の範囲……………………………… 315
【問２－33】　生産等設備の範囲……………………………………… 318
【問２－34】　中小企業者等が取得した働き方改革に資する減価償却資産の中小企業経営強化税制の適用………………………… 319

第８節　認定特定高度情報通信技術活用設備を取得した場合の特別償却

【問２－35】　認定特定高度情報通信技術活用設備を取得した場合の特別償却…… 321

第９節　情報技術事業適応設備を取得した場合等の特別償却

【問２－36】　情報技術事業適応設備を取得した場合等の特別償却…… 325

第10節　生産工程効率化等設備を取得した場合の特別償却

【問２－37】　生産工程効率化等設備を取得した場合の特別償却……… 331

第11節　港湾隣接地域における技術基準適合施設の特別償却

【問２－38】　港湾隣接地域における技術基準適合施設の特別償却…… 335

第12節　被災代替資産等の特別償却

【問２－39】　被災代替資産等の特別償却…… 339
【問２－40】　被災代替資産における同一の用途の判定…… 341
【問２－41】　建物等と一体的に事業の用に供される附属施設の意義… 342

第13節　特定事業継続力強化設備等を取得した場合の特別償却

【問２－42】　特定事業継続力強化設備等を取得した場合の特別償却… 344

第14節　共同利用施設の特別償却

【問２－43】　共同利用施設の特別償却…… 347

第15節　環境負荷低減事業活動用資産等の特別償却

【問２－44】　環境負荷低減事業活動用資産等の特別償却……………… 349

第16節　生産方式革新事業活動用資産等の特別償却

【問２－45】　生産方式革新事業活動用資産等の特別償却……………… 353

第17節　特定地域における工業用機械等の特別償却

【問２－46】　特定地域における工業用機械等の割増償却……………… 356
【問２－47】　自社工場から特定地域の工場へ移設した機械装置の特別償却………………………………………………………… 359
【問２－48】　中古の工業用機械等を取得した場合の特別償却………… 360
【問２－49】　２以上の用途に共用されている工場用建物の特別償却… 361
【問２－50】　特定地域における工業用機械等の特別償却と特定経営力向上設備等の特別償却との関係…………………………… 362

第18節　医療用機器等の特別償却

【問２－51】　医療用機器を取得した場合の特別償却…………………… 364
【問２－52】　医療用機器の範囲………………………………………… 366
【問２－53】　医師等の勤務時間短縮用設備等を取得した場合の特別償却…………………………………………………………… 367
【問２－54】　構想適合病院用建物等を取得した場合の特別償却……… 369

第19節　事業再編計画の認定を受けた場合の事業再編促進機械等の割増償却

【問２－55】　事業再編計画の認定を受けた場合の事業再編促進機械等の割増償却……………………………………………… 371

第20節　輸出事業用資産の割増償却

【問２－56】　輸出事業用資産の割増償却…………………………………… 374

第21節　企業主導型保育施設用資産の割増償却

【問２－57】　企業主導型保育施設用資産の割増償却……………………… 377

第３章　耐用年数関係

第１節　共通事項

【問３－１】　耐用年数の基本的な考え方…………………………………… 382
【問３－２】　「業用のもの」の意義…………………………………………… 383
【問３－３】　２以上の用途に供している建物の耐用年数………………… 384
【問３－４】　２以上の用途に供している建物の耐用年数の特例………… 385
【問３－５】　貸与資産の耐用年数…………………………………………… 386
【問３－６】　資本的支出部分と耐用年数…………………………………… 387
【問３－７】　ボウリング場を倉庫に用途変更した場合の取扱い………… 388
【問３－８】　ソフトウエアの耐用年数……………………………………… 389
【問３－９】　個人事業を法人組織にした場合に引き継いだ減価償却資産の耐用年数…………………………………………………………… 390
【問３－10】　中古資産の見積耐用年数の選択適用の可否………………… 391
【問３－11】　中古資産の耐用年数の見積りの簡便法……………………… 392
【問３－12】　簡便法による見積りができない中古資産の耐用年数……… 393
【問３－13】　見積法及び簡便法を適用することができない中古資産… 394
【問３－14】　取得した中古資産を用途変更して使用する場合の見積耐用年数…………………………………………………………………… 395
【問３－15】　共有資産の他人の持分を取得した場合の見積耐用年数… 396
【問３－16】　耐用年数の短縮制度…………………………………………… 398
【問３－17】　更新資産と取り替えた場合等………………………………… 400

【問３－18】　短縮特例資産と材質等を同じくする他の減価償却資産の取得をした場合…… 401
【問３－19】　耐用年数の短縮の承認があった後に取得した資産の耐用年数…… 403
【問３－20】　定期借地権と耐用年数の短縮…… 404
【問３－21】　耐用年数の確認…… 405
【問３－22】　適格合併等により引継ぎを受けた減価償却資産の耐用年数…… 406

第２節　建　　物

【問３－23】　建物の範囲…… 407
【問３－24】　建設業者が所有するモデルハウスの耐用年数…… 408
【問３－25】　建物の内部造作…… 409
【問３－26】　ユニットバスの耐用年数…… 410
【問３－27】　賃借建物について行った造作等の取扱い…… 411
【問３－28】　賃借建物について行った造作の耐用年数の見積り…… 412
【問３－29】　開発研究用建物の耐用年数…… 414
【問３－30】　耐用年数省令別表第一の「建物」に掲げる「左記以外のもの」の取扱い…… 415
【問３－31】　建物の一部を区分所有した場合の耐用年数…… 416
【問３－32】　プレハブ建物の耐用年数…… 417
【問３－33】　壁画の耐用年数…… 418
【問３－34】　いわゆるスーパー銭湯の耐用年数…… 418

第３節　建物附属設備

【問３－35】　建物附属設備の範囲…… 420
【問３－36】　建物附属設備の「給排水又は衛生設備及びガス設備」の範囲…… 421
【問３－37】　受配電設備（キュービクル）等の耐用年数…… 422

【問３－38】　他人の建物に対する造作と店用簡易装備…………………… 423
【問３－39】　可動間仕切りの耐用年数……………………………………… 424
【問３－40】　浴槽の耐用年数………………………………………………… 426
【問３－41】　ソーラーシステム（太陽熱温水器）の耐用年数………… 427
【問３－42】　ビルの中央監視システムの耐用年数……………………… 428

第４節　構　築　物

【問３－43】　燃料用重油貯蔵タンクの資産区分………………………… 429
【問３－44】　テニスコートの耐用年数……………………………………… 430
【問３－45】　ゴルフ場の諸設備の耐用年数……………………………… 431
【問３－46】　ゴルフ練習場の諸設備の耐用年数………………………… 433
【問３－47】　テトラポッドの取得価額の損金算入……………………… 435
【問３－48】　鉄板の看板の耐用年数………………………………………… 436
【問３－49】　屋根付カーポートの耐用年数……………………………… 437
【問３－50】　立体駐車場の耐用年数………………………………………… 438
【問３－51】　前掲の区分によらない場合………………………………… 439

第５節　船舶、車両及び運搬具

【問３－52】　クルーザーの耐用年数………………………………………… 441
【問３－53】　船舶搭載機器の耐用年数……………………………………… 442
【問３－54】　登録を要しない自動車の耐用年数………………………… 443
【問３－55】　車両と自走式作業用機械の区分…………………………… 444
【問３－56】　特殊自動車の耐用年数………………………………………… 445
【問３－57】　自走式クローラダンプの耐用年数………………………… 446
【問３－58】　白ナンバーの貨物自動車の耐用年数……………………… 447
【問３－59】　貸自動車の耐用年数…………………………………………… 448

第６節　工具、器具及び備品

【問３－60】　工具の範囲（特掲されていない工具）…………………… 449

【問３－61】　器具及び備品の耐用年数の選択適用…………………………450
【問３－62】　パチンコ器等の耐用年数……………………………………451
【問３－63】　バッティングセンターの諸設備の耐用年数………………453
【問３－64】　ゴルフシミュレーターの耐用年数…………………………454
【問３－65】　結婚式場用資産の耐用年数…………………………………455
【問３－66】　ＰＲ用映画フィルムの耐用年数……………………………456
【問３－67】　ルームクーラーの耐用年数…………………………………457
【問３－68】　防犯用監視カメラ装置の耐用年数…………………………458
【問３－69】　無線タクシー位置、動態表示装置の耐用年数……………459
【問３－70】　移動式書棚の耐用年数………………………………………460
【問３－71】　LAN設備の耐用年数…………………………………………461
【問３－72】　衛星放送受信用パラボラ・アンテナとチューナーの
耐用年数…………………………………………………………………463
【問３－73】　オートロック式パーキング装置の耐用年数………………464
【問３－74】　CD-ROM化された百科辞典の耐用年数……………………465
【問３－75】　生ゴミ処理装置の耐用年数…………………………………466
【問３－76】　無人ヘリコプターの耐用年数………………………………467
【問３－77】　写真撮影専用ドローンの耐用年数…………………………469
【問３－78】　「器具及び備品」で特掲されていないものの耐用年数…470

第７節　機械及び装置

【問３－79】　機械及び装置と工具の区分…………………………………472
【問３－80】　機械及び装置の耐用年数の見方……………………………475
【問３－81】　機械及び装置に組み込まれた電子計算機の耐用年数……477
【問３－82】　自走式作業用機械の耐用年数………………………………478
【問３－83】　ロボットの耐用年数…………………………………………479
【問３－84】　２以上の用途に共用されているボイラー設備の耐用年数 480
【問３－85】　工場内で使用するクレーンの耐用年数……………………481
【問３－86】　公害防止施設に適用する耐用年数…………………………482

【問３－87】　修理工場の機械設備に適用する耐用年数……………… 483
【問３－88】　自社トラック用給油設備の耐用年数…………………… 484
【問３－89】　太陽光発電システムの耐用年数………………………… 485
【問３－90】　倉庫用機械設備の耐用年数……………………………… 486
【問３－91】　ホテル内設備の耐用年数………………………………… 487
【問３－92】　オフセット印刷機の耐用年数…………………………… 488
【問３－93】　多段式駐車場設備の耐用年数…………………………… 489
【問３－94】　ドライビングシミュレーターの耐用年数……………… 490
【問３－95】　電気自動車用急速充電設備の耐用年数………………… 491

付録／別表第一を中心とした50音順耐用年数早見表…………………… 493
参考資料／別表第二　機械及び装置の耐用年数表（新旧資産区分の耐用年数対照表）……………………………………………………………… 609
折込付録／旧定率法未償却残額表（平成19年３月31日以前取得分）
定率法未償却残額表（平成19年４月１日から平成24年３月31日まで取得分）
定率法未償却残額表（平成24年４月１日以後取得分）
別表第七　平成19年３月31日以前に取得をされた減価償却資産の償却率表
別表第八　平成19年４月１日以後に取得をされた減価償却資産の定額法の償却率表
別表第九　平成19年４月１日から平成24年３月31日までの間に取得をされた減価償却資産の定率法の償却率、改定償却率及び保証率の表
別表第十　平成24年４月１日以後に取得をされた減価償却資産の定率法の償却率、改定償却率及び保証率の表

<凡　例>

本文中の主な法令・通達等は、下記の略語を用いています。

法……………………法人税法
令……………………法人税法施行令
規……………………法人税法施行規則
措法…………………租税特別措置法
措令…………………租税特別措置法施行令
措規…………………租税特別措置法施行規則
令６改法附……………所得税法等の一部を改正する法律（令和６年法律第８号）の附則
令６改措令附…………租税特別措置法施行令の一部を改正する政令（令和６年政令第151号）の附則
令６改措規附…………租税特別措置法施行規則の一部を改正する省令（令和６年財務省令第24号）の附則
令５改法附…………所得税法等の一部を改正する法律（令和５年法律第３号）の附則
令５改措令附………租税特別措置法施行令等の一部を改正する政令（令和５年政令第145号）の附則
令５改措規附………租税特別措置法施行規則等の一部を改正する省令（令和５年財務省令第19号）の附則
令４改法附…………所得税法等の一部を改正する法律（令和４年法律第４号）の附則
令４改令附…………法人税法施行令等の一部を改正する政令（令和４年政令第137号）の附則
令４改措令附………租税特別措置法施行令等の一部を改正する政令（令和４年政令第148号）の附則
令３改法附…………所得税法等の一部を改正する法律（令和３年法律第11号）の附則
令３改措令附………租税特別措置法施行令等の一部を改正する政令（令和３年政令第119号）の附則
令３改措規附………租税特別措置法施行規則等の一部を改正する省令（令和３年財務省令第21号）の附則

令２改法附…………所得税法等の一部を改正する法律（令和２年法律第８号）の附則
令２改措令附………租税特別措置法施行令の一部を改正する政令（令和２年政令第121号）の附則
平31改法附…………所得税法等の一部を改正する法律（平成31年法律第６号）の附則
平31改措令附………租税特別措置法施行令等の一部を改正する政令（平成31年政令第102号）の附則
平30改法附…………所得税法等の一部を改正する法律（平成30年法律第７号）の附則
平29改法附…………所得税法等の一部を改正する等の法律（平成29年法律第４号）の附則
平29改措令附………租税特別措置法施行令等の一部を改正する政令（平成29年政令第114号）の附則
平29.４改措令附……租税特別措置法施行令の一部を改正する政令（平成29年政令第132号）の附則
平29改措規附………租税特別措置法施行規則等の一部を改正する省令（平成29年財務省令第24号）の附則
平28改法附…………所得税等の一部を改正する法律（平成28年法律第15号）の附則
平28改措令附………租税特別措置法施行令等の一部を改正する政令（平成28年政令第159号）の附則
平27改法附…………所得税法等の一部を改正する法律（平成27年法律第９号）の附則
平27改措令附………租税特別措置法施行令等の一部を改正する政令（平成27年政令第148号）の附則
平26改法附…………所得税法等の一部を改正する法律（平成26年法律第10号）の附則
平23.12改令附………法人税法施行令の一部を改正する政令（平成23年政令第379号）の附則
平22改法附…………所得税法等の一部を改正する法律（平成22年法律第６号）の附則
平22改規附…………法人税法施行規則の一部を改正する省令（平成22年財務省令第13号）の附則
耐用年数省令………減価償却資産の耐用年数等に関する省令

平24改耐用年数省令附…減価償却資産の耐用年数等に関する省令の一部を改正する省令（平成24年財務省令第10号）の附則

平21厚労告第248号…平成21年３月31日厚生労働省告示第248号（最終改正・令和５年３月31日厚生労働省告示第166号）

平31厚労告第151号…平成31年３月29日厚生労働省告示第151号（最終改正・令和３年３月31日厚生労働省告示第160号）

基通……………………法人税基本通達

措通……………………租税特別措置法関係通達

耐通……………………耐用年数の適用等に関する取扱通達

所基通………………所得税基本通達

個別耐用年数表……昭和40年４月30日付直法４－９「機械装置の個別年数と使用時間表について」通達の「機械及び装置の細目と個別年数表」

<引　用　例>

法31②………………法人税法第31条第２項

基通７－１－３……法人税基本通達第７章第１節の７－１－３

措通43の２－１……租税特別措置法第43条の２《被災代替資産等の特別償却》関係通達の１

（注）令和６年10月１日現在の法令通達によっています。

第１章　普通償却関係

第１節　減価償却資産の範囲等

展示用建物の減価償却

【問１－１】　当社は、一団地30戸のプレハブ住宅の建築販売を予定し宅地造成を行っています。この度、販売予定建物の内部造作の仕様見本としてこの団地完成まで展示し、その後有姿のまま販売する予定で一区画に一棟を先に建てましたが、減価償却資産として経理してもよいでしょうか。

なお、この団地の完成には約10か月を要する見込みです。

【答】　展示期間終了後、有姿のまま販売するものであれば、もともと販売を目的とする棚卸資産と考えるのが相当であると思われます。

なお、展示期間終了後その建物を取り壊す予定であるとか、展示期間が相当長期間にわたるような場合には、展示を目的とする減価償却資産とすることが妥当であり、その建物を売却したときは、固定資産の処分と考えるべきでしょう。

（建設業者が所有するモデルハウスの耐用年数については、**【問３－24】**を参照してください。）

参考　法２ⅩⅩ、令10（棚卸資産の範囲）、法２ⅩⅩⅢ、令13（減価償却資産の範囲）

展示実演用機械の減価償却

【問１－２】　当社は、半導体集積回路の製造工程に要する半導体チップ組立装置を製造していますが、顧客の求めに応じて、商品である半導体チップ組立装置の１台を実演用として展示し、随時実演サービスを行っています。

この実演用の機械装置は減価償却してもよいでしょうか。また、この場合の耐用年数は何年を適用すべきでしょうか。

【答】　展示実演用の機械装置は、展示中に反復実演されることによりその価値が減少しますので、展示実演を開始した（事業の用に供した）ときから、減価償却資産として取り扱うことになります。

御質問の半導体チップ組立装置は、顧客に対する販売促進等を目的として専ら展示実演に使用されるものであり、半導体集積回路の製造工程の一部として半導体集積回路製造業の用に供されるものではありませんので、半導体製造装置製造業者の業種用の設備として使用しているものとして判定することになります。

具体的には、半導体製造装置製造業者は、日本標準産業分類上、中分類「26　生産用機械器具製造業」とされており、耐用年数省令別表第二に掲げる「18　生産用機械器具製造業用設備」の「その他の設備」の12年を適用することになります。

参考　耐用年数省令　別表第二、耐通１－４－２（いずれの「設備の種類」に該当するかの判定）

モデルルームの備品の減価償却

【問１－３】　当社は、不動産販売業を営んでおりますが、この度、Ａ駅前で建設中のマンションの一室をモデルルームにし、次のような備品を備えつけました。

これらの備品は、減価償却資産として取り扱ってもよいですか。

①　応接セット　②　寝具（ベッド）　③　テレビ、ビデオ　④　カーテン　⑤　じゅうたん　⑥　シャンデリア　⑦　ダイニングテーブルセット

【答】　マンションの分譲に際して、その一室をモデルルームにすることはよく見かけられますが、その場合に備えつける備品については、そのモデルルームを設置する目的等によってその取扱いが異なることになります。

例えば、モデルルームの展示期間が比較的短期間であって、展示終了後はそのままの状態でモデルルームと一括してその展示備品が販売されるものであれば、その展示備品は棚卸資産として取り扱われます。

他方、マンション販売の広告宣伝を目的にモデルルームに設置し、展示備品が広告宣伝の用に供されるものであって、次のマンションの分譲の際に改めて使用するようなときには、固定資産として取り扱われます。

その場合の展示備品の耐用年数は、耐用年数省令別表第一の「器具及び備品」の「１　家具、電気機器、ガス機器及び家庭用品」のそれぞれの「細目」のものを適用することになります。

なお、これらの備品の取得価額に応じ、少額の減価償却資産の取得価額の損金算入（**【問１－54】**参照）、一括償却資産の損金算入（**【問１－67】**参照）及び中小企業者等の少額減価償却資産の取得価額の損金算入の特例（**【問１－70】**参照）の適用があります。

参考　法２ⅩⅩ、令10（棚卸資産の範囲）、法２ⅩⅩⅢ、令13（減価償却資産の範囲）、令133（少額の減価償却資産の取得価額の損金算入）、令133の２（一括償却資産の損金算入）、耐用年数省令　別表第一、基通７－１－11（少額の減価償却資産又は一括償却資産の取得価額の判定）、措法67の５（中小企業者等の少額減価償却資産の取得価額の損金算入の特例）、措通67の５－２（少額減価償却資産の取得価額の判定単位）

土地の取得に伴って行った下水道の改修費用

【問１－４】　当社は、この度、工場用地を8,000万円で取得しましたが、排水が悪いため従来の下水道を大幅に改修し、鉄筋コンクリートヒューム管、マンホール、Ｕ字溝を設置し、その工事費を含め500万円を支出しました。この下水道工事費用は、構築物の取得価額として減価償却してもよいでしょうか。

【答】　埋立て、地盛り、地ならし、切土、防壁工事その他土地の造成又は改良のために要した費用の額については、原則としてその土地の取得価額に算入しますが、防壁、石垣積み等であっても、その規模、構造等からみて、土地と区分して構築物とすることが適当と認められるものについては、土地の取得価額に算入しないで構築物として減価償却することができます。

御質問の下水道についても、耐用年数省令別表第一に特掲されており、もともと土地とは独立した固定資産（構築物）として減価償却することができますので、その工事費用を土地の取得価額に含めるか構築物として減価償却するかは、貴社の選択に任されます。

参考　耐用年数省令　別表第一、基通７－３－４（土地についてした防壁、石垣積み等の費用）

物故社員の供養塔の建設費の取扱い

【問１－５】　当社は、この度、某寺院の霊地に物故社員の供養塔を建立してその霊を祭るとともに、社員に対する事故防止のいましめにしたいと思いますが、その取扱いはどうなりますか。

なお、建立等の費用の見積りは次のとおりです。

(1) 霊地の永代使用料　　500万円

(2) 供養塔（みかげ石）　600万円

【答】　御質問の供養塔の建設費については、次のように取り扱われます。

1　霊地の永代使用料は、土地の上に存する権利の取得の対価であり、非減価償却資産となります。

2　供養塔の建立費については、会社が将来にわたって保守管理し、事故防止に対する姿勢を示すとともに、物故社員の霊を合祀していくものですから、固定資産に計上し、減価償却していくことになります。

なお、耐用年数は、耐用年数省令別表第一の「構築物」の「石造のもの」の「その他のもの」の50年となります。

参考　令12（固定資産の範囲）、耐用年数省令　別表第一

置物の購入費用の取扱い

【問１－６】　当社は、この度、社長応接室に飾るための置物を40万円で購入しました。この置物は減価償却資産として認められますか。

【答】　美術品等には絵画や彫刻等の美術品のほか工芸品などが該当し、取得価額が１点100万円未満の美術品等は原則として減価償却資産に該当します。（美術品等についての減価償却資産の判定については**【問１－７】**を参照してください。）

減価償却資産に該当する美術品等は、その構造や材質等に応じて、耐用年数省令別表第一に掲げる区分に従って判定することとなります。

御質問については、置物の材質等が分かりませんが、一般的には、同別表第一の「器具及び備品」の「１　家具、電気機器、ガス機器及び家庭用品（他の項に掲げるものを除く。）」の「室内装飾品」として、その材質に応じた耐用年数により減価償却することとなります。

ただし、この置物の素材が貴金属である場合や時の経過によりその価値が減少しないことが明らかな場合は、非減価償却資産に該当することも考えられます。

なお、取得した置物を社長の自宅に設置するなど、法人の業務遂行に関係がないと認められるものについては、法人の減価償却資産には該当しないので注意してください。

参考　令13（減価償却資産の範囲）、耐用年数省令　別表第一、基通７－１－１（美術品等についての減価償却資産の判定）、基通７－１－２（貴金属の素材の価額が大部分を占める固定資産）

美術品等についての減価償却資産の判定

【問１－７】　歴史的価値又は希少価値を有し、代替性のないもの（古美術品、古文書、出土品、遺物等）に該当しない美術品等についての取扱いが改正されたと聞いていますが、その概要について教えてください。

【答】　平成27年１月１日以後に取得した御質問の美術品等については、原則として取得価額が１点100万円未満であるものは減価償却資産に該当し、取得価額が１点100万円以上であるものは非減価償却資産に該当するものとして取り扱うこととされました。

なお、取得価額が１点100万円以上の美術品等であっても、「時の経過によりその価値が減少することが明らかなもの」に該当する場合は減価償却資産として取り扱うことができます。

この「時の経過によりその価値が減少することが明らかなもの」とは、例えば、次に掲げる事項の全てを満たす美術品等が挙げられます。

１　会館のロビーや葬祭場のホールのような不特定多数の者が利用する場所の装飾用や展示用（有料で公開するものを除く。）として取得されるものであること。

２　移設することが困難で当該用途にのみ使用されることが明らかなものであること。

３　他の用途に転用すると仮定した場合に、その設置状況が使用状況から見て美術品等としての市場価値が見込まれないものであること。

また、取得価額が１点100万円未満の美術品等であっても、「時の経過によりその価値が減少しないことが明らかなもの」は、減価償却資産に該当しないものとして取り扱われます。

参考　令13（減価償却資産の範囲）、基通７－１－１（美術品等についての減価償却資産の判定）

平成26年12月31日以前に取得した美術品等の取扱い

【問１－８】　当社は３月決算法人で、平成26年４月１日に20号の大きさの絵画を60万円で購入し応接室に飾りました。この絵画については、非減価償却資産としていましたが、取扱いの変更に伴い、再判定を行った結果、減価償却資産に該当することとなります。

この場合、この絵画の償却方法はどのようになりますか。

【答】　平成26年12月31日以前に取得した美術品等で資産区分を非減価償却資産から減価償却資産へ変更するものについては、平成27年１月１日以後最初に開始する事業年度（以下「適用初年度」といいます。）から減価償却を行うこととなります。

この場合の償却方法は、その美術品等を実際に取得した日に応じて旧定額法、旧定率法、定額法、250％定率法又は200％定率法によることになりますが、取得日を適用初年度開始の日とみなすこととして定額法又は200％定率法を選択できるほか、中小企業者等にあっては、中小企業者等の少額減価償却資産の取得価額の損金算入の特例の規定を適用することもできます。（中小企業者等の少額減価償却資産の取得価額の損金算入の特例については**【問１－70】**を参照してください。）

これを表で示すと次のとおりとなります。

<table>
<tr><th>美術品等の取得日</th><th>原則的取扱い</th><th>平成27年１月１日に取得したものとみなす場合の取扱い</th></tr>
<tr><td>平成19年３月31日以前</td><td>旧定額法又は旧定率法</td><td rowspan="3">定額法又は200％定率法
（注）平成27年１月１日現在、中小企業者等に該当する法人にあっては、30万円未満の美術品等について一括償却可。
ただし、一事業年度当たり300万円の上限あり。</td></tr>
<tr><td>平成19年４月１日～平成24年３月31日</td><td>定額法又は250％定率法</td></tr>
<tr><td>平成24年４月１日以後</td><td>定額法又は200％定率法</td></tr>
</table>

御質問のケースの場合、平成28年３月期から定額法又は200％定率法を用いて減価償却を行うこととなります。

なお、この取扱いは平成26年12月31日以前に取得した美術品等について、適用初年度に減価償却資産に該当するかの再判定を行い、減価償却資産に該当することとなった美術品等に限り、その適用初年度以後の事業年度において減価償却を行うことができるものであり、適用初年度において減価償却資産の再判定を行わなかった場合には、従前の取扱いのとおり、減価償却を行うことはできません。

参考　令13（減価償却資産の範囲）、令48、48の２（減価償却資産の償却の方法）、措法67の５（中小企業者等の少額減価償却資産の取得価額の損金算入の特例）、基通７－１－１（美術品等についての減価償却資産の判定）、平26課法２－12 第１ 二 経過的取扱い（経過的取扱い…改正通達の適用時期）

事業の用に供した日の判定

【問１－９】　当社は、金属機械の製造業を営んでいます。今回、最新式の工作機械を買い入れ、据え付けたところで決算期末を迎えました。まだ、この機械を使って製品の生産を始めておりませんが、当期において減価償却してもよいでしょうか。

【答】　減価償却資産の償却開始の日は、事業の用に供した日となっています。

この「事業の用に供した日」とは、一般的にはその減価償却資産のもつ属性に従って本来の目的のために使用を開始するに至った日をいいます。

御質問の場合、機械を工場内に搬入しただけでは事業の用に供したとはいえず、その機械を据え付け、試運転を完了し、製品等の生産を開始した日が事業の用に供した日となります。

なお、事業の用に供した日とは、資産を物理的に使用し始めた日のみをいうのではなく、例えば、工具の場合には、使用するために用品倉庫から工場（現場）へ払い出したときに事業の用に供したものと考えられています。

また、賃貸マンションの場合には、建物が完成し、入居募集を始めたときに事業の用に供したものとされており、全室に賃借人が入居しなくてもその建物の全部について償却を開始することができます。

参考　令13（減価償却資産の範囲）、措通65の７⑵－２（買換資産を当該法人の事業の用に供した時期の判定）

遊休資産の減価償却の取扱い

【問１－10】　当社には、工場が３か所ありますが、業況不振のため操業を縮小することとなり、１か所の工場を閉鎖し、従業員は他の２か所の工場に配置換えをしました。

閉鎖した工場の建物と機械及び装置については、操業停止直前のまま放置していますが、建物と機械及び装置について減価償却してもよいでしょうか。

なお、操業再開については、景気の動向を見極めてからということで現在のところ再開の見通しはありません。

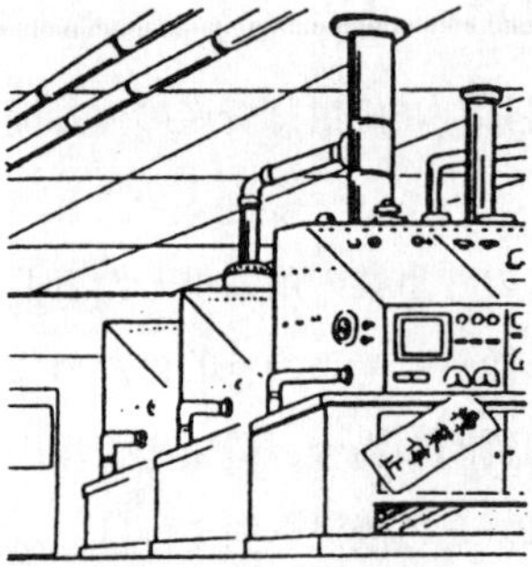

【答】　工場の建物と機械及び装置に区別して、次のように取り扱うのが適当であると考えます。

１　工場の建物については、機械及び装置等がそのまま存置されていますので、建物としての効用を果たしているものと考えられることから、償却しても差し支えありません。

２　機械及び装置については、稼働休止期間中においても必要な維持補修が行われており、いつでも稼働し得る状態にあるものは、償却の対象とすることができますが、例えば、シートで覆って、放置されているものは償却することはできません。

参考　令13（減価償却資産の範囲）、基通７－１－３（稼働休止資産）

稼働休止資産と事業の用に供していない資産

【問１－11】　当社は、縫製業を営む法人です。この度、電動ミシンを20台購入しましたが、そのうち５台は未使用のまま倉庫に保管しています。

この保管中のミシンは、いつでも使える状態に整備されていますから稼働休止資産として減価償却してもよいでしょうか。

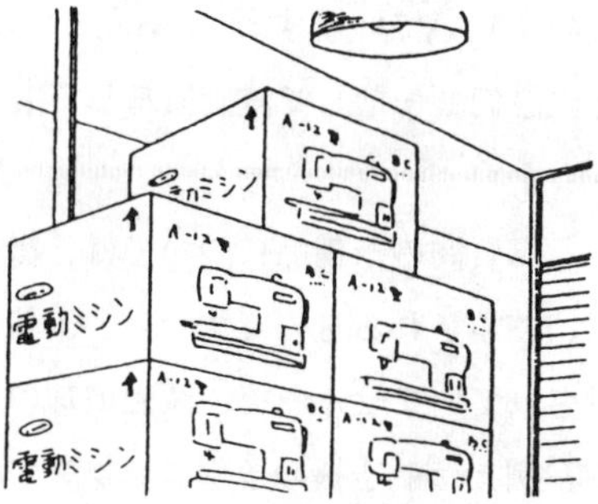

【答】　稼働休止資産で償却の対象となるものは、いったん事業の用に供していた資産のうち、稼働を休止している資産で、その休止期間中も必要な維持補修が行われており、いつでも稼働し得る状態にあるものをいいます。

御質問の場合のように、購入したものの未使用の状態で保管中の資産は、稼働休止資産ではなく、いまだ事業の用に供されていない資産ですので、減価償却資産ではありません。したがって、減価償却をすることはできません。

参 考　令13（減価償却資産の範囲）、基通７－１－３（稼働休止資産）

機械及び装置等の予備部品の取扱い

【問１-12】　当社は、連続式鋳造鋼片製造設備を有していますが、この設備を構成する部品の予備品（比較的少額で消耗しやすいものを除いています。）があります。これらの予備品についても、その設備と一括して減価償却してもよいでしょうか。

【答】　御質問の予備品については、機械及び装置が故障したときなどに取り替え、使用されるものですから、未使用のままで貯蔵中のものは、事業の用に供されていませんので、減価償却の対象とはなりません。

なお、例えば航空機の予備エンジンや電気自動車の予備バッテリー等のように、本体を事業の用に供するために必要不可欠なものとして常備され、繰り返して使用される専用の部品（通常他に転用できないものに限ります。）は本体と一体のものとして、減価償却の対象となります。

この場合の償却開始の時期は、本体を事業の用に供したときであると考えられます。

また、停電時の予備電源のように、必要に応じていつでも稼働し得る状態にあるものは、事業の用に供したものとして、減価償却の対象となります。

参考　令13（減価償却資産の範囲）、基通７－１－３（稼働休止資産）、基通７－１－４の２（常備する専用部品の償却）

非常用食品の購入費用の取扱い

【問１－13】　当社は、この度、地震、水害等の災害に備え非常用食品を購入しました。この非常用食品は、酸素を除去し缶詰にしたもので品質保証期間は20年とされています。

この非常用食品は、非常食として配備してから食料として消費されるまでの間、継続して事業の用に供するものと思われますが、減価償却資産として資産計上の必要がありますか。

【答】　減価償却資産とは、棚卸資産、有価証券及び繰延資産以外の資産で、用役を長期間にわたって提供しながら時の経過や使用のために徐々にその機能及び価値が減少していくものをいいます。

ところが食料品は、それが食事の用に供されることによって消費されるものですから、減価償却資産には該当せず、消費されるまでは、貯蔵品と考えられます。

しかしながら、非常用食品は、非常時に備え所定の場所に配備することに意義があるものですから、配備した時に事業の用に供したと考えるのが合理的です。

したがって、御質問の非常用食品の購入費用は、その非常用食品を所定の場所に配備した日を含む事業年度の損金の額に算入することができるものと考えられます。

参考　令13（減価償却資産の範囲）

ホームページの製作費用の取扱い

【問１－14】　当社は、自社製品の宣伝用ホームページを開設することとしました。他社に依頼したこのホームページの製作費用はどのように取り扱うのですか。

【答】　ホームページの製作を外部の業者に委託する費用については、ホームページの使用期間が１年を超える場合には、その製作費用は繰延資産としてその使用期間に応じて均等償却することになります。

ただし、そのホームページの内容が頻繁に更新されるもので、製作費用の支出の効果が１年以上に及ばない場合は、その支出時の損金として、損金の額に算入することができます。

また、ホームページの中には御質問のような企業や新製品のＰＲ目的のもののほか、データベースとアクセスできる機能を有するもの（図書館で行っているような書籍の内容検索などの情報蓄積型のもの）や既存の企業内ネットワークと接続できる高度な機能を有するものもあります。

こういった高度な機能を有するホームページを製作するには、ホームページそのものの製作とは別にデータベースやネットワークとアクセスするためのコンピュータプログラム（ソフトウエア）の作成が必要となります。

したがって、このようなホームページの製作を他社に委託した場合には、ホームページそのものの製作費用とプログラムの作成費用とを区分し、後者に係る費用については無形固定資産（ソフトウエアの取得価額）として資産計上し、５年の耐用年数で減価償却することとなります。

参考　法２ⅩⅩⅡ、ⅩⅩⅢ、令13Ⅷリ（減価償却資産の範囲）、耐用年数省令　別表第三

電話加入権と電話設備等の取扱い

【問１－15】　当社は、この度、東京支店の開設に伴い電話会社と加入電話契約を結び、電話機及び電話交換機等を設置しました。

更に、今後、機会をみて本店の電話機を新しい電話機に取り替えるほか、留守番電話装置を取り付け、また、携帯電話を取得することを考えていますが、税務上これらに要した費用はどのように取り扱われますか。

【答】　加入電話等の設置に要した費用については、次のように取り扱われます。

１　電話加入権

電話加入権とは、電気通信事業者との加入電話契約により電話役務の提供を受ける権利をいい、税法上は非減価償却資産に該当することとされています。

電話加入権の取得価額は、それぞれ次のように取り扱うこととなります。

(1)　屋内配線設備等を電気通信事業者から借り受けている場合

電気通信事業者に支払う次の①～④の合計額が電話加入権の取得価額となります。

①　工事負担金

②　契約料

③　加入区域外における電話設備等の設置について支出した線路設置費

④　屋内配線設備等の工事費

(2)　屋内配線設備等を自己の所有とする場合

電気通信事業者に支払う上記(1)の①～③の合計額が電話加入権の取

得価額となります。

なお、自己の所有とする屋内配線設備等の耐用年数は、耐用年数省令別表第一の「器具及び備品」の「２　事務機器及び通信機器」の「電話設備その他の通信機器」の「その他のもの」の10年を適用することとなります。

2　電気通信施設利用権

電気通信事業者が設置した電気通信設備を利用して、次のような電気通信役務の提供を受けるために支出する工事負担金等の金額は、耐用年数省令別表第三の「電気通信施設利用権」（耐用年数20年）の取得価額となります。

(1) 電信役務　(2) 専用役務　(3) データ通信役務　(4) デジタルデータ伝送役務　(5) 無線呼出し役務

3　電話設備等

(1)　電話交換機の耐用年数

交換機本体の所有及び補修		耐用年数等			
所有区分	補修区分	交換機本体	年数	配線工事費等	年数
			年		年
自社	自社	耐用年数省令別表第一の「器具及び備品」の「２　事務機器及び通信機器」の「電話設備その他の通信機器」の「デジタル構内交換設備及びデジタルボタン電話設備」又は「その他のもの」	6又は10	耐用年数省令別表第一の「器具及び備品」の「２　事務機器及び通信機器」の「電話設備その他の通信機器」の「その他のもの」	10
自社	電気通信事業者	耐用年数省令別表第一の「器具及び備品」の「２　事務機器及び通信機器」の「電話設備その他の通信機器」の「デジタル構内交換設備及びデジタルボタン電話設備」又は「その他のもの」	6又は10	耐用年数省令別表第三の「電気通信施設利用権」	20

電気通信事業者	電気通信事業者			耐用年数省令別表第三の「電気通信施設利用権」	20

(2) 内線電話機の増設費用

① 交換機及び配線工事費等は、上記(1)により取り扱われます。

② 電話機の場合、少額の減価償却資産の取得価額の損金算入の規定（令133）は、電話機１台単位で判定することができます。

③ 電話機を資産に計上した場合に適用する耐用年数は、耐用年数省令別表第一の「器具及び備品」の「２　事務機器及び通信機器」の「電話設備その他の通信機器」の「デジタル構内交換設備及びデジタルボタン電話設備」の６年又は「その他のもの」の10年となります。

(3) 電話機の取替費用

① 電話機を電気通信事業者から借り受けている場合

電話機の取替工事費は、電話加入権の取得価額に算入し、当初の電話加入権の取得価額に含まれている工事費を損金に算入するのが原則ですが、当初の電話加入権をそのままとし、取替工事費を損金の額に算入した場合には、その経理も認められるでしょう。

② 電話機を自己の所有としている場合

取替工事費及び新しい電話機の価額の合計額は、耐用年数省令別表第一の「器具及び備品」の「２　事務機器及び通信機器」の「電話設備その他の通信機器」の「デジタル構内交換設備及びデジタルボタン電話設備」（耐用年数６年）又は「その他のもの」（耐用年数10年）の取得価額に算入し、当初の電話機に係る帳簿価額を損金に算入します。

(4) 留守番電話装置

電話機に取り付ける留守番電話装置の耐用年数は、耐用年数省令別表第一の「器具及び備品」の「１　家具、電気機器、ガス機器及び家庭用品」の「ラジオ、テレビジョン、テープレコーダーその他の音響機器」の５年を適用することとなります。

(5) 携帯電話

① 携帯電話の新規加入料等（新規加入料及び契約事務手数料）は、耐用年数省令別表第三の「電気通信施設利用権（耐用年数20年）」として取り扱われます。

② 毎月の使用料は、その都度損金の額に算入することとなります。

③ 電気通信施設利用権の耐用年数は20年ですが、法人税法では携帯電話の役務の提供を受ける権利の取得価額が10万円未満である場合には、その権利を取得し、事業の用に供した事業年度において、損金経理を要件としてその取得価額の全額を損金の額に算入することができます。

参 考　令13（減価償却資産の範囲）、令133（少額の減価償却資産の取得価額の損金算入）、耐用年数省令　別表第一、第三、基通７－１－９（電気通信施設利用権の範囲）、基通７－３－16（電話加入権の取得価額）

工業所有権の取扱い

【問１－16】　工業所有権は、減価償却資産であると聞いておりますが、具体的な取扱いはどうなるのでしょうか。

【答】　１　工業所有権は、法人税法上、特許権、実用新案権、意匠権、商標権の無形固定資産をいい、減価償却資産に該当します。また、これらの工業所有権の耐用年数は、次のとおり定められています。

種　類	内　容	耐用年数
特　許　権 （特　許　法）	発明のうち特許法に基づき設定の登録を受けたもの （「発明」とは、自然法則を利用した技術的思想の創作のうち高度のものをいう。）	８　年
実用新案権 （実用新案法）	設定の登録を受けた物品の形状、構造又は組合せに係る考案 （「考案」とは、自然法則を利用した技術的思想の創作をいう。）	５　年
意　匠　権 （意　匠　法）	設定の登録を受けた意匠 （「意匠」とは、物品の形状、模様若しくは色彩若しくはこれらの結合、建築物の形状等又は画像であって、視覚を通じて美感を起こさせるものをいう。）	７　年
商　標　権 （商　標　法）	設定の登録を受けた商標 （「商標」とは、文字、図形、記号、立体的形状若しくは色彩又はこれらの結合、音であって、業として商品を生産し、証明し、又は譲渡する者がその商品について使用をするもの及び業として役務を提供し、又は証明する者がその役務について使用をするものをいう。）	10　年

２　工業所有権の取得価額は、他の減価償却資産と同じで、例えば購入した

場合には、その代価の額等のほか、事業の用に供するために直接要した費用の額を加えた金額となります。

３　法人が他から出願権を取得した場合は、無形固定資産に準じて、出願権の目的である工業所有権の耐用年数により償却します。

また、その後、その出願により工業所有権の登録があったときは、その出願権の登録時における未償却残額及び支出する特許料等を工業所有権の取得価額とすることとなります。

４　工業所有権の減価償却の方法は定額法に限られており、その残存価額は０で、償却可能限度額は、その取得価額に相当する金額となります。

また、工業所有権は、その存続期間の経過により償却すべきものですから、その取得の日から事業の用に供したものとして減価償却することができます。

参考　令13（減価償却資産の範囲）、令48①、令48の２①（減価償却資産の償却の方法）、令54①（減価償却資産の取得価額）、令59（事業年度の中途で事業の用に供した減価償却資産の償却限度額の特例）、令61①（減価償却資産の償却累積額による償却限度額の特例）、耐用年数省令　別表第三、基通７－１－４の３（工業所有権の実施権等）、基通７－１－６（無形減価償却資産の事業の用に供した時期）、基通７－３－15（出願権を取得するための費用）

登録していない商標

【問１－17】　当社は、新商品の発売に際し、この商品専用のマークを商標として作成することとしました。なお、できあがった商標は登録していませんが、作成費用はどのように取り扱われるのでしょうか。

【答】　商標は、通常、新商品等に表示する目的で作成するもので、御質問の商標についても、いずれは登録されるものと考えられます。

したがって、商標を作成するために要した作成費用については、一時の損金に算入するのではなく、今後、商標登録のために要する費用とともに、工業所有権である商標権の取得価額として、無形減価償却資産に計上することとなります。

（注）　登録のために要する費用の額については、商標権の取得価額に算入しないこともできます。
　また、商標権の詳細については、**【問１－16】**を参照してください。

なお、何らかの理由があって将来においても登録をしないということであれば、登録をしていない以上、工業所有権を取得したことには該当しないこととなります。

この場合にあっては、新たに資産を取得したわけではありませんが、発売予定の新商品に使用する予定であるなど、支出の効果が１年以上に及ぶものと考えられるため、繰延資産として計上すべきであると思われます。

（注）　その支出した金額が20万円未満である場合には少額のものとして損金算入することができます。

参考　商標法18①（商標権の設定の登録）、令13Ⅷチ（減価償却資産の範囲）、令14①（繰延資産の範囲）、令134（繰延資産となる費用のうち少額のものの損金算入）

蛍光灯型LEDランプへの取替費用の取扱い

【問１‐18】　当社では、節電対策として自社の事務室の蛍光灯100本全てを蛍光灯型LEDランプに取り替えました。取り替えに当たり、建物の天井のピットに装着された照明設備（建物附属設備）については、特に工事は行われていません。この取替費用はどのように取り扱えばよいのでしょうか。

蛍光灯型LEDランプの購入費用　10,000円／本

取付工事費　1,000円／本

取替えに係る費用総額　1,100,000円

【答】　蛍光灯を蛍光灯型LEDランプに取り替えることで、節電効果や使用可能期間などが向上しますので、その有する固定資産の価値を高め、又はその耐久性を増しているとして資本的支出に該当するのではないかという疑問が生じます。

しかし、蛍光灯は、照明設備（建物附属設備）がその効用を発揮するための一つの部品にすぎず、その部品の性能が高まったことをもって建物附属設備として価値等が高まったとまではいえないと考えられますので、修繕費として処理することが相当です。

参考　令132（資本的支出）、基通７－８－１（資本的支出の例示）、基通７－８－２（修繕費に含まれる費用）

織機登録権の償却開始の時期

【問１－19】　次のような場合の織機登録権については、いつから償却できるのでしょうか。

⑴　従来から無籍織機を使っていた法人が、この度、織機登録権を買い取り、代金決済は終わり、織機も稼働しているが、登録の変更手続が終わっていない場合

⑵　新工場を建設し、事業を開始するに当たり、組合へは20台について登録をしているが、資金の都合で10台の機械を設置した段階で開業するとした場合

　なお、残りの10台については、いつ設置するか未定です。

【答】　御質問の場合は、次のように取り扱われます。

１　取得された織機登録権に係る機械は、既に稼働し、事業の用に供されていますので、織機登録権は営業権として、その権利が実質的に移っているのであれば、たとえ登録手続が未了でも、その取得のときから償却することができます。

２　その権利に基づいて、業務の活動を開始した日が償却開始の日となりますから、設置された10台分に係る織機登録権については、その業務活動を開始した時から償却することができますが、残りの10台分については、織機登録権の行使がされていませんので、償却することはできません。

　ただし、織機を発注する等、業務の拡大に具体的に着手した場合には、その日から事業の用に供したものとして償却することができます。

参考　基通７－１－５（織機の登録権利等）、所基通２－19（出漁権等）

所有権が留保されている資産の償却

【問１－20】　当社は、この度、割賦契約により機械を購入しましたが、割賦代金を完済するまでは所有権の移転をしないこととなっています。

この機械の据付費、維持費等の諸費用は、全て当社で負担していますが、このように所有権のない機械について減価償却をすることができるでしょうか。

【答】　減価償却のできる資産は、原則として自己所有であることが前提です。

しかし、御質問のように、その所有権の留保が単に債権確保のためのものである場合は、貴社がこの機械を資産に計上し、事業の用に供すれば減価償却をすることができます。

この場合の機械の取得価額は、貴社が売主に支払うべき金額の合計額（貴社が負担した据付費も含みます。）となりますが、その金額のうちに割賦期間分の利息及び売主側の代金回収のための費用等に相当する金額が含まれており、これらの金額が明らかに機械代金と区分されているときは、その利息及び売主側の代金回収のための費用相当額は取得価額に算入しないことができます。

参考　令13（減価償却資産の範囲）、基通３－１－３の３（割賦購入資産等の取得価額に算入しない利息相当額）、基通７－３－２（割賦購入資産等の取得価額に算入しないことができる利息相当部分）

取次店の開設に際して支出した改装費等の取扱い

【問１－21】　当社は、クリーニング業を営む法人です。この度、取次店と委託契約を締結し、取次店主所有の建物に対して、次のような改装を加えましたが、この費用はどのように取り扱ったらよいでしょうか。

なお、委託契約を解除するまでは当社の所有ですが、解除したときは存置したままにする予定です。

(1)　カウンター設備

(2)　作り付け整理棚

【答】　(1)のカウンター設備、(2)の作り付け整理棚については、委託契約を解除するまで貴社に所有権があるということですから、それぞれ自己の資産に計上し、減価償却することとなります。

この場合、この改装は他人の建物に対する造作に当たりますから、その建物の耐用年数、その造作の種類、用途、使用材質等を勘案して、合理的に見積もった耐用年数により償却することとなります。（見積計算の具体例については、**【問３-28】**を参照してください。）

なお、見積りに当たっては、カウンター設備はカウンター設備のみ、作り付け整理棚は作り付け整理棚のみというように造作の種類ごとに見積もるのではなく、造作全体を一つの資産として見積もることに注意してください。

参考　令13（減価償却資産の範囲）、令48、令48の２（減価償却資産の償却の方法）、耐通１－１－３（他人の建物に対する造作の耐用年数）、耐通１－２－３（建物の内部造作物）

償却費として損金経理をした金額の意義

【問１－22】　当社は、今期Ｔ工場内にある缶詰製造設備の改造を行い、その改造費として500万円を支出しました。

ところで、決算においては、Ｔ工場からの報告のとおり修繕費500万円として決算書を作成して株主総会の承認を得ましたが、確定申告書作成時に、その設備の改造費は資本的支出となることに気付きました。

この場合、修繕費として損金経理した500万円のうち減価償却費として認められる金額はいくらでしょうか。

【答】　１　法人税法上、減価償却資産に係る償却費の損金算入については、法人が償却費につき確定決算において費用計上することが前提となっています。すなわち、償却費として損金の額に算入する金額は、「償却費として損金経理をした金額」のうち償却限度額に達するまでの金額ですが、「償却費」以外の科目名を用いて費用化した金額であっても次に掲げるようなものは、その性質上「償却費として損金経理をした金額」として取り扱われます。

(1) 減価償却資産の取得価額に算入すべき付随費用の額のうち原価外処理をした金額

(2) 法令の規定による圧縮限度額を超えてその帳簿価額を減額した場合のその超える部分の金額

(3) 減価償却資産について支出した金額で修繕費として経理した金額のうち資本的支出に該当し、損金の額に算入されなかった金額

(4) 無償又は低い価額で取得した減価償却資産につき法人が取得価額として経理した金額が、法令の規定による取得価額に満たない場合のその満たない金額

(5) 減価償却資産について計上した除却損又は評価損の金額のうち損金の

額に算入されなかった金額

（注）　評価損の金額には、法人が計上した減損損失の金額も含まれます。

⑹　少額な減価償却資産（おおむね60万円以下）又は耐用年数が３年以下の減価償却資産の取得価額を消耗品費等として損金経理をした場合のその損金経理をした金額

⑺　ソフトウエアの取得価額に算入すべき金額を研究開発費として損金経理をした場合のその損金経理をした金額

2　御質問の件は、上記⑶に該当することとなり、修繕費として損金経理した500万円全額が「償却費として損金経理をした金額」として取り扱われます。

したがって、決算に当たって計上されている修繕費500万円のうち、償却限度額に相当する金額は償却費として損金の額に算入されますが、償却限度額を超える部分の金額（いわゆる減価償却超過額）は申告調整で加算しなければなりません。

なお⑶の取扱いは、現に有している減価償却資産につき資本的支出と判定される支出を修繕費として経理した場合に適用されるのであって、減価償却資産の購入代価を修繕費として経理した場合には適用されないことにご注意ください。

参考　法31①（減価償却資産の償却費の計算及びその償却の方法）、令54（減価償却資産の取得価額）、令132（資本的支出）、基通７－５－１（償却費として損金経理をした金額の意義）、基通７－５－２（申告調整による償却費の損金算入）

資産に計上しなかった受贈品の取扱い

【問１‐23】　当社は、昨年、自社ビルの完成に伴い取引先から応接セット一式の寄贈を受けましたが、これを資産に計上しないで確定申告書を提出していたことに気付きました。

修正申告書を提出しようと思いますが、減価償却は認められないのでしょうか。

なお、応接セットは時価100万円程度です。

【答】　贈与により取得した減価償却資産の取得価額は、その取得の時におけるその資産の取得のために通常要する価額とこれを事業の用に供するために直接要した費用の額の合計額とされていますので、御質問の場合、本来、次のように処理する必要があります。

（受贈時）

器具及び備品	1,000,000円	／	受贈益	1,000,000円

（決算時）

減価償却費	×××円	／	器具及び備品	×××円

しかし、貴社の場合、このような処理をせずに確定申告書を提出されたことから、修正申告書で申告調整による償却費の損金算入ができないと思われたかもしれませんが、贈与により取得した減価償却資産の取得価額の全部を資産に計上しなかった場合でも、これを事業の用に供した事業年度の確定申告書又は修正申告書（更正又は決定があるべきことを予知して提出された期限後申告書及び修正申告書を除きます。）に添付した「減価償却資産の償却額の計算に関する明細書」にその計上しなかった金額を記載して申告調整をしているときは、その記載した金額は償却費として損金経理した金額に該当するものとして取り扱われます。

したがって、貴社のように税務署から指摘を受ける前に自ら修正申告を行う場合、上記の要件を満たしていれば、その修正申告書において償却限度額までの減価償却が認められます。

参 考　法22②（益金の額に算入すべき金額）、法31①（減価償却資産の償却費の計算及びその償却の方法）、令54①Ⅵ（減価償却資産の取得価額）、令63（減価償却に関する明細書の添付）、基通７－５－２（申告調整による償却費の損金算入）

第２節　減価償却資産の取得価額

減価償却資産の取得価額と消費税の免税事業者

【問１－24】　当社は、基準期間の課税売上高が1,000万円以下で特定期間の課税売上高が1,000万円以下のため消費税は免税事業者となっています。

機械を購入し、税抜き価額100万円、消費税額等10万円の計110万円を支払いました。消費税額等10万円は機械の取得価額に含めることになるのでしょうか。

【答】　消費税の納税義務が免除されているいわゆる免税事業者は、法人税の所得金額の計算に当たって税抜経理方式を適用することはできず、税込経理方式により経理処理することになります。

税込経理方式の場合、消費税額等は取引の対価に含めることになりますので、御質問の機械の取得に係る消費税額等10万円は、取得価額に含める必要があります。

参考　平元直法２－１（消費税法等の施行に伴う法人税の取扱いについて）の**5**（免税事業者等の消費税等の処理）

減価償却資産の取得価額とインボイス制度

【問１－25】　当社は、消費税の経理処理について税抜経理方式を適用しています。インボイス制度開始後に免税事業者から車両を購入し、税抜き価額200万円、消費税額等20万円の計220万円を支払いましたが、消費税額等20万円は車両の取得価額に含めることになるのでしょうか。

なお、当社は、適格請求書発行事業者の登録を受けて、消費税の課税事業者となっています。

【答】　インボイス制度開始後（令和５年10月１日以降）、免税事業者や消費者などの適格請求書発行事業者以外の者（以下「免税事業者等」といいます。）からの課税仕入れについては、税務上、仮払消費税等の額はないこととなります。

そのため、消費税の経理処理を税抜経理方式で行う場合で、免税事業者等から資産を取得したときは、その資産に係る消費税額等を資産の取得価額に含めることとなります。

ただし、インボイス制度開始後６年間は、免税事業者等からの課税仕入れについて、仕入税額相当額の一定割合を課税仕入れに係る消費税額とみなす経過措置が設けられています。（下図参照）

【経過措置】

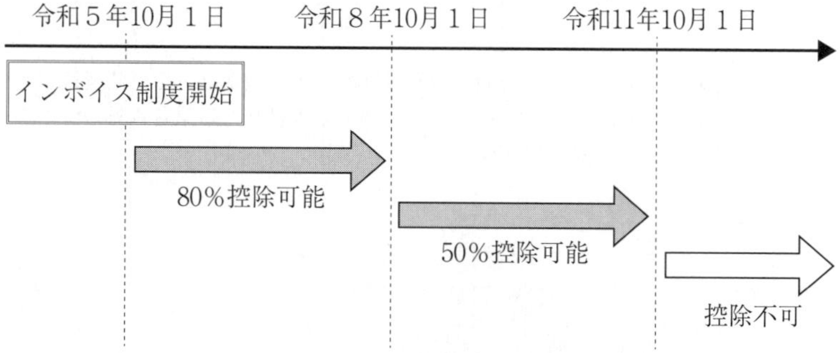

したがって、御質問の消費税額等の取扱いは、その資産を取得した日に応じて、次の１ないし３となります。

1　令和５年10月１日から令和８年９月30日まで（経過措置期間中）に取得した場合

経過措置により、仕入税額相当額の80％を課税仕入れに係る消費税額とみなしますので、残りの20％を資産の取得価額に含めることになります。

したがって、消費税額等20万円のうち、４万円を資産の取得価額に含めることになりますので、車両の取得価額は204万円となります。

2　令和８年10月１日から令和11年９月30日まで（経過措置期間中）に取得した場合

経過措置により、仕入税額相当額の50％を課税仕入れに係る消費税額とみなしますので、残りの50％を資産の取得価額に含めることになります。

したがって、消費税額等20万円のうち、10万円を資産の取得価額に含めることになりますので、車両の取得価額は210万円となります。

3　令和11年10月１日以降に取得した場合

経過措置は適用されませんので、消費税額等は資産の取得価額に含めることになります。

したがって、消費税額等20万円の全額を資産の取得価額に含めることになりますので、車両の取得価額は220万円となります。

※　上記経過措置による仕入税額控除の適用に当たっては、免税事業者等から受領する区分記載請求書等と同様の事項が記載された請求書等及びこの経過措置の適用を受ける旨（80％控除・50％控除の特例を受ける課税仕入れである旨）を記載した帳簿の保存が必要です。

参考　消法30①（仕入れに係る消費税額の控除）、平元直法２－１（消費税法等の施行に伴う法人税の取扱いについて）の14の３（適格請求書発行事業者以外の者から行った課税仕入れに係る消費税等の処理）

減価償却資産の取得価額と控除対象外消費税額等

【問１－26】　当社は、消費税の経理処理について税抜経理方式を適用しています。本社社屋の建設に当たり税抜き価額５億円、消費税額等5,000万円の計５億5,000万円を支払いましたが、当事業年度は課税売上割合が60％ですので、建物の取得に係る控除対象外消費税額等2,000万円が発生します。

この場合の建物の取得に係る控除対象外消費税額等については、建物の取得価額に含めなければならないのでしょうか。

【答】　消費税の経理処理を税抜経理方式で行う場合に発生する資産に係る控除対象外消費税額等を資産の取得価額に含めるかどうかは、法人の任意とされています。

資産の取得価額に含めなかった場合の取扱いは、次のようになります。

１　消費税の課税売上割合が80％以上である事業年度

損金経理により全額を損金の額に算入できます。

２　消費税の課税売上割合が80％未満である事業年度

一の資産に係る控除対象外消費税額等の金額が20万円未満であるもの、棚卸資産に係るもの及び消費税法第５条第１項に規定する特定課税仕入れに係るものについては、損金経理により損金の額に算入できます。

３　上記１及び２の資産に係る控除対象外消費税額等のうち損金経理をしなかった金額並びに１及び２以外の資産に係る控除対象外消費税額等については、繰延消費税額等として次の算式により計算した金額を損金経理により損金の額に算入できます。

（繰延消費税額等の損金算入限度額の計算）

イ　発生事業年度

$$\text{発生事業年度の損金算入限度額} = \frac{\text{発生事業年度の繰延消費税額等}}{60} \times \text{発生事業年度の月数} \times \frac{1}{2}$$

ロ　発生事業年度の翌事業年度以後の各事業年度

$$\text{当該各事業年度の損金算入限度額} = \frac{\text{発生事業年度の繰延消費税額等}}{60} \times \text{当該各事業年度の月数}$$

したがって、御質問の場合に建物の取得に係る控除対象外消費税額等2,000万円を繰延消費税額等とすれば、発生事業年度では2,000万円×$\frac{12}{60}$×$\frac{1}{2}$＝200万円が損金経理により損金の額に算入され、1,800万円が翌事業年度以後に繰り越されます。

（注）　発生事業年度は$\frac{1}{2}$を乗じます。

また、減価償却資産の取得価額に含めた場合には、償却費という形で費用化されます。

なお、資産に係る控除対象外消費税額等について取得価額に含めるかどうかは、法人の任意とされていますが、その事業年度で発生した資産に係る控除対象外消費税額等の全額につき取得価額に含めるかどうかの選択をする必要がありますので、注意してください。

参考　令139の4（資産に係る控除対象外消費税額等の損金算入）、平元直法2－1（消費税法等の施行に伴う法人税の取扱いについて）の13（資産に係る控除対象外消費税額等の処理）

借地権付建物の取得価額

【問１－27】　当社は、Ａ市に営業所を新設することになり、同市内にある借地権付の建物を1,600万円で購入し、土地賃貸借契約の名義変更をしましたが、土地所有者には名義書換料を支払っていません。

なお、建物自体は時価700万円程度のものです。この場合、建物の取得価額を1,600万円として減価償却をしてもよいでしょうか。

【答】　建物とその敷地の所有者が異なる場合には、建物所有者に敷地を使用する権利があることになりますので、建物を取得すれば同時に土地を使用する権利（借地権）を取得したことになります。

したがって、貴社が支払った1,600万円のうち、建物の価額700万円を超える部分の900万円は、その敷地を使用する権利（借地権）の対価であるということになります。

そこで、減価償却の対象となる建物の取得価額と、その対象とならない借地権の価額とに区分しなければなりません。

この場合、名義書換料が土地所有者に支払われているときには、名義書換料を借地権価額に加算することになります。

なお、借地権付きの建物等を取得した場合で、その建物等の購入価額のうち借地権の対価と認められる部分の金額が建物等の購入代価のおおむね10％以下の金額であるときは、強いてこれを区分しないで、その全額を建物等の取得価額に含めることができることとされています。

参考　令54①（減価償却資産の取得価額）、基通７－３－８（借地権の取得価額）

貯油タンク設置のための地質調査費用

【問１－28】　当社は、この度、貯油タンクを設置するための土地を取得することとしましたが、その地質が適合するか否か及びどの程度の補強工事費を要するか判断するため、業者に依頼して地質調査を行いました。

この調査費用はどのように処理すべきでしょうか。

【答】　地質調査、地盤強化、地盛り等に要した費用の額は、それが一般的に土地の造成又は改良のためのものであれば、土地の取得価額に算入することになります。

しかし、御質問の場合は、土地の改良のために支出した費用というより、むしろ貯油タンクを建設するに当たって、必要とする費用としての性格が強いものと認められますので、その地質調査に要した費用の額は貯油タンク（構築物）の取得価額に含めることになります。

なお、自己所有地について地質調査を行い、構築物を建設した場合にも、その調査費用は構築物の取得価額に含めることになります。

参考　令54①（減価償却資産の取得価額）、基通７－３－４（土地についてした防壁、石垣積み等の費用）

取得価額に含める付随費用

【問１－29】　当社は、機械部品のメーカーです。この度、工作機械を購入しましたが、当社の工場渡し価額が300万円でしたから、この価額を減価償却資産である機械勘定に計上しました。このほか機械据付費、電気配線工事費、試運転費の合計25万円を経費処理していますが、これでよいのでしょうか。

【答】　他から購入した減価償却資産の取得価額は、次の１と２の合計額となります。

１　その資産の購入代価（引取運賃、荷役費、運送保険料、購入手数料、関税その他その資産の購入のために要した費用がある場合には、その費用を加算した金額）

２　その資産を事業の用に供するために直接要した費用の額

ところで、貴社が購入された工作機械の価額300万円は、貴社の工場渡しとなっているようですから、いわゆる購入諸掛を含んでいると思われますが、据付費、電気配線工事費及び試運転費についても、その工作機械を事業の用に供するために直接要した費用となりますので、その合計額25万円は、工作機械の取得価額に含める必要があります。

（注）　機械の取得価額に算入する電気配線工事の範囲については、一般的には、例えば分電盤からそれぞれの機械に配線されている場合は、その分電盤後の部分から機械までの間の工事となります。（受配電設備（キュービクル）等の耐用年数については、**【問３-37】**を参照してください。）

参考　令54①（減価償却資産の取得価額）

機械と同時に取得するソフトウエアの取扱い

【問１－30】　当社は、この度、航空機製作用のＮＣ旋盤を1,000万円で購入しましたが、更に、このＮＣ旋盤の性能を十分に発揮させるためのソフトウエアの取得費用として300万円を支払いました。

このソフトウエアの取得費用は、ＮＣ旋盤の取得価額に算入することになるのでしょうか。

【答】　ソフトウエアは、無形固定資産に該当します。

しかし、設備に固定的に組み込まれていて、最低限そのソフトウエアがなければ設備そのものが作動しないような基本的なソフトウエアは、設備そのものですから、ＮＣ旋盤の取得価額に含めなければなりません。

したがって、御質問のソフトウエアの取得費用の取扱いは、ＮＣ旋盤の使用上必要な費用であるのかどうかで異なってきます。

御質問のソフトウエアが、そのＮＣ旋盤のいわゆる基本ソフトといわれるものでない場合は、無形固定資産に該当し、自社で使用するため「その他のもの」として５年の耐用年数で償却することとなります。

参考　法２ⅩⅩⅡ、ⅩⅩⅢ、令13Ⅷ（減価償却資産の範囲）、令54①（減価償却資産の取得価額）、耐用年数省令　別表第三

自社製作したソフトウエアの取得価額

【問１－31】　当社は、今回、自社使用する販売管理用のソフトウエアを開発しましたが、その取得価額についてはどのように算定すればよいのですか。

【答】　自社で製作したソフトウエアについては、これを資産計上することとなります。

この場合、資産計上すべき金額は、減価償却資産の取得価額の規定に従うことから、そのソフトウエアの製作のために要した材料費や人件費等の費用のほか、そのソフトウエアを事業の用に供するために直接要した費用の額が取得価額となります。

したがって、御質問の自社製作の販売管理用のソフトウエアについては、その製作に要した材料費や人件費等を合理的に区分して抽出し、その取得価額を算定することとなります。

参考　法２ＸＸⅡ、ＸＸⅢ、令13Ⅷ（減価償却資産の範囲）、令54①（減価償却資産の取得価額）、基通７－３－15の２（自己の製作に係るソフトウエアの取得価額等）、耐用年数省令　別表第三

ソフトウエアの取得価額に算入しないことができる費用

【問１－32】　当初は販売管理用のソフトウエアの開発を行う予定でしたが、完成する直前に計画の変更があり、急きょ、営業管理用のソフトウエアの開発を行うことになり、この度、そのソフトウエアが完成しました。

この営業管理用のソフトウエアの取得価額を算出するに当たり、開発途中であった販売管理用のソフトウエアに係る費用を取得価額に含める必要はありますか。

【答】　自社で製作するソフトウエアは無形固定資産に該当し、その取得価額については、そのソフトウエアの製作のために要した費用を適正な原価計算に基づき合理的に算出することとなっています。

ところで、ソフトウエアの取得価額を求めるに際して、次に掲げるような費用の額は、ソフトウエアの取得価額に算入しないことができます。

(1)　自己の製作に係るソフトウエアの製作計画の変更等により、いわゆる仕損じがあったため不要となったことが明らかなものに係る費用の額

(2)　研究開発費の額（自社利用のソフトウエアに係る研究開発費の額については、その自社利用のソウトウエアの利用により、将来の収益獲得又は費用削減にならないことが明らかな場合における当該研究開発費の額に限る。）

(3)　製作等のために要した間接費、付随費用等で、その費用の額の合計額が少額（その製作原価のおおむね３％以内の金額）であるもの

したがって、御質問の場合には、当初の販売管理用のソフトウエアの開発に係る費用については、製作計画の変更により、仕損じとして不要となったことが明らかなものであるため、営業管理用のソフトウエアの取得価額に含める必要はないこととなります。

参考　法２ⅩⅩⅡ、ⅩⅩⅢ、令13Ⅷ（減価償却資産の範囲）、基通７－３－15の２（自己の製作に係るソフトウエアの取得価額等）、基通７－３－15の３（ソフトウエアの取得価額に算入しないことができる費用）

開発を外部委託したソフトウエアの取得価額

【問１－33】　当社は自社で使用する給与計算用のソフトウエアの開発を他社に外部委託しましたが、その委託費用はどのように取り扱うのですか。

【答】　他の者から購入したり他社に開発を委託したソフトウエアに係る費用は、減価償却資産の取得価額の規定に従い無形固定資産の取得価額とされます。

したがって、御質問の給与計算用のソフトウエアの開発委託費用については、無形固定資産として資産計上することとなります。

なお、ソフトウエアの取得価額には購入価額のほかに引取運賃、購入手数料等の購入のために要した費用や、組込費用等の事業の用に供するために直接要した費用も含まれますので注意してください。

また、他の者から購入したソフトウエアについても、そのソフトウエアの導入に当たって必要とされる設定作業及び自社の仕様に合わせるために行う付随的な修正作業等の費用の額は、そのソフトウエアの取得価額に含める必要があります。

参考　法２ⅩⅩⅡ、ⅩⅩⅢ、令13Ⅷ（減価償却資産の範囲）、令54①（減価償却資産の取得価額）、基通７－３－15の２（自己の製作に係るソフトウエアの取得価額等）、耐用年数省令　別表第三

既存のソフトウエアの仕様を大幅に変更した場合の取得価額

【問１－34】　当社は、自社で使用しているソウトウエアの仕様を大幅に変更し、新たなソフトウエアを製作しました。既存のソフトウエアは、新たなソフトウエアの製作後、利用する見込みはありません。既存のソフトウエアの帳簿価額は損金の額に算入してよいでしょうか。

【答】　既に有しているソフトウエア又は購入したパッケージソフトウエア等（以下「既存ソフトウエア等」といいます。）の仕様を大幅に変更して、新たなソフトウエアを製作するための費用の額は、新たなソフトウエアの取得価額として資産計上することとなります。

この場合、新たなソフトウエアを製作することに伴い、その製作後、既存ソフトウエア等を利用することが見込まれない場合は、その既存ソフトウエア等の残存簿価は、当該新たなソフトウエアの製作のために要した原材料費となります。

したがって、ご質問の既存のソフトウエアの帳簿価額は、新たなソフトウエアの取得価額に含めて資産計上することとなります。

なお、研究開発費の額と認められる部分の金額については、ソフトウエアの取得価額に算入しないことも認められます（**【問１－32】**の**【答】**の(2)参照）。

参考　法２ＸＸⅡ、ＸＸⅢ、令13Ⅷ（減価償却資産の範囲）、令54①（減価償却資産の取得価額）、基通７－３－15の２（自己の製作に係るソフトウエアの取得価額等）、基通７－３－15の３(2)（ソフトウエアの取得価額に算入しないことができる費用）

建物購入契約の解除により支出した違約金の取扱い

【問１－35】　当社は、手付金100万円を支払ってＡ建物の購入契約をしました。しかし、その後、立地条件のよいＢ建物を購入することとし、これに伴ってＡ建物の購入契約を解除したため違約金として手付金100万円を没収されました。

この場合の違約金100万円については、Ｂ建物の取得価額に算入しなければならないのでしょうか。

【答】　Ａ建物からＢ建物に乗り替えるために支出を余儀なくされた違約金については、その動機に照らし、これをＢ建物の取得価額に算入しなければならないという考え方がないわけではありません。

しかしながら、Ａ建物の契約とＢ建物の契約とはそれぞれ別個のものであり、法人としては、Ａ建物はＡ建物としてその取得を断念したのですから、常にＡ建物に係る違約金をＢ建物の取得価額に算入することを強制するというのも実情に合いません。このため御質問の違約金は、Ｂ建物の取得価額に算入しないで、一時の損金として経理することができます。

参考　令54①（減価償却資産の取得価額）、基通７－３－３の２（固定資産の取得価額に算入しないことができる費用の例示）

固定資産税相当額の取扱い

【問１－36】　当社は、本年４月に本社の社屋として中古のビル(土地・建物）を取得しました。

本年度の固定資産税の納税義務者は売主となりますが、売買契約書において、本年度分の固定資産税については、売主と当社の間で所有期間に応じた負担額を取り決め、本年度分のうち５月から12月までの所有期間に対応する固定資産税相当額を当社が売主に支払いました。

この固定資産税相当額は、土地及び建物の取得価額に含めなければならないのでしょうか。

【答】　固定資産税は毎年１月１日における土地・建物等の所有者に対して課税されますから、４月に土地・建物等の売買を行った場合、本年度の納税義務者は売主となります。

このような場合、売買当事者間で、本年度分の固定資産税について、所有期間に応じた負担額を取り決めていることが多い状況にあります。

固定資産の取得に関連して支出する費用のうち、不動産取得税、登録免許税等の租税公課については、固定資産の取得によって生じる一種の事後的費用ですから、固定資産の取得価額に算入しないことができるとされています。

これに対し、御質問の固定資産税については、１月１日の賦課期日現在において売買されたビルの所有者でない限り買主に納税義務はありません。

すなわち、貴社の負担額は、税金ではなく税金相当額であるということができ、固定資産税を納付することなくビルの土地・建物を利用することができる対価、つまり土地・建物そのものの対価ということになります。

したがって、負担額を土地・建物の売買価額と別に支払ったとしても、負担額は必ず土地・建物の取得価額に算入しなければならないことになります。

一方、売主にとっても、貴社の負担額はビル（土地・建物）の譲渡対価に含められることになります。

参考　令54①（減価償却資産の取得価額)、基通７－３－３の２（固定資産の取得価額に算入しないことができる費用の例示）

建物の取得に係る借入金利子

【問１－37】　前期から建設に着手していた当社Ａ工場が、この度完成し、操業することになりました。

ところで、工場建設に当たっては、その建設資金を銀行借入金によったため、前期に利子を支払っていますが、この利子は、建設仮勘定に含める処理をしております。

しかし、固定資産を取得するための借入金利子は、取得価額に含めなくてもよいとのことですので、工場完成に当たり、利子相当額を控除した金額を建設仮勘定から建物勘定に振り替えたいと思っております。この経理処理は認められるのでしょうか。

【答】　固定資産を取得するために借り入れた借入金の利子については、その固定資産の使用開始前の期間に係るものであっても、これを固定資産の取得価額に含めるかどうかは、法人の任意とされています。

なお、この支払利子を取得価額に含めるかどうかの選択は、その利子を支出した日の属する事業年度において選択すべきであり、固定資産の取得価額に含めた支払利子をその後の事業年度において、取得価額から控除することはできません。

したがって、御質問のように建設仮勘定に含めた支払利子も同様で、支出した日の属する事業年度において、いったん建設仮勘定に含めることを選択した支払利子については、建設仮勘定から建物勘定に振り替える際にそれを抜き出して損金の額に算入することはできませんので、注意してください。

参考　令54①（減価償却資産の取得価額）、基通７－３－１の２（借入金の利子）

店舗新築に係る開発負担金

【問１－38】　当社は、スーパーマーケットを営む法人ですが、この度、Ｙ市に支店を建築することになりました。

ところで、Ｙ市においては、一定規模以上の宅地開発又は建物の建築をする場合は、同市の開発指導要綱に基づき、一定額の負担金を同市に支払うものとされています。

この負担金は、同市の公立学校や公民館等の公益施設の整備費に充てられるということですが、当社が支払うこの負担金は、建物の取得価額に算入しなければなりませんか。

【答】　地方公共団体の中には、一定規模以上の土地、建物の造成又は建築等（以下「宅地開発等」といいます。）を行う者に対して、これら地方公共団体の定める開発指導要綱に基づき負担金（以下「開発負担金」といいます。）の納付を求めるケースがあります。

この開発負担金については、それが宅地開発等の許可を得るために直接必要であることから、土地、建物等の取得価額に算入するという考え方もありましょう。

しかしながら、開発負担金の内容は区々にわたっていることから、およそ一律に土地、建物等の取得価額に算入しなければならないというのは、必ずしも妥当ではありません。

そこで、宅地開発等に関連して公共的施設等の設置又は改良に充てるものとして支出する開発負担金等（これに代えて提供する土地又は施設を含み、純然たる寄附金の性質を有するものを除きます。）は、その性質に応じて次のように取り扱われることになっています。

(1) 例えば団地内の道路、公園又は緑地、公道との取付道路、雨水調整池（流下水路を含みます。）等のように直接土地の効用を形成すると認められる施設に係る負担金等の額は、その土地の取得価額に算入します。

(2) 例えば上水道、下水道、工業用水道、汚水処理場、団地近辺の道路（取付道路を除きます。）等のように土地又は建物等の効用を超えて独立した効用を形成すると認められる施設でその法人の便益に直接寄与すると認められるものに係る負担金等の額は、それぞれその施設の性質に応じて無形減価償却資産の取得価額又は繰延資産とします。

(3) 例えば団地の周辺又は後背地に設置されるいわゆる緩衝緑地、文教福祉施設、環境衛生施設、消防施設等のように主として団地外の住民の便益に寄与すると認められる公共的施設に係る負担金等の額は、繰延資産とし、その償却期間は８年とします。

御質問の場合、貴社が支払う負担金は、上記(3)に該当すると思われますので、建物の取得価額に算入せず、繰延資産として、８年で償却することになります。

参考　法32（繰延資産の償却費の計算及びその償却の方法）、令14（繰延資産の範囲）、令54①（減価償却資産の取得価額）、令64（繰延資産の償却限度額）、基通７－３－11の２（宅地開発等に際して支出する開発負担金等）

地鎮祭等に要した費用の取扱い

【問１－39】　新しく工場を建設するに当たって、地鎮祭及び上棟式に要した費用並びに落成式に要した費用は、工場の取得価額に算入しなければなりませんか。

【答】　減価償却資産の取得価額には、その資産を事業の用に供するために直接要した費用の額が含まれることになりますから、工場建設に伴って支出する費用のうち、工場が完成するまでに要したものは全て取得価額に算入しなければなりません。

しかし、事業の用に供した後に生ずる付随費用は取得価額に算入しないことができます。

したがって、御質問の地鎮祭及び上棟式に要した費用は、取得価額に算入しなければなりませんが、建設した工場を事業の用に供した後に生じた落成式の費用は取得価額に算入しないことができます。

参考　令54①（減価償却資産の取得価額）、基通７－３－７（事後的に支出する費用）

建物等の建設に当たって支出した日照権等の解決金の取扱い

【問１－40】　当社は、従来、社屋として２階建の木造建物を有していましたが、この度この建物を取り壊して鉄筋コンクリート造６階建の新社屋を建設することになりました。

ところが、この建設工事を始めた段階で、付近の住民から日照権の侵害及びテレビ難視聴を訴えられ、交渉の結果、解決金を支出することとしました。

この解決金の支払時期は、社屋完成後としていますが、その際、一時の損金として経理することができますか。

【答】　新工場の落成、操業開始等に伴って支出する記念費用等のように減価償却資産の取得後に生ずる付随費用の額は、その減価償却資産の取得価額に算入しないことができます。

しかし、社屋、マンション等の建設に伴って支出する住民対策費、公害補償費等については、たとえその支出が建設後に行われるものであっても、当初からその支出が予定されているような場合には、毎年支出することとなる補償金を除き、その建物の取得価額に算入することとされています。

したがって、御質問の解決金については、建物の取得価額に算入しなければなりません。

参考　令54①（減価償却資産の取得価額）、基通７－３－７（事後的に支出する費用）

住民の反対により工事が遅延した期間に発生した費用の取扱い

【問１－41】　当社は、15階建の貸ビルを建設しようとしましたが、付近の住民の反対があったため、建設工事が遅れました。

このため建設資材の置場を借り上げ、借地料を支払いましたが、貸ビルを取得するために要した費用として、取得価額に算入すべきでしょうか。

あるいは、異常原因による費用として支出時に損金としてよいのでしょうか。

【答】　工場、ビル、マンション等の建設に伴って支出する住民対策費、公害補償費等の費用で当初からその支出が予定されているものについては、たとえその支出が建設後に行われるものであっても、原則として、その減価償却資産の取得価額に算入する必要があります。

しかし、御質問の借地料は、建設に着手するときから予想されなかった住民の反対があり、これに基因して支払わなければならなくなったのですから異常原因による支出となりますので、支出の都度損金経理してよいものと考えます。

参考　令54①（減価償却資産の取得価額）、基通７－３－７（事後的に支出する費用）

建物の建設に当たって支出した交際費等の取扱い

【問１－42】　当社は、本年１月に完成した本社新社屋の取得価額に、期中に支払った①新社屋建設に対する周辺住民の同意を得るため、その取りまとめを依頼した地区内の有力者に対する謝礼金（500万円）と、②取引関係者を招待して開催した竣工記念パーティー費用（1,000万円）とを含めていますが、税務上の取扱いはどのようになりますか。

なお、当社は、年１回３月決算、期末資本金は7,000万円で、支出交際費等の金額は3,000万円（①及び②の金額を含みます。）です。

※　損金不算入額は定額控除限度額を超える部分の金額とします。

【答】　御質問の場合、建物の取得価額に算入した①及び②の費用1,500万円は、いずれも交際費等に該当しますので、交際費等の損金不算入額として所得に加算することになります。

しかしながら、交際費等の額が資産の取得価額の中に含まれている場合において、その交際費等について損金不算入額が生じているときには、その交際費等を企業会計上は損金の額に算入していないのに申告調整で所得に加算することとなり、結果として、損金不算入が二重に生じることになります。

そこで、このような二重課税を調整するため、その事業年度の確定申告書においてその建物の取得価額に算入した額のうち損金不算入額からなる部分の金額を限度として、その建物の取得価額から減額することができます。

（建物の取得価額から減額できる金額の計算式）

$$\text{交際費等の損金不算入額} \times \frac{\text{取得価額に含まれている交際費等の金額}}{\text{支出交際費等の金額}}$$

したがって、御質問の場合は、$(3{,}000\text{万円} - 800\text{万円}) \times \dfrac{1{,}500\text{万円}}{3{,}000\text{万円}} = 1{,}100$万円となり、建物の取得価額から1,100万円を減額することができます。

すなわち、申告調整によって別表四の減算欄で所得金額から減算し（同時に別表五(一)に「建物△1,100万円」と表示します。)、翌期においては、決算調整によりこれを受入れすることになります。

参考　令54①（減価償却資産の取得価額)、措通61の４(2)－７（原価に算入された交際費等の調整）

訴訟費用等の取扱い

【問１－43】　当社が買い入れた家屋には、不法居住者がいましたので、これを立ち退かせるために訴訟を提起し勝訴しましたが、この間、訴訟費用10万円、弁護士費用100万円を支出しております。

この場合の訴訟費用等は、その建物の取得価額に算入しなければなりませんか。

なお、立退きに要する費用は、当社が負担する契約でした。

【答】　御質問の場合は、不法居住者がいることを前提として建物を取得（売買価額もこれらの条件を考慮して決定されるのが通例と思います。）されたものと考えられます。

したがって、訴訟費用等は、その建物を取得するために直接要した費用であるといえますので、建物の取得価額に算入すべきであると考えます。

なお、訴訟費用等であっても、例えば売掛代金の取立てのための訴訟費用等のように、資産の取得に直接関係のないものについては、その支出の都度損金として処理することになります。

参考　令54①（減価償却資産の取得価額)、基通７－３－７（事後的に支出する費用）

リノリューム床張り費用の取扱い

【問１－44】　当社は婦人服の小売業を営んでいますが、この度、鉄筋コンクリート造の店舗を新築し、この建物にリノリュームの床張りをしました。

この床張りの費用について、建物本体と切り離して耐用年数省令別表第一の「器具及び備品」の「１　家具、電気機器、ガス機器及び家庭用品」の「じゅうたんその他の床用敷物」の「小売業用、接客業用、放送用、レコード吹込用又は劇場用のもの」の耐用年数３年を適用してもよいのでしょうか。

【答】　耐用年数省令別表第一の「器具及び備品」の「１　家具、電気機器、ガス機器及び家庭用品」に掲げる「じゅうたんその他の床用敷物」に該当するものは、じゅうたん、カーペット、ビニール布敷物、花むしろ等で、通常の場合、建物の床と容易に分離することができ、かつ、他の場所などに直ちに転用可能なものをいいます。

ところで、御質問のリノリュームの床張りですが、これらは通常の場合、建物の床自体に密着させて床の基材と一体となって使用されるものであり、床の基材から分離するとその効用価値が全く失われるものです。

したがって、リノリュームは、建物の床そのものを構成する部分と考えられますので、建物本体と切り離して別の耐用年数を適用することはできません。

なお、御質問のリノリュームの床張り費用は、畳、建具等と同様に建物の取得価額に算入することとなります。

参考　令54①（減価償却資産の取得価額）、耐用年数省令　別表第一

仮営業所の支出費用の取扱い

【問１- 45】　当社は、本社の建物が火災により焼失したため、現在、新社屋を建設中ですが、それが完成するまでの間、他社のビルを借り受けて営業しています。

当社は、このビルの賃借に際し、内部改装工事を施工しましたが、その内装部分は、ビル退去時にそのままの状態で家主に引き渡し、家主には費用を一切請求しないとの覚書を交わしています。

この内部改装工事に要した費用は、新社屋の取得価額に算入すべきでしょうか。

【答】　賃借ビルの改装費用は、新社屋建築のために直接必要なものではなく、新社屋が完成するまでの間の業務遂行上の必要から生じた費用と考えるのが適当と思われますから、新社屋の取得価額に算入する必要はありません。

なお、仮営業所における営業期間が１年以上であれば、その改装費用は、他人の建物に対する内部造作として資産計上し、その仮営業所を廃止した時に未償却残額を除却損失として処理することとなります。

また、償却期間は、耐通１－１－３により、合理的に見積もった期間とします。（見積計算の具体例については、**【問３-28】**を参照してください。）

参考　令54①（減価償却資産の取得価額）、耐通１－１－３（他人の建物に対する造作の耐用年数）

建物の建替えに伴う旧建物の取壊損失の取扱い

【問１‐46】　当社では、木造である現社屋が手狭になり、また防災上の理由もあって、今回、現社屋を取り壊し、同じ場所に鉄筋コンクリート造の新社屋を建てることにしました。

現社屋は建物としてはまだ十分に使用できるものであり、新社屋に建て替えるために取り壊すことになりますから、現社屋の取壊損失（帳簿価額から残材の価額を控除した金額及び取壊費用）は新社屋の取得価額に含めることになるのでしょうか。

【答】　法人が、まだ使用に耐え得る建物を取り壊して、新しい建物に建て替える場合であっても、その取壊損失は、取り壊した事業年度の損金の額に算入することになっています。

したがって、御質問の場合は、その取壊損失を新しい建物の取得価額に算入する必要はありません。

なお、例えば、社屋の新築用地とするために建物付きの土地（借地権を含みます。）を取得した後、直ちにその建物を取り壊す場合のように、もともと建物を利用する意思がなく、当初からその建物を取り壊して土地を利用する目的であるということであれば、土地とともに取得した建物等を取り壊す場合の建物の取壊損失は、その土地の取得価額に算入することになります。

［参考］ 基通７－３－６（土地とともに取得した建物等の取壊費等）、基通７－７－１（取り壊した建物等の帳簿価額の損金算入）

砂利の敷設費用

【問1－47】　当社は、空地利用の目的で駐車場業を始めましたが、そのままの状態では駐車場として使用できないので、砂利及び砕石を敷設し、地固めをしました。

これに要した費用をどのように処理すればよいのでしょうか。

【答】　現に使用している土地の水はけを良くする等のために行う砂利、砕石等の敷設費用又は砂利路面に砂利を補充する費用については、いわば通常の維持管理ないしは原状回復の費用として修繕費処理を認めることとされています。

しかし、御質問の場合は、未利用地を駐車場用地として事業の用に供するために支出された整地費用であることから、この取扱いの適用はありません。

したがって、土地の表面に砂利、砕石等を敷設するために要した費用については、整地費用であるとして土地の取得価額に含めるという考え方もできますが、これらは、いずれにしても土地の表面の舗装には違いないことから、石敷の舗装道路と同様に、耐用年数省令別表第一の「構築物」の「舗装道路及び舗装路面」の「石敷のもの」に該当するとして、その耐用年数15年を適用することになります。

参考　耐用年数省令　別表第一、基通7－3－4（土地についてした防壁、石垣積み等の費用）、基通7－8－2(5)（修繕費に含まれる費用）、耐通2－3－13（砂利道）

道路の造成費用

【問１－48】　当社では、この度、工場構内の舗装道路を一部延長しましたが、その際、道路敷地となる部分に傾斜地があったので、これを平たんにした上で、道路を敷設しました。

この傾斜地を平たんにするために要した費用は、道路を敷設するために必要となったものですから、舗装道路の取得価額に含めてよろしいでしょうか。

【答】　舗装道路敷設のため、傾斜地を平たんにした費用は、土地を道路として利用するための造成費用ですから、土地に対する追加投資として土地の取得価額に算入されます。

なお、舗装のための路盤部分は、舗装道路に含めて償却することができます。

（参考）舗装道路の構造の一例

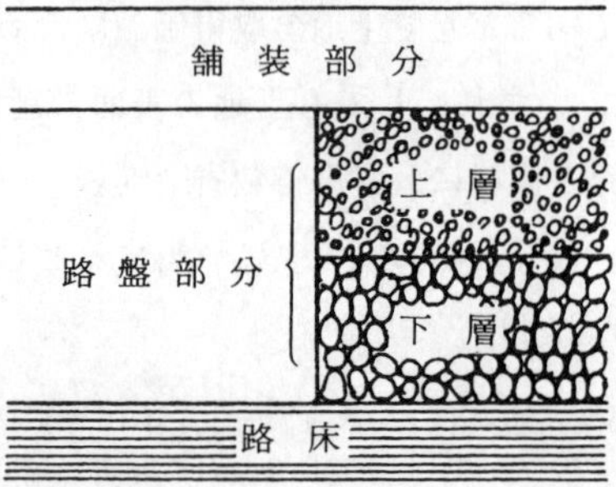

参考　令54①（減価償却資産の取得価額）、基通７－３－４（土地についてした防壁、石垣積み等の費用）、耐通２－３－10（舗装道路）

宅地造成に当たって他人所有の隣接地との間に防壁を設置した費用の取扱い

【問１－49】　当社は、農地を買い入れ、工場を建設すべく整地していたところ、土砂が隣接地に崩れましたので、その土地所有者から土砂崩れ防止のための防壁を設置するようにとの申入れを受けました。

そこで、250万円で鉄筋コンクリート造の防壁を築きましたが、構築物とすべきでしょうか。あるいはその土地の取得価額に算入すべきでしょうか。

【答】　土地の地ならし、埋立て等の整地に要した費用の額、防壁、石垣積み等、土地を造成又は改良するための工事費用は、その土地の取得価額に算入することとされています。

しかしながら、土地を造成又は改良するためにした防壁、石垣積み等であっても、その規模、構造等からみて、土地と区分して構築物とすることが適当と認められるものの費用については、それぞれの構築物の取得価額とすることができることとされています。

また、専ら建物、構築物等の建設のために行う地質調査、地盤強化、地盛り、特殊な切土等土地の改良のためのものでない工事に要した費用については、その建物、構築物等の取得価額に含まれます。

御質問の場合には、農地の取得価額、防壁の規模が判然としませんが、その構造等からみて、構築物として取り扱うのが相当と考えられます。

参考　令54①（減価償却資産の取得価額）、基通７－３－４（土地についてした防壁、石垣積み等の費用）

機械を購入した後の事業年度において値引き等があった場合の取扱い

【問１－50】　前期に1,000万円で購入した機械について、その性能に難点があったため、販売業者との交渉の結果、200万円の値引きを受け、現金で受領しました。この200万円については、その全額を当期の雑益として経理しなければならないでしょうか。

なお、その機械の当期首の帳簿価額は850万円です。

【答】　法人の有する固定資産について、値引きがあった場合には、帳簿価額の修正経理ができます。

この修正経理は、その値引金額を未償却残額から全額減額するのではなく、次により計算した金額の範囲内で、その値引きのあった日の属する事業年度の確定した決算において、減額経理を行うこととなります。

$$\underset{（値引額）}{200万円} \times \frac{\overset{（帳簿価額）}{850万円}}{\underset{（取得価額）}{1{,}000万円}} = 170万円 \quad \left(\begin{array}{l}当期において帳簿価\\額を減額できる金額\end{array}\right)$$

修正仕訳

借方	金額	貸方	金額
現　金	200万円	機　械	170万円
		前期損益修正益	30万円

参考　令54①（減価償却資産の取得価額）、基通７－３－17の２（固定資産について値引き等があった場合）

自動車の取得に伴う諸費用の取扱い

【問１－51】　当社は、自動車の取得に際して次の諸費用を支払いましたが、これらの費用は、その自動車の取得価額に含めなければならないでしょうか。

①　自動車取得税

②　自動車重量税

③　自動車税

④　自動車損害賠償責任保険（自賠責）の保険料

⑤　検査登録費用

⑥　車庫証明費用

⑦　カーナビゲーション

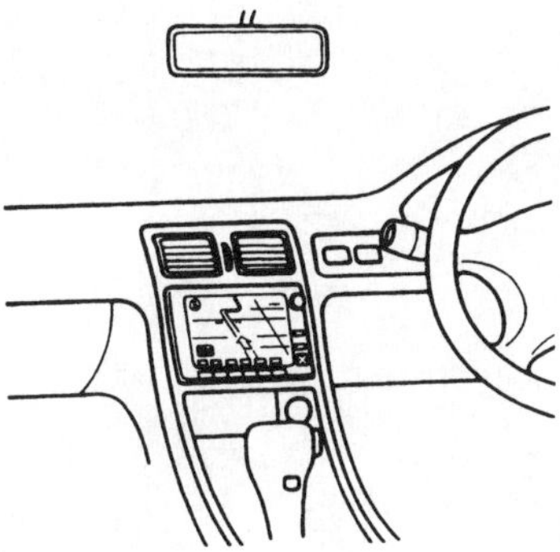

なお、この自動車はリース取引により引渡しを受けたものです。

【答】　自動車の取得に伴う諸費用のうち、①、⑤、⑥は、いずれも自動車の取得に関連して支出するものですから、本来はその取得価額に算入すべきものですが、これらの費用（租税公課等）は事後的なもので、その性格も流通税的なものや第三者への対抗要件を備えるためのものと考えられていることから、これらの費用を自動車の取得価額に算入するかどうかの判断は貴社の経理処理に委ねられています。

つまり、自動車の取得価額に含めてもよいし、あるいは一時の費用として損金経理も認められています。

また、②～④については、自動車を取得することにより支出する事後的費用と考えられますので、自動車の取得価額に含める必要はありません。

一方、⑦については、自動車購入の際に取り付け、かつ、自動車に常時搭載する機器ですので、自動車の取得価額に含めて「車両及び運搬具」の耐用年数を適用することになります。

参 考　令54①（減価償却資産の取得価額）、基通７－３－３の２（固定資産の取得価額に算入しないことができる費用の例示）、耐通２－５－１（車両に搭載する機器）

特約販売店等が製造業者等から交付を受けた自動車の取得価額

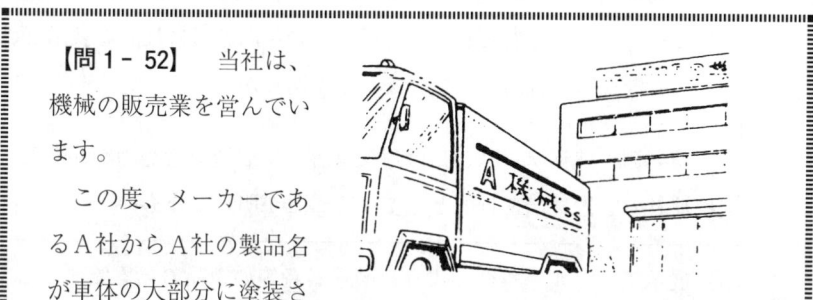

【問１－52】　当社は、機械の販売業を営んでいます。

この度、メーカーであるＡ社からＡ社の製品名が車体の大部分に塗装された新品の小型トラックの交付を受け、Ａ社に対して100万円を支払いました。

このトラックのＡ社の購入価額は210万円ですので、当社もその取得価額を210万円とすることになるのでしょうか。

【答】　特約販売店等が製造業者等から交付を受けた資産が広告宣伝用資産である場合には、その経済的効果が製造業者等にもあるという特殊性を考慮して、特約販売店等が受けた経済的利益の額は、次により計算した金額とし、その金額が30万円以下であるときは、経済的利益の額はないものとされています。

$$\begin{array}{c}\text{経済的}\\\text{利益の額}\end{array} = \left(\begin{array}{c}\text{製造業者等のその}\\\text{資産の取得価額}\end{array} \times \frac{2}{3}\right) - \begin{array}{c}\text{販売業者がその取得の}\\\text{ために支出した金額}\end{array}$$

したがって、御質問の小型トラックの取得価額は、次のとおり、経済的利益の額とＡ社に対して支払われた金額との合計額である140万円となります。

経済的利益の額	210万円 $\times \frac{2}{3}$ － 100万円 ＝ 40万円
取　得　価　額	40万円 ＋ 100万円 ＝ 140万円

仕　訳	車　両	140万円	現　金	100万円
			受贈益	40万円

なお広告宣伝用資産の範囲は、次のとおりです。

①	自動車(自動三輪車及び自動二輪車を含みます。)で車体の大部分に一定の色彩を塗装して製造業者等の製品名又は社名を表示し、その広告宣伝を目的としていることが明らかなもの
②	陳列棚、陳列ケース、冷蔵庫又は容器で製造業者等の製品名又は社名の広告宣伝を目的としていることが明らかなもの
③	展示用モデルハウスのように製造業者等の製品の見本であることが明らかなもの

（注）広告宣伝用の看板、ネオンサイン、どん帳のように専ら広告宣伝の用に供される資産については、その取得による経済的利益の額はないものとされます。

参考 令54①（減価償却資産の取得価額）、基通４－２－１（広告宣伝用資産等の受贈益）、基通４－２－２（広告宣伝用資産の取得に充てるため金銭の交付を受けた場合の準用）

太陽光発電設備の連系工事負担金の取扱い

【問１－53】　当社は、太陽光発電設備を取得し、発電した電力を電力会社へ売電する事業を行う予定です。

太陽光発電設備により発電した電力を電力会社に供給するためには、電力会社の電気供給設備に太陽光発電設備を接続（系統連系）する必要があります。この系統連系に伴い、電力会社の電気供給設備を新たに設置することになりましたが、その工事費用については、電力会社との間の契約に基づき当社が負担することとしています。

この場合、当社が負担する工事費用（以下「連系工事負担金」といいます。）は、太陽光発電設備の取得価額に含めるべきでしょうか。

【答】　連系工事負担金は、電力会社の所有物となる電気供給設備の工事費用を貴社が負担するものであり、貴社の所有する太陽光発電設備に対する支出ではありません。

また、貴社は、連系工事負担金を支出することで電力会社の送配電網を利用して発電した電力を売電できるようになります。

したがって、この連系工事負担金は、太陽光発電設備の取得価額に含めることはできず、貴社にとって自己が便益を受けるために支出する費用でその支出の効果がその支出の日以後１年以上に及ぶものとして繰延資産に該当します。

なお、連系工事負担金（繰延資産）の償却期間については、系統連系工事によって設置される電気供給設備の耐用年数や電力会社との契約期間等を基に合理的に見積もることとなります。

ところで、事業者が、電力会社から電気の供給を受けるため、電力会社における電気供給施設を設けるための費用を負担することがあり、この負担金は、無形減価償却資産である「電気ガス供給施設利用権」に該当し、その法定耐用年数は「15年」とされています。

連系工事負担金は、電力会社の電気供給設備についてその工事費を負担するという点や系統連系工事により設置される電気供給設備とこの負担金により設置される施設の内容が類似していることから、連系工事負担金の償却期間について、「電気ガス供給施設利用権」の耐用年数に準じて「15年」とすることは合理的と考えられます。

なお、連系工事負担金の償却期間について、例えば、電力会社との契約における受給期間とするなど、発電事業者が償却期間を合理的に見積もっている場合は、当該期間によっても差し支えありません。

（注）　受給期間は、再生可能エネルギー電気の利用の促進に関する特別措置法第３条第２項に規定する調達期間（固定価格で買い取る期間）を限度として電力会社と発電事業者との契約で設定される期間であり、その期間内は売電を行うことが合意されています。

なお、例えば、受給期間を１年とし、自動更新というような場合は受給期間の終期が定められていないことから、調達期間（10ＫＷ以上20年、その他10年）を受給期間とみることとなります。

また、繰延資産として支出する金額が20万円未満である場合には、その支出の日の属する事業年度において損金経理をした金額は損金の額に算入することとされています。したがって、連系工事負担金として支出する金額が20万円未満である場合には、その全額を支出の日の属する事業年度の損金の額に算入することができます。

参考　法２XXIV、令13（減価償却資産の範囲）、令14（繰延資産の範囲）、令54（減価償却資産の取得価額）、令134（繰延資産となる費用のうち少額のものの損金算入）、耐用年数省令　別表第三、基通８－２－１（効果の及ぶ期間の測定）、再生可能エネルギー電気の利用促進に関する特別措置法３②

第３節　少額の減価償却資産の取得価額の損金算入

少額又は使用可能期間が１年未満の減価償却資産

【問１－54】　減価償却資産を取得した場合であっても、一時の損金として処理できるときがあると聞きましたが、その内容について教えてください。

【答】　法人がその事業の用に供した減価償却資産（国外リース資産及び所有権移転外リース取引により取得した減価償却資産に該当するものを除きます。なお、国外リース資産については**【問１－156】**を、所有権移転外リース取引については**【問１－157】**を参照してください。）で、①取得価額が10万円未満のもの又は②使用可能期間が１年未満のものについては、事業の用に供した日の属する事業年度で、損金経理をしたときは、損金の額に算入することができます。

この場合、次の点に注意してください。

1　取得価額が10万円未満の少額の減価償却資産かどうかは、通常１単位として取引されるその単位ごとに判定します。

2　使用可能期間が１年未満である減価償却資産とは、次のいずれにも該当するものをいいます。

(1) 法人の属する業種（例えば、紡績業、鉄鋼業、建設業等の業種）において種類等を同じくする減価償却資産の使用状況、補充状況等を勘案して一般的に消耗性のものとして認識されているもの

(2) その法人の平均的な使用状況、補充状況等からみてその使用可能期間が１年未満であるもの

（注）　平均的な使用状況、補充状況等は、おおむね過去３年間の平均値を基準として判定します。

３　令和４年度改正により、対象資産から主要な事業として行われる貸付け以外の貸付けの用に供したものが除外されました。取扱いについては、**【問１-71】**を参照してください。

４　少額の減価償却資産は、事業の用に供した日の属する事業年度において損金経理をしたときは損金の額に算入することができますが、いったん資産計上したものについては、その後の事業年度において一度に損金経理をしても損金の額に算入することはできません。

なお、少額の減価償却資産に該当しない場合であっても、その取得価額が20万円未満の減価償却資産に該当する場合には、一括償却資産の損金算入の規定を適用することができます。（一括償却資産の損金算入については、**【問１-67】**を参照してください。）また、その取得価額が30万円未満の減価償却資産で一定の要件を満たす場合には、中小企業者等の少額減価償却資産の損金算入の規定を適用することができます。（中小企業者等の少額減価償却資産の取得価額の損金算入については、**【問１-70】**を参照してください。）

参考　令133（少額の減価償却資産の取得価額の損金算入）、令133の２（一括償却資産の損金算入）、措法67の５（中小企業者等の少額減価償却資産の取得価額の損金算入の特例）、基通７－１－11（少額の減価償却資産又は一括償却資産の取得価額の判定）、基通７－１－11の２（一時的に貸付けの用に供した減価償却資産）、基通７－１－11の３（主要な事業として行われる貸付けの例示）、基通７－１－12（使用可能期間が１年未満の減価償却資産の範囲）、措通67の５－２（少額減価償却資産の取得価額の判定単位）

パソコンの取得価額の判定

【問１－55】　当社は、単独で取得すると各４万円程度する５つのアプリケーションソフトが組み込まれたパソコンを385,000円（消費税込み）で取得しました。

そこで、当該ソフト部分について無形固定資産、コンピュータ機器本体のハード部分については減価償却資産として経理処理してよろしいでしょうか。

【答】　パソコンのハード部分であるコンピュータ機器本体は、減価償却資産であり、耐用年数省令別表第一の「器具及び備品」の「２　事務機器及び通信機器」の「電子計算機」に該当し、ソフト部分は無形固定資産に該当することになります。

しかしながら、購入時からアプリケーションソフトが組み込まれているようなパソコンに関しては、ハード部分とソフト部分が一体不可分のものとして販売されていますし、もし、そのパソコンに組み込まれているソフトと同様のものが単体で販売されており、その価額が明確であったとしても、パソコンの価額からソフト部分の価額を抜き出すことはできません。

参考　法２ＸＸⅡ、ＸＸⅢ、令13Ⅷ（無形固定資産）、令54①（減価償却資産の取得価額）、耐用年数省令　別表第一

少額のソフトウエアの取扱い

【問１－56】　当社は販売管理用ソフトウエア（９万円）と給与計算用ソフトウエア（18万円）を購入しましたが、これらのソフトウエアは、資産計上しなければなりませんか。

【答】　ソフトウエアの資産区分については、減価償却資産である無形固定資産に区分されます。

したがって、御質問の場合には、販売管理用ソフトウエア（９万円）については、少額の減価償却資産の取得価額の損金算入制度**【問１－54】**を適用することで９万円全額を損金の額に算入することができますが、給与計算用ソフトウエア（18万円）については、購入時に損金の額に算入することはできず、資産計上することとなります。

ただし、給与計算用ソフトウエアの取得価額は18万円であり、20万円未満ですから、一括償却資産の損金算入制度**【問１－67】**を適用することができます。

また、取得価額が30万円未満ですので、一定の要件を満たす場合には、中小企業者等の少額減価償却資産の取得価額の損金算入制度**【問１－70】**を適用することができます。

参考　法２ⅩⅩⅡ、ⅩⅩⅢ、令13Ⅷ（無形固定資産）、令133（少額の減価償却資産の取得価額の損金算入）、令133の２（一括償却資産の損金算入）、耐用年数省令　別表第三、措法67の５（中小企業者等の少額減価償却資産の取得価額の損金算入の特例）

レンタル用DVDの取得価額の損金算入

【問１－ 57】　当社は、この度、DVDのレンタル業を開業しました。開店に当たりレンタル用のDVD 20,000 枚を総額１億円（１枚5,000円）で購入しましたが、消耗品費として全額損金算入してもよろしいでしょうか。

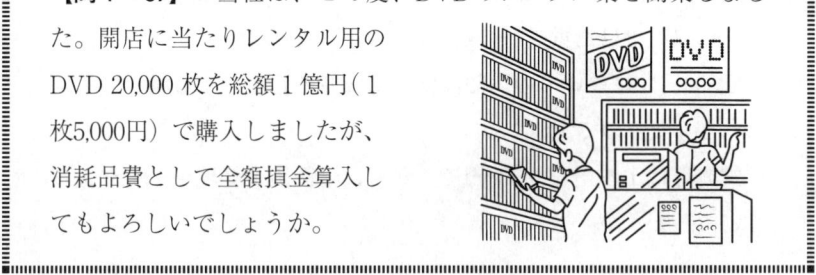

【答】　御質問のDVDは、販売用のものではなくレンタルの用に供されるものですから、減価償却資産に該当し、その取得価額が10万円未満で主要な事業として貸し付けるのであれば、少額の減価償却資産としてこれを事業の用に供した日の属する事業年度において損金経理することにより、その取得価額を一時に損金の額に算入することができます。

この場合の取得価額が10万円未満であるかどうかは、通常１単位として取引されるその単位（例えば、工具、器具及び備品については１個、１組又は１そろい）ごとに判定します。

したがって、御質問のレンタル用のDVDについては、20,000枚全体で１単位とみるのではなく、１枚ごとに判定すべきものと考えられ、これを事業の用に供した日にその全額を損金の額に算入することができます。

なお、この場合、事業の用に供した日とは、レンタル用として店頭に陳列し、いつでも顧客に対してレンタルが可能な状態になった日をいいます。

また、主要な事業として行われる貸付け以外の貸付けの用に供した場合については、**【問１－71】**を参照してください。

参考　令133（少額の減価償却資産の取得価額の損金算入）、基通７－１－11（少額の減価償却資産又は一括償却資産の取得価額の判定）

照明器具（蛍光灯）の少額の減価償却資産の取得価額の判定

【問１－58】　当社は、貸事務所用のビルを新築しましたが、各事務室に取り付けた蛍光灯の総費用400万円（8,000本・１本当たりの単価500円）についての少額減価償却資産の判定をする場合の単位は、どうなるのですか。

蛍光灯は１本当たり500円ですから、全額損金経理をしてもよろしいでしょうか。

【答】　耐用年数省令別表第一の「建物附属設備」の「電気設備（照明設備を含む。）」には、その括弧書に「照明設備を含む。」と規定されています。これは蛍光灯（管）も含むことを意味しています。

したがって、新たに設置した電気設備のうち照明設備の蛍光灯だけを取り出して個々に１単位として少額の減価償却資産の判定をすることはできず、その費用の額400万円は、電気設備の取得価額に算入されます。

ただし、これらの蛍光灯の一部が不良となり取り替えた場合の、その取替えに要した費用は修繕費となります。（**【問１－18】**を参照してください。）

参考　令54①（減価償却資産の取得価額）、耐用年数省令　別表第一、基通７－１－11（少額の減価償却資産又は一括償却資産の取得価額の判定）

書籍の少額の減価償却資産の取得価額の判定

【問１－ 59】　当社は、この度、備付図書として追録式法規集一式（全100巻）を35万円（１巻3,500円）で購入しました。

この法規集の少額の減価償却資産の取得価額の判定単位は、全巻又は１巻のどちらでしょうか。

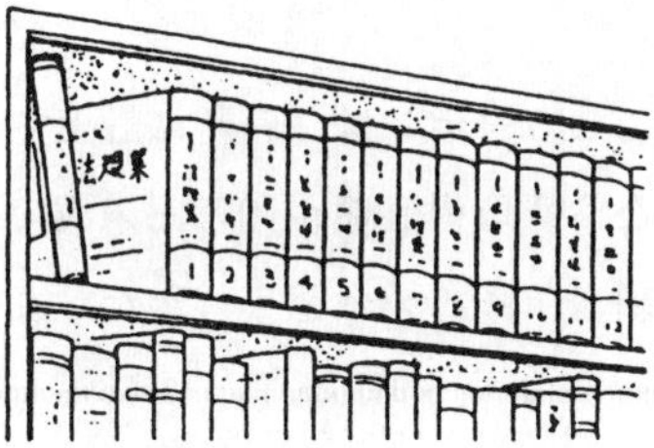

また、購入費用を資産計上した場合、その後支出する追録費用（年12万円～13万円程度）は、図書の取得価額に加算することになるのでしょうか。

【答】　書籍についての少額の減価償却資産の取得価額の判定は、一般的には１冊ごとに行うのでしょうが、御質問の法規集は、全巻そろって初めて法規集としての効用を発揮するものと考えられます。

したがって、１巻当たりの取得価額が3,500円であっても、全巻を１単位としてみると、その取得価額は35万円となり、少額の減価償却資産として取り扱うことはできませんので、減価償却資産として耐用年数省令別表第一の「器具及び備品」の「11　前掲のもの以外のもの」の「その他のもの」の「その他のもの」の５年を適用して償却することになります。

一方、追録費用は、購入された法規集の通常の維持管理費と考えられますので、支出の都度損金の額に算入することができます。

参考　令133（少額の減価償却資産の取得価額の損金算入）、耐用年数省令　別表第一、基通７－１－11（少額の減価償却資産又は一括償却資産の取得価額の判定）

賃貸マンションのカーテンの取扱い

【問１‐60】　当社は、80室の賃貸用マンションを新築し、その各室にカーテンを取り付けたところ、その費用が320万円かかりました。

このカーテンは、資産に計上すべきでしょうか。

なお、取得価額が10万円未満であるかどうかの判定単位として、１組、１そろいはどう考えたらよいのでしょうか。

【答】　御質問のカーテンは、１枚では機能を有するものではなく、一つの部屋（室）で数枚が組み合わされてその効用を果たすものであると考えられますので、取得価額が10万円未満であるかどうかは、部屋（室）ごとにその取得価額で判定するのが合理的であると考えます。

したがって、部屋（室）単位により、取得価額が10万円未満であるものについては、事業の用に供した日の属する事業年度において損金経理をしたときは、一時の損金の額に算入することが認められます。

なお、取得価額が20万円未満の場合には、事業年度ごとに一括して３年間で償却できる一括償却資産の損金算入の規定を適用することができます。（一括償却資産の損金算入については、**【問１‐67】**を参照してください。）

また、取得価額が30万円未満の場合には、一定の要件を満たしていれば、中小企業者等の少額減価償却資産の取得価額の損金算入制度を適用することができます。（中小企業者等の少額減価償却資産の取得価額の損金算入制度については、**【問１‐70】**を参照してください。）

おって、少額減価償却資産等を主要な事業として行われる貸付け以外の貸付けの用に供した場合については、**【問１‐71】**を参照してください。

（注）　賃借したビルに間仕切りをした場合の間仕切り用パネルについても、パネル各１枚では独立した機能を有するものではなく、数枚が組み合わされて隔壁等を形成すると認められますから、そのパネル１枚ごとに判定することは適当ではなく、間仕切りとして施設した状態において判断することになります。

参考　令54①（減価償却資産の取得価額）、令133（少額の減価償却資産の取得価額の損金算入）、令133の２（一括償却資産の損金算入）、基通７－１－11（少額の減価償却資産又は一括償却資産の取得価額の判定）、措法67の５（中小企業者等の少額減価償却資産の取得価額の損金算入の特例）、措令39の28（中小企業者等の少額減価償却資産の取得価額の損金算入の特例）、措通67の５－２（少額減価償却資産の取得価額の判定単位）

貸衣装の少額の減価償却資産の取得価額の判定

【問１－61】　当社は、婚礼衣装等の貸出しを行っていますが、貸衣装の少額の減価償却資産の取得価額の判定に当たって、１組又は１そろいの判定単位が判然としません。

どのように取り扱ったらよいのでしょうか。

【答】　少額の減価償却資産であるかどうかは、通常１単位として取引されるその単位、つまり貸衣装などについては１組又は１そろいごとに判定することになり、その場合、資産の取得時はもとより、使用、除却のそれぞれの段階をも考慮して、通常のいずれの段階においても、機能的に一体として１単位を構成しているかどうかにより判断することが適当であると考えられます。

したがって、御質問の貸衣装については、着物、長襦袢、帯等個々の価額が、10万円未満であるかどうかで判定することとなります。

なお、少額減価償却資産を主要な事業として行われる貸付け以外の貸付けの用に供した場合については、**【問１－71】**を参照してください。

参考　令54①（減価償却資産の取得価額）、令133（少額の減価償却資産の取得価額の損金算入）、基通７－１－11（少額の減価償却資産又は一括償却資産の取得価額の判定）

料理店業等のちゅう房用機器等の取扱い

【問１－62】　当社は、料理店業を営んでいる法人です、この度、新しく開設する店舗用にちゅう房用機器等を購入しましたが、耐用年数省令別表第二の「機械及び装置」の耐用年数を適用する場合に、電気機器、ガス機器等で１台又は１個の取得価額が10万円未満である資産については、取得して事業の用に供した日に損金経理してもよいのでしょうか。

【答】　少額の減価償却資産かどうかは、耐用年数省令別表第二の「機械及び装置」の耐用年数を適用する資産についても、その設備を構成する個々の機械等で、単体で機能を有するものについては、通常１単位として取引されるその単位により判定します。

したがって、御質問の場合のように、同別表第二の「48　飲食店業用設備」に含まれる電気機器、ガス機器等で１台又は１個ごとにそれぞれが機能を有しており、かつ、その取得価額が10万円未満であれば、損金経理により一時の損金の額に算入することが認められます。

なお、取得価額が20万円未満の場合には、事業年度ごとに一括して３年間で償却できる一括償却資産の損金算入の規定を適用することができます。（一括償却資産の損金算入については、**【問１－67】**を参照してください。）

また、取得価額が30万円未満の場合には、一定の要件を満たしておれば、中小企業者等の少額減価償却資産の取得価額の損金算入制度を適用することができます。（中小企業者等の少額減価償却資産の取得価額の損金算入制度については、**【問１－70】**を参照してください。）

参考　令54①（減価償却資産の取得価額）、令133（少額の減価償却資産の取得価額の損金算入）、令133の２（一括償却資産の損金算入）、耐用年数省令　別表第二、基通７－１－11（少額の減価償却資産又は一括償却資産の取得価額の判定）、措法67の５（中小企業者等の少額減価償却資産の取得価額の損金算入の特例）、措通67の５－２（少額減価償却資産の取得価額の判定単位）

組立式商品棚の取引単位

【問１－63】　当社は、卸売業を営んでいます。この度、倉庫内で使用するためにスチール製の組立式商品棚を設置しました。

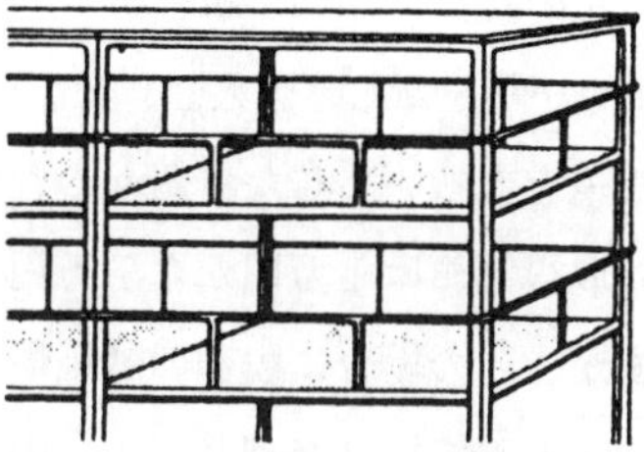

この棚は、何段でも自由に積み上げることができるものです。取得価額は１段２万円で、今回この棚を40段取り付けました。

この場合、１段ごとの取得価額が10万円未満であるため、設置した40段全部について少額の減価償却資産として損金経理することが認められるでしょうか。

【答】　御質問の組立式商品棚は、１段ずつでも棚としての機能を有していますが、数段をボルト等で接続させることにより、一体として使用することができるところにその特徴があり、貴社は一体として使用する目的で設置されていますから、単体で少額の減価償却資産かどうかを判定するのは適当でなく、40段全体を１組としてその判定をすべきでしょう。

なお、耐用年数は、耐用年数省令別表第一の「器具及び備品」の「11　前掲のもの以外のもの」の「その他のもの」の「主として金属製のもの」の10年を適用することとなります。

参考　令54①（減価償却資産の取得価額）、令133（少額の減価償却資産の取得価額の損金算入）、耐用年数省令　別表第一、基通７－１－11（少額の減価償却資産又は一括償却資産の取得価額の判定）

新社屋へ移転するに伴って取得した備品の取扱い

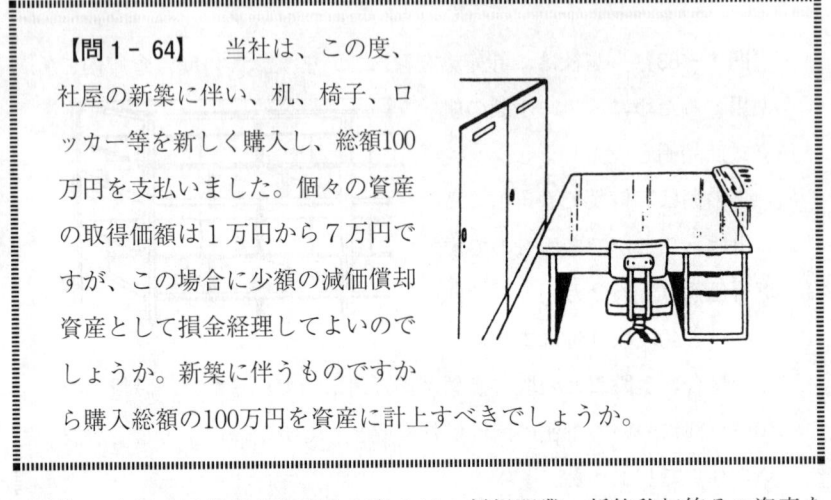

【問１－64】　当社は、この度、社屋の新築に伴い、机、椅子、ロッカー等を新しく購入し、総額100万円を支払いました。個々の資産の取得価額は１万円から７万円ですが、この場合に少額の減価償却資産として損金経理してよいのでしょうか。新築に伴うものですから購入総額の100万円を資産に計上すべきでしょうか。

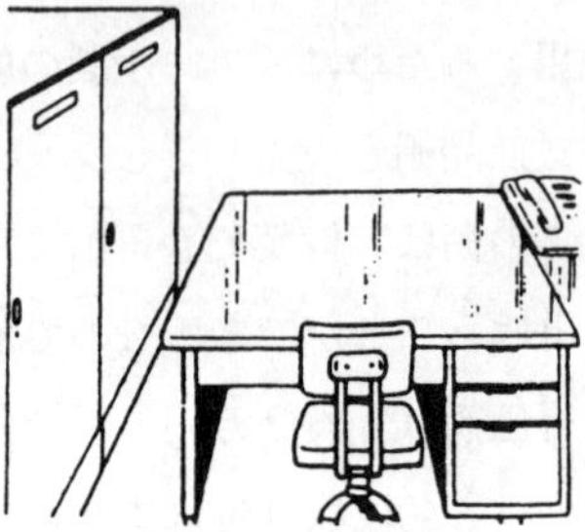

【答】　少額の減価償却資産かどうかは、新規開業、新築移転等その資産を買い入れた動機に関係なく、通常１単位として取引されるその単位、例えば器具及び備品については１個、１組又は１そろいごとに、その取得価額が10万円未満であるかどうかによって判定することとされています。

したがって、御質問の場合には、買入資産を事業の用に供した日の属する事業年度において少額の減価償却資産として損金経理をしたときは認められます。

なお、応接セットについては、通常、テーブルとイスとが１組となってセットで取引されるものですから、その判定は１セットで行うことになります。

参考　令54①（減価償却資産の取得価額）、令133（少額の減価償却資産の取得価額の損金算入）、基通７－１－11（少額の減価償却資産又は一括償却資産の取得価額の判定）

道路工事用地盤補強鋼板の少額の減価償却資産の取得価額の判定

【問１－65】　当社は、道路の補修業を営んでいます。

この度、道路の工事現場で自動車が通行できるように施設する鋼板を多数購入しましたが、少額の減価償却資産の判定をする場合に、鋼板１枚ごとの取得価額によっても差し支えないでしょうか。

また、この鋼板の耐用年数は何年でしょうか。

【答】　建設業者等が使用する建設用の金属製の足場材料は、耐用年数省令別表第一の「工具」の「金属製柱及びカッペ」の耐用年数３年を適用することとされています。

御質問の「道路工事用地盤補強鋼板」についてもこの金属製の足場材料に準じて取り扱って差し支えありません。

したがって、耐用年数は３年となります。

また、少額の減価償却資産の取得価額の判定をする場合に、工具については１個、１組又は１そろいごとに判定することとされていますが、鋼板１枚であっても、その効果が発揮できると認められますから、１枚ごとで判定して差し支えないものと考えられます。

参考　令133（少額の減価償却資産の取得価額の損金算入）、基通７－１－11（少額の減価償却資産又は一括償却資産の取得価額の判定）、耐通２－６－４（建設用の足場材料）

共同所有している資産の少額の減価償却資産の取得価額の判定

【問１－66】　当社は、18万円の暖房設備を２社で、各９万円ずつ負担して共有資産として買い入れました。

共有資産の場合に、それぞれの持分の取得価額によって少額の減価償却資産の取得価額の判定をしてもよいのでしょうか。

【答】　共有資産の償却は、それぞれの持分に応じて行うことになっています。

ところで、少額の減価償却資産であるかどうかは、事業の用に供した減価償却資産の、その取得価額によって判定することとされています。

したがって、自己の所有権の及ぶ範囲内である持分９万円が、それぞれの所有者の取得価額となりますので、その持分によって判定することとなります。

なお、租税特別措置法上の特別償却についても、持分に応じてそれぞれ適用を受けることになります。

参考　令54①（減価償却資産の取得価額）、令133（少額の減価償却資産の取得価額の損金算入）、基通７－１－11（少額の減価償却資産又は一括償却資産の取得価額の判定）

一括償却資産の損金算入

【問１－ 67】　一括償却資産の損金算入制度について教えてください。

【答】　１　取得価額が20万円未満のもので少額の減価償却資産の取得価額の損金算入の規定の適用を受けないものについては、事業年度ごとに一括して３年間で均等償却することを認める一括償却資産の損金算入制度が設けられています。

２　一括償却資産とは、取得価額が20万円未満の減価償却資産（国外リース資産、所有権移転外リース取引により取得した減価償却資産及び少額の減価償却資産の取得価額の損金算入の規定の適用を受けるものを除きます。なお、国外リース資産については**【問１－156】**を、所有権移転外リース取引については**【問１－157】**を参照してください。）を事業の用に供した場合において、法人がその減価償却資産の全部又は特定の一部を一括したものをいいます。

なお、令和４年度改正により、対象資産から主要な事業として行われる貸付け以外の貸付けの用に供したものが除外されました。取扱いについては、**【問１－71】**を参照してください。

３　一括償却資産の取得価額の合計額について事業の用に供した事業年度以後の各事業年度の費用又は損失とする方法を選定したときにおいて、損金の額に算入される金額は、一括償却資産の取得価額の合計額（一括償却対象額といいます。）の全部又は一部につき損金経理をした金額のうち、次の算式により計算した金額に達するまでの金額とされています。

（算式）

$$\underset{\text{（一括償却対象額）}}{\text{一括償却資産の取得価額の合計額}} \times \frac{\text{当該事業年度の月数}}{36}$$

（注）　一括償却資産を事業の用に供した日の属する事業年度において、仮決算をし

た場合の中間申告書を提出する場合には、その一括償却資産については上記の算式の分子は、６月ではなくその事業年度の月数で計算します。

4　この制度は、一括償却資産を事業の用に供した日の属する事業年度の確定申告書に、一括償却対象額の記載があり、かつ、その計算に関する書類を保存している場合に限り適用されます。

また、一括償却対象額につき損金経理した金額がある場合には、損金の額に算入される金額の計算に関する明細書（別表十六(八)《一括償却資産の損金算入に関する明細書》）を確定申告書に添付しなければならないこととされています。

参考　令133の２（一括償却資産の損金算入）、令150の２①（仮決算をした場合の中間申告）、基通７－１－11（少額の減価償却資産又は一括償却資産の取得価額の判定）、基通７－１－11の２（一時的に貸付けの用に供した減価償却資産）、基通７－１－11の３（主要な事業として行われる貸付けの例示）

一括償却資産の損金算入の計算例等

【問１－68】　当社は、年１回３月決算の製造業を営む青色申告法人です。令和６年12月に次の器具及び備品を購入し、事業の用に供しました。これらの資産全てについて一括償却資産の損金算入制度を適用しようと思いますが、損金の額に算入する金額の計算等具体的な経理処理はどのようにするのでしょうか。

資産の名称	単　価	数量	金　額
プリンター	150,000円	５台	750,000円
ファクシミリ	165,000円	３台	495,000円
電気冷蔵庫	120,000円	３台	360,000円
冷暖房用機器	180,000円	３台	540,000円
			2,145,000円

【答】　一括償却資産の損金算入限度額は、次の算式により計算した金額に達するまでの金額であり、貴社の場合、715,000円となります。

$$\text{一括償却資産の取得価額の合計額（一括償却対象額）} \times \frac{\text{当該事業年度の月数}}{36}$$

$$2{,}145{,}000\text{円} \times \frac{12}{36} = 715{,}000\text{円}$$

（注）一括償却資産の損金算入限度額の計算は、事業年度の中途において取得したものが含まれていても、その取得した資産ごとに月数按分を行う必要はありません。

次に、この規定による具体的な経理方法としては

①　会社の処理では「消耗品費 2,145,000円」／「現金預金 2,145,000円」として全額損金処理し、申告書別表四で「一括償却資産の損金算入限度超過額」として 1,430,000円を加算（留保）処理する方法

（注）翌期、翌々期においては、損金算入限度超過額 1,430,000円のうちそれぞれ損金

算入できる金額である715,000円を損金認容額として別表四で減算（留保）します。

② 会社の処理では「器具備品 2,145,000円」／「現金預金 2,145,000円」として資産計上するとともに、「一括償却資産損金算入額 715,000円」／「器具備品 715,000円」とし、申告書別表では何も処理しない方法があります。

また、一括償却対象額につき損金経理をした金額がある場合には、損金の額に算入される金額の計算に関する明細書（別表十六(八)）を確定申告書に添付しなければなりませんが、①の経理処理によった場合、記載内容は次のとおりとなります。

一括償却資産の損金算入に関する明細書

事業年度	6・4・1 7・3・31	法人名		別表十六(八)

事業の用に供した事業年度	1	・・ ・・	・・ ・・	・・ ・・	・・ ・・	・・ ・・	（当期分）
同上の事業年度において事業の用に供した一括償却資産の取得価額の合計額	2	円	円	円	円	円	円 2,145,000
当期の月数 （事業の用に供した事業年度の中間申告の場合は、当該事業年度の月数）	3	月	月	月	月	月	月 12
当期分の損金算入限度額 $(2) \times \frac{(3)}{36}$	4	円	円	円	円	円	円 715,000
当期損金経理額	5						2,145,000
差引　損金算入不足額 (4)－(5)	6						
差引　損金算入限度超過額 (5)－(4)	7						1,430,000
損金算入限度超過額　前期からの繰越額	8						
損金算入限度超過額　同上のうち当期損金認容額 ((6)と(8)のうち少ない金額)	9						
損金算入限度超過額　翌期への繰越額 (7)＋(8)－(9)	10						1,430,000

参考　令133の２（一括償却資産の損金算入）、基通７－１－11（少額の減価償却資産又は一括償却資産の取得価額の判定）

一括償却資産につき滅失等があった場合の取扱い

【問１－69】　当社は、前期においてパソコン30台（１台　12万円）を取得し、その全てを一括償却資産として、取得価額の合計額（一括償却対象額）360万円の３分の１を損金の額に算入しました。

ところが、今期にそのうちの５台を廃棄処分としましたが、この場合、当期の損金算入額を、廃棄したパソコンの取得価額のうちで未だ損金算入されていない金額40万円（12万円×５－12万円×５×$\frac{1}{3}$）と残り25台の一括償却資産の損金算入限度額100万円（12万円×25×$\frac{1}{3}$）との合計額の140万円としてよろしいのでしょうか。

【答】　法人が一括償却資産の損金算入の適用を受けている場合には、その一括償却資産を事業の用に供した事業年度後の各事業年度においてその全部又は一部につき滅失、除却、譲渡等の事実が生じたときであっても、これらの事実が生じた事業年度において、滅失等した減価償却資産の取得価額のうちで未だ損金算入されていない金額に相当する金額を損金算入することは認められません。

これは、この制度の設けられた趣旨が、取得価額が20万円未満の減価償却資産を企業が個別に管理することへの事務負担に配慮したものであり、このことからすれば、適用事業年度後の個々の資産の状況にかかわらず、この規定により損金算入限度額の範囲内での損金算入を行うべきものと考えられるからです。

したがって、貴社の場合、当期の損金に算入できるのは、損金算入限度額の算式により計算された一括償却対象額（360万円）の$\frac{1}{3}$に達するまでの金額120万円となります。

［参考］　令133の２（一括償却資産の損金算入）、基通７－１－13（一括償却資産につき滅失等があった場合の取扱い）

中小企業者等の少額減価償却資産の取得価額の損金算入の特例

【問1－70】　中小企業者等の少額減価償却資産の損金算入の特例制度について教えてください。

【答】　取得価額が30万円未満の一定の少額減価償却資産の取得価額相当額につき、その事業の用に供した事業年度において損金経理したときには、その損金経理した金額を損金の額に算入することができるという制度が設けられています。

この制度の概要は次のとおりです。

1　対象法人

中小企業者（適用除外事業者に該当するものを除きます。）又は農業協同組合等で、青色申告書を提出する法人（通算法人を除きます。）が対象となります。

（注）　適用除外事業者とは、その事業年度開始の日前３年以内に終了した各事業年度（以下「基準年度」といいます。）の所得の金額の合計額をその基準年度の月数の合計額で除し、これに12を乗じて計算した金額（一定の事由がある場合には、その計算した金額に一定の調整を加えた金額）が15億円を超える法人をいいます。

平成31年４月１日以後に開始する事業年度分の法人税について、中小企業者のうちこの適用除外事業者に該当するものを除外することとなりました。

中小企業者とは、次の表のいずれかに該当する法人とされています。

①	資本金の額又は出資金の額が１億円以下の法人（発行済株式の総数若しくは出資金額の$\frac{1}{2}$以上が同一の大規模法人の所有に属している法人又は発行済株式の総数若しくは出資金額の$\frac{2}{3}$以上が大規模法人の所有に属している法人を除きます。）
②	資本又は出資を有しない法人のうち常時使用する従業員の数が1,000人以下の法人

なお、平成28年４月１日以後に取得等をする少額減価償却資産につき、対象となる中小企業者等は、事務負担に配慮する必要があるものとして、

常時使用する従業員の数が次の表の要件を満たすものに限られます。

対象資産の取得等をした日及び事業の用に供した日	常時使用する従業員の数	
平成28年４月１日～令和２年３月31日	1,000人以下	
令和２年４月１日～令和６年３月31日	500人以下	
令和６年４月１日～令和８年３月31日	500人以下（特定法人以外の法人）	300人以下（特定法人）

（注）　特定法人とは、①その事業年度開始の時における資本金の額等が１億円を超える法人、②通算法人、③相互会社、④投資法人、⑤特定目的会社をいいます。

（事務負担に配慮する必要があるものは**【問１－73】**を、常時使用する従業員の数については、**【問１－74】**を参照してください。）

また、令和元年度改正により、中小企業者から除外される大企業とみなされる法人の範囲が見直され、その判定における大規模法人に大法人（資本金の額又は出資金の額が５億円以上である法人等をいいます。）との間にその大法人による完全支配関係がある普通法人等が追加されました。

大規模法人による大企業とみなされる法人の判定は**【問２－15】**の**【答】**を参照してください。

２　対象資産

平成18年４月１日から令和８年３月31日までの間に取得等をし、事業の用に供した取得価額が30万円未満の減価償却資産で、少額の減価償却資産の取得価額の損金算入の規定、一括償却資産の損金算入の規定、他の特別償却や税額控除、租税特別措置法上の圧縮記帳の適用を受けないものが対象となります。

なお、令和４年度改正により、対象資産から主要な事業として行われる貸付け以外の貸付けの用に供したものが除外されました。取扱いについては、**【問１－71】**を参照してください。

３　損金算入限度額

中小企業者等の少額減価償却資産の取得価額の合計額が各事業年度において300万円を超えるときは、その合計額のうち300万円に達するまでが損金算入の限度額とされています。

また、この限度額は、当該少額減価償却資産の取得価額の合計額について規定されており、少額減価償却資産を単位として判定することになります。すなわち、１つの少額減価償却資産について、本制度の対象となる部分と対象とならない部分があるということはありません。

例えば、他の少額減価償却資産の取得価額の合計が290万円である場合に、25万円の少額減価償却資産の取得等をしたときは、この25万円のうち10万円だけが本制度の対象で、残り15万円を原則どおり減価償却を行うということはなく、290万円が限度となります。

４　この制度を適用する場合には、確定申告書等に少額減価償却資産の取得価額の損金算入の特例に関する明細書（別表十六(七)）を添付して申告する必要があります。

参考　措法67の５（中小企業者等の少額減価償却資産の取得価額の損金算入の特例）、措法42の４⑧⑲（試験研究を行った場合の法人税額の特別控除）、措法53（特別償却等に関する複数の規定の不適用）、措法75の４②（電子情報処理組織による申告）、措令27の４⑰（試験研究を行った場合の法人税額の特別控除）、措令39の28（中小企業者等の少額減価償却資産の取得価額の損金算入の特例）、措通67の５－１の２（常時使用する従業員の範囲）、措通67の５－２（少額減価償却資産の取得価額の判定単位）、措通67の５－２の２（一時的に貸付けの用に供した減価償却資産）、措通67の５－２の３（主要な事業として行われる貸付けの例示）

◎　少額減価償却資産、一括償却資産、中小企業者等の少額減価償却資産の各損金算入制度の関係

取得価額10万円未満 又は使用可能期間１年未満	取得価額10万円 以上20万円未満	取得価額20万円以上 30万円未満

①少額の減価償却資産の取得価額の損金算入

（対　象）ア　取得価額10万円未満のもの（貸付け（主要な事業として行われるものを除く。）の用に供したものを除く。）

イ　使用可能期間１年未満のもの

（要　件）　損金経理

（限度額）　取得価額に相当する金額

②一括償却資産の損金算入（①の適用を受けるものを除く。）

（対　象）　取得価額20万円未満のもの（貸付け（主要な事業として行われるものを除く。）の用に供したものを除く。）

（要　件）　損金経理

（限度額）　一括償却資産の取得価額の合計額×当該事業年度の月数/36

③中小企業者等の少額減価償却資産の取得価額の損金算入の特例（①②の適用を受けるものを除く。）

（対　象）　取得価額30万円未満のもの（貸付け（主要な事業として行われるものを除く。）の用に供したものを除く。）

（要　件）ア　中小企業者等で、平成18年４月１日～令和８年３月31日までの間に取得等をして事業供用するもの

なお、平成28年４月１日以後に取得等をする少額減価償却資産の対象となる中小企業者等は、常時使用する従業員の数が1,000人以下の法人、令和２年４月１日以後に取得等をする少額減価償却資産の対象となる中小企業者等は、常時使用する従業員の数が500人以下の法人、令和６年４月１日以後に取得等をする少額減価償却資産の対象となる中小企業者等は、常時使用する従業員の数が500人以下の法人（特定法人を除く。）及び常時使用する従業員の数が300人以下の特定法人に限定されている。

イ　損金経理

（限度額）　取得価額に相当する金額（各事業年度において合計300万円まで）

＊　①②の適用を受ける資産は、固定資産税の課税対象とはなりませんが、③の適用を受けるものについては固定資産税の課税対象となります。

少額減価償却資産等を貸付けの用に供した場合の取扱い

【問１－71】　令和４年度改正により少額の減価償却資産の取得価額の損金算入制度、一括償却資産の損金算入制度及び中小企業者等の少額減価償却資産の取得価額の損金算入制度の対象となる減価償却資産から、貸付けの用に供したものは除かれる場合があると聞きましたが、その取扱いについて説明してください。

【答】　少額の減価償却資産の取得価額の損金算入制度については**【問１－54】**、一括償却資産の損金算入制度については**【問１－67】**、中小企業者等の少額減価償却資産の取得価額の損金算入制度については**【問１－70】**のとおりですが、令和４年度改正において、令和４年４月１日以後に取得等された、これらの制度の対象となる減価償却資産から、貸付け（主要な事業として行われるものを除きます。）の用に供したものが除外されました。

これらの制度は、企業の事務負担に配慮して設けられたものですが、当期の利益を圧縮する目的で、自らが行う事業では用いない少額資産を大量に取得し、その取得した資産を直ちに売却企業等に貸し付けることで即時に損金算入を行いつつ、その取得費用相当額は賃貸収入等として貸付期間で益金算入していくといった、これらの制度を法人税の負担軽減手段として利用する実態が増加傾向にあったことから、主要な事業として行われる貸付け以外の貸付けの用に供する減価償却資産をこれらの制度の対象から除外することとされたものです。

なお、貸付けの用に供した減価償却資産のうち主要な事業として行われる貸付けの用に供されるものは、引き続きこれらの制度の対象となります。具体的には、次に掲げる資産の貸付けは「主要な事業として行われる貸付け」に該当するものとされています。

①　その内国法人がその内国法人との間に特定関係がある法人の事業の管理及び運営を行う場合におけるその法人に対する資産の貸付け

例えば、企業グループの管理運営を行う親法人その他グループ内の法人がグループ内の他の法人に対して行う事務機器等の貸付けなどは、これに該当するものと考えられます。

（注）　特定関係とは、一の者が法人の事業の経営に参加し、事業を実質的に支配し、又は株式若しくは出資を有する場合における当該一の者と法人との間の関係（以下「当事者間の関係」といいます。）、一の者との間に当事者間の関係がある法人相互の関係その他これらに準ずる関係をいいます。

②　その内国法人に対して資産の譲渡又は役務の提供を行う者のその資産の譲渡又は役務の提供の事業の用に専ら供する資産の貸付け

例えば、製造業を営む法人が自己の下請業者等に対して専らその製造業を営む法人のためにする製品の加工等の用に供される機械等を貸し付ける場合のその貸付けなどは、これに該当するものと考えられます。

③　継続的にその内国法人の経営資源を活用して行い、又は行うことが見込まれる事業としての資産の貸付け

例えば、小売業を営む法人がその小売店の駐車場の遊休スペースを活用して自転車その他の減価償却資産を貸し付ける行為が考えられます。

事業を行うに当たっては、その事業のための資産や従業員の技能等が必要となることから、通常の事業としての貸付けであれば、おおむね経営資源を活用して行うものに該当すると考えられます。一方で、貸付けの目的物及び租税に関する知識のみで行われるようなものは、法人税の負担軽減のために行われる貸付けと認められることから、この類型から除外されています。

主たる事業として営む事業のほか、資産の貸付けを行う法人について、その貸付けに係る収入等の規模が主たる事業と比較して相対的に小さかったとしても、その貸付けが継続的に自己の経営資源を活用して行われるものである場合には、これに該当するものと考えられます。また、「行うことが見込まれる」とあることから、新規事業として行う貸付けもこの類型に含まれます。

（注）　経営資源とは、事業の用に供される設備（その貸付けの用に供する資産を除きます。）、事業に関する従業者の有する技能又は知識（租税に関するものを除きます。）その他これらに準ずるものをいいます。

④　その内国法人が行う主要な事業に付随して行う資産の貸付け

例えば、不動産貸付業等を営む法人がその貸し付ける建物等の賃借人に対して行うその建物等の附属設備（家具、電気機器その他の減価償却資産）の貸付けなどは、これに該当するものと考えられます。

ただし、上記①から④までの貸付けであっても、資産の貸付け後に譲渡人（注１）その他の者がその資産を買い取り、又はその資産を第三者に買い取らせることをあっせんする旨の契約が締結されている場合（注２）におけるその貸付けは、主要な事業として行われる貸付けに該当しないものとされています。このような契約を締結した貸付けは、法人税の負担軽減のために行われる貸付けと認められるものであり、たとえ外形的に上記①から④までの貸付けに該当したとしても主要な事業として行われる貸付けとはいえないため、その貸付けの用に供した資産については本制度の対象資産から除外されます。

（注）１　譲渡人とは、その内国法人に対して上記の資産を譲渡した者をいいます。

２　上記の場合は、その貸付けの対価の額及びその資産の買取りの対価の額の合計額がその内国法人のその資産の取得価額のおおむね90％相当額を超える場合に限ります。なお、資産の買取りの対価の額が確定していない場合には、その対価の額として見込まれる金額によることとなります。

また、上記①から④までの貸付けは、主要な事業として行われる貸付けに該当すると認められるものを類型化し具体的に列挙したものであり、これに該当しない貸付けについては、ただちに主要な事業として行われる貸付けに該当しないということではなく、原則どおり実態に即して判断することとなります。

参考　令133（少額の減価償却資産の取得価額の損金算入）、令133の２（一括償却資産の損金算入）、規27の17（少額の減価償却資産の主要な事業として行う貸付けの判定）、規27の17の２（一括償却資産の主要な事業として行う貸付けの判定）、措法67の５（中小企業者等の少額減価償却資産の取得価額の損金算入の特例）、措令39の28③（中小企業者等の少額減価償却資産の取得価額の損金算入の特例）、措規22の18（中小企業者等の少額減価償却資産の取得価額の損金算入の特例)、基通７－１－11の２（一時的に貸付けの用に供した減価償却資産)、基通７－１－11の３（主要な事業として行われる貸付けの例示)、措通67の５－２の２（一時的に貸付けの用に供した減価償却資産)、措通67の５－２の３（主要な事業として行われる貸付けの例示)

中小企業者等の少額減価償却資産の取得価額の合計が300万円を超えた場合の取扱い

【問１－72】　当社(年１回、３月31日決算）は通算法人及び適用除外事業者に該当しない法人です。令和６年４月から令和７年３月までの１年間において次のとおり器具備品を購入しました。中小企業者等の少額減価償却資産の特例制度については、各事業年度300万円という制限が設けられているため300万円までは当該制度の適用を受け、それ以外の減価償却資産は取得価額が20万円未満のため一括償却資産の損金算入の規定の適用を受けようと思いますがよろしいでしょうか。

（購入状況）

電子計算機　15万円　15台（合計額　225万円）

コピー機　　28万円　５台（合計額　140万円）

中小企業者等の少額減価償却資産の特例の適用分

（28万円×５台）＋（15万円×10台）＝290万円

一括償却資産の損金算入規定の適用分

15万円×５台＝75万円

【答】　中小企業者等の少額減価償却資産の取得価額の損金算入の特例の適用を受けることができる資産は、平成18年４月１日から令和８年３月31日までの間に取得等した取得価額が30万円未満の減価償却資産で、貸付け（主要な事業として行われるものを除きます。）の用に供したもの、少額の減価償却資産の取得価額の損金算入の規定、一括償却資産の損金算入の規定、他の特別償却や税額控除、租税特別措置法上の圧縮記帳の適用を受けないものが対象となります。

また、中小企業者等の少額減価償却資産の取得価額の合計額が各事業年度において300万円を超えるときは、その合計額のうち300万円に達するまでが損金算入の限度額とされています。

つまり、各事業年度の少額減価償却資産の取得価額の合計額が300万円になるまで当該制度を適用し、残りについては、10万円未満のものであれば少額の減価償却資産の取得価額の損金算入の規定の適用が、20万円未満の減価償却資産であれば一括償却資産の損金算入の規定の適用が可能です。

したがって貴社の場合、290万円については中小企業者等の少額減価償却資産の特例を適用し、残りの75万円について一括償却資産の損金算入の規定の適用を受け３年均等償却することができます。（一括償却資産の損金算入については**【問１-67】**を参照してください。）

なお、少額減価償却資産等を貸付けの用に供した場合については、**【問１-71】**を参照してください。

参 考　令133（少額の減価償却資産の取得価額の損金算入）、令133の２（一括償却資産の損金算入）、措法67の５（中小企業者等の少額減価償却資産の取得価額の損金算入の特例）、措令39の28（中小企業者等の少額減価償却資産の取得価額の損金算入の特例）、措通67の５－２（少額減価償却資産の取得価額の判定単位）

事務負担に配慮する必要があるものかどうかの判定の時期

【問１－73】　当社は、資本金5,000万円の青色申告書を提出する中小企業者です。（通算法人、特定法人及び適用除外事業者に該当しません。）

この度、期中に24万円のコピー機を購入し事業の用に供したのですが（本時点での従業員数は510名）、当社の雇用している従業員は期中での退職及び新規採用が多く、期末である令和７年３月末における従業員の数は490名でした。

このコピー機について、中小企業者等の少額減価償却資産の取得価額の損金算入の特例は適用できますか。

【答】　中小企業者等の少額減価償却資産の取得価額の損金算入の特例の対象となる中小企業者等については、**【問１－70】**で説明しましたとおり、常時使用する従業員の数が500人以下の法人（特定法人を除きます。）及び常時使用する従業員の数が300人以下の特定法人に限定されています。

中小企業者等に該当する法人であるかどうかは、原則として、少額減価償却資産の取得等をした日及び事業の用に供した日の現況により判定しますが、事業年度終了の日において常時使用する従業員の数が500人以下の法人（特定法人を除きます。）及び常時使用する従業員の数が300人以下の特定法人に該当する場合には、資本金の額が１億円以下の法人等に該当する期間に取得等をして事業の用に供した少額減価償却資産について、同特例を適用することが認められます。

したがって、貴社が24万円のコピー機を購入し事業の用に供した時点における従業員は510名ですので、原則として同特例の適用はできませんが、期末である令和７年３月末における従業員の数は490名とのことですので、このコピー機について、同特例を適用している場合には認められます。

参考　措法67の５①（中小企業者等の少額減価償却資産の取得価額の損金算入の特例）、措令39の28（中小企業者等の少額減価償却資産の取得価額の損金算入の特例）、措通67の５－１（事務負担に配慮する必要があるものであるかどうかの判定の時期）

「常時使用する従業員の数」の範囲

【問１－74】　当社（１月決算）は、資本金3,000万円の青色申告書を提出する中小企業者で、社員480名を有する酒造メーカーです。（通算法人、特定法人及び適用除外事業者に該当しない法人です。）毎年、日本酒の寒造りの時期だけ、仕込み作業に従事する30名の従業員を雇い入れます。

当社は、令和６年12月に25万円の暖房設備を購入したのですが、この暖房設備について中小企業者等の少額減価償却資産の取得価額の損金算入の特例を適用できますか。

【答】　中小企業者等の少額減価償却資産の取得価額の損金算入の特例の対象となる中小企業者等については、**【問１－70】**で説明しましたとおり、常時使用する従業員の数が500人以下の法人（特定法人を除きます。）及び常時使用する従業員の数が300人以下の特定法人に限定されています。

貴社の社員は480名であり、毎年、日本酒の寒造りの時期に30名の従業員を雇い入れるとのことですが、ここでいう「常時使用する従業員の数」とは、常用であると日々雇い入れるものであるとを問わず、事務所又は事業所に常時就労している職員、工員等（役員を除きます。）の総数によって判定します。そして、法人が酒造最盛期のほか、野菜缶詰・瓶詰製造最盛期等に数か月程度の期間その労務に従事する者を使用するときは、当該従事する者の数を「常時使用する従業員の数」に含めるものとされています。

したがって、貴社の常時使用する従業員の数は、社員480名に仕込み作業に従事する30名を加えて判定しますので、常時使用する従業員の数が500人を超えることとなるため、令和６年12月に購入した25万円の暖房設備について、同特例は適用できません。

参考　措法67の５①（中小企業者等の少額減価償却資産の取得価額の損金算入の特例）、措令39の28（中小企業者等の少額減価償却資産の取得価額の損金算入の特例）、措通67の５－１の２（常時使用する従業員の範囲）

少額の減価償却資産及び一括償却資産の取得価額と消費税等

【問１－75】　当社（年１回、３月31日決算法人）は、令和６年４月に消費税込みの価額105,050円のデジタルカメラを購入しました。

消費税抜きの本体価額は95,500円となりますので、少額の減価償却資産として損金経理により損金算入してよろしいでしょうか。

【答】　少額の減価償却資産の取得価額の損金算入の規定を適用する場合において、取得価額が10万円未満であるかどうかは、法人が適用している消費税の経理処理方式に応じて算定した取得価額により判定することになります。

したがって、貴社が税抜経理方式を適用している場合は、デジタルカメラの取得価額は95,500円となりますので、事業の用に供した日の属する事業年度において少額の減価償却資産として損金経理をしたときは損金の額に算入することが認められます。

しかし、貴社が税込経理方式を適用している場合には、デジタルカメラの取得価額は105,050円となりますので、少額の減価償却資産として損金の額に算入することは認められません。

ただし、その場合には取得価額が20万円未満となりますので、事業年度ごとに一括して３年間で償却できる一括償却資産の損金算入の規定を適用することができますし、また、取得価額が30万円未満となりますので、一定の要件を満たすものであれば中小企業者等の少額減価償却資産の取得価額の損金算入の特例の規定を適用することもできます。

なお、一括償却資産の損金算入の規定を適用する場合の取得価額が20万円未満であるかどうか、また、中小企業者等の少額減価償却資産の取得価額の損金算入の特例の規定を適用する場合の取得価額が30万円未満であるかどうかも、上記と同様に、法人が適用している消費税の経理処理方式に応じて算定した取得価額により判定することになります。

（注）　消費税の納税義務が免除されている免税事業者は、法人税の所得金額の計算に当たって税抜経理方式を適用することはできず、税込経理方式により経理処理することになります。

参考　令54①（減価償却資産の取得価額）、令133（少額の減価償却資産の取得価額の損金算入）、令133の２（一括償却資産の損金算入）、措法67の５（中小企業者等の少額減価償却資産の取得価額の損金算入の特例）、平元直法２－１（消費税法等の施行に伴う法人税の取扱いについて）の**5**（免税事業者の消費税等の処理）、**9**（少額の減価償却資産の取得価額等の判定）

第４節　減価償却資産の償却限度額

減価償却方法について

【問１－76】　平成19年度改正により減価償却方法が改正されたと聞きましたが、具体的に教えてください。

また、平成28年度改正により、一部の資産の減価償却方法が見直されたと聞きましたが、変更点を教えてください。

【答】　平成19年度改正により、平成19年４月１日以後に取得された減価償却資産（リース資産にあっては平成20年４月１日以後に締結する所有権移転外リース取引の契約に係るもの）については、新たな償却方法として「定額法」、「定率法」、「生産高比例法」及び「リース期間定額法」が定められました。これに伴い、平成19年３月31日以前に取得をされた減価償却資産（国外リース資産にあっては平成20年３月31日以前に締結した契約に係るもの）の償却方法については、償却可能限度額、残存価額等について改正はされましたが、その計算の仕組みは維持されつつ、「定額法」が「旧定額法」に、「定率法」が「旧定率法」に、「生産高比例法」が「旧生産高比例法」に、「リース期間定額法」が「旧国外リース期間定額法」に、それぞれ名称が変更されています。

また、平成28年度改正により、平成28年４月１日以後に取得をされた建物附属設備及び構築物並びに鉱業用減価償却資産のうち建物、建物附属設備及び構築物の償却の方法について、定率法が廃止されています。

なお、償却限度額の計算上選定することができる償却方法及び法定償却方法は、次の資産の種類及び資産の取得日に応じ、それぞれ次のとおりとなります。

<table>
<tr><th colspan="2" rowspan="2">資産の種類</th><th colspan="2">平成19年３月31日
以前の取得資産</th><th colspan="2">平成19年４月１日
以後の取得資産</th><th colspan="2">平成28年４月１日
以後の取得資産</th></tr>
<tr><th>選定できる
償却方法</th><th>法定償却
方法</th><th>選定できる
償却方法</th><th>法定償却
方法</th><th>選定できる
償却方法</th><th>法定償却
方法</th></tr>
<tr><td colspan="2">平成10年３月31日
以前に取得した建物</td><td>旧定額法
旧定率法</td><td>旧定率法</td><td></td><td></td><td></td><td></td></tr>
<tr><td colspan="2">上記以外の建物</td><td>旧定額法</td><td>旧定額法</td><td>定額法</td><td>定額法</td><td>定額法</td><td>定額法</td></tr>
<tr><td colspan="2">建物附属設備及び
構築物</td><td rowspan="2">旧定額法
旧定率法</td><td rowspan="2">旧定率法</td><td rowspan="2">定額法
定率法</td><td rowspan="2">定率法</td><td>定額法</td><td>定額法</td></tr>
<tr><td colspan="2">減価償却資産（令
13三～七に掲げる
もの）</td><td>定額法
定率法</td><td>定率法</td></tr>
<tr><td rowspan="2">鉱業用
減価償
却資産</td><td>建物、建
物附属設
備及び構
築物</td><td rowspan="2">旧定額法
旧定率法
旧生産高比例法</td><td rowspan="2">旧生産高比例法</td><td rowspan="2">定額法
定率法
生産高比例法</td><td rowspan="2">生産高比例法</td><td>定額法
生産高比例法</td><td>生産高比例法</td></tr>
<tr><td>上記以外</td><td>定額法
定率法
生産高比例法</td><td>生産高比例法</td></tr>
<tr><td colspan="2">無形固定資産（令
13八）及び生物</td><td>旧定額法</td><td>旧定額法</td><td>定額法</td><td>定額法</td><td>定額法</td><td>定額法</td></tr>
<tr><td colspan="2">鉱業権（租鉱権・
採掘権を含む）</td><td>旧定額法
旧生産高比例法</td><td>旧生産高比例法</td><td>定額法
生産高比例法</td><td>生産高比例法</td><td>定額法
生産高比例法</td><td>生産高比例法</td></tr>
</table>

資産の種類	平成20年３月31日以前契約分	平成20年４月１日以後契約分
国外リース資産	旧国外リース期間定額法	
リース資産（所有権移転外リース取引に係るもの）		リース期間定額法

平成19年３月31日以前の取得資産について選定できる各償却方法の計算方法等については、次のとおりとなります。

償却方法	算　　式
旧定額法	（取得価額－残存価額）×耐用年数に応じた旧定額法の償却率＝償却限度額
旧定率法	（取得価額－既償却額）×耐用年数に応じた旧定率法の償却率＝償却限度額
旧生産高比例法	$\dfrac{\text{取得価額}-\text{残存価額}}{\text{耐用年数と採掘予定年数のうち短い方の期間内の採掘予定数量}}\times\text{採掘数量}=\text{償却限度額}$
旧国外リース期間定額法	$\dfrac{\left(\text{リース資産の取得価額}-\text{見積残存価額}\right)}{\text{国外リース資産のリース期間の月数}}\times\text{当事業年度におけるリース期間の月数}=\text{償却限度額}$

なお、平成19年４月１日以後の取得資産に係る各償却方法の具体的な計算方法等については、各設問を参照してください。

参 考　令13（減価償却資産の範囲）、令48、48の２（減価償却資産の償却の方法）、令51（減価償却資産の償却の方法の選定）、令53（減価償却資産の法定償却方法）

償却方法のみなし選定

【問１－77】　当社は機械装置について旧定率法を適用しています。令和７年５月に同様の機械装置を取得するに際し、定率法を採用したいと考えていますが、何か届出をする必要があるでしょうか。

【答】　平成19年３月31日以前に取得された減価償却資産について「旧定額法」、「旧定率法」又は「旧生産高比例法」を選定している場合において、平成19年４月１日以後に取得をされた減価償却資産で、同日前に取得をされたとしたならば、平成19年３月31日以前に取得をされた資産と同一区分に属するものについて「減価償却資産の償却方法の届出書」を提出していないときは、それぞれ選定した償却方法の区分に応じた選定をしたとみなされ、それぞれ「定額法」、「定率法」又は「生産高比例法」を適用することになります。

したがって貴社の場合、特に届出をする必要はありません。

参考　令51③（減価償却資産の償却の方法の選定）

定額法の計算方法

【問１－78】　定額法の償却限度額の具体的な計算方法について教えてください。

【答】　平成19年度改正において、平成19年４月１日以後に取得をされた減価償却資産の償却の方法について、残存価額及び償却可能限度額が廃止され、新たな償却方法が整備されました。平成19年４月１日以後取得する減価償却資産に適用される定額法は、減価償却資産の取得価額に、その償却費が毎年同一となるように、当該資産の耐用年数に応じ耐用年数省令別表第八に規定されている「定額法の償却率」を乗じて計算した金額を、各事業年度の償却限度額として償却を行うもので、耐用年数経過時点において残存簿価１円まで償却することが可能となっています。

（算式）

償却限度額＝取得価額×耐用年数省令別表第八の定額法の償却率

（設例）

取得価額200万円、耐用年数10年で定額法を適用する減価償却資産を事業年度首において取得し、事業の用に供した場合の各年の償却に係る計算は、次のとおりとなります。

定額法の償却率0.100　各年の償却限度額2,000,000円×0.100＝200,000円

年数	1	2	3	4	5	6	7	8	9	10
期首帳簿価額	2,000,000	1,800,000	1,600,000	1,400,000	1,200,000	1,000,000	800,000	600,000	400,000	200,000
償却限度額	200,000	200,000	200,000	200,000	200,000	200,000	200,000	200,000	200,000	199,999
期末帳簿価額	1,800,000	1,600,000	1,400,000	1,200,000	1,000,000	800,000	600,000	400,000	200,000	1

参考　令48の２（減価償却資産の償却の方法）、耐用年数省令　別表第八

定率法の計算方法

【問１－79】　定率法の償却限度額の具体的な計算方法について教えてください。

【答】　定率法は、減価償却資産の取得時期により次の２つに区分されます。

1　平成19年４月１日から平成24年３月31日までの間に取得した減価償却資産

平成19年度改正において、償却可能限度額が廃止されたことに伴い、法定耐用年数経過時点でその資産の残存簿価が１円となるよう定率法の計算方法が改正されました。平成19年４月１日から平成24年３月31日までの間に取得する減価償却資産に適用される定率法は、減価償却資産の取得価額に、その償却費が毎年一定の割合で逓減するように当該資産の耐用年数に応じ耐用年数省令別表第九に規定されている「定率法の償却率」を乗じて計算した金額（調整前償却額）を事業供用１年目の償却限度額として償却を行い、２年目以後は、当該資産の期首帳簿価額（取得価額から既にした償却費の累計額を控除した後の金額）に「定率法の償却率」を乗じて計算した金額（調整前償却額）を各事業年度の償却限度額として償却を行います。

その後、各事業年度の「調整前償却額」が、当該減価償却資産の取得価額に同別表第九に規定されている「保証率」を乗じて計算した金額である「償却保証額」に満たない場合は、原則として、その最初に満たないこととなる事業年度の期首帳簿価額（取得価額から既にした償却費の累計額を控除した後の金額）である改定取得価額に、その償却費がその後毎年同一となるように当該資産の耐用年数に応じた同別表第九に規定する「改定償却率」を乗じて計算した金額を、各事業年度の償却限度額として償却を行うもので、耐用年数経過時点において残存簿価１円まで償却することが可能となっています。

（算式）

調整前償却額≧償却保証額の場合

定率法の償却限度額＝期首帳簿価額×耐用年数省令別表第九の定率法の償却率

調整前償却額＜償却保証額の場合

定率法の償却限度額＝改定取得価額×耐用年数省令別表第九の改定償却率

（設例）

取得価額200万円、耐用年数10年で定率法を適用する減価償却資産を事業年度首において取得し、事業の用に供した場合の各年の償却に係る計算は、次のとおりとなります。

定率法の償却率0.250　保証率0.04448　改定償却率0.334

年数	1	2	3	4	5	6	7	8	9	10
期首帳簿価額	2,000,000	1,500,000	1,125,000	843,750	632,813	474,610	355,958	266,969	177,802	88,635
調整前償却額	500,000	375,000	281,250	210,937	158,203	118,652	88,989	66,742		
償却保証額	88,960	88,960	88,960	88,960	88,960	88,960	88,960	88,960		
改定取得価額×改定償却率								89,167	89,167	89,167
償却限度額	500,000	375,000	281,250	210,937	158,203	118,652	88,989	89,167	89,167	88,634
期末帳簿価額	1,500,000	1,125,000	843,750	632,813	474,610	355,958	266,969	177,802	88,635	1

（注）　調整前償却額（266,969円×定率法の償却率0.250≒66,742円）が償却保証額（取得価額2,000,000円×保証率0.04448＝88,960円）に満たないこととなる８年目以後の各年は、改定取得価額（266,969円）に改定償却率（0.334）を乗じて計算した金額89,167円が償却限度額となり、10年目において、残存簿価１円まで償却できます。

２　平成24年４月１日以後に取得した減価償却資産

平成23年12月改正により、平成24年４月１日以後に取得をされる減価償却資産に適用される償却率が、定額法の償却率を2.5倍した償却率（以下この償却率による償却方法を「250％定率法」といいます。）から定額法の償却率を２倍した償却率（以下この償却率による償却方法を「200％定率法」といいます。）に引き下げられました。

この改正に伴い、その減価償却資産に適用される償却率、改定償却率及び保証率が異なることとなりますが、償却限度額の計算方法については、改正前（250％定率法）と変わるものではありません。

なお、償却限度額は、減価償却資産の種類の区分ごとに、かつ、耐用年数及び法人が採用している償却方法の異なるものについては、その異なるごとに、その償却の方法により計算した金額とされていますが、この償却限度額の計算については、250％定率法を適用する減価償却資産と200％定率法を適用する減価償却資産はそれぞれ償却の方法が異なるものとして計算することになります。

（設例）

取得価額100万円、耐用年数10年で定率法を適用する減価償却資産を事業年度首において取得し、事業の用に供した場合の各年の償却に係る計算は、次のとおりとなります。

定率法の償却率0.200　保証率0.06552　改定償却率0.250

年数	1	2	3	4	5	6	7	8	9	10
期首帳簿価額	1,000,000	800,000	640,000	512,000	409,600	327,680	262,144	196,608	131,072	65,536
調整前償却額	200,000	160,000	128,000	102,400	81,920	65,536	52,428			
償却保証額	65,520	65,520	65,520	65,520	65,520	65,520	65,520			
改定取得価額×改定償却率							65,536	65,536	65,536	(65,536)
償却限度額	200,000	160,000	128,000	102,400	81,920	65,536	65,536	65,536	65,536	65,535
期末帳簿価額	800,000	640,000	512,000	409,600	327,680	262,144	196,608	131,072	65,536	1

（注）　調整前償却額（262,144円×償却率0.200＝52,428円）が、償却保証額（取得価額1,000,000円×保証率0.06552＝65,520円）に満たないこととなる７年目以降は、改定取得価額（７年目の期首帳簿価額262,144円）に改定償却率（0.250）を乗じて計算した金額65,536円が償却限度額となります。

参考　令48の２（減価償却資産の償却の方法）、令61（減価償却資産の償却累積額による償却限度額の特例）、規19①③（種類等を同じくする減価償却資産の償却限度額）、耐用年数省令　別表第九、第十

平成19年３月31日以前に取得した減価償却資産の取扱い

【問１－80】　平成19年度改正により減価償却方法が変更され、改正後の償却方法が平成19年４月１日以後取得する資産から適用されていますが、平成19年３月31日以前に取得した減価償却資産の償却方法はどのようにすればよいのですか。

【答】　平成19年３月31日以前に取得した減価償却資産については、従前の償却方法で計算することとなりますが、償却方法の名称について「定額法」が「旧定額法」、「定率法」が「旧定率法」、「生産高比例法」が「旧生産高比例法」、「リース期間定額法」が「旧国外リース期間定額法」に変更されています。

なお、有形減価償却資産又は生物について、前事業年度までの各事業年度においてした償却の額の累積額が、取得価額の95％相当額（生物については、「取得価額－残存価額」となります。以下同じ。）まで到達している場合には、その最初に到達した事業年度の翌事業年度（平成19年４月１日以後に開始する事業年度に限ります。）以後において、次の算式により計算した金額を償却限度額として償却を行い、帳簿価額が「１円」になるまで償却することができます。

（算式）

$$\text{償却限度額}=〔\text{取得価額}-(\text{取得価額の95\%相当額})-1\text{円}〕\times\frac{\text{償却を行う事業年度の月数}}{60}$$

（注）　リース期間定額法については平成20年４月１日以後に締結する所有権移転外リース取引の契約によって、その賃借人である法人が取得したものとされるリース資産について適用されます。なお、リース期間定額法については**【問１－158】**を参照してください。

参考　令48（減価償却資産の償却の方法）、令61（減価償却資産の償却累積額による償却限度額の特例）

定率法の特例

【問１－81】　平成23年12月改正で設けられた定率法を適用するに当たって設けられている特例について教えてください。

【答】　１　平成24年４月１日以後の期間内に取得した減価償却資産の特例

200％定率法による償却は、平成24年４月１日以後に取得をされる減価償却資産から適用されます。このため、平成24年４月１日前に開始し、かつ、同日以後に終了する事業年度（以下「改正事業年度」といいます。）において取得をされた減価償却資産が複数ある場合、１つの事業年度であるにもかかわらず、その取得の日に応じて200％定率法で償却する減価償却資産と250％定率法で償却する減価償却資産が混在することになります。

そこで、改正事業年度においてその有する減価償却資産について定率法を選定している場合には、平成24年４月１日以後に取得した減価償却資産については、平成24年３月31日以前に取得をされたものとみなして、250％定率法により償却をすることができます。

【設例】 12月決算法人

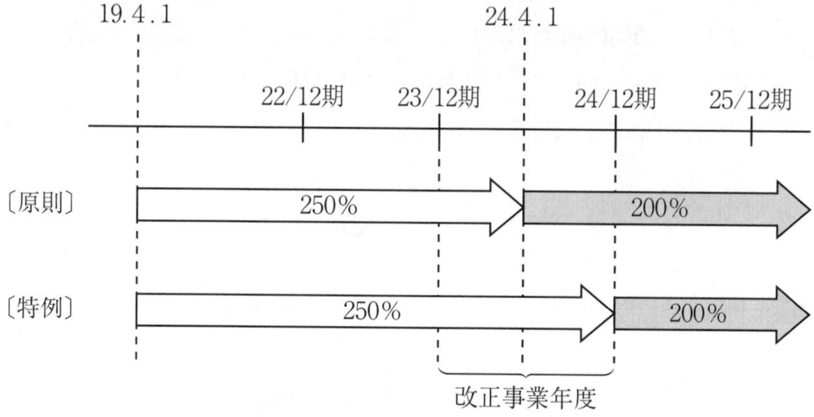

（注）１　この特例措置は法人が任意に選択することができ、選択するに当たり所轄税務署長への届出等の手続きは必要ありません。

２　適格分社型分割等により移転を受けた減価償却資産は、分割法人等が取得した日にその移転を受けた法人が取得したものとみなすこととされています。この分割法人等の取得の日が改正事業年度の平成24年４月１日以後の期間内であり、分割法人等が上記の償却方法の特例の適用を受けて250％定率法により償却している場合には、適格分社型分割等により移転を受けた減価償却資産は平成24年３月31日以前に取得をされた減価償却資産とみなして、250％定率法により償却することとなります。

２　平成19年４月１日から平成24年３月31日までの間に取得した減価償却資産の特例

法人が平成19年４月１日から平成24年３月31日までの間に取得をした減価償却資産につき定率法を選定している場合において、平成24年４月１日の属する事業年度の確定申告書の提出期限（仮決算をした場合の中間申告書を提出する場合にはその提出期限）までに、「減価償却資産の償却の方法等に関する経過措置の適用を受ける旨の届出書」を所轄税務署長に提出したときには、その届出による法人の選択により、改正事業年度又は平成24年４月１日以後最初に開始する事業年度のいずれかの事業年度（以下「変更事業年度」といいます。）以後の各事業年度における償却限度額の計算については、その減価償却資産の全てを平成24年４月１日以後に取得したものとみなして、200％定率法により償却することができます。

ただし、変更事業年度において、調整前償却額が償却保証額に満たない減価償却資産については、均等償却により償却を行うこととなるため、この特例措置の適用を受けることはできません。

【設例】12月決算法人

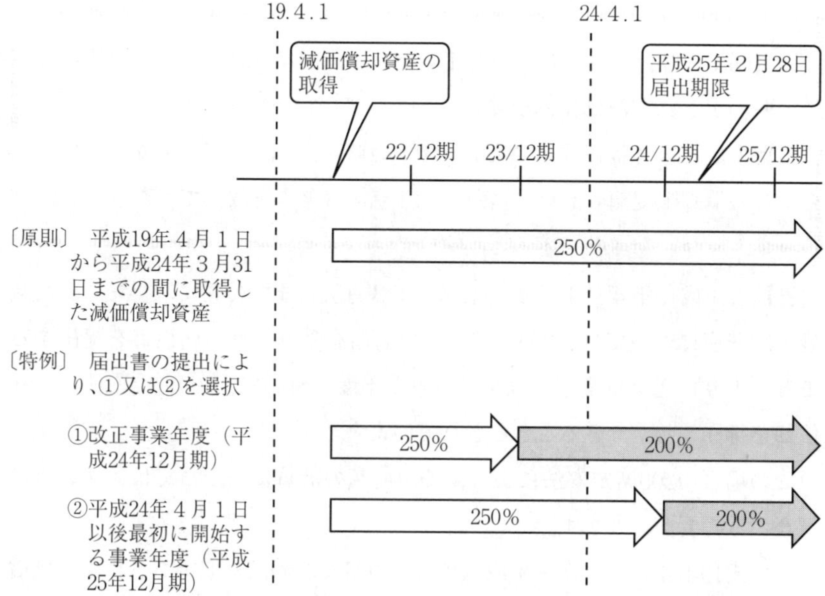

参 考　令48の２①（減価償却資産の償却の方法）、平23.12改令附３①②③、平23.12改規附３①

200%定率法

【問１－82】　平成19年４月１日から平成24年３月31日までの間に取得をされた減価償却資産について、200％定率法の適用を受ける旨の届出書を提出することにより、200％定率法の適用を受ける場合の償却限度額の計算に当たり、注意すべき点を教えてください。

【答】　平成19年４月１日から平成24年３月31日までの間に取得をされた減価償却資産については、200％定率法の適用を受ける旨の届出書を提出することにより、変更事業年度以後の各事業年度において、200％定率法により償却を行うことができることとされています。

この場合の200％定率法による償却限度額の計算に当たっては、次の点に留意する必要があります。

1　平成19年４月１日から平成24年３月31日までの間に取得をされた減価償却資産について、200％定率法により償却を行う場合には、償却率等の適用について一定の調整措置が設けられています。

具体的には、その減価償却資産の法定耐用年数及び未償却割合に対応する改正耐用年数省令附則別表（経過年数表）に定められた経過年数を、その減価償却資産の法定耐用年数から控除した年数を耐用年数として、耐用年数省令別表第十に掲げられた「償却率」、「改定償却率」及び「保証率」を適用することとされています（下記【設例】参照）。

なお、租税特別措置法による特別償却制度や増加償却の規定などの適用を受けている減価償却資産の耐用年数の算定については、改正耐用年数省令附則別表（経過年数表）を用いて計算する場合と同様の合理的な方法により算出した年数とすることができます。このため、例えば、耐用年数通達付表７⑵（定率法未償却残額表）により未償却残額割合から経過年数を求めた場合には、その経過年数から算出した耐用年数は、合理的な方法により算出した年数と認められます。

200％定率法の特例の適用を受ける減価償却資産の耐用年数 ＝ 減価償却資産の法定耐用年数 － 経過年数（法定耐用年数及び未償却割合を改正耐用年数省令附則別表（経過年数表）に当てはめて求めた経過年数）

（注）　未償却割合は、次の算式により計算した割合によります。

$$未償却割合 = \frac{取得価額 - 変更事業年度の前事業年度までの各事業年度においてした償却額の累積額}{取得価額}$$

２　上記の耐用年数により償却保証額を計算する場合の減価償却資産の取得価額は、その減価償却資産の取得価額から変更事業年度の前事業年度までの各事業年度においてした償却の額の累積額を控除した金額となります。

【設例】12月決算法人が、平成24年４月１日以後最初に開始する事業年度（25/12期）から200％定率法により償却をすることを選択し、平成25年２月28日（24/12期の申告期限）までに届出書を提出した場合〔取得価額100,000千円（平成20年４月取得）、耐用年数15年、償却率0.167、保証率0.03217）〕

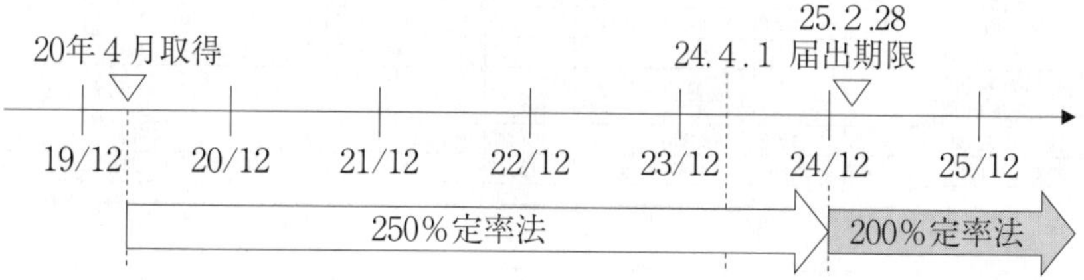

24/12期までの償却累計額	25/12期の期首帳簿価額	未償却割合	経過年数	25/12期以後の耐用年数
57,882	42,117	0.42117	５年	10年
250％定率法で償却限度額まで償却	25/12期以後の償却限度額計算基礎	42,117÷100,000	経過年数表より算出	15年－５年

附則別表　経過年数表（附則第２項関係）（抜粋）

耐用年数	未償却割合 以上	未償却割合 未満	経過年数
15	0.833	1.000	1
15	0.694	0.833	2
15	0.578	0.694	3
15	0.481	0.578	4
15	0.401	0.481	5
15	0.000	0.401	6

耐用年数10年の償却率等
償却率………………0.200
改定償却率…………0.250
保証率……………0.06552
（耐用年数省令別表第十）

〔参考：償却限度額の計算〕　（単位：千円）

年数	1	2	3	4	5	6	7	8	9	15
決算期	20/12期	21/12期	22/12期	23/12期	24/12期	25/12期	26/12期	27/12期	28/12期	4/12期
期首帳簿価額	100,000	87,475	72,866	60,697	50,561	42,117	33,694	26,955	21,564	2,760
調整前償却額	12,525	14,608	12,168	10,136	8,443	8,423	6,738	5,391	4,312	
償却保証額	3,217	3,217	3,217	3,217	3,217	2,759	2,759	2,759	2,759	
改定取得価額×改定償却率										2,760
償却限度額	12,525	14,608	12,168	10,136	8,443	8,423	6,738	5,391	4,312	2,760
期末帳簿価額	87,475	72,866	60,697	50,561	42,117	33,694	26,955	21,564	17,251	1

（1～5年：250％定率法／6年以後：200％定率法）

200％定率法による場合の取得価額

取得価額42,117×保証率0.06552

参考　平23.12改令附３③、平24改耐用年数省令附②③

法定耐用年数が２年の場合の償却額の計算方法

【問１－83】　平成19年４月１日以後に法定耐用年数が２年の減価償却資産を取得した場合の償却額の計算方法を教えてください。

【答】　法定耐用年数が２年の減価償却資産の償却方法として定額法が採用されている場合は、耐用年数省令別表第八の定額法の償却率0.500により各年の償却を行い、２年目において残存簿価１円まで償却できます。

当該減価償却資産の償却方法として定率法が採用されている場合は、耐用年数省令別表第九及び同別表第十における定率法の償却率は1.000ですので、１年目において残存簿価１円まで償却することができます。

ただし、事業年度の中途で事業の用に供した減価償却資産については次の算式により償却限度額を計算しますので、１年で償却できない場合があります。

（算式）

$$償却限度額 = \left(\begin{array}{l}当該資産の当該事業年度の\\償却限度額に相当する金額\end{array}\right) \times \frac{事業の用に供した日から当該事業年度終了の日までの期間の月数}{当該事業年度の月数}$$

（注）上記算式における月数は、暦に従って計算し、１月に満たない端数が生じたときは、これを１月とします。

例えば、３月決算の法人が令和６年７月に耐用年数２年の減価償却資産を200万円で購入したとします（定率法を採用）。この場合の償却限度額は次のようになります。

【令和７年３月期】

〔償却限度額〕　2,000,000円×1.000×9/12＝1,500,000円

【令和８年３月期】

〔償却限度額〕　（2,000,000円－1,500,000円）×1.000－１円＝499,999円

参考　令48の２（減価償却資産の償却の方法）、令58（減価償却資産の償却限度額）、令59（事業年度の中途で事業の用に供した減価償却資産の償却限度額の特例）

償却可能限度額

【問１－84】　平成19年３月31日以前に取得をされた一般の有形減価償却資産の残存価額は、取得価額の10％と聞いています。当社（旧定額法採用）が所有している資産のうち鉄筋コンクリート造の煙突については、当期（令和X1年12月期）分の償却限度額一杯の償却をすると、償却後の帳簿価額が残存価額を下回ることになりますので、当期分の償却限度額は残存価額に達するまでの金額126,000円となるのでしょうか。

取　得　価　額　10,000,000円（資本的支出の額なし）
残　存　価　額　1,000,000円
期首帳簿価額　1,126,000円
耐　用　年　数　35年
償却率（旧定額法）　0.029
当期分の償却限度額　261,000円
（10,000,000円－1,000,000円）×0.029＝261,000円
残存価額に達するまでの金額　126,000円
1,126,000円－1,000,000円＝126,000円

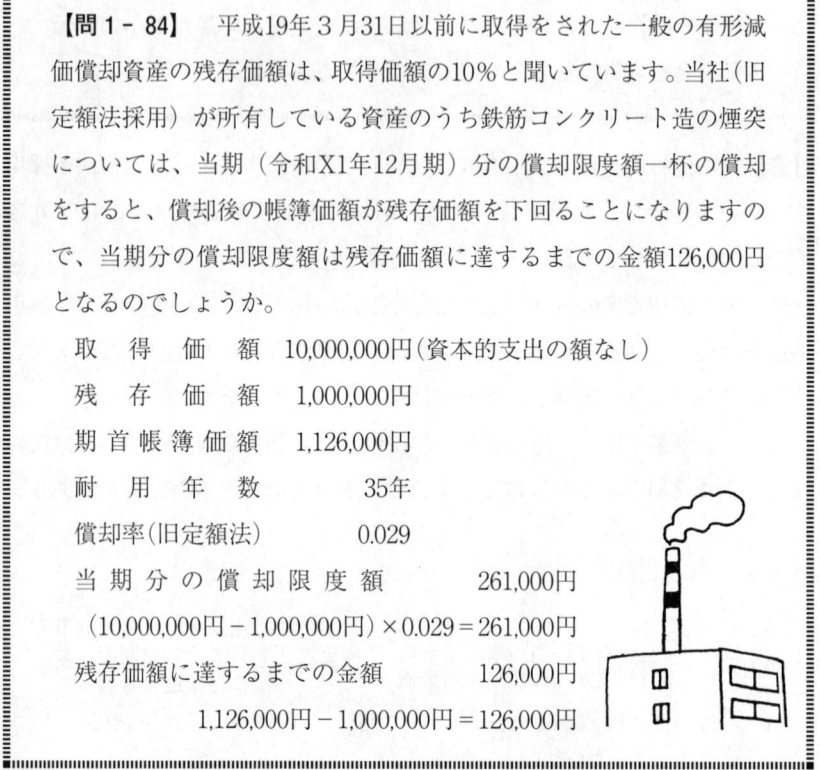

【答】　一般の有形減価償却資産（坑道を除き、器具及び備品に該当する生物を含みます。）については、損金の額に算入される減価償却の累計額（償却可能限度額）は取得価額の95％とされていました。

しかしながら、平成19年度改正により償却可能限度額及び残存価額について以下のとおり改正されました。

①　平成19年４月１日以後に取得された減価償却資産

償却可能限度額（取得価額の95％相当額）及び残存価額が廃止され、耐用年数経過時点に「残存簿価１円」まで償却できるようになりました。

②　平成19年３月31日以前に取得をされた減価償却資産

従前の償却方法については、その計算の仕組みが維持されつつ、その名称が旧定額法、旧定率法等と改められた上、前事業年度までの各事業年度においてした償却費の累積額が、原則として、取得価額の95％相当額まで達している減価償却資産については、その到達した事業年度の翌事業年度（平成19年４月１日以後に開始する事業年度に限ります。）以後において次の算式により計算した金額を償却限度額として償却を行い、残存簿価１円まで償却することができるようになりました。

（算式）

$$償却限度額=〔取得価額-（取得価額の95\%相当額）-1円〕\times\frac{償却を行う事業年度の月数}{60}$$

したがって、御質問の煙突については、その帳簿価額が500,000円（10,000,000円－10,000,000円×95％）に達するまで償却した後、その到達した事業年度の翌事業年度以後その帳簿価額が１円に達するまで減価償却を行うことができます。このため、当期分の償却限度額は261,000円（1,126,000円－500,000円＝626,000円＞261,000円）となります。

なお、減価償却資産の改正後の取扱いは下記のとおりです。

減価償却資産の取得日	償却可能限度額（残存簿価）	償却方法
平成19年３月31日以前	取得価額の95％相当額（残存簿価５％相当額）	旧定額法、旧定率法、旧生産高比例法など
	上記到達後は残存簿価１円まで償却可能	（上記算式のとおり）
平成19年４月１日以後	残存簿価１円	定額法、定率法、生産高比例法など

〔参考〕　令56（減価償却資産の耐用年数、償却率等）、令61（減価償却資産の償却累積額による償却限度額の特例）、耐用年数省令６（残存価額）、耐用年数省令　別表第七

転用資産の償却限度額

【問１-85】　当社は、事業年度の中途において、木造のＡ、Ｂ両建物をそれぞれ次のとおり転用することにしました。

この場合、転用により耐用年数が短くなるＡ建物については、転用した事業年度の期首から、耐用年数が長くなるＢ建物については、転用の日からそれぞれ転用後の耐用年数により償却限度額を計算したいと考えますが、これでよろしいでしょうか。

Ａ　建　物　　事務所用（24年）→住宅用（22年）

Ｂ　建　物　　倉 庫 用（15年）→住宅用（22年）

【答】　転用資産については、転用の時から転用後の耐用年数により償却するのが原則ですが、法人が転用した資産の全部について、転用した日の属する事業年度開始の日から転用後の耐用年数により償却限度額を計算したときは、これを認めることとされています。

しかし、この取扱いは、転用資産の全部を転用後の耐用年数による場合に認められるものです。

したがって、御質問のケースのように、Ａ建物だけを期首から転用後の耐用年数により、また、Ｂ建物については原則どおり転用前の期間は転用前の耐用年数により、転用後の期間は転用後の耐用年数によるというような選択はできません。

参考　令58（減価償却資産の償却限度額）、規19（種類等を同じくする減価償却資産の償却限度額）、基通７－４－２（転用資産の償却限度額）

事業年度の中途において取得した資産の償却限度額

【問１－86】　当社は、事業年度の中途において機械を取得しましたが、この機械の償却限度額はその取得した事業年度のうち、事業の用に供した月数に対応する部分について月割計算しなければならないのですか。

【答】　事業年度の中途において取得して事業の用に供した減価償却資産で、定額法又は定率法を採用している場合のその事業年度の償却限度額は、次の算式により計算することとされており、月割計算をする必要があります。

（算　式）

$$\text{その事業年度の全期間使用したとした場合の償却限度額} \times \frac{\text{事業の用に供した日からその事業年度終了の日までの期間の月数}}{\text{その事業年度の月数}} = \text{償却限度額}$$

（注）　月数は暦に従って計算し、１か月未満の端数は１か月とします。

参 考　令59（事業年度の中途で事業の用に供した減価償却資産の償却限度額の特例）

事業年度の中途で事業の用に供した減価償却資産の定率法における償却限度額の計算

【問１－87】　定率法を採用している場合において、当期の中途で事業の用に供した資産があるときには、償却保証額に満たないこととなるかどうかを比較する金額は、定率法により計算した金額を当期の事業供用月数で按分した金額によるのでしょうか。

【答】　定率法を採用している場合において、当期の中途で事業の用に供した資産があるときには、償却保証額に満たないことになるかどうかを比較する金額は、定率法により計算した月数按分**前**の金額となります。償却保証額と定率法により計算した月数按分**後**の金額ではありませんので注意してください。

なお、具体的な計算例を示すと次のとおりとなります。

事業年度：令和６年４月１日～令和７年３月31日
取得資産：器具及び備品
取得年月日：令和７年３月15日（取得と同時に事業供用）
取得価額：2,000,000円
耐用年数：６年（定率法の償却率：0.333、改定償却率：0.334、保証率：0.09911）

(1)　償却保証額に満たないかどうかの判定

①　定率法により計算した金額

2,000,000円×0.333＝666,000円

②　償却保証額

2,000,000円×0.09911＝198,220円

③　①>②　よってこの場合、償却限度額は期首帳簿価額×耐用年数省令別表第十の「定率法の償却率」の算式で求めます。

(2) 償却限度額

2,000,000円×0.333×1/12＝55,500円

参考　令48の２①（減価償却資産の償却の方法）、令59（事業年度の中途で事業の用に供した減価償却資産の償却限度額の特例）

特定資産の買換えの圧縮記帳と譲渡資産の減価償却費

【問１－88】　当社は、期中に減価償却資産を譲渡して買換資産を取得し、「特定資産の買換えの特例」を適用しようと考えております。

ところで、平成13年度改正において、法人税法第31条第１項「減価償却資産の減価償却費の損金算入」の規定について次のような改正が行われていますが、「特定資産の買換えの特例」の差益割合の計算における「譲渡直前の帳簿価額」は、期首の帳簿価額から、期首から譲渡時までの減価償却費を控除した後の金額とすることは認められないのでしょうか。

（改正前）「内国法人の減価償却資産につきその償却費として……」

（改正後）「内国法人の各事業年度終了の時において有する減価償却資産につきその償却費として……」

【答】　特定資産の買換えに係る圧縮記帳は、「圧縮基礎取得価額」（買換資産の取得価額又はその取得に充てることとした譲渡対価の額のうちいずれか少ない金額をいいます。）に差益割合を乗じて計算した金額の100分の80に相当する金額の範囲内でその帳簿価額を損金経理により減額するなどの方法で行います。

この場合、差益割合は次の算式で計算することとなります。

（算式）

$$差益割合 = \frac{譲渡対価の額 - \left(\begin{array}{l}譲渡資産の譲渡\\直前の帳簿価額\end{array} + 譲渡経費の額\right)}{譲渡対価の額}$$

平成13年度改正前の圧縮記帳制度の取扱いとして、期中に減価償却資産を譲渡する一方で買換資産を取得し、特定資産の買換えの特例を適用する場合には、当該譲渡資産の差益割合の計算における「譲渡直前の帳簿価額」については､期首の帳簿価額から､期首から譲渡時までの期間に係る減価償却費を控除した後の金額とすることが認められていました。

ところが、改正後においては、「事業年度終了の時において有する減価償却資産につき」償却費の計算を行うとされていることから、この取扱いは認められないのではないかとも考えられます。

しかしながら、この改正は、適格分社型分割等により、期中に移転する減価償却資産の償却費の計上（期中損金経理額）と、一般的に期末に行われる減価償却費の計上とを区別するために行われたものであり、期中譲渡資産の譲渡時までの減価償却費の計上を否定する趣旨の改正ではありません。

このため、圧縮記帳の計算においても、従前どおり期首の帳簿価額から、期首から譲渡時までの期間に係る減価償却費を控除した後の金額を「譲渡直前の帳簿価額」として差し支えないものと考えられます。

参考　法31①（減価償却資産の償却費の計算及びその償却の方法）、措法65の７（特定の資産の買換えの場合の課税の特例）

期中損金経理額の意義

【問１－89】　当社は、適格分割を考えていますが、この場合、分割法人においては、移転する減価償却資産について期中損金経理額の計上ができると聞きました。

期中損金経理額について簡単に説明してください。

【答】　適格分割、適格現物出資又は適格現物分配（適格現物分配にあっては、残余財産の全部の分配を除きます。以下**【問１－91】**までにおいて「適格分割等」といいます。）により、減価償却資産の移転を行った場合について、期中損金経理額の損金算入の規定が設けられています。

この期中損金経理額というのは、みなし事業年度の規定が適用されない適格組織再編成について、みなし事業年度において組織再編の直前の日までの減価償却費が計上できる適格合併等と同様の処理ができるように設けられたものです。

なお、平成22年９月30日以前においては、期中損金経理額の損金算入規定の適用対象となる適格組織再編成は、適格分社型分割、適格現物出資又は適格事後設立となります。

この適用を受けるためには、適格分割等の日以後２か月以内に、次の事項を記載した書類を納税地の所轄税務署長に提出する必要があります。

①	期中損金経理額の損金算入規定の適用を受けようとする内国法人の名称、納税地及び法人番号並びに代表者の氏名
②	適格分割等に係る分割承継法人等の名称及び納税地並びに代表者の氏名
③	適格分割等の日
④	適格分割等により分割承継法人等に移転をする減価償却資産に係る期中損金経理額及び償却限度額に相当する金額並びにこれらの金額の計算に関する明細
⑤	その他参考となるべき事項

（注）④については、法人税法別表十六(一)から十六(五)までの書式によるか、これと同じ内容を記載している場合に限ります。

参考　法31②③（減価償却資産の償却費の計算及びその償却の方法)、規21の２（適格分割等により移転する減価償却資産に係る期中損金経理額の損金算入に関する届出書の記載事項)、規27の14（期中損金経理額の損金算入等に関する届出書の記載事項に係る書式)

適格分割と期中損金経理額（償却超過額がない場合）

> **【問１－ 90】**　適格分割を行った場合に、分割法人及び分割承継法人における減価償却資産の帳簿価額はどのようになるのか簡単に説明してください。

【答】　適格分割を行った場合、分割法人においては、分割の日の前日に期中損金経理額の損金算入を行い帳簿価額を減額した後、分割承継法人に当該資産を移転する計算を行うこととなり、一方、分割承継法人においては、分割期日において、分割法人における減額後の帳簿価額をもって当該資産の計上を行うこととなります。

なお、**【問１-89】**の**【答】**欄のとおり、適格分割等により、減価償却資産の移転を行った場合について、期中損金経理額の損金算入の規定が設けられていますが、平成22年９月30日以前においては、期中損金経理額の損金算入規定の適用対象となる適格組織再編成は、適格分社型分割、適格現物出資又は適格事後設立となります。

（例）　分割法人の期首における帳簿価額1,200（償却超過額はゼロ）の減価償却資産について、分割直前に減価償却費300（償却限度相当額300）を期中損金経理額として損金算入した場合（期中損金経理額の損金算入の結果、移転資産の帳簿価額は900）

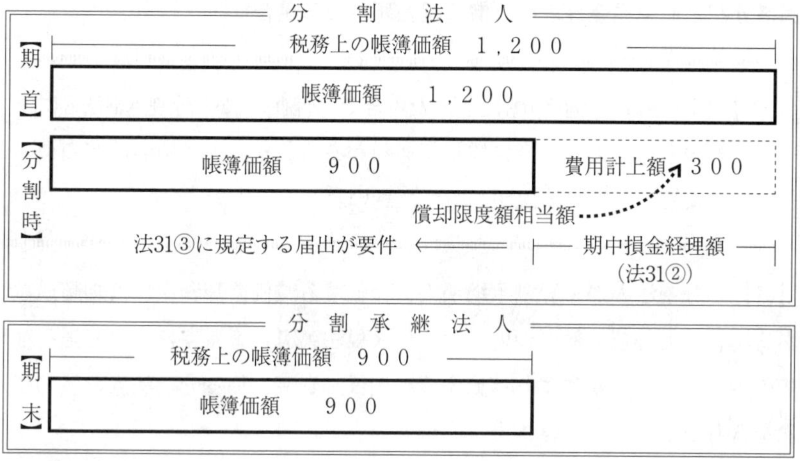

参 考　法31②③（減価償却資産の償却費の計算及びその償却の方法）

適格分割と期中損金経理額（償却超過額がある場合）

【問１－91】　適格分割を行った場合で、分割法人から分割承継法人に移転する減価償却資産に償却超過額があるときの帳簿価額はどのようになるのか簡単に説明してください。

【答】　分割法人から分割承継法人に移転する減価償却資産に償却超過額がある場合、償却超過額については、法人税法第31条第４項において損金経理額の中に、適格分割により移転する減価償却資産に係る分割法人の償却超過額を含むこととされています。

なお、**【問１-89】**の**【答】**欄のとおり、適格分割等により、減価償却資産の移転を行った場合について、期中損金経理額の損金算入の規定が設けられていますが、平成22年９月30日以前においては、期中損金経理額の損金算入規定の適用対象となる適格組織再編成は、適格分社型分割、適格現物出資又は適格事後設立となります。

（例）　分割法人の期首における帳簿価額1,000（償却超過額は200）の減価償却資産について、分割直前に減価償却費450（償却限度相当額300）を期中損金経理額として損金算入した場合（期中損金経理額の損金算入の結果、移転資産の帳簿価額は550）

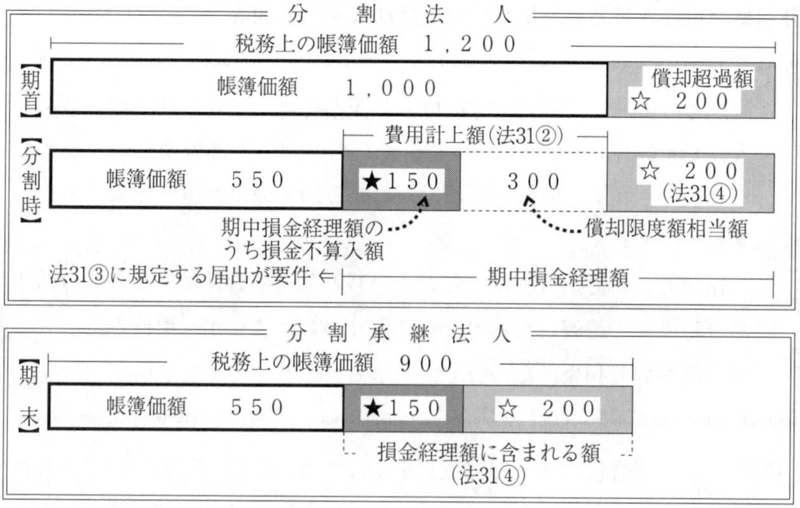

参考　法31②③④（減価償却資産の償却費の計算及びその償却の方法）

非適格合併等が行われた場合の減価償却資産の範囲等

【問1－92】　当社は、この度、非適格合併により甲社（被合併法人）から時価100万円、帳簿価額40万円の減価償却資産を引き継ぐこととなり、甲社の帳簿価額である40万円で会計帳簿への記載をしました。

税務上、非適格合併により資産を移転した場合には、その時の価額（時価）で譲渡したものとして取り扱われますが、甲社から引き継いだ減価償却資産について留意する点を教えてください。

【答】　非適格合併によって引継ぎを受けた減価償却資産について会計帳簿に記載した金額が、その非適格合併の直後における減価償却資産の償却限度額の基礎となる取得価額に満たない場合には、その満たない金額は、合併法人における非適格合併の日の属する事業年度前の各事業年度において損金経理をした金額とみなすこととされています。

御質問の場合には、減価償却資産の帳簿価額40万円と時価100万円との差額の60万円については、合併法人である貴社において非適格合併のあった日の属する事業年度前の各事業年度に償却費として損金の額に算入されたものとして取り扱い、貴社の繰越減価償却超過額として、その後の減価償却費の計算を行うこととなります。

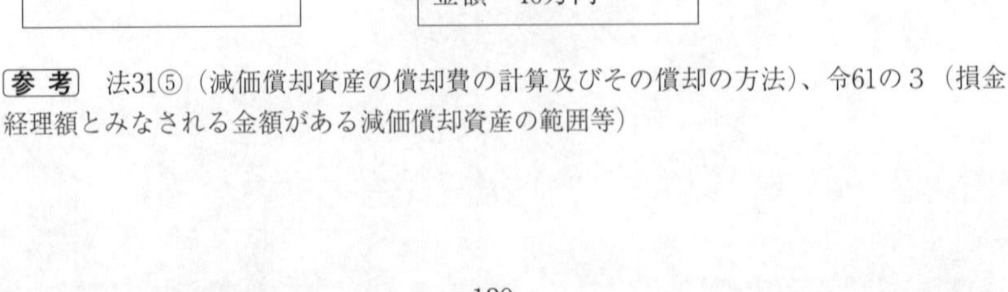

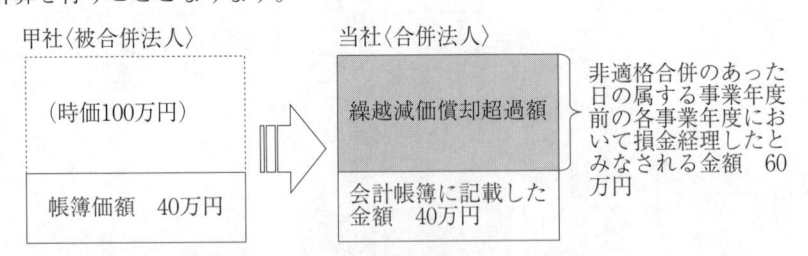

参考　法31⑤（減価償却資産の償却費の計算及びその償却の方法）、令61の3（損金経理額とみなされる金額がある減価償却資産の範囲等）

建築中の建物の減価償却

【問１－93】　当社では現在10階建てのビルを建築しています。

地階と１、２階の店舗部分は既に完成し、テナントが営業を始めていますが、３階以上の賃貸マンション部分は未完成です。

地階と１、２階部分だけ先行して減価償却してよろしいでしょうか。

【答】　建築中の建物は減価償却資産には該当しませんが、建設仮勘定として経理している場合であっても、その完成した部分が事業の用に供されているときには、その部分は減価償却資産に該当します。

したがって、御質問のビルのうち地階と１、２階の部分は事業の用に供されていることが明らかですから、その部分については、未完成の部分に先行して減価償却することができます。

参考　基通７－１－４（建設中の資産）

資本的支出をした事業年度の償却限度額

【問１－94】　当社（年１回３月決算）は、令和６年10月に本社事務所用建物に非常階段を設置し、その費用として10,000千円を支出しました。

この非常階段の設置に要した費用は建物の資本的支出になると思いますが、当期の本社事務所用建物（平成11年４月に新築した建物で資本的支出前の取得価額100,000千円、期首帳簿価額56,800千円、前期以前から繰り越した償却超過額等はありません。）の償却限度額の計算方法はどのようになりますか。

※　本社事務所用建物（鉄筋コンクリート造のもの）の耐用年数は50年で、旧定額法及び定額法の年償却率は0.020です。

【答】　平成19年４月１日以後に資本的支出をした場合については、原則としてその資本的支出に係る部分は、新たに取得したものとみなされます（資本的支出をした場合の取扱いは**【問１－106】**を参照してください。）ので、償却限度額の計算においても資本的支出部分と本体資産部分とを切り離して計算することとなります。

また、本体部分の償却方法は「旧定額法」を使用することとなりますが、資本的支出部分については、令和６年10月に取得したこととされますので「定額法」を使用することとなります。

したがって、当期における貴社の本社事務所用建物の償却限度額は次のとおりとなります。

・本体部分〔旧定額法〕　（100,000千円－100,000千円×10％）×0.020＝1,800千円

・資本的支出部分〔定額法〕　10,000千円×0.020×6/12（※）＝100千円

※　資本的支出をした事業年度については資本的支出部分の償却限度額を月割計算する必要があります。

・当期の償却限度額　1,800千円＋100千円＝1,900千円

なお、平成19年３月31日以前に取得した本体資産について資本的支出をした場合には、上記の原則的な方法と本体資産に合算する特例が認められています。（資本的支出を行った場合の取扱いについては**【問１-109】**～**【問１-115】**を参照してください。）

しかし、この特例を使った場合であっても資本的支出をしたその事業年度については資本的支出部分の償却限度額を月割計算する必要があるため、その本体と資本的支出部分とに分けて償却限度額を計算する必要があります。

また、本体に合算するのですからその償却方法も本体と同じ「旧定額法」となります。

・本体部分〔旧定額法〕（100,000千円－100,000千円×10％）×0.020
　　=1,800千円

・資本的支出部分〔旧定額法〕（10,000千円－10,000千円×10％）×0.020
　　×6/12＝90千円

・当期の償却限度額　1,800千円＋90千円＝1,890千円

※　翌事業年度からは、建物本体と資本的支出部分とを分けずに取得価額を110,000千円（100,000千円＋10,000千円）として償却限度額の計算を行います。

参考　令48、48の２（減価償却資産の償却の方法）、令55①②（資本的支出の取得価額の特例）、令59①（事業年度の中途で事業の用に供した減価償却資産の償却限度額の特例）、耐用年数省令　別表第一、第七、第八、第十一

事業年度が１年未満の場合の償却限度額の計算

【問１‐95】　当社は、もともと３月決算でしたが、令和６年10月に決算月の変更を行い、12月決算としました。変更後の決算（令和６年12月期）に当たって、当社で保有している機械及び装置の償却限度額について説明してください。

なお、当社は、定率法を採用しています。

・取得価額	50,000,000円
・期首帳簿価額	30,000,000円
・耐用年数	13年
・償却率	0.154
・保証率	0.05180

【答】　法人を設立した設立１期目や決算期を変更した場合には、その法人の事業年度が１年に満たないことがあります。

このように事業年度が１年に満たない場合の減価償却資産の償却限度額は次により算出した償却率を用いて計算します。

なお、それぞれの算式中の事業年度の月数は、暦に従って計算し、１か月に満たない端数が生じたときは、その端数を切り上げます。

１　旧定額法、定額法又は定率法を選定している場合

$$\text{旧定額法、定額法又は定率法に係る償却率若しくは改定償却率} \times \frac{\text{当該事業年度の月数}}{12}$$

（注）１　小数点以下３位未満の端数があるときは、その端数は切り上げます。

２　定率法を採用している場合の償却保証額の計算については、法人の事業年度が１年に満たない場合においても、別表第九又は別表第十に定める保証率により計算します。なお、当該償却保証額に満たない場合に該当するかどうかの判定に当たっては、調整前償却額を計算する定率法の償却率は、上記の月数による按分前の償却率によります。

（定率法の計算方法については、**【問１‐79】**を参照してください。）

２　旧定率法を選定している場合

（当該減価償却資産の耐用年数×12/当該事業年度の月数）に応ずる別表第七の旧定率法の償却率

（注）　１年未満の端数があるときは、その端数は切り捨てます。

したがって、定率法を採用している貴社の機械及び装置の当期（令和６年12月期）の償却限度額は次のとおり3,480,000円となります。

①　定率法の償却率

当期は事業年度が９か月となりますので、当該機械及び装置については、定率法の償却率は次のとおりとなります。

0.154（定率法に係る償却率）×９/12（当期の事業年度の月数/12）＝0.116

②　調整前償却額と償却保証額の比較

この比較計算においては、調整前償却額、償却保証額ともに事業年度が１年として計算します。

イ　調整前償却額

30,000,000円×0.154＝4,620,000円

ロ　償却保証額

50,000,000円×0.05180＝2,590,000円

当期については「調整前償却額＞償却保証額」となりますので、償却限度額の計算は、「期首帳簿価額×定率法の償却率」となります。

③　当期の償却限度額の計算

30,000,000円×0.116＝3,480,000円

なお、１年決算法人でその事業年度を６か月ごとに区分してそれぞれの期間につき償却限度額を計算し、その合計額をもって当該事業年度の償却限度額としている場合には、当該各期間に適用する償却率又は改定償却率を、定額法又は定率法を採用しているものはそれぞれ別表第八又は第九若しくは第十（旧定額法及び旧定率法を採用している場合には別表第七）の償却率に１/２を乗じて得た率（小数点以下第４位まで求めた率）として償却限度額の

計算をすることができます。

参考　令56（減価償却資産の耐用年数、償却率等）、耐用年数省令４②（旧定額法及び旧定率法の償却率）、耐用年数省令５②（定額法の償却率並びに定率法の償却率、改定償却率及び保証率）、耐用年数省令　別表第七、第八、第九、第十、基通７－４－１（改定耐用年数が100年を超える場合の旧定率法の償却限度額）、耐通５－１－１（事業年度が１年に満たない場合の償却率等）、耐通５－１－２（中間期間における償却率等）

同じ種類の資産がある場合の償却限度額の計算

【問１－96】　当社は外交員が使用する普通乗用車を２台所有していますが、今年の決算では、その１台については償却超過が、もう１台については償却不足が発生しました。

１台の償却超過額ともう１台の償却不足額とを通算しても差し支えないでしょうか。

【答】　法人の有する減価償却資産についての各事業年度の償却限度額は、減価償却資産の種類等の区分ごとに、かつ、耐用年数及び償却方法の異なるものについては、その異なるごとにグルーピングして、同一のグループに属する資産全体で計算することとされています。

この場合の「種類等の区分」とは、耐用年数省令に定められている構造若しくは用途、細目又は設備の種類の区分をいい、さらに事業所ごとに償却方法を選定しているときは事業所ごとのこれらの区分をいいます。

したがって、貴社の場合、２台の普通乗用車について同じ償却方法を採用しているときは、これらをグルーピングして償却限度額を求め、償却超過額又は償却不足額についても２台まとめて計算することになります。

参考　規19（種類等を同じくする減価償却資産の償却限度額）

事業所別償却の場合の償却限度額の通算計算

【問１－97】　当社は大阪と東京に事業所があり、減価償却資産の償却の方法は事業所ごとに選定することとし、大阪の店舗用建物は旧定額法、東京の店舗用建物は旧定率法により償却をしています（いずれも、平成10年３月31日以前に取得したものです。）。

ところで、両店舗とも鉄筋コンクリート造（耐用年数39年）ですが、大阪の店舗用建物には償却超過が生じ、東京の店舗用建物には償却不足が生じました。

この償却超過額と償却不足額とを通算してよいのでしょうか。

【答】　２以上の事業所を有する法人にあっては、事業所ごとに異なる償却の方法を選定することができますが、この場合の償却限度額の計算は事業所ごとに区分して行うこととなります。

したがって、他の事業所の資産と種類を同じくし、かつ、耐用年数が同一のものについて過不足額が生じても通算できません。

これに対して事業所ごとに償却の方法を選定しない場合の償却限度額の計算は、他の事業所の資産と種類を同じくし、かつ、耐用年数及び償却の方法が同一のものであれば過不足額の通算ができます。

（注）　事業所ごとに償却の方法を選定した場合は、償却方法が同一であっても過不足通算はできませんので、注意してください。

また、平成10年４月１日以後に取得する建物については、旧定額法又は定額法（平成19年４月１日以後取得するものに限ります。）で償却することとされ、旧定率法又は定率法で償却することはできませんので、併せて注意してください。

参考　令51①（減価償却資産の償却の方法の選定）、規19（種類等を同じくする減価償却資産の償却限度額）

償却超過額がある場合の償却限度額の計算

【問１－98】　当社（年１回３月決算）は、器具及び備品について定率法により減価償却費の計算をしていますが、前期中の令和５年４月に取得し事業の用に供した陳列ケース（取得価額200万円）について、次のように償却超過額が生じております。

当期において損金経理をしたこの陳列ケースの減価償却費は30万円ですが、償却限度額の計算はどのようにすればよいのでしょうか。

・器具及び備品　陳列ケース（耐用年数　８年　償却率　0.250）
・前期の償却限度額（年１回決算）
　2,000,000円×0.250＝500,000円
・前期に損金経理した償却費　1,000,000円
・前期の償却超過額　1,000,000円－500,000円＝500,000円

【答】　御質問のように償却超過額が生じた場合の翌事業年度以後の償却限度額の計算は次によります。

１　前期の償却超過額500,000円は、当期において償却費として損金経理した金額に含めます。

２　定率法により償却限度額の計算をする場合には、償却超過額のある資産の帳簿価額は、法人計算の帳簿価額にその償却超過額を加算した金額を基礎とします。

（法人計算の当期首帳簿価額）（前期の償却超過額）
当期の償却限度額＝｛(2,000,000円－1,000,000円)＋　500,000円｝×0.250＝375,000円

３　償却超過額のある資産について、当期で損金経理した償却費が償却限度額に満たない場合には、その満たない金額の範囲内で償却超過額の全部又は一部が当期の損金（申告書別表四で減算）となります。

・当期の償却限度額　375,000円

・当期に損金経理した償却費　　300,000円

・当期の償却不足額　375,000円－300,000円＝75,000円

（前期の償却超過額）		（当期損金認容額）		（翌期繰越償却超過額）
500,000円	－	75,000円	＝	425,000円

参考　法31①（減価償却資産の償却費の計算及びその償却の方法）、令62（償却超過額の処理）、耐用年数省令　別表第一、第十

賃借建物について行った内部造作の減価償却の方法

【問１－99】　当社は、令和６年５月の事務所の移転に伴い、賃貸ビルの一室を借り、これに内部造作を行いました。

この賃貸建物の内部造作に係る減価償却の方法については、建物の償却方法である定額法を適用することになるのでしょうか。

【答】　賃借建物について行った内部造作がいずれの減価償却資産に当たるのかについては、明確な規定はありませんが、自己の建物について行った内部造作については、その造作が建物附属設備に該当する場合を除き、当該建物の耐用年数を適用するという取扱いからすれば、他人の建物について行った内部造作についても、建物附属設備に該当するものを除き、建物に含まれることと解するのが相当です。

したがって、他人の建物について行った内部造作についても、建物の減価償却の方法である定額法が適用されることとなります。

なお、この場合の耐用年数については**【問３-28】**により合理的に見積もった年数によることになります。

参考　耐用年数省令　別表第一、耐通１－１－３（他人の建物に対する造作の耐用年数）、耐通１－２－３（建物の内部造作物）

償却方法等の変更

【問１-100】　償却方法等の変更の手続について教えてください。

【答】　法人が既に選定した償却方法等を変更しようとするときは、原則として、新たな償却方法を採用しようとする事業年度開始の日の前日までに「減価償却資産の償却方法の変更承認申請書」を納税地の所轄税務署長に提出し、承認を受けなければならないこととされています。また、変更申請は、その現によっている償却の方法を採用してから３年を経過していないときは、その変更が合併や分割に伴うものである等その変更することについて特別な理由があるときを除き、承認されません。

参考　令52（減価償却資産の償却の方法の変更手続）、基通７－２－４（償却方法の変更申請があった場合の「相当期間」）

償却方法を定額法から定率法に変更した場合の計算

【問１-101】　当社は、来期から機械装置の償却方法を定額法から定率法に変更することとし、税務署長からその承認を受けようとしていますが、変更後の償却限度額は、どのように計算するのでしょうか。

【答】　御質問のように減価償却資産の償却方法を定額法から定率法に変更した場合には、変更後の償却限度額は、その変更をした事業年度開始の日における帳簿価額を基礎とし、その減価償却資産の法定耐用年数に応ずる償却率により計算することとされています。

この場合、その減価償却資産について繰越控除の対象となる特別償却不足額があるときは、次の算式により計算した金額が償却限度額となります。

償却限度額＝（期首帳簿価額－特別償却不足額）×償却率＋特別償却不足額

（償却方法等の変更については**【問１-100】**を参照してください。）

参考　令52（減価償却資産の償却の方法の変更手続）、基通７－４－３（定額法を定率法に変更した場合等の償却限度額の計算）

償却方法を定率法から定額法に変更した場合の計算

【問１-102】　当社は、この度、構築物の償却の方法を、所轄税務署長の承認を受けた上で定率法から定額法に変更しようと思いますが、変更後の償却限度額の計算はどのようにするのでしょうか。

【答】　減価償却資産の償却方法を定率法から定額法に変更した場合には、その後の償却限度額は、その変更をした事業年度開始の日における帳簿価額を取得価額とみなして、耐用年数は、減価償却資産の種類の異なるごとに、法人の選択により、次の１又は２に定める年数によって計算することとされています。

1	その減価償却資産について定められている法定耐用年数
2	その減価償却資産について定められている法定耐用年数から採用していた償却方法に応じた経過年数（その変更をした事業年度開始の日における帳簿価額を実際の取得価額をもって除して得た割合に応ずるその法定耐用年数に係る未償却残額割合に対応する経過年数）を控除した年数（その年数が２年に満たない場合には２年）

変更後の償却限度額の計算例は、次のとおりです。

〔設例〕

・減価償却資産の種類等　耐用年数省令別表第一の「構築物」の「金属造のもの」「焼却炉」（法定耐用年数　10年）

・変更した事業年度開始の日（期首）の帳簿価額（償却過不足額はないこととします。）　2,949,120円

・実際の取得価額（資本的支出はないこととします。）　10,000,000円

・年１回決算法人

（限度額の計算）

(1)　法定耐用年数による場合

・償　却　率　　定額法の10年の償却率　0.100

・償却限度額　　2,949,120円×0.100＝294,912円

(2) 残存耐用年数による場合

・経過年数

未償却残額割合 ＝ 変更した事業年度開始の日における帳簿価額 2,949,120円 ／ 実際の取得価額 10,000,000円 ＝ 0.295（小数第４位四捨五入）

この未償却残額割合0.295は耐通付表７(3)「定率法未償却残額表（平成24年４月１日以後取得分）」の耐用年数10年の欄の0.328と0.262の中間の数字ですから、下位の0.262に対応する経過年数を求めると６年となります。

定率法未償却残額表（平成24年４月１日以後取得分）

経過年数＼耐用年数	3	4	5	6	7	8	9	10	11
償却率	0.667	0.500	0.400	0.333	0.286	0.250	0.222	0.200	0.182
1年	0.333	0.500	0.600	0.667	0.714	0.750	0.778	0.800	0.818
2	0.111	0.250	0.360	0.445	0.510	0.563	0.605	0.640	0.669
3	0.000	0.125	0.216	0.297	0.364	0.422	0.471	0.512	0.547
4		0.000	0.108	0.198	0.260	0.316	0.366	0.410	0.448
5			0.000	0.099	0.173	0.237	0.285	0.328	0.366
6				0.000	0.086	0.158	0.214	0.262	0.300
7					0.000	0.079	0.143	0.197	0.240
8						0.000	0.071	0.131	0.180
9							0.000	0.066	0.120
10								0.000	0.060
11									0.000

・残存耐用年数　法定耐用年数10年－経過年数６年＝４年

・償　却　率　定額法の４年の償却率　0.250

・償却限度額　2,949,120円×0.250＝737,280円

（償却方法等の変更については【問１-100】を参照してください。）

参考　耐用年数省令　別表第一、第七、基通７－４－４（定率法を定額法に変更した場合等の償却限度額の計算）、耐通　付表７(3)定率法未償却残額表（平成24年４月１日以後取得分）

評価換えが行われた場合の減価償却費の計算

【問１-103】　この度の災害により、当社の建物が著しく損傷したため、評価換えにより評価損を計上しました。この評価換えを行った建物のその後の事業年度における減価償却費の計算上留意する点について教えてください。

なお、当社は、建物（平成10年３月以前に取得）の償却方法として旧定率法を採用しています。

【答】　旧定率法及び定率法を採用している減価償却資産について評価換えが行われたことによりその帳簿価額が減額された場合には、その評価換えが行われた事業年度後の各事業年度においては、その減価償却資産について既に行った償却の額に、その評価換えにより減額された金額を含むものとされました。

（算式）

$$\text{償却限度額} = \left[\text{取得価額} - \left(\begin{array}{l} \text{損金の額に算} \\ \text{入された減価} \\ \text{償却累計額} \end{array} + \begin{array}{l} \text{評価換えにより評} \\ \text{価損として損金算} \\ \text{入された金額} \end{array} \right) \right] \times \begin{array}{l} \text{旧定率法、定率法} \\ \text{の償却率} \end{array}$$

（注）　評価換えとは法人税法第33条第２項（資産の評価損の損金不算入等）に規定する評価換えをいいます。

御質問の場合、旧定率法の基礎となる帳簿価額は、既に償却費として損金の額に算入された金額のほか、今回の評価換えにより評価損として計上した金額も含めたところで取得価額から控除して計算することとなります。

参考　法33②（資産の評価損）、令48②、令48の２②（減価償却資産の償却の方法）、令68①（資産の評価損の計上ができる事実）、基通９－１－17（固定資産について評価損の計上ができない場合の例示）

特別償却を適用する場合の取得初年度の普通償却限度額の計算

【問１-104】　当社（年１回12月決算）は、令和６年４月に次のような減価償却資産（中小企業者等が機械等を取得した場合の特別償却の対象資産）を取得し、事業の用に供しましたが、当期のこの資産の減価償却限度額はいくらですか。

取得価額	10,000千円
特別償却割合	30％
法定耐用年数（定率法の償却率）	10年（0.200）

【答】　特別償却制度の適用の対象となる減価償却資産の初年度の減価償却限度額は、特別償却限度額と普通償却限度額との合計額となります。

1　特別償却限度額　10,000千円（取得価額）× 30％（特別償却割合）＝3,000千円

2　普通償却限度額　10,000千円（取得価額）× 0.200（償却率）× $\frac{9}{12}$ $\left(\frac{\text{事業の用に供した月数}}{\text{事業年度の月数}}\right)$

＝1,500千円

3　当期の減価償却限度額　3,000千円（特別償却限度額）＋ 1,500千円（普通償却限度額）＝4,500千円

特別償却限度額は、取得価額を基に計算し、取得初年度の普通償却限度額も取得価額を基に計算しますので、注意してください。（中小企業者等が機械等を取得した場合の特別償却については、**【問２-13】**を参照してください。）

参考　令58（減価償却資産の償却限度額）、措法42の６①（中小企業者等が機械等を取得した場合の特別償却又は法人税額の特別控除）、耐用年数省令　別表第十

特別償却不足額と普通償却不足額との差異

【問１-105】　当社は、設立第３期目の青色申告法人です。

設立以来業績が振るわなかったため減価償却を行っていませんでしたが、この度の決算ではかなりの利益が計上できる見込みです。

そこで、当期の償却限度額以外に、過去２期分の償却不足額を一括して当期において損金に計上することは可能でしょうか。

【答】　償却不足額の繰越しが認められるのは、次に掲げる要件の全てに該当している特別償却不足額に限られます。

１　租税特別措置法に規定する特別償却制度の適用により生じた不足額であること。

２　不足額を損金の額に算入しようとする事業年度開始の日前１年以内に開始した各事業年度（その事業年度まで連続して青色申告書を提出している場合の各事業年度に限ります。）において生じた不足額であること。

３　不足額の生じた事業年度から、不足額を損金の額に算入しようとする事業年度までの確定申告書に、償却限度額の計算に関する明細書の添付をしていること。

御質問の場合は、特別償却不足額でなく普通償却不足額の場合と思われますので、過去２期分の償却不足額を当期に繰り越して計上しても、その金額は損金の額に算入することはできません。

ただし、普通償却不足額のある減価償却資産についても１円に達するまでは償却できるわけですから、その資産を事業の用に供している限り償却不足額は将来的には償却されることになります。

参考　措法52の２（特別償却不足額がある場合の償却限度額の計算の特例）、措令30（特別償却不足額がある場合の償却限度額の計算の特例）

第５節　資本的支出と修繕費

資本的支出をした場合の取扱い

> **【問１－106】**　平成23年12月改正により、定率法の償却率の見直しに併せて、資本的支出に係る取扱いが大幅に改正されたと聞きました。その概要について教えてください。

【答】　≪原則≫

既存の減価償却資産（以下「旧減価償却資産」といいます。）に対して資本的支出を行った場合、その資本的支出は、原則として、その支出金額を固有の取得価額として、旧減価償却資産と種類及び耐用年数（漁港水面施設運営権の存続期間の更新に伴い支出するものについては「種類」となります。以下同じ。）を同じくする新たな減価償却資産（以下「追加償却資産」といいます。）を取得したものとされ、その種類と耐用年数に応じて償却を行うこととされています。なお、旧減価償却資産本体については、この資本的支出を行った後においても、現に採用されている償却方法により、償却を継続して行うこととなります。

ところで、平成23年12月改正により、法人の有する減価償却資産について定率法を選定している場合には、平成24年４月１日以後に取得される減価償却資産の定率法の償却率については、定額法の償却率を2.5倍した償却率（「250％定率法」といいます。）から定額法の償却率を２倍した償却率（「200％定率法」といいます。）に引き下げられています。これにより、平成19年４月１日から平成24年３月31日までの間に取得された減価償却資産（旧減価償却資産）は250％定率法により償却を行い、平成24年４月１日以後に行った資本的支出（追加償却資産）は200％定率法により償却を行うこととなります。

【設例】

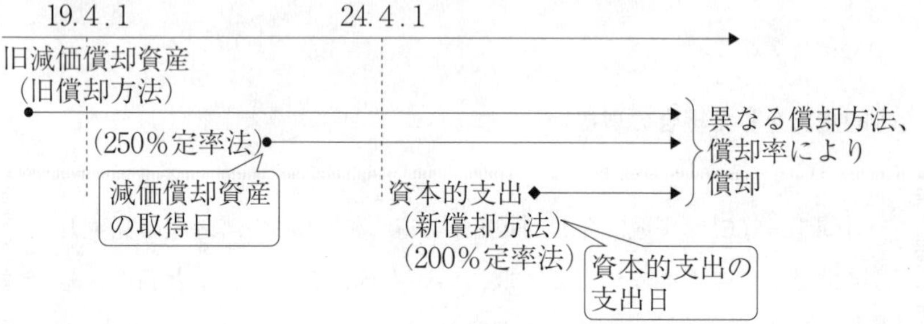

≪特例≫

この資本的支出の取扱いについては、次に掲げる方法も認められています。

1　平成19年３月31日以前に取得をされた旧減価償却資産に資本的支出を行った場合

資本的支出を行った事業年度において、旧減価償却資産の取得価額に、この資本的支出の金額を加算することができます。

この加算を行った場合は、平成19年３月31日以前に取得をされた既存の減価償却資産の種類、耐用年数及び償却方法に基づいて、加算を行った資本的支出部分も含めた減価償却資産全体の償却を行っていきます。

また、いったん減価償却資産全体に対して、当該事業年度の償却費の計上を行った場合には、翌事業年度以後において、その資本的支出を新たに取得したものとして償却する方法の採用は認められません。

【設例】３月決算法人

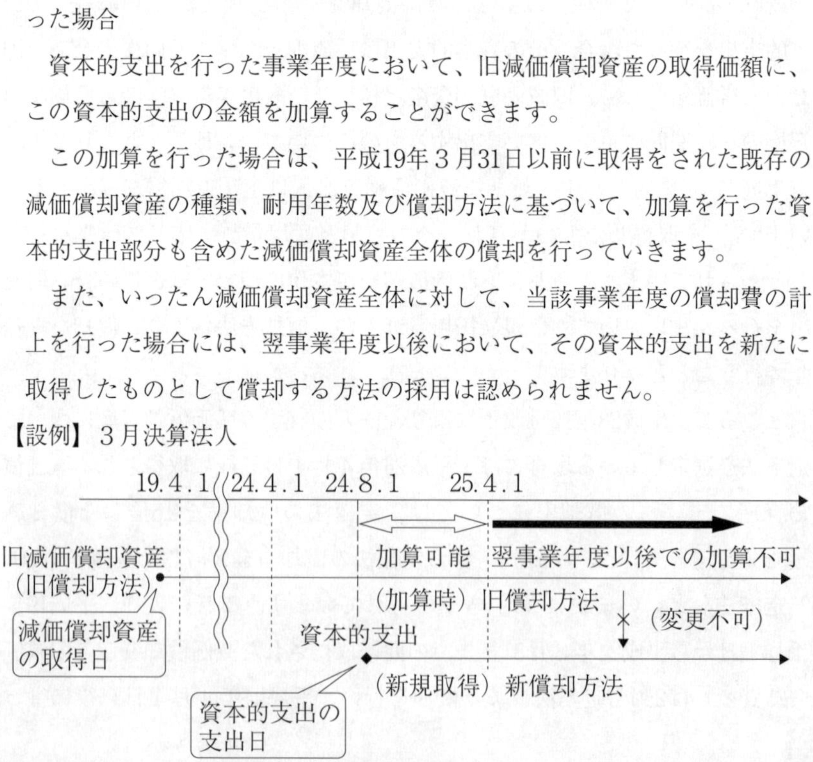

（注）　資本的支出は、その支出を行った事業年度にその対象となった減価償却資産の取得価額に加算することが可能となりますが、その支出が事業年度の中途で行われた場合には、月数調整を行う必要があることから、償却限度額の計算上、対象となった減価償却資産とは別に計算する必要があります。なお、この場合においても、資本的支出の償却限度額の計算は既存の減価償却資産の償却方法（旧定額法、旧定率法等）によることになりますので御注意ください。

２　平成19年４月１日から平成24年３月31日までの間に取得をされた定率法適用資産（旧減価償却資産）に対して次の資本的支出を行った場合

(1)　平成24年３月31日以前に資本的支出（追加償却資産）を行った場合

平成19年４月１日から平成24年３月31日までの間に取得をされた減価償却資産（旧減価償却資産）で250％定率法を採用しているものに対して平成24年３月31日までに資本的支出（追加償却資産）を行った場合には、その資本的支出を行った事業年度の翌事業年度開始の時において、その時における旧減価償却資産の帳簿価額と追加償却資産の帳簿価額との合計額を取得価額とする一の減価償却資産を、新たに取得したものとすることができます。

なお、平成24年３月31日の属する事業年度において同日以前の期間内に行われた資本的支出により新たに取得したものとされた追加償却資産について、その事業年度の翌事業年度開始の時において旧減価償却資産と追加償却資産の帳簿価額の合計額を取得価額とする一の減価償却資産を新たに取得したものとする場合には、その新たに取得したものとされる一の減価償却資産は、平成24年３月31日以前に取得をされたものとして250％定率法により償却を行います。

【設例】６月決算法人

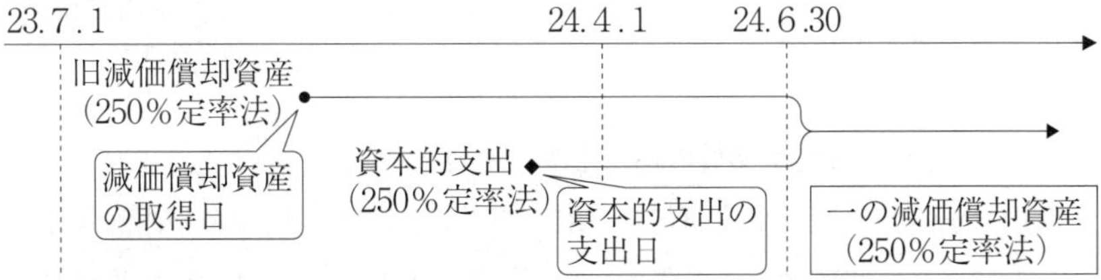

(2) 平成24年４月１日以後に資本的支出（追加償却資産）を行った場合

旧減価償却資産は250％定率法、追加償却資産は200％定率法により償却を行うことになり、それぞれ異なる償却率が適用されます。したがって、平成24年４月１日以後に資本的支出を行う場合には、合算することはできません。

【設例】６月決算法人

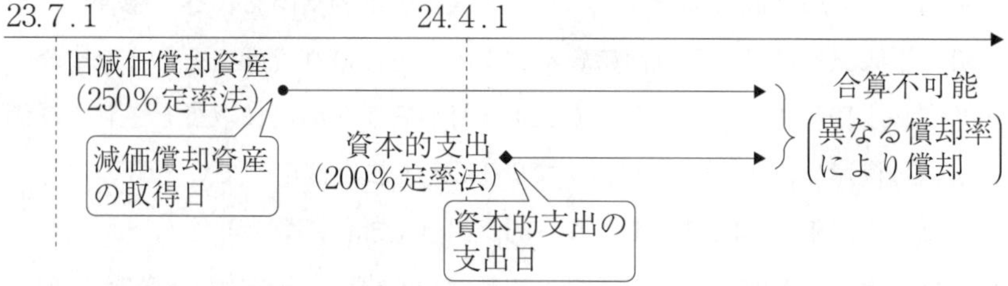

３　平成24年４月１日以後に取得をされた定率法適用資産（旧減価償却資産）に対して同日以後に資本的支出を行った場合

旧減価償却資産と追加減価償却資産のいずれも200％定率法により償却を行うこととなりますので、資本的支出を行った事業年度の翌事業年度開始の時において、それぞれの資産の帳簿価額を合算して一の減価償却資産を新たに取得したものとすることができます。

【設例】12月決算法人

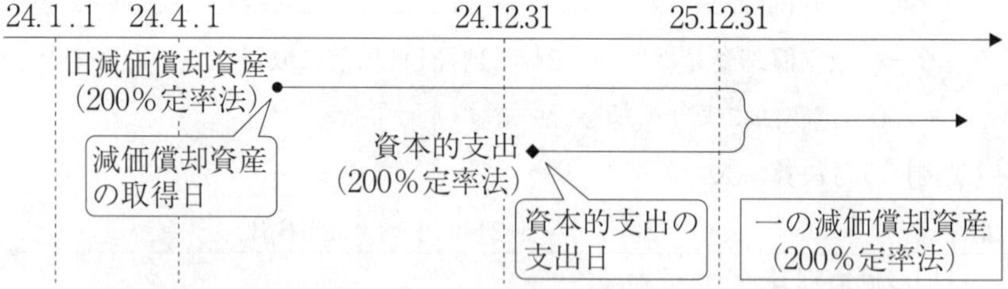

４　定率法の特例**【問１-81】**の適用を受ける場合

(1) 改正事業年度（平成24年３月31日以前に開始し、かつ、平成24年４月１日以後に終了する事業年度）において、平成24年４月１日以後に行われた資本的支出により新たに取得したものとされる追加償却資産で250％定率法により償却を行う特例の適用を受けたもの（以下「経過旧資本的支出」といいます。）については、平成24年３月31日以前に取得をされた減価償却資産とみなして250％定率法により償却を行うことになります。一方、平成19年４月１日から平成24年３月31日までの間に取得をされた旧減価償却資産は250％定率法により償却が行われます。

このように、適用される償却率が同じ経過旧資本的支出と旧減価償却資産については、その資本的支出を行った事業年度の翌事業年度開始の時において、それぞれの資産の帳簿価額の合計額を取得価額とする一の減価償却資産を、新たに取得したものとすることができます。

なお、この一の減価償却資産は、平成24年３月31日以前に取得をされた減価償却資産とみなされますので、250％定率法により償却を行うことになります。

【設例】９月決算法人

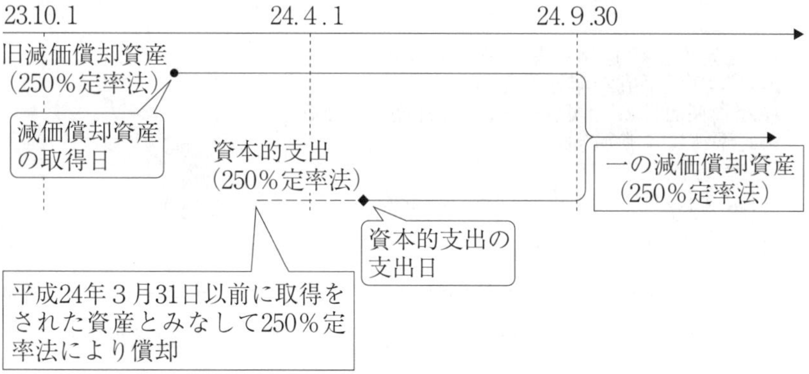

(2) 200％定率法の適用を受ける旨の届出書を提出することにより、平成19年４月１日から平成24年３月31日までの間に取得をされた減価償却資産（旧減価償却資産）について200％定率法により償却を行う特例の適用を受ける場合において、平成24年４月１日以後にその旧減価償却資産

に対し行った資本的支出（追加償却資産）があるときには、いずれも200％定率法により償却が行われます。

このように、適用される償却率が同じ経過旧資本的支出と旧減価償却資産については、その資本的支出を行った事業年度の翌事業年度開始の時において、それぞれの資産の帳簿価額の合計額を取得価額とする一の減価償却資産を、新たに取得したものとすることができます。

なお、この一の減価償却資産は、平成24年4月1日以後に取得されていますので、200％定率法により償却を行うことになります。

【設例】6月決算法人

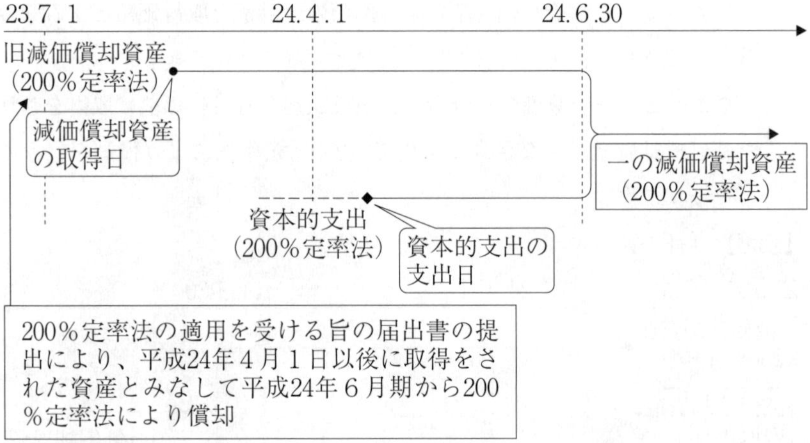

5　複数回の資本的支出を行った場合の特例

(1)　同一事業年度内に複数回の資本的支出を行った場合

定率法を採用している減価償却資産に対して同一事業年度内に複数回の資本的支出を行った場合において、個々の資本的支出（追加償却資産）について旧減価償却資産と合算して一の新たな資産の取得としないときは、その資本的支出を行った事業年度の翌事業年度開始の時において、その開始の時における追加償却資産のうち種類及び耐用年数を同じくするものの帳簿価額の合計額を取得価額とする一の減価償却資産を、新たに取得したものとすることができます。

なお、平成24年３月31日の属する事業年度において同日以前の期間内に行われた資本的支出により新たに取得したものとされた追加償却資産について、その事業年度の翌事業年度開始の時において複数の追加償却資産の帳簿価額の合計額を取得価額とする一の減価償却資産を新たに取得したものとする場合には、その新たに取得したものとされる一の減価償却資産は、平成24年３月31日以前に取得をされたものとして250％定率法により償却を行います。

【設例】９月決算法人

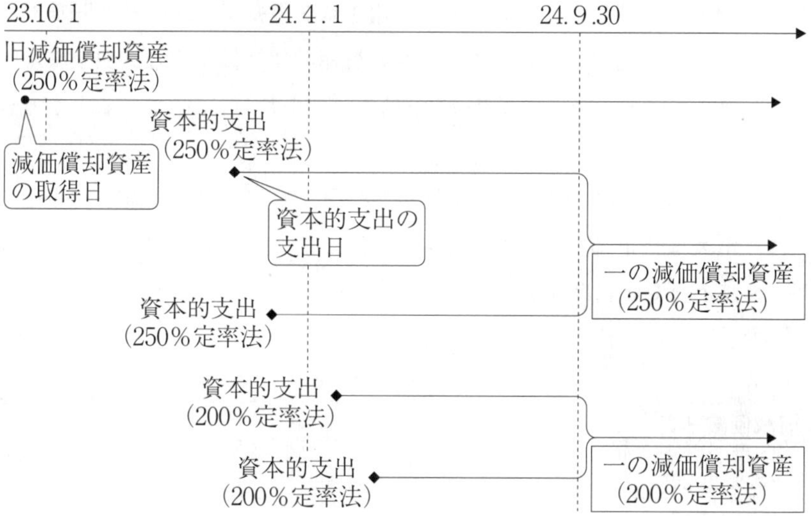

なお、250％定率法により償却を行う旧追加償却資産と200％定率法により償却を行う追加償却資産については、異なる種類及び耐用年数の資産とみなされますので、これらの資産の帳簿価額を合算して一の減価償却資産を新たに取得したものとすることはできません。

また、既存の減価償却資産と合算する資本的支出の組み合わせ、又は合算する資本的支出の組み合わせは選択的に行うことができますが、いったん減価償却資産又は資本的支出と合算した資本的支出については、翌々事業年度以後において、他の合算の特例の組み合わせに変更することはできません。

(2)　定率法の特例**【問１-81】**の適用を受ける場合

イ　改正事業年度において、平成24年３月31日以前の期間内に行った資本的支出により新たに取得したものとされる減価償却資産（旧追加償却資産）と、平成24年４月１日以後に行った資本的支出により新たに取得したものとされる減価償却資産について250％定率法により償却を行う特例（４(1)の特例）の適用を受けるもの（経過旧資本的支出）がある場合には、その資本的支出を行った事業年度の翌事業年度開始の時において、適用される償却率が同じ経過旧資本的支出と旧追加償却資産それぞれの資産の帳簿価額の合計額を取得価額とする一の減価償却資産を、新たに取得したものとすることができます。

なお、この一の減価償却資産は、平成24年３月31日以前に取得をされた減価償却資産とされますので、250％定率法の償却率により償却を行うことになります。

【設例】　９月決算法人

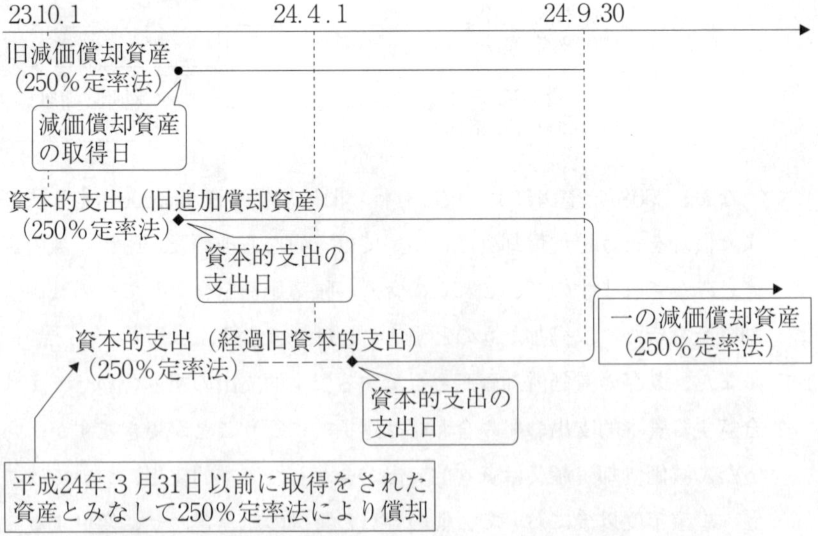

ロ　200％定率法の適用を受ける旨の届出書を提出することにより、平成19年４月１日から平成24年３月31日までの間に取得をされた減価償却資産（旧減価償却資産）及び同期間に旧減価償却資産に行った資本的支出により新たに取得をしたものとされた減価償却資産について200％定率法により償却を行う特例（４(2)の特例）の適用を受けたもの（経過新資本的支出）がある場合において、平成24年４月１日以後に旧減価償却資産に行った資本的支出により新たに取得したものとされる減価償却資産（追加償却資産）があるときは、その資本的支出を行った事業年度の翌事業年度開始の時において、適用される償却率が同じ経過新資本的支出と追加償却資産それぞれの資産の帳簿価額の合計額を取得価額とする一の減価償却資産を、新たに取得したものとすることができます。

なお、この一の減価償却資産は平成24年４月１日以後に取得をされていますので、200％定率法により償却を行うことになります。

【設例】６月決算法人

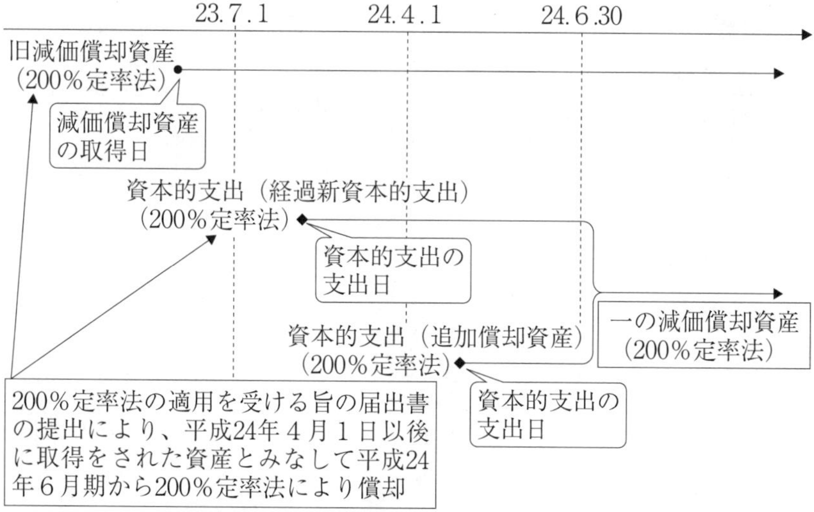

参 考　令55（資本的支出の取得価額の特例）、令59（事業年度の中途で事業の用に供した減価償却資産の償却限度額の特例）、平23.12改令附３、基通７－２－１の２（旧定率法を採用している建物、建物附属設備及び構築物にした資本的支出に係る償却方法）、基通７－３－15の４（資本的支出の取得価額の特例の適用関係）、基通７－３－15の５（３以上の追加償却資産がある場合の新規取得とされる減価償却資産）、耐通１－１－２（資本的支出後の耐用年数）

建物附属設備等について平成28年３月31日以前に資本的支出をした場合の取扱い

【問１-107】　平成28年度改正により建物附属設備及び構築物の償却の方法が定額法となったことに伴い、資本的支出の取扱いにおける措置があったと聞きましたが、その改正の内容について簡単に説明してください。

【答】　資本的支出の取扱いについては、**【問１-106】**で説明しましたとおり、原則的な方法と特例による方法が設けられています。

原則的な方法によれば、平成28年４月１日以後に既存の建物附属設備及び構築物（以下「旧減価償却資産」といいます。）に資本的支出を行った場合、資本的支出により新たに取得したものとされた減価償却資産（追加償却資産）は、定額法にて償却を行うこととなります。

特例による取扱いを簡単に説明すると次のとおりです。

1　平成19年３月31日以前に取得をされた旧減価償却資産（旧定額法又は旧定率法適用）に資本的支出を行った場合

その資本的支出を行った事業年度において、その資本的支出の金額を旧減価償却資産の取得価額に加算して償却を行う方法も認められます。ただし、この方法による場合には、平成19年３月31日以前に取得をされた旧減価償却資産の種類、耐用年数及び償却方法に基づいて、加算を行った資本的支出部分を含めた減価償却資産全体の償却を行うこととなります。

2　平成19年４月１日以後に取得をされた旧減価償却資産（250％定率法又は200％定率法適用）に資本的支出を行った場合

適用される定率法（250％定率法又は200％定率法）及び償却率が同じ旧減価償却資産と追加償却資産について、資本的支出を行った事業年度の翌事業年度開始の時において、その旧減価償却資産の帳簿価額と追加償却資産の帳簿価額との合計額を取得価額とする一の減価償却資産を新たに取得したものとすることができます。この場合、新たに取得したものとされる一の減価償却資産については、翌事業年度開始の日を取得日として、旧減価償却資産の種類及び耐用年数に基づいて償却を行うこととなります。

なお、平成28年4月1日以後に資本的支出を行った場合は、この特例の適用はありません。（旧減価償却資産は定率法、追加償却資産は定額法であり、異なる種類及び耐用年数の資産とみなされますので、これらの資産の帳簿価額を合算して一の減価償却資産を新たに取得したものとすることはできないこととなります。）

なお、資本的支出の特例による取扱いにおいては、定率法を採用している建物附属設備及び構築物について、平成28年3月31日の属する事業年度において、平成28年3月31日以前の期間内に行われた資本的支出を上記2により翌事業年度開始の時において、新たに取得したものとされる場合には、平成28年3月31日以前に取得された資産に該当するものとして、定率法により償却を行うこととされました。

【設例】６月決算法人

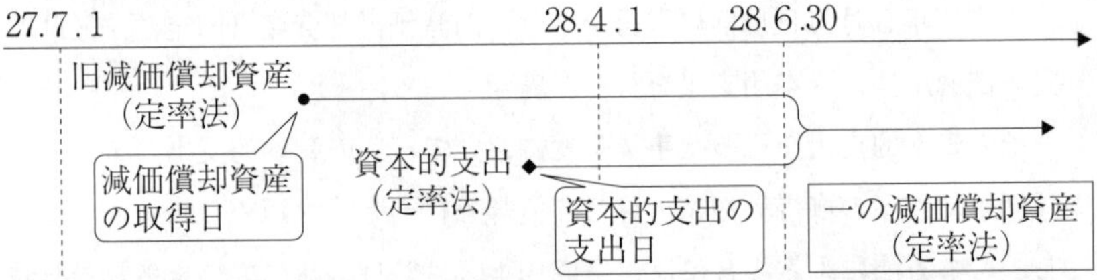

参 考　令48、令48の2（減価償却資産の償却の方法）、令55（資本的支出の取得価額の特例）、基通7－2－1の2（旧定率法を採用している建物、建物附属設備及び構築物にした資本的支出に係る償却方法）、平28改令附6③

資本的支出と修繕費

> **【問１-108】**　資本的支出と修繕費の区分については、税務調査においてもこれを巡っての指摘が多いと聞いていますが、具体的には、どのように判断すればよいのでしょうか。

【答】　固定資産の修理、改良等のために支出した金額については、これが修繕費として一時の損金に算入できるものか、あるいは資本的支出として減価償却を行っていくものかという判断をしなければなりません。（資本的支出の取扱いについては**【問１-106】**を参照してください。）

法人税法施行令では、次に掲げる金額に該当するもの（１又は２のいずれにも該当する場合には、いずれか多い金額となります。）が資本的支出とされています。

１　その支出する金額のうち、その支出により、その資産の取得の時においてその資産につき通常の管理又は修理をするものとした場合に予測されるその資産の使用可能期間を延長させる部分に対応する金額

$$\text{支出金額} \times \frac{\text{支出後の使用可能期間}-\text{支出しなかった場合の残存使用可能期間}}{\text{支出後の使用可能期間}}$$

２　その支出する金額のうち、その支出により、その資産の取得の時においてその資産につき通常の管理又は修理をするものとした場合に予測されるその支出の時における資産の価額を増加させる部分に対応する金額

支出直後の価額－通常の管理又は修理をするものとした場合に予測されるその支出の時における価額

しかし、具体的にはどのように計算すればよいのか、実務上なかなか難しい問題がありますので、課税上弊害のない範囲内で簡易な経理方法を認めることとして、法人税基本通達において資本的支出と修繕費の区分等の基準を設けています。それを図解しますと次のようになりますが、参考までに、次々ページ以下にこの通達を御紹介します。

資本的支出と修繕費の区分等の基準（フローチャート）

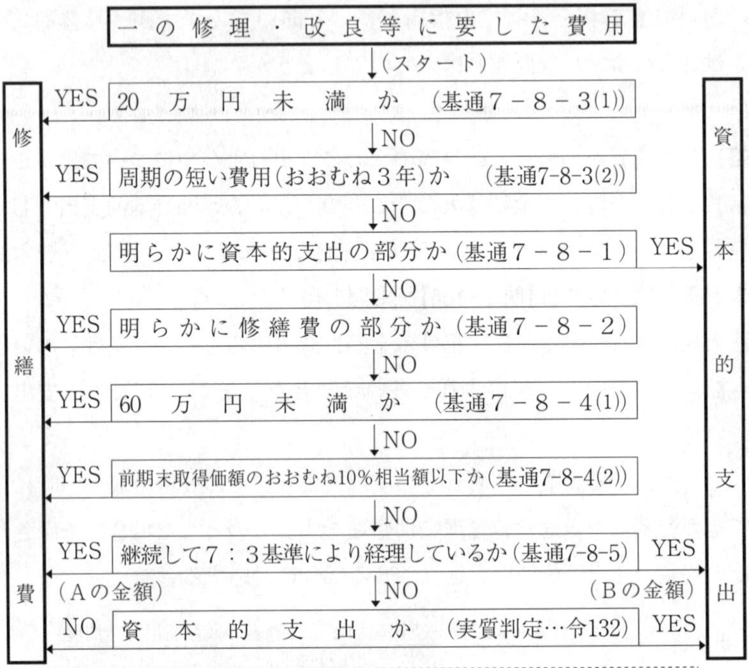

A＝支出金額×30％と前期末取得価額×10％との少ない金額
B＝支出金額－A

（注）　災害の場合の資本的支出と修繕費の区分については、この表にかかわらず基本通達７－８－６の取扱いによることとなります。**【問１-133】**を参照してください。

参考　令132（資本的支出）

《参　考》法人税基本通達

第７章第８節　資本的支出と修繕費

（資本的支出の例示）

基通７－８－１　法人がその有する固定資産の修理、改良等のために支出した金額のうち当該固定資産の価値を高め、又はその耐久性を増すこととなると認められる部分に対応する金額が資本的支出となるのであるから、例えば次に掲げるような金額は、原則として資本的支出に該当する。

(1)　建物の避難階段の取付等物理的に付加した部分に係る費用の額

(2)　用途変更のための模様替え等改造又は改装に直接要した費用の額

(3)　機械の部分品を特に品質又は性能の高いものに取り替えた場合のその取替えに要した費用の額のうち通常の取替えの場合にその取替えに要すると認められる費用の額を超える部分の金額

（注）　建物の増築、構築物の拡張、延長等は建物等の取得に当たる。

（修繕費に含まれる費用）

基通７－８－２　法人がその有する固定資産の修理、改良等のために支出した金額のうち当該固定資産の通常の維持管理のため、又はき損した固定資産につきその原状を回復するために要したと認められる部分の金額が修繕費となるのであるが、次に掲げるような金額は、修繕費に該当する。

(1)　建物の移えい又は解体移築をした場合（移えい又は解体移築を予定して取得した建物についてした場合を除く。）におけるその移えい又は移築に要した費用の額。ただし、解体移築にあっては、旧資材の70％以上がその性質上再使用できる場合であって、当該旧資材をそのまま利用して従前の建物と同一の規模及び構造の建物を再建築するものに限る。

(2)　機械装置の移設（７－３－12《集中生産を行う等のための機械装置の移設費》の本文の適用のある移設を除く。）に要した費用（解体費を含む。）の額

(3)　地盤沈下した土地を沈下前の状態に回復するために行う地盛りに要した費用の額。ただし、次に掲げる場合のその地盛りに要した費用の額を除く。

イ　土地の取得後直ちに地盛りを行った場合

ロ　土地の利用目的の変更その他土地の効用を著しく増加するための地盛りを

行った場合

ハ　地盤沈下により評価損を計上した土地について地盛りを行った場合

(4) 建物、機械装置等が地盤沈下により海水等の浸害を受けることとなったために行う床上げ、地上げ又は移設に要した費用の額。ただし、その床上工事等が従来の床面の構造、材質等を改良するものである等明らかに改良工事であると認められる場合のその改良部分に対応する金額を除く。

(5) 現に使用している土地の水はけを良くする等のために行う砂利、砕石等の敷設に要した費用の額及び砂利道又は砂利路面に砂利、砕石等を補充するために要した費用の額

（少額又は周期の短い費用の損金算入）

基通７－８－３　一の計画に基づき同一の固定資産について行う修理、改良等（以下７－８－５までにおいて「一の修理、改良等」という。）が次のいずれかに該当する場合には、その修理、改良等のために要した費用の額については、７－８－１にかかわらず、修繕費として損金経理をすることができるものとする。

(1) その一の修理、改良等のために要した費用の額（その一の修理、改良等が２以上の事業年度にわたって行われるときは、各事業年度ごとに要した金額。以下７－８－５までにおいて同じ。）が20万円に満たない場合

(2) その修理、改良等がおおむね３年以内の期間を周期として行われることが既往の実績その他の事情からみて明らかである場合

（注）　本文の「同一の固定資産」は、一の設備が２以上の資産によって構成されている場合には当該一の設備を構成する個々の資産とし、送配管、送配電線、伝導装置等のように一定規模でなければその機能を発揮できないものについては、その最小規模として合理的に区分した区分ごととする。以下７－８－５までにおいて同じ。

（形式基準による修繕費の判定）

基通７－８－４　一の修理、改良等のために要した費用の額のうちに資本的支出であるか修繕費であるかが明らかでない金額がある場合において、その金額が次のいずれかに該当するときは、修繕費として損金経理をすることができるものとする。

(1) その金額が60万円に満たない場合

(2) その金額がその修理、改良等に係る固定資産の前期末における取得価額のおおむね10％相当額以下である場合

（注）１　前事業年度前の各事業年度において、令第55条第５項《資本的支出の取得価額の特例》の規定の適用を受けた場合における当該固定資産の取得価額とは、同項に規定する一の減価償却資産の取得価額をいうのではなく、同項に規定する旧減価償却資産の取得価額と追加償却資産の取得価額との合計額をいうことに留意する。

２　固定資産には、当該固定資産についてした資本的支出が含まれるのであるから、当該資本的支出が同条第６項の規定の適用を受けた場合であっても、当該固定資産に係る追加償却資産の取得価額は当該固定資産の取得価額に含まれることに留意する。

（資本的支出と修繕費の区分の特例）

基通７－８－５　一の修理、改良等のために要した費用の額のうちに資本的支出であるか修繕費であるかが明らかでない金額（７－８－３又は７－８－４の適用を受けるものを除く。）がある場合において、法人が、継続してその金額の30％相当額とその修理、改良等をした固定資産の前期末における取得価額の10％相当額とのいずれか少ない金額を修繕費とし、残額を資本的支出とする経理をしているときは、これを認める。

（注）　当該固定資産の前期末における取得価額については、７－８－４の(2)の(注)による。

（災害の場合の資本的支出と修繕費の区分の特例）

基通７－８－６　災害により被害を受けた固定資産（当該被害に基づき法第33条第２項《資産の評価損の損金算入》の規定による評価損を計上したものを除く。以下７－８－６において「被災資産」という。）について支出した次に掲げる費用に係る資本的支出と修繕費の区分については、７－８－１から７－８－５までの取扱いにかかわらず、それぞれ次による。

(1)　被災資産につきその原状を回復するために支出した費用は、修繕費に該当する。

(2)　被災資産の被災前の効用を維持するために行う補強工事、排水又は土砂崩れの防止等のために支出した費用について、法人が、修繕費とする経理をしているときは、これを認める。

(3)　被災資産について支出した費用（上記(1)又は(2)に該当する費用を除く。）

の額のうちに資本的支出であるか修繕費であるかが明らかでないものがある場合において、法人が、その金額の30％相当額を修繕費とし、残額を資本的支出とする経理をしているときは、これを認める。

（注）１　法人が、被災資産の復旧に代えて資産の取得をし、又は特別の施設（被災資産の被災前の効用を維持するためのものを除く。）を設置する場合の当該資産又は特別の施設は新たな資産の取得に該当し、その取得のために支出した金額は、これらの資産の取得価額に含めることに留意する。

２　上記の固定資産に係る災害の場合の資本的支出と修繕費の区分の特例は、令第114条《固定資産に準ずる繰延資産》に規定する繰延資産に係る他の者の有する固定資産につき、災害により損壊等の被害があった場合について準用する。

（ソフトウエアに係る資本的支出と修繕費）

基通７－８－６の２　法人が、その有するソフトウエアにつきプログラムの修正等を行った場合において、当該修正等が、プログラムの機能上の障害の除去、現状の効用の維持等に該当するときはその修正等に要した費用は修繕費に該当し、新たな機能の追加、機能の向上等に該当するときはその修正等に要した費用は資本的支出に該当することに留意する。

（注）１　既に有しているソフトウエア又は購入したパッケージソフトウエア等の仕様を大幅に変更するための費用のうち、７－３－15の２（注）２《自己の製作に係るソフトウエアの取得価額等》により取得価額になったもの（７－３－15の３《ソフトウエアの取得価額に算入しないことができる費用》により取得価額に算入しないこととしたものを含む。）以外のものは、資本的支出に該当することに留意する。

２　本文の修正等に要した費用（修繕費に該当するものを除く。）又は上記（注）１の費用が研究開発費（自社利用のソフトウエアについてした支出に係る研究開発費については、その自社利用のソフトウエアの利用により将来の収益獲得又は費用削減にならないことが明らかな場合における当該研究開発費に限る。）に該当する場合には、資本的支出に該当しないこととすることができる。

（機能復旧補償金による固定資産の取得又は改良）

基通７－８－７　法人が、その有する固定資産について電波障害、日照妨害、風害、騒音等による機能の低下があったことによりその原因者からその機能を復旧するための補償金の交付を受けた場合において、当該補償金をもってその交付の目的に適合した固定資産の取得又は改良をしたときは、その取得又は改良に充てた補償金の額のうちその機能復旧のために支出したと認められる部分の金額に相当する金額は、修繕費等として損金の額に算入することができる。

当該補償金の交付に代えて、その原因者から機能復旧のための固定資産の交付を受け、又は当該原因者が当該固定資産の改良を行った場合についても、同様とする。

（注）　当該補償金の交付を受けた日の属する事業年度終了の時までにその機能復旧のための固定資産の取得又は改良をすることができなかった場合においても、その後速やかにその取得又は改良をすることが確実であると認められるときは、当該補償金の額のうちその取得又は改良に充てることが確実と認められる部分の金額に限り、その取得又は改良をする時まで仮受金として経理することができる。

（地盤沈下による防潮堤、防波堤等の積上げ費）

基通７－８－８　法人が地盤沈下に起因して防潮堤、防波堤、防水堤等の積上げ工事を行った場合において、数年内に再び積上げ工事を行わなければならないものであると認められるときは、その積上げ工事に要した費用を一の減価償却資産として償却することができる。

（耐用年数を経過した資産についてした修理、改良等）

基通７－８－９　耐用年数を経過した減価償却資産について修理、改良等をした場合であっても、その修理、改良等のために支出した費用の額に係る資本的支出と修繕費の区分については、一般の例によりその判定を行うことに留意する。

（損壊した賃借資産等に係る補修費）

基通７－８－10　法人が賃借資産（賃借をしている土地、建物、機械装置等をいう。）につき修繕等の補修義務がない場合においても、当該賃借資産が災害により被害を受けたため、当該法人が、当該賃借資産の原状回復のための補修を行い、その補修のために要した費用を修繕費として経理したときは、これを認める。

法人が、修繕等の補修義務がない販売をした又は賃貸をしている資産につき補修のための費用を支出した場合においても、同様とする。

（注）１　この取扱いにより修繕費として取り扱う費用は、12－２－６《災害損失特別勘定の設定》の災害損失特別勘定への繰入れの対象とはならないことに留意する。

２　当該法人が、その修繕費として経理した金額に相当する金額につき賃貸人等から支払を受けた場合には、その支払を受けた日の属する事業年度の益金の額に算入する。

３　法人が賃借している法第64条の２第１項《リース取引に係る所得の金額の計算》に規定するリース資産が災害により被害を受けたため、契約に基づき支払うこととなる規定損害金（免除される金額及び災害のあった日の属する事業年度において支払った金額を除く。）については、災害のあった日の属する事業年度において、未払金として計上することができることに留意する。

平成19年３月31日以前に取得した減価償却資産に資本的支出を行った場合の取扱い

【問１-109】　当社は、平成18年８月に取得した機械装置について資本的支出を行いました。当期（令和X1年４月１日～令和X2年３月31日）の償却限度額の計算はどのようになりますか。また、翌期（令和X2年４月１日～令和X3年３月31日）の償却限度額の計算はどうなりますか。

既存の減価償却資産　取得価額　64,000,000円
期首未償却残高　6,667,873円
耐用年数　17年（旧定率法　0.127）

資本的支出　支出日　令和X1年11月２日
支出額　3,000,000円（旧定率法　0.127、定率法　0.118）

【答】　(1)　原則的処理による方法

原則的な処理は、資本的支出を行った場合、その支出金額を固有の取得価額として、既存の減価償却資産と種類及び耐用年数を同じくする減価償却資産を新たに取得したものとされるため、償却限度額の計算は次のとおりとなります。

【令和X2年３月期】

〔既存部分〕6,667,873円×0.127＝846,819円……①

（取得価額の95％相当額
　　64,000,000円×95％＝60,800,000円
令和X2年３月期末の償却済累計額
　　（64,000,000円－6,667,873円）＋846,819円＝58,178,946円
58,178,946円＜60,800,000円）

〔資本的支出〕3,000,000円×0.118×5/12＝147,500円……②

〔償却限度額〕846,819円（①）＋147,500円（②）＝994,319円

【令和X3年３月期】

〔既存部分〕（6,667,873円－846,819円）×0.127＝739,273円…①

（取得価額の95％相当額
　　64,000,000円×95％＝60,800,000円
令和X3年３月期末の償却済累計額
　　58,178,946円＋739,273円＝58,918,219円
58,918,219円＜60,800,000円）

〔資本的支出〕（3,000,000円－147,500円）×0.118＝336,595円……②

〔償却限度額〕739,273円（①）＋336,595円（②）＝1,075,868円

⑵　特例による方法

既存の機械装置は、平成19年３月31日以前に取得したものですので、「平成19年３月31日以前に取得をされた既存の減価償却資産に資本的支出を行った場合の特例」（特例については**【問１-106】**を参照してください。）を適用し、資本的支出を行った事業年度において、資本的支出の対象資産である既存の減価償却資産の取得価額に、この資本的支出の金額を加算することができます。

ただし、今回のケースでは、資本的支出を事業年度の中途で行っているため、資本的支出部分は月数調整を行う必要がありますので、当期においては、既存部分とは切り離して計算する必要があります。

特例を選択した場合の償却限度額の計算は次のとおりとなります。

【令和X2年３月期】

〔既存部分〕 6,667,873円×0.127＝846,819円……①

〔資本的支出〕3,000,000円×0.127×5/12＝158,750円……②

（取得価額の95％相当額
（64,000,000円＋3,000,000円）×95％＝63,650,000円
令和X2年３月期末の償却済累計額
（64,000,000円－6,667,873円）＋846,819円（①）
＋158,750円（②）＝58,337,696円
58,337,696円＜63,650,000円）

〔償却限度額〕846,819円（①）＋158,750円（②）＝1,005,569円

【令和X3年３月期】

〔(6,667,873円－846,819円)＋(3,000,000円－158,750円)〕×0.127
＝1,100,112円

（取得価額の95％相当額
（64,000,000円＋3,000,000円）×95％＝63,650,000円
令和X3年３月期末の償却済累計額
58,337,696円＋1,100,112円＝58,437,808円
58,437,808円＜63,650,000円）

〔償却限度額〕1,100,112円

参考　令55①②（資本的支出の取得価額の特例）、耐用年数省令　別表第七、第十

平成19年４月１日以後に取得をした減価償却資産に資本的支出を行った場合の取扱い

【問１-110】　当社は令和６年４月に取得した資産に対して資本的支出をしました。減価償却費の計算はどのようにすればよいでしょうか。なお、当社は３月決算です。

本体部分　　取得価額　2,000万円（令和６年４月取得）
　　　　　　耐用年数　20年（定率法　0.100）
資本的支出　支出日　令和６年11月２日
　　　　　　支出額　300万円（定率法　0.100）

【答】　(1)　原則的処理による方法

原則的処理を選択した場合の償却限度額の計算は次のとおりとなります。

【令和７年３月期】

〔本体部分〕　20,000,000円×0.100＝2,000,000円……①

〔資本的支出〕　3,000,000円×0.100×5/12＝125,000円……②

〔償却限度額〕　2,000,000円（①）＋125,000円（②）＝2,125,000円

【令和８年３月期】

〔本体部分〕　(20,000,000円－2,000,000円）×0.100
　　　　　　＝1,800,000円……①

〔資本的支出〕　(3,000,000円－125,000円）×0.100＝287,500……②

〔償却限度額〕　1,800,000円（①）＋287,500円（②）＝2,087,500円

(2)　特例による方法

特例による処理を選択した場合の償却限度額の計算は次のとおりとなります。

【令和７年３月期】

〔本体部分〕　20,000,000円×0.100＝2,000,000円……①

〔資本的支出〕　3,000,000円×0.100×5/12＝125,000円……②

〔償却限度額〕　2,000,000円（①）＋125,000円（②）＝2,125,000円

【令和８年３月期】

〔本体部分〕　20,000,000円－2,000,000円＝18,000,000円……①

〔資本的支出〕　3,000,000円－125,000円＝2,875,000円……②

〔償却限度額〕〔18,000,000円（①）＋2,875,000円（②）〕×0.100
＝2,087,500円

参考　令55①⑤（資本的支出の取得価額の特例）、耐用年数省令　別表第十

平成19年４月１日以後に取得をした減価償却資産に対して同一年に複数回資本的支出を行った場合の取扱い

【問１-111】　当社は令和６年４月に取得した資産に対して資本的支出をしました。減価償却費の計算はどのようにすればよいでしょうか。なお、当社は３月決算です。

本体部分　　取得価額　2,000万円（令和６年４月取得）
　　　　　　耐用年数　20年（定率法　0.100）
資本的支出　支出日・支出額　令和６年６月１日、100万円
　　　　　　　　　　　　　　（定率法　0.100）
　　　　　　支出日・支出額　令和６年８月１日、100万円
　　　　　　　　　　　　　　（定率法　0.100）
　　　　　　支出日・支出額　令和６年10月１日、100万円
　　　　　　　　　　　　　　（定率法　0.100）

【答】　（1）原則的処理による方法

原則的処理を選択した場合の償却限度額の計算は次のとおりとなります。

【令和７年３月期】

〔本体部分〕　20,000,000円×0.100＝2,000,000円……①

〔資本的支出〕　1,000,000円×0.100×10/12＝83,333円
　　　　　　　1,000,000円×0.100×8/12＝66,666円　……②
　　　　　　　1,000,000円×0.100×6/12＝50,000円

〔償却限度額〕　2,000,000円（①）＋199,999円（②）＝2,199,999円

【令和８年３月期】

〔本体部分〕　（20,000,000円－2,000,000円）×0.100
　　　　　　＝1,800,000円……①

〔資本的支出〕　(1,000,000円－83,333円)×0.100＝91,666円
　　　　　　　　(1,000,000円－66,666円)×0.100＝93,333円　……②
　　　　　　　　(1,000,000円－50,000円)×0.100＝95,000円

〔償却限度額〕　1,800,000円（①）＋279,999円（②）＝2,079,999円

(2) 特例による方法

特例による処理を選択した場合の償却限度額の計算は次のとおりとなります。

【令和７年３月期】

〔本体部分〕　20,000,000円×0.100＝2,000,000円……①

〔資本的支出〕　1,000,000円×0.100×10/12＝83,333円
　　　　　　　　1,000,000円×0.100×8/12＝66,666円　……②
　　　　　　　　1,000,000円×0.100×6/12＝50,000円

〔償却限度額〕　2,000,000円（①）＋199,999円（②）＝2,199,999円

【令和８年３月期】

〔本体部分〕　20,000,000円－2,000,000円＝18,000,000円……①

〔資本的支出〕　1,000,000円－83,333円＝916,667円
　　　　　　　　1,000,000円－66,666円＝933,334円　……②
　　　　　　　　1,000,000円－50,000円＝950,000円

〔償却限度額〕〔18,000,000円（①）＋2,800,001円（②）〕×0.100
　　　　　　　＝2,080,000円

参考　令55①⑤⑥（資本的支出の取得価額の特例）、耐用年数省令　別表第十

平成19年４月１日から平成24年３月31日までに取得した減価償却資産について平成24年４月１日以後に資本的支出を行った場合の取扱い

【問１-112】　当社は、平成23年10月10日に取得した機械について資本的支出を行いました。当期（令和X1年４月１日～令和X2年３月31日）の償却限度額はどうなりますか。また、翌期（令和X2年４月１日～令和X3年３月31日）の償却限度額の計算はどうなりますか。

既存の減価償却資産		取得価額　40,000,000円
		期首未償却残高　4,912,331円
		耐用年数　15年　（定率法　0.167）
資本的支出	支出日	令和X1年６月27日
	支出額	3,000,000円（定率法　0.133）

【答】　平成19年４月１日から平成24年３月31日までの間に取得をされた減価償却資産（以下「旧減価償却資産」といいます。）は250％定率法により償却を行い、この旧減価償却資産に対して平成24年４月１日以降に行った資本的支出（以下「追加償却資産」といいます。）は200％定率法により償却を行うこととなり、それぞれ適用する償却率が異なることになります。

この場合、旧減価償却資産と追加償却資産の償却率が異なるため、それぞれの資産の帳簿価額を合算する特例の適用対象からは除外されています。

【令和X2年３月期】

［本体部分］　4,912,331円×0.167＝820,359円……①

［資本的支出］　3,000,000円×0.133×10／12＝332,500円……②

［償却限度額］　820,359円（①）＋332,500円（②）＝1,152,859円

【令和X3年３月期】

［本体部分］（4,912,331円－820,359円）×0.167＝683,359円……①

［資本的支出］（3,000,000円－332,500円）×0.133＝354,777円……②

［償却限度額］683,359円（①）＋354,777円（②）＝1,038,136円

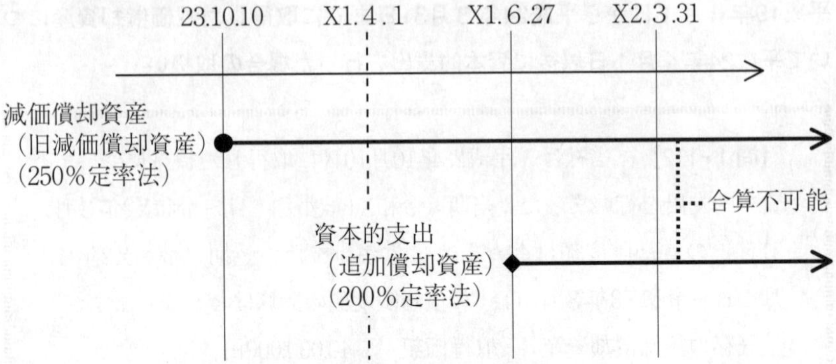

参 考　令48の２①（減価償却資産の償却の方法）、令55①⑤（資本的支出の取得価額の特例）、平23.12改令附３④、耐用年数省令　別表第九、第十

平成10年３月31日以前に取得した建物に資本的支出をした場合の取扱い

【問１-113】　当社は３月決算法人で平成９年４月に取得した建物があります。償却方法は旧定率法を採用し、期首の帳簿価額は1,500万円です。令和X1年４月にこの建物に対して400万円の資本的支出をしました。当期の減価償却費の計算方法について説明してください。

耐用年数　39年

旧定率法償却率　0.057

定額法償却率　0.026

【答】　(1) 原則的処理による方法

原則的処理では、資本的支出を行った場合、既存の減価償却資産と種類及び耐用年数を同じくする別個の資産を新規に取得したものとして償却を行っていきますので、平成19年４月１日以後に取得をした建物の償却方法については、定額法を用いることとなります。

したがって、原則的処理を選択した場合の償却限度額の計算は次のとおりとなります。

【令和X2年３月期】

〔本体部分〕　15,000,000円×0.057＝855,000円……①

〔資本的支出〕　4,000,000円×0.026＝104,000円……②

〔償却限度額〕　855,000円（①）＋104,000円（②）＝959,000円

(2) 特例による方法

特例による処理では、資本的支出の対象資産である既存の減価償却資産の取得価額に、この資本的支出を加算することができます。この場合には、既存の減価償却資産の種類、耐用年数及び償却方法に基づき、資本的支出をも含めた減価償却資産全体の償却を行うことになります。したがって、特例による処理を選択した場合の償却限度額の計算は次のとおりとなりま

す。

【令和X2年３月期】

〔本体部分〕　15,000,000円×0.057＝855,000円……①

〔資本的支出〕　4,000,000円×0.057＝228,000円……②

〔償却限度額〕　855,000円（①）＋228,000円（②）＝1,083,000円

参 考　令48、令48の２（減価償却資産の償却の方法）、令55①②（資本的支出の取得価額の特例）、耐用年数省令　別表第七、第八

取得価額の5％まで償却の済んだ減価償却資産に対して資本的支出をした場合の取扱い

【問1-114】　当社は令和2年3月期において、取得価額の5％まで償却が済んでしまった機械を所有しています。令和6年8月にこの機械に100万円の資本的支出を行い、その資本的支出を資産本体に加算することとした場合、令和7年3月期の償却限度額の計算はどのようにしたらよいでしょうか。

取得価額　1,500万円（平成19年3月31日以前に取得）

耐用年数　8年

旧定率法による償却率　0.250

【答】　各期の償却限度額の計算は次のとおりとなります。

【令和3年3月期～令和6年3月期】

平成19年3月31日以前に取得をされた減価償却資産につき、当該事業年度の前事業年度末までに取得価額の95％相当額まで償却が行われている場合は、残存簿価1円まで60月間の期間按分で償却ができます。（償却の額の累積額が取得価額の95％相当額まで到達している場合の取扱いは**【問1-80】**を参照してください。）

したがって、令和3年3月期から令和6年3月期までの各期の減価償却限度額の計算は次のとおりとなります。

〔償却限度額〕　〔15,000,000円－（15,000,000円×95％）－1円〕×12/60

＝149,999円

【令和7年3月期】

平成19年3月31日以前に取得をされた既存の減価償却資産に、平成19年4月1日以後に行った資本的支出については、既存の減価償却資産に資本的支出部分を加算し、資産本体に採用していた従前の償却方法により償却を行うことができます。

資本的支出を加算した後の帳簿価額がその減価償却資産全体の取得価額の５％相当額を超えることとなった場合には、60月間の期間按分による償却を行うのではなく、資産本体に使用していた従前の償却方法により償却を行うこととなります。

したがって、令和７年３月期の償却限度額の計算は次のとおりとなります。

〔帳簿価額〕　〔750,000円－599,996円（令和３年３月期から令和６年３月期までの償却額の合計）〕＋1,000,000円

＝1,150,004円……①

〔取得価額の５％相当額〕　（15,000,000円＋1,000,000円）×５％

＝800,000円……②

①＞②であるため資産本体に使用していた従前の償却方法である旧定率法の適用があります。

〔償却限度額〕　1,000,000円×0.250×8/12＋150,004円×0.250

＝204,167円

なお、資本的支出について原則的な方法によった場合は、次のとおりになります。

【令和７年３月期】

〔既存部分〕　〔15,000,000円－（15,000,000円×95％）－１円〕×12/60

＝149,999円……①

〔資本的支出〕　定率法（平成24年４月１日以後の200％定率法）による償却率　0.250

1,000,000円×0.250×８/12＝166,666円……②

〔償却限度額〕　149,999円（①）＋166,666円（②）＝316,665円

参考　令55②（資本的支出の取得価額の特例）、基通７－４－８（償却累積額による償却限度額の特例の適用を受ける資産に資本的支出をした場合）、耐用年数省令　別表第七、第十

資本的支出をした場合の中小企業者等の少額減価償却資産の取得価額の損金算入の特例の適用の有無

【問１-115】　平成19年度改正により、既存の減価償却資産に対して平成19年４月１日以後に資本的支出をした場合は、原則として既存の減価償却資産と種類及び耐用年数を同じくする減価償却資産を新たに取得したものと扱うことになったと聞きました。この場合、新たな減価償却資産を取得したものとなる資本的支出に対して中小企業者等の少額減価償却資産の取得価額の損金算入の特例の適用はありますか。

【答】　資本的支出をした場合には、原則として「新たな資産を取得したものとする」とされていますが、そもそも資本的支出は既に有する減価償却資産につき、改良、改造等のために行った支出ですから、実質的に新たな資産を取得したものではありません。

したがって、原則として資本的支出に対して中小企業者等の少額減価償却資産の取得価額の損金算入の特例を適用することはできません。

ただし、当該資本的支出の内容が規模の拡張である場合や単独資産としての機能の付加である場合など、実質的に新たな資産を取得したと認められる場合には、同特例の適用を受けることができます。

参考　令55①（資本的支出の取得価額の特例）、令132（資本的支出）、措通67の５－３（少額減価償却資産の取得等とされない資本的支出）

設備の更新と通達の関係

【問１-116】　「資本的支出と修繕費」の取扱いは、次のような設備の更新の場合にも適用されるのですか。

(1) 基通７－８－３の(2)に「おおむね３年以内の期間を周期として行われることが既往の実績その他の事情からみて明らかである場合」とあるので、耐用年数２年の減価償却資産について、耐用年数の経過に伴い買い換えた場合

(2) 基通７－８－４の(2)に「前期末における取得価額のおおむね10％相当額以下」とあるので、ミシン50台（前期末における取得価額の合計額1,000万円）の10％相当額100万円を支出して古いミシン５台を新しいミシンに買い換えたような場合

【答】　この取扱いは、「法人の有する固定資産の修理、改良等のために支出した金額」を対象としたものですから、既に有する固定資産を除却して新品の固定資産を調達するいわゆる設備の更新については、適用されません。

したがって、御質問の(1)又は(2)のような場合は、資産の取得そのものに該当しますから、この取扱いの適用はなく、その資産の購入の代価（購入のために要した費用がある場合には、その費用の額を加算した金額）とその資産を事業の用に供するために要した費用の額の合計額を取得価額として、その資産の法定耐用年数により減価償却をすることになります。

参考　令54①（減価償却資産の取得価額）、令132（資本的支出）、基通７－８－１（資本的支出の例示）以下

機械等の移設費用

【問１-117】　基通７－８－２の(2)において、今まで使用していた機械装置を別の工場に移設した場合の費用については、基通７－３－12の本文の適用のある移設の場合を除いて修繕費に該当するとされていますが、どのような場合が修繕費に該当しないのでしょうか。

【答】　機械装置の移設に要した費用であっても、次のいずれかに該当する場合には、修繕費に該当しないこととされています。

１　集中生産又はよりよい立地条件において生産を行う等のため、一の事業場の機械装置を他の事業場へ移設した場合

２　ガスタンク、鍛圧プレス等多額の据付費を要する機械装置を移設した場合

したがって、これらの集中生産を行う等のための機械装置の移設に該当する場合には、解体費を除き運賃、据付費等その移設に要した費用の額は、機械装置の取得価額に算入する一方、機械装置の移設直前の帳簿価額のうちに含まれている旧据付費に相当する金額は損金の額に算入することになります。この場合であってもその移設に要した費用の額の合計額が、その機械装置の移設直前の帳簿価額の10％に相当する金額以下であるときは、旧据付費に相当する金額を損金の額に算入しない場合に限り、これらの移設費の額を損金の額に算入することができます。

なお、主として新規の生産設備の導入に伴って行う既存の生産設備の配置換えのためにする移設は、その主たる目的である新規の生産設備の導入に付随的に生じたものであることから、原則として集中生産又はより良い立地条件において生産を行う等のための移設には当たらないものとして取り扱われます。

参考　令132（資本的支出）、基通７－３－12（集中生産を行う等のための機械装置の移設費）、基通７－８－２(2)（修繕費に含まれる費用）

地盤沈下に伴って要した費用

【問１-118】　明らかに修繕費に該当する費用として基通７－８－２の⑷には、「地盤沈下により海水等の浸害を受けることとなったために行う床上げ、地上げ又は移設に要した費用」とありますが、地盤沈下が著しいことに伴って支出した次の費用は修繕費に該当するでしょうか。

⑴　入出荷のトラック運行の支障を防止するため行った工場構内の道路部分の土盛り費用

⑵　雨期の浸水を防止するために行った建物の床のかさ上げ費用

⑶　浸水時の水はけをよくするために行った排水溝の拡張費用

【答】　地盤沈下に伴って支出した次の費用は、原状回復費用として修繕費に該当します。

１　土地を沈下前の状態に回復するための地盛り費用

ただし、次の場合のその地盛り費用を除きます。

・土地の取得後直ちに地盛りを行った場合

・利用目的変更等土地の効用を著しく増加するための地盛りを行った場合

・地盤沈下により評価損を計上した土地について地盛りを行った場合

２　浸水を防止するための建物・機械装置等の床上げ費及び移設費等（その床上等の工事費のうち従来の床面の構造、材質等を改良するものである等明らかに改良と認められる部分の金額を除きます。）

御質問の⑴及び⑵については、その土盛り及び床のかさ上げのために支出した金額のうち原状回復に要したと認められる部分の金額は、修繕費に該当します。

しかし、⑶の排水溝の拡張に要した費用は、排水溝としての水はけの機能を高めるためのものですから、資本的支出となります。

参考　令132（資本的支出）、基通７－８－２⑶、⑷（修繕費に含まれる費用）

地下貯蔵ガソリンタンクに対する危険物流出防止対策費用の取扱い

【問１-119】　当社は、ガソリンスタンドを営んでいます。

平成23年２月以降、危険物の規制に関する規則等が改正されたことにより、当社の地下貯蔵ガソリンタンクについて改修が義務付けられたため、腐食を防止するためのコーティング等の改修を行いました。

この改修費については、地下貯蔵ガソリンタンクの本来の機能と価値を維持するためのものであり、通常の維持管理であると考えられることから修繕費として処理してもいいでしょうか。

なお、改修を行わない場合には、市町村長等から地下貯蔵ガソリンタンクの使用許可の取消しや使用停止が命ぜられることがあります。

【答】　老朽化地下貯蔵タンクの危険物流出事故防止対策のため、既設の地下貯蔵タンクの設置年数、塗覆装の種類及び設計板厚から腐食のおそれが特に高いもの等について、腐食を防止するためのコーティング等の流出事故防止対策を講ずること等を内容とする「危険物の規制に関する規則等の一部を改正する省令」が平成23年２月１日から施行されており、腐食のおそれが特に高い地下貯蔵タンク等については改修を実施しなければならないこととされています。

また、地下貯蔵タンクを改修しない場合には、市町村長等から改修等を命ぜられ、改修等の命令に違反した場合には、地下貯蔵タンクの使用許可の取消しや使用停止を命ぜられることとなります。

御質問の場合も、上記法令等の改正に基づく改修工事であり、その内容は老朽化した地下貯蔵タンクを流出事故が発生しない程度に機能回復するものであり、地下貯蔵タンクの原状機能と原状価値を維持できなくなることを防止するためのものと思われます。

したがって、上記法令等の範囲内で改修を行うことは、通常の維持管理の範囲内の行為であることから、御質問の改修に係る費用は修繕費に該当すると思われます。

なお、既設の地下貯蔵タンクの改修を行わず、新たに地下貯蔵タンクを取得した場合の費用は修繕費に該当せず、その取得に要した費用は全額、減価償却資産の取得価額となります。

参 考　令132（資本的支出）

使用中の借地の砂利敷設費用

【問１-120】　基通７－８－２の(5)において、現に使用している土地の水はけを良くする等のために行う砂利の敷設に要した費用は修繕費に該当するとされていますが、土地が借地である場合にはどのように取り扱われるのでしょうか。

【答】　借地であっても、現に使用している土地の水はけを良くする等のために行う砂利の敷設に要した費用であれば修繕費に該当します。

しかし、次のような費用の額は、１については借地権の取得価額に、２については構築物の石敷の舗装路面の取得価額にそれぞれ算入されますので、注意してください。（砂利の敷設費用については、**【問１-47】**を参照してください。）

１　賃借した土地の改良のためにした地盛り、地ならし、埋立て等の整地に要した費用の額

２　土地を賃借した際に、その土地の表面に砂利を敷設して砂利路面とするために要した費用の額

参考　令54①（減価償却資産の取得価額）、基通７－３－８（借地権の取得価額）、基通７－３－16の２（減価償却資産以外の固定資産の取得価額）、基通７－８－２(5)（修繕費に含まれる費用）、耐通２－３－13（砂利道）

「用途変更のための模様替え等」の意味

【問１-121】　基通７－８－１の(2)に「用途変更のための模様替え等」とありますが、これはどのような場合をいうのですか。

なお、基通７－８－１の(2)の用途変更と同(3)の品質改良とが同時に行われたような場合は、どのように考えるのですか。

【答】　御質問の資本的支出となるものの一例として示されている「用途変更のための模様替え等」とは、その資産の利用の内容が変わることをいい、例えば、次のような場合をいいます。

１　事務所用建物を倉庫に改造する場合

２　貨物船を客船に改装する場合

３　喫茶店をバーに改装する場合

４　普通倉庫を冷蔵倉庫に改造する場合

したがって、建物に単に窓とか入口等を新設した程度のものは、用途変更には該当せず、基通７－８－１の(1)等により判断することになります。

なお、通常、用途変更を行う場合は、品質の改良を含むものと考えられますので、同(2)の用途変更を優先します。

参考　令132（資本的支出）、基通７－８－１（資本的支出の例示）

取り替えた部分品の品質の改良に要した費用

【問１-122】　基通７－８－１の(3)では、取り替えた部分品の品質又は性能の改良に要した費用については、資本的支出とするとされていますが、次の(例)の場合には、資本的支出に該当する金額はいくらになりますか。

（例）　工場用建物（取得価額１億円）の側壁のスレートを騒音防止の観点から、軽量コンクリートに取り替えました。

軽量コンクリートの平板にした場合に要する費用	2,500万円
スレート側壁にした場合に要する費用	1,100万円
スレート側壁部分の未償却残額	350万円

【答】　機械の部分品を特に品質又は性能の高いものに取り替えた場合のその取替えに要した費用のうち通常の取替えの場合にその取替えに要すると認められる費用の額を超える部分の金額は、資本的支出に該当します。

この取扱いは、機械だけではなく建物等にも適用することが認められます。

1　そこで、御質問の(例)に基づいてお答えしますと、支出額2,500万円のうち、明らかに資本的支出に該当する金額は、次のとおり1,400万円となります。

2,500万円－1,100万円＝1,400万円

2　そして、残りの1,100万円（2,500万円－1,400万円）については、その全額が直ちに修繕費になるとは認められません。

しかしながら、実質的な資本的支出部分の金額と修繕費部分を区分することは困難な場合が多いと考えられます。

その場合には、基通７－８－４以下の取扱いを通じて資本的支出になるか修繕費になるかを判定することとなります。

(1)　基通７－８－４《形式基準による修繕費の判定》の適用

・1,100万円＞60万円

・1,100万円＞１億円×10％

以上のことから、形式基準による判定においては、修繕費として損金経理ができないこととなります。

(2) 基通７－８－５《資本的支出と修繕費の区分の特例》の適用（継続適用が要件とされています。）

①　1,100万円×30％＝330万円

②　１億円×10％＝1,000万円

①と②のいずれか少ない金額である①の330万円について修繕費とし、その残りの770万円（1,100万円－330万円）については資本的支出とする経理が認められることになります。

御質問の場合には、(2)の取扱いを適用することにより、330万円を修繕費、2,170万円（1,400万円＋770万円）を資本的支出として経理することとなります。

なお、以上の結果、支出額2,500万円から旧材の取壊し費を控除した金額の総額が資本的支出となる場合には、スレート側壁部分の未償却残額を除却損として経理することとなりますが、それ以外の場合には、その未償却残額を除却損として経理することはできませんので、御質問の場合にも、除却損の計上は認められないこととなります。

参 考　令132（資本的支出）、基通７－８－１（資本的支出の例示）、基通７－８－４（形式基準による修繕費の判定）、基通７－８－５（資本的支出と修繕費の区分の特例）

「同一の固定資産」の意義

> **【問１-123】**　基通７－８－３において「一の計画に基づき同一の固定資産について行う修理、改良等」のために要した費用で、少額又はその支出期間の短いものについては、修繕費として損金算入が認められています。
>
> ここでいう同一の固定資産とは、具体的にどの範囲をいうのですか。

【答】　耐用年数省令別表第一に掲げる資産については、「細目」欄の区分ごとに、通常１単位として取引される単位をいいます。

例えば、建物であれば木造店舗１棟ごと、車両であれば乗用車１台ごと、器具及び備品であればテレビ１台ごとというようになります。

また、同別表第二に掲げる機械及び装置については、「設備の種類」欄に掲げる「○○製造業用設備」のような一の設備を構成する多数の資産を一体として判断するのではなく、その一の設備を構成する個々の資産で、かつ、通常１単位として取引される単位ごとに、具体的には、「個別年数表」の各設備の種類の「細目」欄の区分ごとに判断します。

例えば、同別表第二の「21　電気機械器具製造業用設備」であれば、その設備を構成する旋盤１台ごとやフライス盤１台ごとで判断することになります。

参考　令132（資本的支出）、耐用年数省令　別表第一、第二、基通７－８－３（少額又は周期の短い費用の損金算入）、基通７－８－４（形式基準による修繕費の判定）、基通７－８－５（資本的支出と修繕費の区分の特例）

「20万円に満たない場合」の意義

【問１-124】　基通７－８－３の(1)には、「20万円に満たない場合」とありますが、基通７－８－１の(3)により計算した資本的支出の金額が20万円未満の場合も含まれるのですか。

【答】　「20万円に満たない場合」かどうかは、同一の固定資産について、一の修理、改良等の計画が完了した時点において、その修理、改良等のために要した費用の額（その一の修理改良等が２事業年度以上の事業年度にわたるときは、各事業年度ごとの金額）ごとに判定を行うのであり、この結果20万円以上である場合には、基通７－８－３の(1)の取扱いは適用されません。

したがって、例えば一の修理、改良等のために要した費用の額が100万円で、そのうち基通７－８－１により通常の取替えの場合にその取替えに要すると認められる費用の額を超える部分の金額が18万円である場合には、その資本的支出に該当する金額の18万円を取り出して基通７－８－３の(1)を適用し、修繕費として損金経理することはできません。

参考　令132（資本的支出）、基通７－８－１（資本的支出の例示）、基通７－８－３（少額又は周期の短い費用の損金算入）

「要した費用」の意味

【問１-125】　基通７－８－３から７－８－５までには、「要した費用」とありますが、「要した」とは、現金主義に基づく支出を意味するのでしょうか。

【答】　ここにいう「要した」とは、現金主義に基づく支出を意味するのではなく、債務確定原則に基づき判定しますので、支払債務の確定したものは、たとえ未払いであっても「要した費用」となります。

例えば、基通７－８－３では、明らかに資本的支出に該当する場合でも、一の計画に基づき同一の固定資産について行う修理、改良等のために要した費用の額が20万円未満のときは、修繕費とすることができるとされていますが、この20万円未満かどうかは、支払債務が確定しているものを含めて判断することになります。

なお、支払があっても、役務の提供を受けていない前払費用や工事進行割合により計上した債務については、この「要した費用」には該当しません。

参考　令132（資本的支出）、基通７－８－３（少額又は周期の短い費用の損金算入）、基通７－８－４（形式基準による修繕費の判定）、基通７－８－５（資本的支出と修繕費の区分の特例）

「合理的な区分」の意義

【問１-126】　基通７－８－３から７－８－５までの「一の修理、改良等」でいう「同一の固定資産」の区分については、基通７－８－３の（注）で「送配管、送配電線、伝導装置等のように一定規模でなければその機能を発揮できないものについては、その最小規模として合理的に区分した区分ごと」とされていますが、どのような区分が合理的に区分した場合となるのですか。

【答】　具体例による方が分かりやすいと思いますので、石油精製業を例にとってみます。石油精製業の１工場の全ての送配管を１単位とすることは、合理的とはいい難いと考えられますが、シーバースから原油貯蔵タンクまでの送配管、精製工程中の送配管というように機能別に区分した送配管を１単位としているときは、合理的に区分した場合に該当するものと考えられます。

参考　令132（資本的支出）、基通７－８－３（少額又は周期の短い費用の損金算入）、基通７－８－４（形式基準による修繕費の判定）、基通７－８－５（資本的支出と修繕費の区分の特例）

「おおむね３年以内」の取扱い

【問１-127】　基通７－８－３の⑵の「おおむね３年以内の期間を周期として行われることが既往の実績その他の事情からみて明らかである場合」とは、どんな場合をいうのですか。

【答】　これは、ある機械に対する修理、改良等の費用が、過去においておおむね３年以内の期間を周期として、反覆して支出されているという実績が自社にある場合や、他社の実績又は業界の慣行としてある場合をいいます。

なお、「おおむね３年以内」とは、３年半あるいは４年程度まではよいというような意味ではなく、例えば、ある修理、改良等について修理業者の都合等により、たまたま３年を経過した後に修理した場合であっても、過去の実績が３年以内の期間を周期として行われているときには、「おおむね３年以内」に該当するものとして取り扱うという趣旨です。

（注）　実績があることを証する書類（法人の説明資料）としては、その実績を立証できる通常の記録等があればよく、その立証のために特別な書類を作成する必要はありません。

参考　令132（資本的支出）、基通７－８－３（少額又は周期の短い費用の損金算入）

形式基準による修繕費の判定

【問１-128】　平成19年度改正において、資本的支出を行った場合、取得価額の特例として新たな減価償却資産の取得とみなされることとなりましたが、この場合、基通７－８－４の(2)の「前期末における取得価額」の判定はどのようにすればよいですか。

【答】　平成19年度改正前においては、修繕費の判定の対象となる金額を支出した事業年度の前事業年度末までに資本的支出がある場合の「前期末における取得価額」は、当該資本的支出の対象となった既存の減価償却資産の取得価額に、当該資本的支出の金額を加算したものでした。

平成19年度改正後については、**【問１-106】**（資本的支出をした場合の取扱い）にあるように資本的支出は、原則として、新たな減価償却資産の取得とされたことにより、この「前期末における取得価額」の取扱いはどうなるのかという疑問が生じます。

しかしながら、この基通７－８－４の形式基準による判定は、本来、一の減価償却資産である固定資産の修理、改良等のために支出した金額が資本的支出であるか修繕費であるかが明らかでない場合に、前期末における資本的支出を含めた一の減価償却資産である固定資産全体の取得価額の「おおむね10％相当額」を一つの基準として判定する簡便法であることから、その考え方として、資本的支出の取得価額の特例により資本的支出の金額が新たな資産の取得等とされたとしても、従前の一の減価償却資産であるべき固定資産の取得価額のとらえ方は変わるものではありません。

したがいまして、「前期末における取得価額」は、修繕費の判定の対象となる金額を支出した事業年度の前事業年度末までに資本的支出がある場合については、既存の減価償却資産に過去の資本的支出の価額を加算した金額となります。

なお、**【問１-110】**（平成19年４月１日以後に取得をした減価償却資産に資本的支出を行った場合の取扱い）において、「前期末における取得価額」は、旧減価償却資産の取得価額と追加償却資産の取得価額の合計額をいい、**【問1-111】**（平成19年４月１日以後に取得をした減価償却資産に対して同一年に複数回資本的支出を行った場合の取扱い）においては、取得価額と合算していない追加償却資産は、旧減価償却資産と物理的に一体であることから、「前期末における取得価額」に含まれます。

参考　令55（資本的支出の取得価額の特例）、基通７－８－４（形式基準による修繕費の判定）

「60万円に満たない場合」の計算

【問１-129】　基通７－８－４の(1)の「その金額が60万円に満たない場合」の計算について、次の(例)の場合はどのように考えればよいのでしょうか。

(例)　９月決算法人が木造倉庫について修理を行い、大工工事費50万円及び屋根工事費40万円を支払いました。

ケース１	大工工事	９月20日完了	９月30日支払
	屋根工事	10月５日完了	10月15日支払
ケース２	大工工事	９月20日完了	10月５日支払
	屋根工事	10月５日完了	10月20日支払
ケース３	大工工事	９月20日完了	９月30日支払
	屋根工事	10月５日完了	９月30日支払
ケース４	大工工事	９月10日完了	９月25日支払
	屋根工事	９月20日完了	10月５日支払

【答】　一の修理、改良等のために要した費用の額が60万円未満かどうかの判定は、役務の提供が完了し、債務が確定しているかどうかによることとされ、それが２以上の事業年度にわたっているときは、各事業年度ごとの金額によることとされていますので、御質問の(例)に対してはそれぞれ次のように取り扱うことになります。

１　ケース１の場合

事業年度ごとにそれぞれ60万円未満となっていますので、いずれも基通７－８－４の(1)に該当することになります。

２　ケース２の場合

大工工事については、９月中にその工事が完了し、債務が確定していますので、支払は10月であっても事業年度ごとにそれぞれ60万円未満となりますから、上記１と同様にいずれも基通７－８－４の(1)に該当することになります。

３　ケース３の場合

屋根工事については、９月中に支払われていますが、役務の提供が完了していませんので、翌事業年度に属するものとなり、その事業年度の支出とはなりません。

したがって、上記１及び２と同様にいずれも基通７－８－４の(1)に該当します。

４　ケース４の場合

大工工事、屋根工事とも９月中にその修理が完了していますので、支払が２事業年度にわたっても、その事業年度の修理の金額の合計額は90万円と、60万円以上になりますので、基通７－８－４の(1)には該当しないことになります。

参考　令132（資本的支出）、基通７－８－４（形式基準による修繕費の判定）

修理、改良等の費用の残額が60万円未満の場合

【問１-130】　修理、改良等のために要した費用の額の一部に基通７－８－１における資本的支出の例示に該当するものがある場合、その残りの金額が60万円未満のときは、修繕費として経理できるでしょうか。

【答】　１　一の修理、改良等のために要した費用の額のうち基通７－８－１に例示する資本的支出に該当するものがある場合は、その残りの金額について基通７－８－４の基準を当てはめて判定することとされています。

したがって、残りの金額が60万円未満の場合には、その金額を修繕費として損金経理をすることができます。

２　次に、これを具体例をもって説明しましょう。

修理、改良等の金額		74万円
内訳	明らかに資本的支出に該当するもの	18万円
	その他のもの	56万円

この場合、56万円については、基通７－８－４の(1)に該当し、修繕費として損金経理をすることができます。

しかし、明らかに資本的支出に該当する金額は18万円ということで、20万円未満となりますが、これについては、資本的支出として資産に計上しなければなりません。（20万円に満たない場合の取扱いについては、**【問１-124】**を参照してください。）

参考　令132（資本的支出）、基通７－８－１（資本的支出の例示）、基通７－８－３（少額又は周期の短い費用の損金算入）、基通７－８－４（形式基準による修繕費の判定）

「７：３基準」の選定

【問１-131】　基通７－８－５によるいわゆる「７：３基準」を選択する場合には、その有する減価償却資産の全てについてこれを適用しなければならないのでしょうか。

【答】　「７：３基準」を、その法人の有する減価償却資産の全てについて適用しなければならないこととしますと、税務執行上、弾力性に欠けることになります。

そこで、次の区分によることとされています。

１　耐用年数省令別表第一の個別償却………減価償却資産の「種類」、「構造又は用途」及び「細目」の異なるごと。例えば、木造の倉庫用建物であれば、その倉庫用建物の全部

２　同別表第二の機械及び装置………「設備の種類」ごとが原則ですが、その「設備の種類」を構成する同種の資産ごとに選定した場合には、その同種の資産ごと。例えば、「21　電気機械器具製造業用設備」であれば、この設備に属する旋盤、フライス盤等の機械の種類ごと

例えば、旋盤10台のうち７台について、「７：３基準」を選定し、他の３台について原則によるというように、同種の機械について、部分的に選定することはできません。

参考　令132（資本的支出）、耐用年数省令　別表第一、第二、基通７－８－５（資本的支出と修繕費の区分の特例）、基通７－８－６（災害の場合の資本的支出と修繕費の区分の特例）

「７：３基準」による場合の継続適用の要件

【問１-132】　基通７－８－５によるいわゆる「７：３基準」における「法人が、継続して……」の継続適用の要件は、どのように考えればよいのですか。

【答】　「７：３基準」を採用した場合には、引き続きその基準によって修繕費と資本的支出の区分をしなければならないこととされていますので、ある事業年度においては実質判定をし、他の事業年度においては「７：３基準」による等、恣意的な適用は認められないという趣旨です。

しかし、いったん「７：３基準」を採用した限り、その資産に対して支出された修理、改良等の金額を全て「７：３基準」によって区分しなければならないとすると、実情にそぐわない場合も生じてきます。

そこで、災害、特別修繕その他これらに類するような特別な事情により支出した金額で明らかに修繕費に該当するものは、継続適用の枠外として「７：３基準」を適用すればよいこととされています。

つまり、これらの費用は、その実質に基づいて修繕費として処理し、その後に同資産について支出した一の修理、改良等の費用については、再び「７：３基準」を適用することができるわけです。

参考　令132（資本的支出）、基通７－８－５（資本的支出と修繕費の区分の特例）、基通７－８－６（災害の場合の資本的支出と修繕費の区分の特例）

災害の場合の資本的支出と修繕費の区分の特例

【問１-133】　当社は、婦人服の小売店舗を５店舗有している法人です。今回、地震により、各店舗とも被害を受けましたので、被災した店舗について、その復旧費用等として次の支出をしました。

この場合の支出は、それぞれどのように取り扱われますか。

(1) 比較的被害の少ない店舗について、原状回復のために行った修繕費用

(2) 被害を受けた店舗について、今回の地震と同規模の地震を想定し、倒壊等の被害を防止するために行った補強工事費用

(3) 被害が大きく復旧が困難な店舗について、取り壊して被災前と同規模の店舗を建設した費用

【答】　御質問の費用については、それぞれ次のように取り扱うこととされています。

(1) 被災資産（評価損を計上した資産を除きます。）につき原状回復のために支出した費用は、修繕費に該当するものとされていますので、修繕費として処理することができます。

(2) 被災資産に係る費用で、その被災資産の被災前の効用を維持するために行う補強工事等のために支出した費用について、法人が、修繕費とする経理をしているときは、これを認めることとされていますので、修繕費として処理することが認められます。

(3) 被災建物の復旧に代えて新たに建物を建設した場合には、その建設のために支出した金額は、修繕費として一時の損金とすることはできず、その資産の取得価額に含めることになります。なお、取り壊した被災建物等については除却損が計上できます。

参考　令132（資本的支出）、基通７－８－６（災害の場合の資本的支出と修繕費の区分の特例）

被災した資産に対する補強工事

【問１-134】　当社は、この度の地震により被害を受けた本社ビルについて補強工事を行いましたが、更に被害を受けていない名古屋工場の建物についても耐震性を高める補強工事を予定しています。
　これらの補強工事費用はどのように取り扱うこととなりますか。

【答】　災害により損壊等の被害を受けた資産に係る補強工事については、厳密にいえば機能向上による価値の増加や材質が良くなったことによる使用可能期間の延長がもたらされるという面を否定できませんが、どの部分が資本的支出で、どの部分が修繕費であるかの区分が困難なことが少なくありません。
　特に、地震による被害については、その被害状況が外見上明らかでないほか、その補強工事は、同規模の地震発生を想定し、被災建物の崩壊等の被害を防止するためのものであるなど、被災前の効用を維持するためのもので、必ずしも使用可能期間の延長や価値を増加させるものと言えないものもあります。
　このため、災害により被災した資産（評価損を計上したものを除きます。）について被災前の効用を維持するために行う補強工事、排水又は土砂崩れの防止等のために支出した費用については、被災資産の効用に着目して、その効用を維持するために支出する費用として法人がこれを修繕費として経理したときは、その処理を認めることとされています。
　しかし、被災資産以外の資産について耐震性を高める工事を施工した場合には、その費用は一般的に資産の使用可能期間又は価値の増加をもたらすものと認められることから、資本的支出として資産に計上することになります。
　御質問の場合、本社ビルの補強工事費用は原則として修繕費としての処理が認められますが、名古屋工場の補強工事費用は資本的支出として資産に計上しなければなりません。

参考　令132（資本的支出）、基通７－８－６（災害の場合の資本的支出と修繕費の区分の特例）

ソフトウエアに係る資本的支出と修繕費

【問１-135】　ソフトウエアにおける資本的支出と修繕費の考え方について、簡単に教えてください。

【答】　ソフトウエアに係る資本的支出と修繕費については、その所有しているソフトウエアについて、プログラムの修正等を行った場合、その修正等がプログラムの機能上の障害の除去、現状の効用の維持等に該当するときは、その修正等に要した費用は修繕費に該当します。

また、新たな機能の追加、機能の向上等に該当する場合、その修正等に要した費用については資本的支出に該当することとなります。

なお、この取扱いについては以下の点に御注意ください。

1　既に所有しているソフトウエア又は購入したパッケージソフトウエア等の仕様を大幅に変更するための費用のうち、基通７－３－15の２（注）２《自己の製作に係るソフトウエアの取得価額等》により取得価額になったもの（基通７－３－15の３《ソフトウエアの取得価額に算入しないことができる費用》により取得価額に算入しないこととしたものを含む。）以外のものは、資本的支出に該当します。

2　所有しているソフトウエアの修正等に要した費用（修繕費に該当するものを除きます。）又は１の費用が研究開発費（自社利用のソフトウエアについてした支出に係る研究開発費については、その自社利用のソフトウエアの利用により将来の収益獲得又は費用削減にならないことが明らかな場合における当該研究開発費に限ります。）に該当する場合には、資本的支出に該当しないこととすることができます。

参考　令132（資本的支出）、基通７－８－６の２（ソフトウエアに係る資本的支出と修繕費）

消費税のインボイス制度の実施に伴うシステム修正費用の取扱い

【問１-136】　当社は、消費税のインボイス制度に係る適格請求書発行事業者として登録を受けたのですが、このたび同制度に対応するため、自社の固定資産であるPOSレジシステム、商品の受発注システム及び経理システムのプログラムについて、以下の修正を外部業者に委託して行うこととしました。

①　現行の請求書等のフォーマットに登録番号、軽減税率の対象品目である場合はその旨、税率ごとに合計した対価の額（税抜き又は税込み）、適用税率及び消費税額等を追加

②　積上げ計算方式による仕入税額の計算に対応するため、集計方法などの税額計算の要素につきインボイス制度に対応する仕様変更等

これらの修正は、インボイス制度の実施に伴い、システムに従来備わっていた機能の効用を維持するために必要な修正であり、新たな機能の追加、機能の向上等はありません。

この場合の修正に係る支出はどのように取り扱われますか。

【答】　各システムのプログラムの修正が、現行の請求書等のフォーマットや、現行の税額計算の方法について、インボイス制度の実施に伴い、システムに従来備わっていた機能の効用を維持するために必要な修正を行うものであることが作業指図書等から明確である場合には、インボイス制度の実施に伴って現在使用しているソフトウエアの効用を維持するために必要な変更を施すものであり、新たな機能の追加、機能の向上等に該当しないことから、これらの修正に係る支出は修繕費として取り扱われることとなります。

なお、例えば、受発注システム上で受領、又は取り込んだ請求書に記載された取引先の登録番号と国税庁の適格請求書発行事業者公表サイトに公表されている情報を自動で照合し、確認する機能を新たに搭載するものや、これ

までシステムで作成した請求書等を紙媒体で出力し交付していたものを、電子交付まで自動で行えるよう仕様変更するものについては、現状の効用の維持等に該当しませんので、このような修正に係る支出については資本的支出として取り扱われます。

ただし、資本的支出であっても、修正に要した費用の額が20万円に満たない場合や、当該費用の額のうちに資本的支出であるか修繕費であるかが明らかでない金額がある場合に、その金額が次のいずれかに該当するときは、修繕費として取り扱って差し支えありません。

①　その金額が60万円に満たない場合

②　その金額が、修正に係るソフトウエアの前期末における取得価額のおおむね10%相当額以下である場合

また、以上のシステム修正費用の取扱いに係る考え方については、消費税のインボイス制度の実施に伴うものに限られるものではなく、例えば、給与計算に関する社内規定の改訂によりアウトプット帳票の様式を変更することに伴うものなど、一般的な場合においても同様です。

参考　令132（資本的支出）、基通7－8－3（少額又は周期の短い費用の損金算入）、基通7－8－4（形式基準による修繕費の判定）、基通7－8－6の2（ソフトウエアに係る資本的支出と修繕費）

「耐用年数の算定方式」の活用

【問１-137】　資本的支出と修繕費の区分について、「固定資産の耐用年数の算定方式」を参考としてもよろしいでしょうか。

【答】　「固定資産の耐用年数の算定方式」は、昭和26年に作成されたものであり、かなり古い資料ですが、現在の耐用年数の算定に当たっての基本的な考え方を示したものですから、実質判定の資料として活用して差し支えありません。

なお、「固定資産の耐用年数の算定方式」において示されている資本的支出と修繕費の区分を次に掲げていますので、御参照ください。

<参考資料>

種　類	構造用途等	細　　目	資本的支出となるもの	修繕費となるもの
建物	鉄骨鉄筋コンクリート造及び鉄筋コンクリート造		アスファルト防水、床、外装タイル又はモルタル、スチールサッシュの各10分の１程度以上の補修	
	鉄　骨　造		屋根、窓、外壁その他の10分の１程度以上の取替え。ただし、トタン屋根については５分の１程度以上の補修	
	レンガ造及び石造		（鉄骨造に準ずる）	
	木造及び木骨モルタル造		屋根及び外回軸組の10分の１程度以上の取替え。ただし、亜鉛鉄板屋根については５分の１程度以上の補修	杉皮屋根、土居わら造のものについては、その屋根の葺替えの全部
建物附属設備	昇降機設備		駆動装置又はフレームの取替え	
	ボイラー		ドラムの取替え	
	冷凍機		シリンダー取替え	
船舶			２分の１レングス・センターの強度メンバーの10分の１程度以上の取替え、船底又は船側の外板の10分の１程度以上の取替え	

種　類	構造用途等	細　　目	資本的支出となるもの	修繕費となるもの
			露天甲板の10分の１程度以上の取替え、主機、補機、甲板機械又は船体に据えられた機械及びその附属品の取替え又は支水隔壁の10分の１程度以上の取替え	
汎用機械装置	切削研摩用工作機械	旋盤、研削盤、研摩盤、ボール盤、フライス盤等	ベット、カンナ台、テールストック、ヘッドストック等の取替え及び解体大修理	
	電気機器	電動機 変圧器	硅素鋼板の取替え以上の大修理 キャパシティーの変更	コイルの巻替え トランスフォーマーオイルの補給
		水銀整流器 配電盤		極の取替え メーターの取替え
	運搬機械	天井走行クレーン及びジブクレーン	フレーム及びクラブの取替え	
		ベルトコンベアー		ベルト、キャリヤーの駆動装置の部分的取替え
		バケットコンベアー		バケット、キャリヤーの駆動装置の部分的取替え
		スクリューコンベアー	スクリューセンターの取替え	スクリュー羽根の取替え
	蒸気機械	蒸気缶	パイプの大部分及びフルーの取替え	
		蒸気タービン	タービンシャフトの取替え	
	内燃機関	ガソリンエンジン及びディーゼルエンジン	シリンダーの取替え	
	気体機械	往復圧縮機、回転圧縮機、ターボフロアー等	ベット、フレーム、ケーシング、メインシャフト、フライホイル及びシリンダーの取替え	ボーリング
	液体機械	渦巻ポンプ	ケーシング、羽根車の取替え	羽根及びガイドベンの取替え
		プランジャーポンプ	ピストンの取替え	
		圧縮冷凍機	シリンダーの取替え	
化学機器	タンク類	硫酸タンク 塩酸タンク		鉛の張替え ゴムの張替え
	濾過機	フィルタープレス		枠の部分的取替え
		タンクフィルター		濾板及びライニングの取替え
		デスクフィルター		デスクの部分取替え

種　類	構造用途等	細　　目	資本的支出となるもの	修繕費となるもの
		オリバーフィルター	パイプの大部分の取替え	
	粉　砕　機	クラッシャー		ナイフ、メタル、マントルの取替え
	ガス発生装置	ガス発生炉 ガス清浄器 脱硫器	レンガの全部取替え	レンガの部分的取替え 撹拌装置の取替え
	各種化学装置	硫酸製造用鉛室及び塔 石灰窒素用窒化炉及び焙焼炉 電熱回収装置	鉛の大部分の張替え パイプの大部分の取替え	内部レンガの取替え パイプの一部取替え

購入した中古資産について支出した費用

【問１-138】　当社は、中古建物を購入し、壁の塗替え、床面の補修及び窓ガラスの取替え等を行った上、事務所として使用しています。

これらの補修費用は、特に改造のための費用ではなく、通常の維持管理のための費用ですから、中古建物の取得価額に算入せず修繕費として処理したいと考えていますが認められるでしょうか。

【答】　購入した減価償却資産については、その資産の購入代価（その資産の購入のために要した費用がある場合には、その費用の額を加算した金額）とその資産を事業の用に供するために直接要した費用の額の合計額が、取得価額となります。

したがって、御質問の場合、壁の塗替え等通常修繕費として処理できるような費用であっても、購入した減価償却資産を事業の用に供するために支出したものは、その減価償却資産の取得価額に算入することになり、修繕費として処理することはできません。

なお、この場合の中古資産の耐用年数の見積りについては、**【問３-11】**から**【問３-14】**を参照してください。

参考　令54①（減価償却資産の取得価額）

リース物件に対する資本的支出の取扱い

【問１-139】　所有権移転外リース契約で、当該リース物件の補修費用については賃借人が負担することとされている場合に、そのリース物件について資本的支出に該当するような補修を行ったときは、その補修費用はどのように取り扱われますか。

【答】　平成19年度改正により、所有権移転外リース取引を行った場合（当該リース取引に係る契約が平成20年４月１日以後に締結されたものに限ります。なお、所有権移転外リース取引については**【問１-157】**を参照してください。）には、その取引に係る賃借人は、当該リース資産を取得したものとされることとなりました。したがいまして、当該リース資産について資本的支出を行った場合には、取得資産と同様その資本的支出部分については、新たな資産を取得したものとみなされます。

この場合、新たなリース資産の取得とされる資本的支出部分についてはリース期間定額法を適用して償却することになりますが、その償却期間は、その支出した日から既存資産に係るリース期間の終了までの期間までとなります。

参考　令55③（資本的支出の取得価額の特例）

塗装費用の取扱い

【問１-140】　当社では、この度、屋外にある機械及び装置のうち、長年の風雨により塗装のはげたものを全面的に再塗装することになりましたが、その塗装費については、機械及び装置の維持管理のための通常の経費として、損金の額に算入してもよいのでしょうか。

なお、塗装費は現在の簿価の約20％程度と見込まれます。

【答】　御質問の塗装については、はげた塗装部分を通常の程度に再塗装するものであれば、一般に修繕費として処理することが認められます。

しかしながら、例えば、遊休していた機械を使用するためにした塗装や、その機械の構造等からして通常の塗装の程度を超えてした塗装（例えば、まだはげていないのにする再塗装、特殊な塗料による塗装等）に要した費用は、修繕費として直ちに損金の額に算入することはできません。

なお、資本的支出か修繕費かの判定は、原則として、その支出金額の多寡によるのではなく、あくまでもその実質によって判定すべきものですから、対象資産の現在の簿価に対する割合等は判定の基礎となりませんが、資本的支出と修繕費の区分が明らかでない場合は、基通７－８－４の形式基準によって判定する方法も認められています。

（注）　形式基準による判定方法については、**【問１-128】**から**【問１-130】**までを参照してください。

参考　令132（資本的支出）、基通７－８－４（形式基準による修繕費の判定）

メリヤス編機の針釜の取替費用

【問１-141】　メリヤス編機の中心部である針釜は、長くても５年、短い場合には６か月程度で摩耗するため取替えを必要としますが、この場合の取替費用は、修繕費として認められますか。

なお、針釜の価額は、機械全体の20％程度であり、当社の所有している編機の針釜の価額は150万円～200万円です。

【答】　編機の耐用年数は、摩耗度の激しい針釜を含めて算定されています。御質問の針釜は、編機の主要な構成部分の取替えですから、部分的な更新として経理することが妥当と考えられます。

したがって、新規に取り付けたものは、資本的支出として資産計上し、取りはずした針釜の未償却残額は除却損として計上することになります。

参考　令132（資本的支出）

ガラス飛散防止フィルムの取付費用

【問１-142】　当社は、この度、本社ビルの窓ガラスに新たにガラス飛散防止と熱線遮断を兼ねる合成樹脂のフィルムを取り付けました。

この取付けに要した費用は、資本的支出として処理する必要がありますか。

【答】　フィルムの取付けが、建物の窓ガラスの強化や熱線遮断による室内の冷暖房効率の向上等の効果を新たに付与するという点からみれば、建物に対する資本的支出としての性質を持つものといえますが、他面、その取付けの第一次的な目的が災害発生時におけるガラスの飛散を防止し、地域住民への被害を最少限に止めようとするものである場合には、その建物の維持管理費としての性質を併せ持つものといえます。

したがって、既存の建物の窓ガラスにフィルム（ガラス飛散防止フィルムのほかガラス飛散防止と熱線遮断を兼ねるフィルムを含みます。）を取り付けた費用は、基通７－８－４《形式基準による修繕費の判定》又は基通７－８－５《資本的支出と修繕費の区分の特例》に定めるところにより、資本的支出と修繕費とに区分することができます。

なお、建物の新築又は取得に際してフィルムを取り付けた場合のその取付けに要した費用は、その建物の取得価額に算入することになります。

参考　令54①（減価償却資産の取得価額）、令132（資本的支出）、基通７－８－４（形式基準による修繕費の判定）、基通７－８－５（資本的支出と修繕費の区分の特例）

第6節　増加償却

増加償却の適用

【問1-143】　当社は、印刷業を営んでいます。従来から週6日制で年間300日稼働を目標にしています。

最近は比較的受注量も多く、一部の機械については毎日3～4時間の超過操業のため機械の損傷も著しいので増加償却の制度を適用したいと思います。

なお、当社の印刷設備の適用耐用年数は、耐用年数省令別表第二の「7　印刷業又は印刷関連事業用設備」の「その他の設備」の10年で、通常の使用時間は8時間ですが、増加償却の制度の概要と計算方法についてお教えください。

【答】　1　機械及び装置の法定耐用年数は、通常の経済事情の下における平均的な使用時間、すなわち標準稼働時間を前提として決められています。

したがって、受注の増加等のため機械及び装置をその標準稼働時間を超えて使用したため損耗が著しい場合には、その超過使用時間に応じて償却額を増加することができるという増加償却の制度が設けられています。

その適用を受ける場合の償却限度額の計算は次の算式のとおりです。

増加償却を適用する場合の償却限度額＝普通償却限度額＋普通償却限度額×増加償却割合

2　この増加償却制度は、機械及び装置に限って認められるものですが、その適用要件は、次のとおりです。

(1) 対象資産について、旧定額法、旧定率法、定額法又は定率法により償却していること。

(2) 増加償却割合が10%以上であること。

(3) 増加償却の届出書を、増加償却を実施しようとする事業年度の法人税確定申告書等の提出期限までに提出していること。

（注） この届出書は、増加償却を実施しようとする事業年度ごとに提出する必要があります。

(4) 超過操業を実施したことの証拠書類を保存していること。

3　増加償却割合は、「$\frac{35}{1,000}$×1日当たりの超過使用時間」により計算することとされており、この１日当たりの超過使用時間の算出方法には次の２つの方法がありますが、そのいずれの方法によるかは法人の任意とされています。

御質問の場合、印刷設備を構成する個々の機械及び装置の超過使用時間が明らかではありませんので、設例によって増加償却の計画を説明します。

(1) 取得価額ウエイトを加味する方法

（例）

個々の機械及び装置名	取得価額 (A)	当期中における個々の機械及び装置の超過使用時間の合計 (B)	当期中において通常使用されるべき日数 (C)	個々の機械及び装置の平均超過使用時間 $\frac{(B)}{(C)}$ (D)	1日当たりの超過使用時間 (D)×$\frac{(A)}{(F)}$ (E)
	万円	時間	日	時間	時間
A	2,000	1,200	300	4.0	3.01
B	500	900	〃	3.0	0.56
C	100	300	〃	1.0	0.03
D	30	−	〃	−	−
E	20	−	〃	−	−
計	2,650(F)				3.60

まず、個々の機械及び装置ごとに毎日、標準稼働時間を超えて使用した時間（個々の機械及び装置の日々の超過使用時間）を把握する必要があります。

次に、個々の機械及び装置ごとにその事業年度における個々の機械及び装置の日々の超過使用時間を合計し、その合計時間数を通常使用すべき日数で除して平均超過使用時間を算出します。

更に、その平均超過使用時間に設備全体の取得価額のうちに個々の機械及び装置の取得価額の占める割合（ウエイト）を乗じた数を合計して、１日当たりの超過使用時間を算出します。

したがって、設例による増加償却割合は、$\frac{35}{1,000}\times 3.60=0.13$（小数点以下２位未満切上げ）となり、10％以上ですから、増加償却が実施できることになります。

(2)　単純平均法

（例）

個々の機械及び装置名	当期中における個々の機械及び装置の超過使用時間	当期中において通常使用されるべき日数	個々の機械及び装置の平均超過使用時間	個々の機械及び装置の総数	１日当たりの超過使用時間
	時間	日	時間	台	
A	1,200	300	4.0	1	
B	900	〃	3.0	1	
C	300	〃	1.0	1	
D	−	〃	−	1	
E	−	〃	−	1	
計			8.0 (A)	5 (B)	1.6時間 $\frac{(A)}{(B)}$

この方法は、取得価額を加味せず、平均超過使用時間の合計時間を個々の機械及び装置の台数で除して「１日当たりの超過使用時間」を算出する方法です。

したがって、設例による増加償却割合は、$\frac{35}{1,000}\times 1.6=0.056$となり、10％未満ですから、増加償却は実施できないことになります。

なお、「１日当たりの超過使用時間」を算出する場合において、一の設備を構成する機械及び装置の中に他から貸与を受けている資産が含まれているときは、その資産の使用時間を除いたところにより算出することになります。

参考　令60（通常の使用時間を超えて使用される機械及び装置の償却限度額の特例)、

耐用年数省令　別表第二、規20（増加償却割合の計算）、規20の２（増加償却の届出書の記載事項）、基通７－４－７（貸与を受けている機械及び装置がある場合の増加償却）、耐通３－１－４（機械装置の単位）

増加償却の適用単位

【問１-144】　当社は、車両用エンジン部分品及び機械工具の製造業を営んでいますが、当期に入ってから超過操業が続いています。

当社の工場構内の棟及びその中の設備の設置状況は次のとおりですが、その超過操業時間には相当のバラツキがありますので、この場合の増加償却割合は、製造設備を①、②及び③の三つに区分して計算することが認められるのでしょうか。

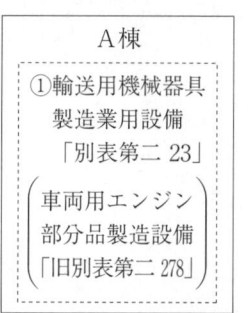

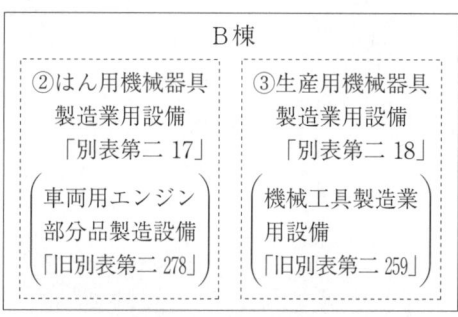

A棟	B棟	
①輸送用機械器具製造業用設備「別表第二 23」（車両用エンジン部分品製造設備「旧別表第二 278」）	②はん用機械器具製造業用設備「別表第二 17」（車両用エンジン部分品製造設備「旧別表第二 278」）	③生産用機械器具製造業用設備「別表第二 18」（機械工具製造業用設備「旧別表第二 259」）

なお、①の輸送用機械器具製造業用設備は、前期において導入した一貫工程の新鋭設備であり、①と②の製造業用設備はそれぞれ独立して種類の異なる車両用エンジン部分品を製造しています。

【答】　増加償却は、原則として、貴社の有する機械及び装置について旧耐用年数省令別表第二に定める「設備の種類（細目の定めのあるものは、細目）」ごとに適用するとされていますから、御質問の①②の旧耐用年数省令別表第二に定める車両用エンジン部分製造設備と③の機械工具製造業用設備とに区分して増加償却割合を計算することになります。

しかし、同一の種類の設備を構成する機械及び装置が独立して存在する工場又は棟があるときは、その工場又は棟ごとに区分して増加償却が適用できるとされていますので、結論としては、御質問のとおり三つの区分で増加償却割合を計算することが認められます。

参考　令60（通常の使用時間を超えて使用される機械及び装置の償却限度額の特例）、耐用年数省令　別表第二、旧耐用年数省令　別表第二、基通７－４－５（増加償却の適用単位）、耐通３－１－１（増加償却の適用単位）

週５日制を採用している場合の標準稼働時間の計算

【問１-145】　当社は、週５日制を採用していますが、増加償却の適用上、機械及び装置の標準稼働時間の計算は、どのようにすればよいのですか。

なお、当社は、印刷業ですから通常の使用時間は８時間です。

【答】　増加償却割合の計算の基礎となる平均超過使用時間は、その法人の属する業種に係る設備の標準稼働時間（通常の経済事情における機械及び装置の平均的な使用時間をいいます。）を超えて使用される個々の機械及び装置の１日当たりのその超える部分の当該事業年度における平均時間をいいます。

法定耐用年数は、週６日制を基準とした標準稼働時間を前提として決められていますので、貴社のように週５日制の場合には、この標準稼働時間を調整する必要があります。

すなわち、週５日制を採用している場合における機械及び装置の標準稼働時間は、その法人の属する業種における週６日制の場合の機械及び装置の標準稼働時間に、その標準稼働時間を５で除した数を加算した時間とすることとされています。

したがって、標準稼働時間が８時間の場合は、

$$8\text{時間} + \frac{8\text{時間}}{5} = 9.6\text{時間}$$

となり、9.6時間を超過する時間の合計時間が超過使用時間となります。

参考　耐通３－１－３（平均超過使用時間の意義）、耐通　付表５（通常の使用時間が８時間又は16時間の機械装置）

隔週５日制を採用している場合の標準稼働時間の計算

【問１-146】　当社は、電気機器部分品製造業を営んでいます。近く隔週５日制を採用することになりました。

増加償却の適用を受ける場合の機械及び装置の標準稼働時間の計算について、週５日制の場合は**【問１-145】**で説明されていますが、当社のように隔週５日制の場合はどのように計算すればよいのですか。

なお、当社の機械及び装置の通常の使用時間は８時間です。

【答】　週５日制を採用している場合の標準稼働時間の計算は**【問１-145】**のとおり、標準稼働時間が８時間の場合には、$8\text{時間}+\dfrac{8\text{時間}}{5}=9.6\text{時間}$となりますが、この計算を１週間に引き直して計算しますと$\dfrac{8\text{時間}\times 6}{5}=9.6\text{時間}$となります。

したがって、隔週５日制の場合には、２週間をもって引直し計算をすればよいことになり、すなわち、$\dfrac{8\text{時間}\times(6+6)}{5+6}\fallingdotseq 8.72\text{時間}$という計算になり、8.72時間を超過する時間の合計時間が超過使用時間となります。

参考　耐通３－１－３（平均超過使用時間の意義）、耐通　付表５（通常の使用時間が８時間又は16時間の機械装置）

貸与資産の増加償却

【問１-147】　当社は、機械及び装置一式を子会社に貸与して、当社の製品の製造を行わせています。

さて、今期は受注の増加などによって、子会社は相当の超過操業となっております。

このような場合、子会社に貸与中の機械及び装置について増加償却をすることができますか。

【答】　貸与している減価償却資産の耐用年数は、耐用年数省令別表において貸与業用として特掲されているものを除いて、原則として、貸与を受けている者のその資産の用途等に応じて判定することとされています。

これと同様の考え方により、その貸与資産の使用時間が子会社の属する業種の通常の使用時間を超えており、かつ、**【問１-143】**の２の適用要件を満たす場合には、貴社において、増加償却の適用が認められることになります。

参考　令60（通常の使用時間を超えて使用される機械及び装置の償却限度額の特例）、耐通１－１－５（貸与資産の耐用年数）

日曜操業と増加償却

【問１-148】　当社は、めん類製造業を営んでいます。操業形態は１日３交替で24時間操業をしております。

「耐用年数の適用等に関する取扱通達の付表５」に定めるめん類製造設備の通常の使用時間は１日当たり16時間ですので、最高の24時間を操業しても超過使用時間は８時間となり、その増加償却割合は28％（$\frac{35}{1,000}$×８時間）となります。

また、通常の使用日数300日を超えて稼働した機械及び装置のその300日を超える日数の運転時間を含めて超過使用時間を算定したところ、１日当たり超過使用時間は9.6時間と算出され、その増加償却割合は34％（$\frac{35}{1,000}$×9.6時間、小数点以下２位未満切上げ）になりました。

この場合、当社の増加償却割合は34％になるのでしょうか、それとも28％になるのでしょうか。

【答】　貴社は、めん類製造業の通常の使用日数を超えて稼働しているのですから、その超えて稼働した日の稼働時間は全て超過使用時間とみるのが相当です。

したがって、これらを含めた超過使用時間に基づいて算出された増加償却割合34％を適用することになります。

日曜、祭日等の通常休日とされている日における機械及び装置の稼働時間は、その全てを超過使用時間とします。

参考　令60（通常の使用時間を超えて使用される機械及び装置の償却限度額の特例）、規20（増加償却割合の計算）、耐通３－１－３（平均超過使用時間の意義）、耐通３－１－６（日曜日等の超過使用時間）、耐通３－１－12（通常使用されるべき日数の意義）、耐通　付表５（通常の使用時間が８時間又は16時間の機械装置）

耐用年数の短縮を受けた機械及び装置の増加償却

【問１-149】　当社は製造業を営んでいますが、現在使用している機械及び装置は耐用年数の短縮の承認を受けています。

耐用年数の短縮の承認を受けた機械及び装置について、増加償却を適用することはできるのでしょうか。

【答】　耐用年数の短縮の事由は、法人税法施行令第57条第１項《耐用年数の短縮》及び法人税法施行規則第16条《耐用年数の短縮が認められる事由》に規定されています。（耐用年数の短縮制度については、**【問３-16】**を参照してください。）

しかし、法人税法施行令第57条第１項及び法人税法施行規則第16条のいずれの事由により耐用年数の短縮の承認を受けたとしても、その承認を受けた未経過使用可能期間には、増加償却の考え方は考慮されていません。

したがって、その承認を受けた機械及び装置の前事業年度における実際の稼働時間を基に計算された増加償却割合が10％以上であれば、その他の要件を満たす限り、増加償却の適用ができることになります。

参考　令57（耐用年数の短縮）、令60（通常の使用時間を超えて使用される機械及び装置の償却限度額の特例）、規16（耐用年数の短縮が認められる事由）

第７節　除却損失等

合成樹脂成型用金型の有姿除却

【問１-150】　当社は、新製品を作るために１組35万円の金型を製作し、見本商品の製造を行って販売ルートに乗せましたが、販売店からデザインが悪く売れる見込みがないということで見本商品を返品されたため、製造を断念しました。

今年の決算に当たってこの金型を除却損として経理してもよいのでしょうか。

なお、金型は倉庫に保管しています。

【答】　生産中止により将来再使用される可能性がほとんどないような専用金型等については、たとえ廃棄していない場合であっても、その帳簿価額から処分見込価額を控除した金額を除却損として経理することができます。

なお、処分見込価額とは、スクラップとして売却する以外に方法がない場合には、スクラップ価額となります。

参考　基通７－７－２（有姿除却）

埋立てに伴い不用化する旧護岸の除却処理

【問１-151】　当社は、有機工業製品製造業を営んでいます。

この度、当社の工場が手狭になったので、現に操業中の第１次埋立地の地先に第２次の埋立てを行うこととしました。

この結果、第１次埋立地の護岸のうち第２次埋立地との接点部分が不用になりますが、この不用になった旧本護岸については、工事費が巨額になるため撤去工事等を行わずに埋没して放置することとしました。

そこで、この不用になった旧本護岸の帳簿価額を除却したいのですが、認められるのでしょうか。

なお、第１次埋立地における捨石工事費及び仮護岸費は、土地の取得価額としましたが、旧本護岸費は、独立した構築物として償却してきました。

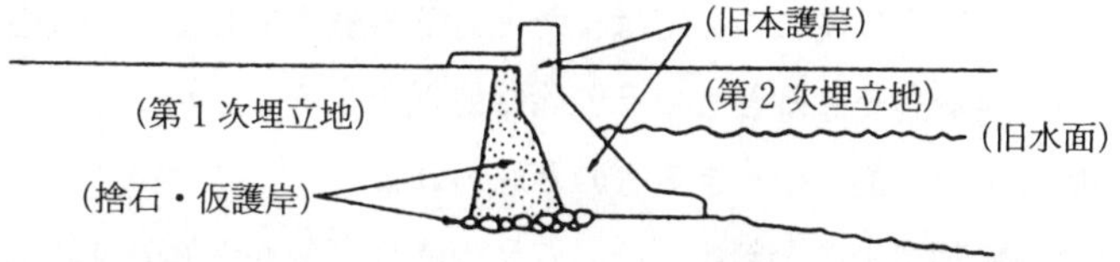

【答】　本護岸としての用途を廃止し、全くの不用資産となったのであれば、その除却処理は認められます。

参考　基通７－７－２（有姿除却）

有姿除却と取壊費用

【問１-152】　当社は、従来から構内において打込み井戸を設置して工業用水の供給をしていましたが、この度、工業用水道に転換しました。

そのため井戸については今後使用見込みがなくなったので、動力源である電線及び配水管をカットして、打込み井戸を有姿除却したいと思いますが、次のような経理処理でよいのでしょうか。

打込み井戸の期末帳簿価額	300万円
処分見込価額	70万円
取壊費用	30万円
差引　除却損失	260万円

【答】　使用を廃止し、今後通常の方法により事業の用に供する可能性がないと認められる固定資産については、たとえその廃棄をしていない場合であっても、いわゆる有姿除却としてその除却処理をすることができますので、御質問の場合もその処理ができるものと思われます。

この場合の除却損失の金額は、その資産の帳簿価額から処分見込価額を控除した金額となります。

したがって、御質問の場合、除却損失として損金の額に算入できる金額は、230万円（300万円－70万円）となります。

なお、取壊費用については、実際の取壊しに際して、その支出が予測されるとしても、それは未確定債務ですから、実際に取壊しを行った時点で損金の額に算入されます。

参考　基通７－７－２（有姿除却）

ソフトウエアの除却

【問１-153】　当社が開発した販売用ソフトウエアのうち、Ａ品については、他社から画期的な新製品が発売されたこともあって、売れ行きが悪くなり、今回、その販売を中止することとなりました。

　このソフトウエアは､販売開始からまだ１年を経過しただけですが、販売を中止した場合にその帳簿価額を損金とすることはできますか。

【答】　ソフトウエアは無形固定資産に該当し、複写して販売するための原本となるソフトウエアの耐用年数は３年とされます。

　ところで、ソフトウエアについて、物理的な除却、廃棄、消滅等がない場合であっても、次に掲げる場合のように、当該ソフトウエアを今後事業の用に供しないことが明らかな事実であるときは、当該ソフトウエアの帳簿価額（処分見込価額がある場合には、これを控除した残額）を、その事実が発生した日の属する事業年度の損金の額に算入することができます。

(1)　自社利用のソフトウエアについて、そのソフトウエアによるデータ処理の対象となる業務が廃止され、当該ソフトウエアを利用しなくなったことが明らかな場合、又はハードウエアやオペレーティングシステムの変更等によって他のソフトウエアを利用することになり、従来のソフトウエアを利用しなくなったことが明らかな場合

(2)　複写して販売するための原本となるソフトウエアについて、新製品の出現、バージョンアップ等により、今後、販売を行わないことが社内りん議書、販売流通業者への通知文書等で明らかな場合

　したがって、御質問の場合、販売用ソフトウエアであるＡ品の販売が中止となったことが、社内りん議書等によって明らかにされているのであれば、そのソフトウエアの帳簿価額を、販売中止となった事業年度において損金の額に算入することができます。

参考　令13Ⅷ（減価償却資産の範囲）、基通７－７－２の２（ソフトウエアの除却）、耐用年数省令　別表第三

機械装置の評価損

【問１-154】　当社が所有する機械設備について、次のとおり評価損を計上しましたが、認められますか。

(1)　Ａ機械が旧式化したため1,700万円の評価損を計上しました。
（期末簿価2,000万円、見込時価300万円）

(2)　Ｂ機械は、購入当初から故障しがちであり、正常に機能しないため300万円の評価損を計上しました。
（期末簿価400万円、見込時価100万円）

いずれの機械も２年前に同時に購入したものですが、当期末の１か月前に工場から運び出し、倉庫で保管しています。

なお、これらの機械の期末の見込時価は、取引業者の取引見積価額によっています。

【答】　いずれの機械についても、「期末において発生した理由でもって評価損を計上した」という前提で回答させていただきますが、御質問の場合、評価損の計上は、両方とも認められないと考えられます。

固定資産について評価損の計上が認められるのは、次の物損等の事実及び法的整理の事実が生じたことにより、その資産の価額がその帳簿価額を下回る場合に限られています。

①　その資産が災害により著しく損傷したこと
②　その資産が１年以上にわたり遊休状態にあること
③　その資産がその本来の用途に使用することができないため他の用途に使用されたこと
④　その資産の使用する場所の状況が著しく変化したこと
⑤　①～④に準ずる特別の事実が生じたこと
⑥　更生手続における評定が行われることに準ずる特別の事実が生じたこと
⑦　更生計画認可の決定があったことにより会社更生法又は金融機関等の更

生手続の特例等に関する法律の規定による評価換えをする必要が生じたこと

⑧　再生計画認可の決定があったこと又は再生計画認可の決定があったことに準ずる事実（法人税法施行令第24条の２第１項に掲げる債務処理に関する計画の要件に該当するものに限ります。）により、その資産について評価換えをする必要が生じたこと

(1)の場合、Ａ機械の旧式化を理由に評価損を計上しているようですが、それは、固定資産について評価損が計上できる場合のいずれにも該当しませんので、その評価損の計上は認められません。

次に、(2)の場合、Ｂ機械が正常に機能しない詳細な事実関係は明らかでありませんが、その機械を使用しない理由は単に「機能が不良である」と考えられることと、使用を中止してからの期間がまだ１か月であることから、その評価損の計上は認められません。

参考　法33②③④（資産の評価損）、令24の２①（再生計画認可の決定に準ずる事実等）、令68①Ⅲ（資産の評価損の計上ができる事実）、令68の２①（再生計画認可の決定に準ずる事実等）、基通９－１－３の３（資産について評価損の計上ができる「法的整理の事実」の例示）、基通９－１－16（固定資産について評価損の計上ができる「準ずる特別の事実」の例示）、基通９－１－17（固定資産について評価損の計上ができない場合の例示）

第８節　リース取引

リース取引と税務

【問１-155】　リース取引に係る課税関係について教えてください。

【答】　資産の賃貸借の形態をとっている取引の中には、その経済的実質において売買取引等と同様のものがあり、これを一般の賃貸借と同様に取り扱った場合には課税上の問題が生じることがあります。

そこで、資産の賃貸借の形態をとっている取引のうち一定のものを税務上のリース取引と定義し、個々のリース取引の経済的実質に応じてこれを売買取引等として取り扱うこととしています。

このリース取引に係る課税関係については、平成19年度改正により、平成20年４月１日以後に締結されるリース契約について適用されます。

なお、平成20年３月31日以前に締結されたリース契約については、法人税法上のリース取引のうち、次の２に該当するリース取引についてリース資産の売買があったものと取り扱われます。

１　法人税法上のリース取引

法人税法上のリース取引とは、資産の賃貸借（所有権が移転しない土地、賃貸借その他一定のものを除きます。）で、次の要件を満たすものをいいます。

⑴　その資産の賃貸借に係る契約が、賃貸借期間の中途においてその解除をすることができないものであること又はこれに準ずるものであること（解約不能のリース取引）

⑵　その賃貸借に係る賃借人がその賃貸借に係る資産からもたらされる経

済的な利益を実質的に享受することができ、かつ、その資産の使用に伴って生じる費用を実質的に負担すべきこととされているものであること（フルペイアウトのリース取引）

２　売買とされるリース取引

(1)　平成20年３月31日以前に締結されたリース取引で売買とされるもの

法人が平成20年３月31日以前に締結した上記１のリース取引で、そのリース取引が次のいずれかに該当するもの又はこれらに準ずるものであるときは、賃貸人から賃借人へのそのリース資産の引渡しの時に、そのリース資産の売買があったものとして所得金額の計算を行います。

①　リース取引に係る賃貸借期間（以下「リース期間」といいます。）終了の時又はリース期間の中途において、リース資産が無償又は名目的な対価の額でその賃借人に譲渡されるものであること。

②　その賃借人に対し、リース期間終了の時又はリース期間の中途においてリース資産を著しく有利な価額で買い取る権利が与えられているものであること。

③　リース資産の種類、用途、設置の状況等に照らし、リース資産がその使用可能期間中その賃借人によってのみ使用されると見込まれるものであること又はリース資産の識別が困難であると認められるものであること。

④　リース期間がリース資産の法定耐用年数に比して相当の差異があるもの（その賃貸人又はその賃借人の法人税又は所得税の負担を著しく軽減することとなると認められるものに限ります。）であること。

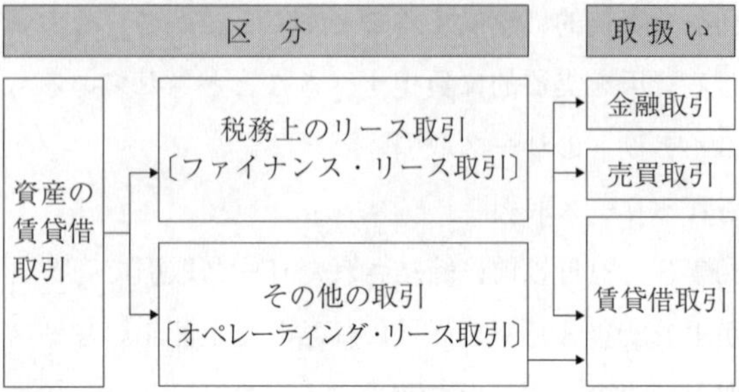

⑵　平成20年４月１日以後に締結されるリース取引で売買とされるもの

企業会計において、平成20年４月１日以後開始する事業年度から所有権移転外ファイナンス・リース取引（ファイナンス・リース取引のうちリース契約上の諸条件に照らしてリース物件の所有権が借手に移転すると認められる取引以外の取引をいいます。この取引については**【問１-157】**を参照してください。）に関して通常の賃貸借取引に係る方法に準じた会計処理を廃止し、通常の売買取引に係る方法に準じて会計処理を行うこととされました。（企業会計基準第13号「リース取引に関する会計基準」及び企業会計基準適用指針第16号「リース取引に関する会計基準の適用指針」（平成19年３月30日企業会計基準委員会）

これに併せて平成19年度改正において、リース取引に関する法人税法上の取扱いが改正され、法人が平成20年４月１日以後に締結する上記１のリース取引をした場合には、そのリース資産の賃貸人から貸借人への引渡しの時にそのリース資産の売買があったものとして、その賃貸人又は賃借人である法人の所得計算を行うこととされました。

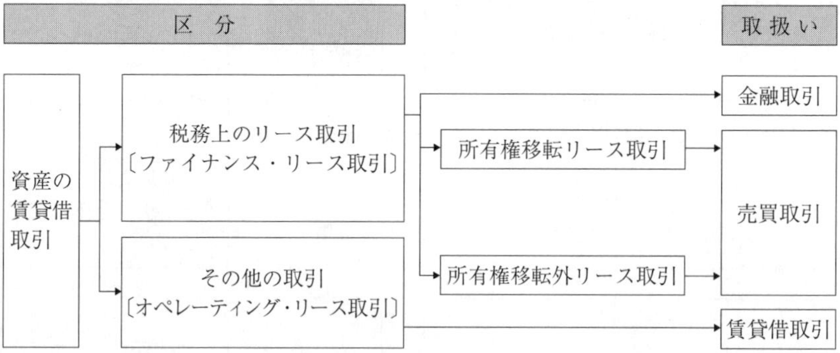

３　金融取引（金銭の賃借があったもの）とされるリース取引

法人が譲受人から譲渡人に対する賃貸（上記１のリース取引に該当するものに限ります。）を条件に資産の売買（いわゆるセール・アンド・リースバック取引）を行った場合において、その資産の種類、その売買及び賃貸に至るまでの事情その他の状況に照らし、これら一連の取引が実質的に金銭の賃借であると認められるときは、その資産の売買はなかったものとし、かつ、その譲受からその譲渡人に対する金銭の貸付けがあったものとして各事業年度の所得金額の計算を行います。

４　リース資産の減価償却

(1)　平成20年３月31日以前に締結されたリース取引に係る減価償却

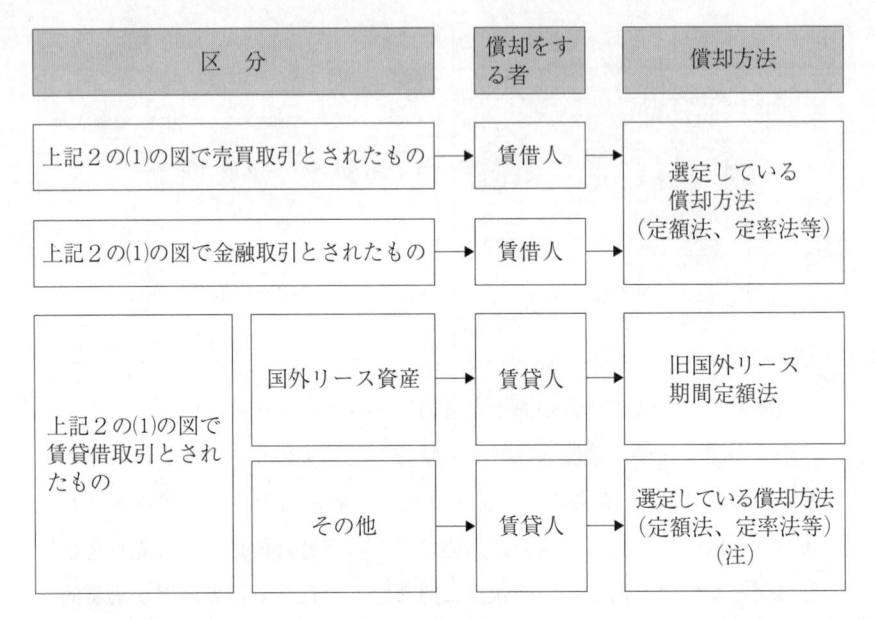

<table>
<tr><th colspan="2">区　分</th><th>償却をする者</th><th>償却方法</th></tr>
<tr><td colspan="2">上記２の(1)の図で売買取引とされたもの</td><td>賃借人</td><td rowspan="2">選定している償却方法（定額法、定率法等）</td></tr>
<tr><td colspan="2">上記２の(1)の図で金融取引とされたもの</td><td>賃借人</td></tr>
<tr><td rowspan="2">上記２の(1)の図で賃貸借取引とされたもの</td><td>国外リース資産</td><td>賃貸人</td><td>旧国外リース期間定額法</td></tr>
<tr><td>その他</td><td>賃貸人</td><td>選定している償却方法（定額法、定率法等）（注）</td></tr>
</table>

（注）　平成20年４月１日以後に終了する事業年度においては、旧リース期間定額法を選定することができます。（旧リース期間定額法については**【問１-159】**を参照してください。）

(2)　平成20年４月１日以後に締結されるリース取引に係る減価償却

リース資産が売買取引又は金融取引となる場合には、賃借人がリース資産を有するものとして減価償却を行うこととなりますが、償却方法は次のとおりです。

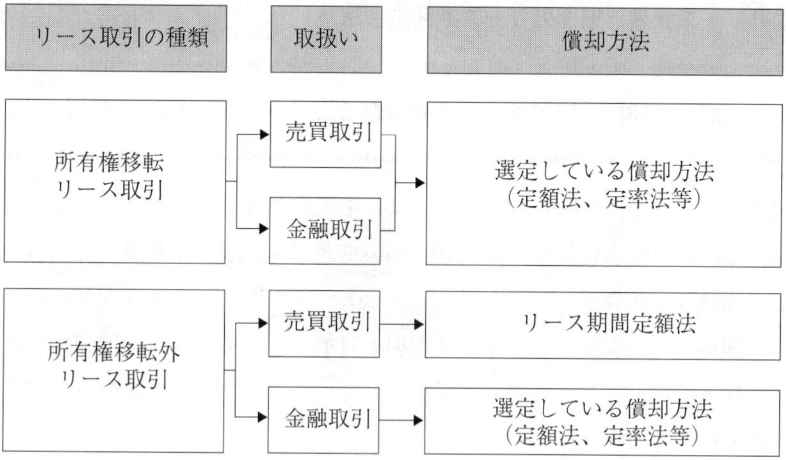

参考　法64の２（リース取引に係る所得の金額の計算）、平19改法附44（リース取引に係る所得の金額の計算に関する経過措置）、旧令136の３（リース取引に係る所得の計算）、令48、48の２（減価償却資産の償却の方法）、令49の２（リース賃貸資産の償却の方法の特例）

国外リース資産と旧国外リース期間定額法

【問１-156】　旧国外リース期間定額法について教えてください。

【答】　旧国外リース期間定額法とは、平成20年３月31日までに締結されたリース契約に係る国外リース資産について適用される償却方法です。

１　国外リース資産

国外リース資産とは、リース取引の目的とされている減価償却資産で非居住者又は外国法人に対して賃貸されているものであり、次の(1)及び(2)以外のものです。

(1) 資産の賃貸借取引以外の取引とされるリース取引（売買取引、金融取引として取り扱われるもの）に係るもの。

(2) 非居住者又は外国法人に対して賃貸されているもののうち、賃借人の専ら国内において行う事業の用に供されるもの。

２　旧国外リース期間定額法による償却限度額は次の算式により計算されます。

（算式）

$$\text{償却限度額}=\frac{\left(\text{リース資産の取得価額}-\text{見積残存価額}\right)}{\text{国外リース資産のリース期間の月数}}\times\text{当該事業年度におけるリース期間の月数}$$

(注) 1　上記算式における月数は、暦に従って計算し、１月に満たない端数を生じたときは、これを１月とします。

2　見積残存価額とは、国外リース資産をその賃貸借の終了の時において譲渡するとした場合に見込まれるその譲渡対価の額に相当する金額をいいます。

なお、国外リース資産に該当する減価償却資産については、少額の減価償却資産の取得価額の損金算入及び一括償却資産の損金算入の規定は適用できませんので、注意してください。

参考　令48（減価償却資産の償却の方法）、令133（少額の減価償却資産の取得価額の損金算入）、令133の２（一括償却資産の損金算入）

所有権移転外リース取引

【問１-157】　所有権移転外リース取引について説明してください。

【答】　所有権移転外リース取引とは、リース取引のうち次のいずれかに該当するもの（これらに準ずるものを含みます。）以外のものをいいます。

①　リース期間終了の時又はリース期間の中途において、そのリース取引に係る契約において定められているそのリース取引の目的とされている資産（以下「目的資産」といいます。）が無償又は名目的な対価の額でそのリース取引に係る賃借人に譲渡されるものであること。

②　リース期間の終了後、無償と変わらない名目的な再リース料によって再リースすることがリース契約で定められているものであること。

③　そのリース取引に係る賃借人に対し、リース期間終了の時又はリース期間の中途において目的資産を著しく有利な価額で買い取る権利が与えられているものであること。

④　目的資産の種類、用途、設置の状況等に照らし、その目的資産がその使用可能期間中そのリース取引に係る賃借人によってのみ使用されると見込まれるものであること又はその目的資産の識別が困難であると認められるものであること。

⑤　賃借人に対して目的資産の取得資金の全部又は一部を貸し付けている金融機関等が、賃借人から資金を受け入れ、その資金をしてその賃借人のリース取引、債務のうちその賃借人の借入金の元利に対応する部分の引受けをする構造となっているものであること。

⑥　リース期間が目的資産の法定耐用年数に比べて相当短いもの（リース期間が目的資産の法定耐用年数の70％（法定耐用年数が10年以上のリース資産については、60％）に相当する年数（１年未満の端数切捨て）を下回る期間であるもの）で、そのリース取引に係る賃借人の法人税の負

担を著しく軽減することになると認められるものであること。

参 考　法64の２（リース取引に係る所得の金額の計算）、令48の２⑤（減価償却資産の償却の方法）

リース期間定額法

【問１-158】　平成20年４月１日以後に締結する所有権移転外リース取引の契約に係るリース資産については、賃借人はどのような償却を行えばよいですか。

【答】　平成20年４月１日以後に締結する所有権移転外リース取引（所有権移転外リース取引については、**【問１-157】**を参照してください。）の契約によって、その賃借人である法人が取得したものとされる「リース資産」については、次の「リース期間定額法」により償却限度額を計算することとされています。

（算式）

$$\text{償却限度額} = \frac{\left(\begin{matrix}\text{リース資産}\\\text{の取得価額}\end{matrix} - \text{残価保証額}\right)}{\text{リース期間の月数}} \times \begin{matrix}\text{当該事業年度における}\\\text{リース期間の月数}\end{matrix}$$

リース期間定額法とは、リース資産の取得価額を当該リース資産のリース期間の月数で除して計算した金額に当該事業年度におけるリース期間の月数を乗じて計算した金額を各事業年度の償却限度額として償却する方法をいいます。

残価保証額とは、リース期間終了の時にリース資産の処分価額が所有権移転外リース取引に係る契約において定められている保証額に満たない場合にその満たない部分の金額をその所有権移転外リース取引に係る賃借人がその賃貸人に支払うこととされている場合におけるその保証額をいいます。リース資産の取得価額に残価保証額に相当する金額が含まれている場合には、リース資産の取得価額から残価保証額を控除した金額を基に償却限度額の計算を行います。

参考　令48の２①（減価償却資産の償却の方法）、基通７－６の２－９（賃借人におけるリース資産の取得価額）、基通７－６の２－13（賃貸借期間等に含まれる再リース期間）

旧リース期間定額法

【問１-159】　リース賃貸資産につき、旧リース期間定額法で償却ができると聞きましたが、償却費の計算はどのように行うのでしょうか。また、旧リース期間定額法を選定するにはどのような手続が必要でしょうか。

【答】　平成19年度改正により平成20年４月１日以後に締結される所有権移転外リース取引については売買取引とされましたが（平成19年度改正については**【問1-155】**を参照してください。）、平成20年３月31日以前に締結されたものについては、これまでどおり賃貸借取引と扱われます。

これに対し、リース会計基準では、平成20年４月１日以後に開始する事業年度から新制度が適用されるとともに、それ以前のものについても売買取引に準じた処理を行うとされています。

税務上は、原則として平成20年３月31日以前に締結されたものにあっては、賃貸人はこれまで採用している従来の償却の方法（平成19年４月１日以後に取得したものについては定率法、定額法等、平成19年３月31日以前に取得したものについては旧定率法、旧定額法等）を適用することになりますが、この償却方法に代えて旧リース期間定額法を選定して適用することができます。

これにより、賃貸人である法人は、平成20年３月31日以前に締結された改正前法人税法施行令において資産の賃貸借取引と扱われていた所有権移転外リース取引について、リース会計基準に従い売買取引に変更した場合であっても、従来どおり償却資産として償却することができます。また、その処理方法（会計基準適用初年度の前年度末における固定資産の適正な帳簿価額をリース資産の期首の価額として計上する方法などを採用した場合）によっては特段の税務調整を要しないことになります。

なお、この旧リース期間定額法は、平成20年３月31日までに締結されたリース契約に係るリース取引のうち、資産の賃貸借取引とされるものについて、賃貸人が採用している償却の方法に代えて選定することができるもので、平成20年４月１日以後に終了する事業年度から選択することができます。

なお、国外リース資産はこの特例の対象外とされており、適用することができません。

1　償却の方法

（算式）

$$償却限度額＝\frac{改定取得価額}{改定リース期間の月数}\times\begin{array}{l}当該事業年度における\\改定リース期間の月数\end{array}$$

改定取得価額とは、リース資産のこの制度の適用を受ける最初の事業年度開始のときにおける取得価額から残価保証額を控除した金額をいいます。

この取得価額は、当該最初の事業年度開始前においてした償却の額で損金の額に算入された金額がある場合には、当該金額を控除した金額とされています。

また、残価保証額とは、リース資産のリース期間の終了の時に当該リース賃貸資産の処分価額がそのリース取引に係る契約において定められている保証額に満たない場合にその満たない部分の金額を当該リース取引に係る賃借人その他の者がその賃貸人に支払うこととされている場合における当該保証額をいいます（当該保証額の定めがない場合にはゼロとします。）。

改定リース期間とは、リース賃貸資産のリース期間のうちこの制度の適用を受ける最初の事業年度開始の日以後の期間をいいます。

2　旧リース期間定額法を選定する際の届出

旧リース期間定額法を選定しようとする法人は、旧リース期間定額法を採用する事業年度（平成20年４月１日以後に終了する事業年度に限ります。）の確定申告書の申告期限までにリース賃貸資産の種類その他財務省令で定める事項を記載した届出書を納税地の所轄税務署長に提出しなければなりません。

また、その採用しようとする事業年度に係る仮決算による中間申告書を提出する場合には、その中間申告書の提出期限までに届出書を提出しなければなりません。

［参考］ 令49の２（リース賃貸資産の償却の方法の特例）

リース資産について賃借料として損金経理した金額

【問１-160】　リース資産について賃借人が賃借料として損金経理した場合には、どのように取り扱われるのでしょうか。

【答】　リース資産について賃借人が賃借料として損金経理した金額は、償却費として損金経理した金額に含まれるものとされ、また、この償却費として損金経理した金額に含まれるものとされる金額については、申告書における明細書の添付も不要とされています。

したがって、法人が賃借料として損金経理したとしても、その金額がリース期間定額法により計算される償却限度額と同額であれば、特段の申告調整や別表記載は必要ありません。

ただし、例えば、リース料に据え置き期間が設けられているなどでリース期間におけるリース料の額が均等でない場合や、リース料を年払いにしているなどにより、賃借料の額と償却限度額が異なることとなるものについては、賃借人において減価償却の償却超過額又は償却不足額が生じる場合があります。このような場合には、減価償却に関する明細書を使用するなどしてその計算を行う必要があります。

参考　令63①（減価償却に関する明細書の添付）、令131の２③（リース取引の範囲）、基通７－６の２－16（減価償却に関する明細書）

リース資産に対する特別償却等の適用の有無

【問１-161】　所有権移転外リース取引で取得したものとされる資産については、特別償却や圧縮記帳制度の適用はありますか。

【答】　平成20年４月１日以後に締結される契約に係る所有権移転外リース取引（所有権移転外リース取引については、**【問１-157】**を参照してください。）により取得したものとされる資産については、その償却方法がリース期間定額法という特殊な償却方法を適用するため、特別償却や圧縮記帳制度の対象外とされています。

また、所有権移転外リース取引により取得したものとされる資産については、少額の減価償却資産の取得価額の損金算入制度及び一括償却資産の損金算入制度についても対象外とされています。

なお、所有権移転外リース取引により取得したものとされる資産については、特別償却に代えて行う法人税額の特別控除において、取得に係る税額控除の対象となるため、各リース税額控除制度は廃止されています。

ただし、中小企業者等の少額減価償却資産の取得価額の損金算入の特例においては、所有権移転外リースにより取得したものとされる資産について、その取得価額が10万円以上30万円未満であるなどの一定の要件を満たすことで、適用対象となります。（中小企業者等の少額減価償却資産の取得価額の損金算入の特例については**【問１-70】**を参照してください。）

参考　法47（保険金等で取得した固定資産等の圧縮額の損金算入）、法64の２①（リース取引に係る所得の金額の計算）、令133（少額の減価償却資産の取得価額の損金算入）、令133の２（一括償却資産の損金算入）、措法42の６（中小企業者等が機械等を取得した場合の特別償却又は法人税額の特別控除）、措法67の５（中小企業者等の少額減価償却資産の取得価額の損金算入の特例）

第９節　グループ法人税制

グループ法人税制と減価償却

【問１-162】　平成22年度改正においてグループ法人税制が創設されましたが、減価償却に関する措置について説明してください。

【答】　近年の企業経営においてはグループ法人の一体的運営が進展していることから、平成22年度改正において、その実態に即した課税を実現する観点から、「グループ法人税制」が創設されています。

その主な内容ですが、100％グループ内の法人間の取引等について課税関係を生じさせない措置が講じられたほか、関連する連結納税制度や組織再編税制等について整備・改正が行われています。

お尋ねの減価償却に関する措置についてですが、内国法人が平成22年10月１日以後にその有する譲渡損益調整資産をその内国法人との間に完全支配関係がある他の内国法人に譲渡した場合には、譲渡の時点において生じた譲渡利益額又は譲渡損失額を繰り延べることとされました。

また、その譲渡損益調整資産が、譲渡を受けた法人（以下「譲受法人」といいます。）において減価償却資産に該当し、減価償却を行うなど一定の事由が生じた場合には、譲渡をした内国法人（以下「譲渡法人」といいます。）において繰り延べられた譲渡利益額又は譲渡損失額の戻入れを行うこととなります。

このため、譲渡法人は、譲渡した資産が譲渡損益調整資産に該当する場合には、その旨等を譲受法人に通知しなければならないこととされ、譲受法人は、その譲渡損益調整資産について減価償却を行うなど一定の事由が生じた場合には、その旨等を譲渡法人に対し通知しなければならないこととされました。

（注）　譲渡損益調整資産とは、固定資産、土地（土地の上に存する権利を含み、固定資産に該当するものを除きます。）、有価証券、金銭債権及び繰延資産とされていますが、次に掲げるものは除かれます。

①　売買目的有価証券

②　譲受法人において売買目的有価証券とされる有価証券

③　譲渡直前の帳簿価額が1,000万円に満たない資産

参 考　法61の11（完全支配関係がある法人の間の取引の損益）、令122の12（完全支配関係がある法人の間の取引の損益）

減価償却資産を簿価で譲り受けた場合の申告調整

【問１-163】　当社は、100％子会社であるＡ社に対して、時価5,000万円の機械を帳簿価額の4,500万円で譲渡することとしました。

この場合、Ａ社の譲り受けた事業年度における申告調整はどのようになりますか。

【答】　御質問の場合は、次のように取り扱うこととなります。

１　Ａ社が貴社から譲り受けた機械の取得価額（4,500万円）と時価（5,000万円）との差額については、その機械の取得価額に加算するとともに、受贈益として益金の額に加算します。

（税務仕訳）　機械　500万円／受贈益　500万円

（申告調整）　四表加算　受贈益計上漏れ　500万円（留保）

２　上記受贈益については、完全支配関係のある貴社から受けたものであることから、全額が益金不算入となります。

（申告調整）　四表減算　受贈益の益金不算入　500万円（その他流出）

３　減価償却費の損金算入限度額の計算については、１により調整した後の取得価額（5,000万円）を基礎として、事業の用に供した時点から決算期末までの期間分について計算します。

４　Ａ社が、当該事業年度において減価償却費として損金経理した金額のうち、３により計算した損金算入限度額を超える部分の金額が減価償却超過額として損金不算入になります。

また、減価償却資産を時価よりも低い価額で譲り受け、その譲り受けた価額を当該資産の取得価額として経理している場合には、１により機械の取得価額に加算した時価に満たない金額は、「償却費として損金経理をした金額」に含まれますので、減価償却超過額の計算に当たっては、この500万円を償却費として損金経理した金額に含めて計算を行います。

なお、３による損金算入限度額を300万円、４における減価償却費を700

万円(会計上200万円＋加算分500万円）とした場合の処理は、次のとおりです。

（税務仕訳）　減価償却費　500万円／機械　500万円

　　　　　　　減価償却超過額　400万円／減価償却費　400万円

（申告調整）　四表減算　減価償却費認容　500万円（留保）

　　　　　　　四表加算　減価償却超過額　400万円（留保）

【記載例】

別表四　（単位：円）

区分			総額	留保	社外流出	
加算	受贈益計上漏れ		5,000,000	5,000,000		
	減価償却の償却超過額	6	4,000,000	4,000,000		
	小計	11	9,000,000	9,000,000		
減算	受贈益の益金不算入額	16	5,000,000		※	5,000,000
	減価償却費認容		5,000,000	5,000,000		
	小計	22	10,000,000			
所得金額又は欠損金額		52	△1,000,000	4,000,000		△5,000,000

別表五（一）

区分	期首	減	増	期末
減価償却超過額			4,000,000	4,000,000
機械		5,000,000	5,000,000	0
計		5,000,000	9,000,000	4,000,000

参考　法22②（各事業年度の所得の金額の計算）、法25の２（受贈益）、法31（減価償却資産の償却費の計算及びその償却の方法）、基通７－５－１（償却費として損金経理をした金額の意義）

譲渡損益調整資産に係る譲渡損益の計算等

【問１-164】　当社は、100％子会社であるＡ社に対し、事業年度の中途に譲渡損益調整資産となる機械装置を譲渡しました。当社では、月次決算で減価償却費を計上していますが、譲渡損益調整資産の譲渡に係る譲渡利益額の計算において、期首から譲渡時点までの償却費相当額はどのように取り扱うのでしょうか。

また、譲渡損益調整資産の判定における帳簿価額1,000万円以上の判定ではどうでしょうか。

【答】　平成22年度改正により、内国法人が平成22年10月１日以後にその有する譲渡損益調整資産をその内国法人との間に完全支配関係がある他の内国法人に譲渡した場合には、譲渡の時点において生じた譲渡利益額又は譲渡損失額を繰り延べることとされています。

この制度による繰り延べの対象となる譲渡利益額又は譲渡損失額とは、それぞれの譲渡に係る収益の額が原価の額を超える場合におけるその超える部分の金額又はその譲渡に係る原価の額が収益の額を超える場合におけるその超える部分の金額をいうこととされています。

この譲渡に係る原価の額を計算する場合において、その譲渡した資産が減価償却資産である場合に、法人税法第31条第１項との関係で、期首から譲渡時点までの償却費相当額を原価から控除すべきかどうかという問題があります。（**【問１-86】**参照）

法人税法第31条第１項は、期中譲渡資産の譲渡時までの減価償却費の計上を否定する趣旨のものではないので、期首から譲渡時点までの償却費相当額は、原価の額に含まれないものとして譲渡利益額又は譲渡損失額の計算を行います。

また、譲渡損益調整資産の判定においては、「その譲渡の直前の帳簿価額が1,000万円に満たない資産」以外のものとされています。

この帳簿価額についても同様に、期首から譲渡時点までの償却費相当額がある場合には、これを除いて判定することとなります。

参考　法31①（減価償却資産の償却費の計算及びその償却の方法)、法61の11（完全支配関係がある法人の間の取引の損益)、令122の12（完全支配関係がある法人の間の取引の損益）

譲渡損益調整資産（減価償却資産）に係る通知義務

【問１-165】　Ａ社は、100％子会社であるＢ社に対し、固定資産である帳簿価額1,000万円以上の機械装置を譲渡することとしており、Ｂ社は、この機械装置を家具の製造に使用する予定です。

ところで、平成22年度改正により創設されたグループ法人税制においては、グループ法人間で一定の資産を譲渡等した場合の通知義務が設けられていますが、その内容について教えてください。

【答】　平成22年度改正において、平成22年10月１日以後に完全支配関係のある法人間で譲渡損益調整資産の譲渡など一定の事由が生じた場合には、相手方に通知しなければならないこととされています。

御質問の機械装置は、Ａ社において固定資産であり、帳簿価額が1,000万円以上ですので、譲渡損益調整資産に該当します。

このため、次に掲げる通知義務が、Ａ社及びＢ社のそれぞれに生じることとなります。

なお、通知の方法については、法令上特に定められていませんので、任意の方法で通知を行っていただくこととなります。

１　Ａ社（譲渡法人）の通知義務

譲渡した機械装置が、譲渡損益調整資産である旨をＢ社（譲受法人）に対して譲渡の後遅滞なく通知しなければなりません。

なお、Ａ社において繰り延べた譲渡利益額又は譲渡損失額を戻し入れる額を算定する方法として「簡便法」の適用を受けようとする場合には、その旨も通知する必要があります。

２　Ｂ社（譲受法人）の通知義務

①　Ａ社から「簡便法」の適用を受けようとする旨の通知を受けた場合には、当該機械装置について適用する耐用年数をＡ社に通知する必要があります。

②　B社において当該機械装置の減価償却費を損金の額に算入した場合には、①に掲げる場合を除き、償却費を損金の額に算入したこと、その日（事業年度終了の日）及び損金の額に算入した償却費の額をA社に通知する必要があります。

また、B社が当該機械装置を他の法人に譲渡した場合や除却した場合等についても、その旨及びその生じた日を通知する必要があります。

(注) 1　譲渡損益調整資産が減価償却資産である場合の戻入額の計算には、原則法と簡便法があります。

〈原則法〉

$$\text{戻入額} = \text{譲渡損益調整資産に係る譲渡利益額又は譲渡損失額に相当する金額} \times \frac{\text{譲受法人において償却費として損金の額に算入された金額}}{\text{譲受法人における譲渡損益調整資産の取得価額}}$$

〈簡便法〉

$$\text{戻入額} = \text{譲渡損益調整資産に係る譲渡利益額又は譲渡損失額に相当する金額} \times \frac{\text{譲受法人の当該事業年度開始の日（譲渡の日を含む事業年度においては譲渡の日）からその終了の日までの期間の月数}}{\text{譲受法人がその譲渡損益調整資産について適用する耐用年数} \times 12}$$

2　簡便法を適用するためには、一定の要件を満たす必要があります。

参考　法61の11（完全支配関係がある法人の間の取引の損益）、令122の12（完全支配関係がある法人の間の取引の損益）

第10節　グループ通算制度と減価償却

グループ通算制度と減価償却

> **【問１-166】**　当社は、100％子会社５社とともにグループ通算制度の適用を受けることを検討しています。
>
> グループ通算制度の適用を受ける場合は、全社の償却方法を統一する必要があるのでしょうか。
>
> また、グループ通算制度適用前に「減価償却資産の償却方法の届出書」を提出していた場合、どのように取り扱われますか。

【答】　グループ通算制度とは、完全支配関係にある企業グループ内の各法人を納税単位として、各法人が個別に法人税額の計算及び申告を行い、その中で、損益通算等の調整を行う制度です。併せて、後発的に修更正事由が生じた場合には、原則として他の法人の税額計算に反映させない（遮断する）仕組みとされています。

なお、グループ通算制度では、減価償却資産の償却費の計算は、通算グループ内の各法人ごとに行うこととなりますので、通算グループ内で減価償却資産の償却方法を統一する必要はありません。

また、グループ通算制度の適用を受ける前に「減価償却資産の償却方法の届出書」を提出していた場合、グループ通算制度適用後も届け出ている償却方法により償却費の計算を行うことになり、これを変更する場合、各法人ごとに「減価償却資産の償却方法の届出書」を提出することになります。

参考　法31（減価償却資産の償却費の計算及びその償却の方法）、令51（減価償却資産の償却の方法の選定）、令52（減価償却資産の償却の方法の変更手続）

グループ通算制度と時価評価した減価償却資産に係る評価後の減価償却の方法

【問１-167】　グループ通算制度の開始、加入及び離脱に当たり、時価評価資産である減価償却資産について評価益又は評価損を計上する場合、その評価益又は評価損を計上した事業年度後の各事業年度における減価償却に係る計算方法について教えてください。

【答】　グループ通算制度では、グループ通算制度の開始・加入及び離脱時の時価評価課税について、組織再編税制と整合性のとれた規定が設けられており、一定の要件に該当する減価償却資産については時価評価されます。

また、時価評価資産に係る評価益又は評価損を計上した事業年度（以下「時価評価年度」といいます。）後の各事業年度における減価償却に係る計算については、次に掲げる場合に応じ、それぞれ次のとおりとなります。

(1)　評価益を計上した場合

イ　取得価額

時価評価年度後の各事業年度においては、税務上、時価評価の直前の取得価額にその評価益の金額を加算した金額に相当する金額をもってその減価償却資産の取得価額とみなされるため、その加算後の取得価額を基礎として償却可能限度額及び償却限度額の計算を行うこととなります。

ロ　損金経理額

時価評価年度後の各事業年度の減価償却について、次の算式により計算された金額は、時価評価年度以前の各事業年度の損金経理額とみなされることとされています。

損金経理額とみなされる金額		
時価評価直後の帳簿価額	－	時価評価年度終了時のその資産の価額として帳簿に記載された金額（注）

（注）時価評価年度以前の各事業年度の損金経理額のうち損金の額に算入されなかった金額がある場合には、その金額を加算します。

したがって、時価評価年度後の各事業年度において損金経理により計上した償却費の額がその事業年度の償却限度額を下回る場合には、その下回る金額は、上記の損金経理額とみなされた金額及び過年度からの償却超過額との合計額の範囲内で損金の額に算入されることになります。

時価評価年度後の減価償却資産の取得価額及び減価償却における損金経理額を図示すると以下のとおりです。

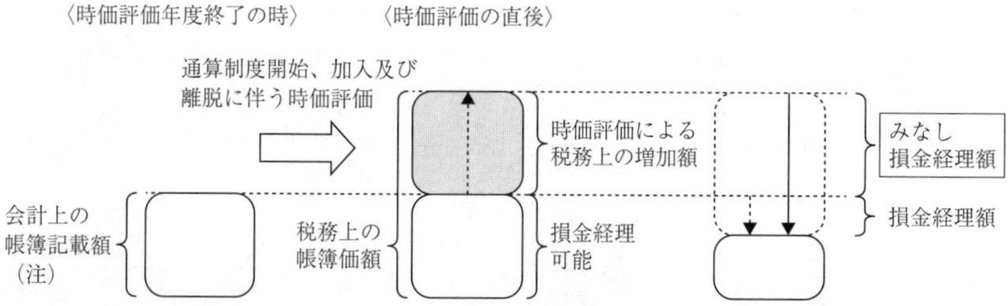

（注）償却超過額がある場合には、これに相当する金額を加算

(2)　評価損を計上した場合

イ　償却可能限度額

時価評価年度後の各事業年度において、その評価損を計上した減価償却資産の償却可能限度額を計算する場合における前事業年度までに損金の額に算入された償却額の累積額には、その評価損の金額が含まれることになります。

ロ　償却限度額の計算（旧定率法、定率法）

減価償却資産の償却の方法として旧定率法又は定率法を適用している場合には、その評価損の金額を既にした償却の額で損金の額に算入された金額に含めて償却限度額の基礎となる金額の計算を行うことになります。

したがって、税務上、評価損を計上した減価償却資産について、会計上はその評価損を計上していないため償却費を計上することが可能な場合であっても、その償却費の計上額が、税務上の償却限度額を超えるときは、その超える部分の金額は損金の額に算入されないこととなります。

参考　法31⑤（減価償却資産の償却費の計算及びその償却方法）、令48②、48の２②（減価償却資産の償却の方法）、令54⑥（減価償却資産の取得価額）、令61①（減価償却資産の償却累積額による償却限度額の特例）、令61の３（損金経理額とみなされる金額がある減価償却資産の範囲等）

第２章　特別償却関係

第１節　共通事項

特別償却の適用を受ける機械の引取運賃・据付費

【問２－１】　当社は、この度、特別償却の適用が受けられる機械を購入しました。

この機械については、引取運賃や据付費を当社で負担しましたが、これらの費用についても特別償却の適用がありますか。

【答】　機械の取得に伴って支出した引取運賃や据付費は、その機械の取得価額を構成する費用ですから、機械の本体価額と併せて特別償却の適用があります。

参考　令54①（減価償却資産の取得価額）

固定資産の値引きと特別償却

【問２－２】　当社は、電気機器の部分品を製造する中小企業者で、前期において機械を購入し、中小企業者等が機械等を取得した場合の特別償却を適用しました。

ところが、この機械がカタログどおりの機能を発揮しないので、メーカーと交渉した結果、当期に購入代金の一部の値引きを受けました。

この値引きについて、機械の取得価額を修正したいと思いますが、前期の特別償却を遡及して修正する必要があるのでしょうか。

【答】　固定資産を取得した後に値引き等が確定したような場合には、その値引き等があった日の属する事業年度において、その固定資産の帳簿価額の修正として処理することができます。(機械を購入した後の事業年度において値引き等があった場合の取扱いについては、**【問１－50】**を参照してください。)

したがって、特別償却についても、これを遡及して修正する必要はなく、値引きの確定した当期において**【問１－50】**の**【答】**欄の算式（値引額×$\frac{\text{値引き直前の帳簿価額}}{\text{値引き直前の取得価額}}$）により普通償却の金額と併せて修正することになります。

なお、御質問の機械について、前期から繰り越された特別償却不足額があるときは、取得価額の修正とともにその特別償却不足額が生じた前期において値引きがあったものとした場合に算出される特別償却限度額を基礎として、繰り越された特別償却不足額を修正する必要があります。

（注）　中小企業者等が機械等を取得した場合の特別償却制度については、機械等を平成10年６月１日から令和７年３月31日までの間に取得をし、指定事業の用に供した場合に適用できます。

中小企業者等が機械等を取得した場合の特別償却制度の概要については、**【問２－13】**を参照してください。

参考　令54①（減価償却資産の取得価額）、措法42の６①（中小企業者等が機械等を取得した場合の特別償却又は法人税額の特別控除）、基通７－３－17の２（固定資産について値引き等があつた場合）

租税特別措置法の圧縮記帳の適用を受けた機械の特別償却

【問２－３】　当社は、令和６年４月に、大阪市内の事務所用の建物を譲渡して、買換資産として当社の和歌山工場において機械を取得し、租税特別措置法第65条の７（特定の資産の買換えの場合の課税の特例）を適用して圧縮記帳をしました。

この機械について中小企業者等が機械等を取得した場合の特別償却を適用できるのでしょうか。

【答】　特定の資産の買換えの場合の圧縮記帳等、租税特別措置法の圧縮記帳の適用を受けた機械及び装置については、原則として特別償却の適用はありません。

したがって、御質問の機械について中小企業者等の機械等の特別償却は適用できません。

（注）　中小企業者等が機械等を取得した場合の特別償却制度については、機械等を平成10年６月１日から令和７年３月31日までの間に取得をし、指定事業の用に供した場合に適用できます。

中小企業者等が機械等を取得した場合の特別償却制度の概要については、**【問２－13】**を参照してください。

参考　措法42の６①（中小企業者等が機械等を取得した場合の特別償却又は法人税額の特別控除）、措法64⑦（収用等に伴い代替資産を取得した場合の課税の特例）、65の７⑦（特定の資産の買換えの場合の課税の特例）等

法人税法の圧縮記帳の適用を受けた工業用機械等の特別償却

【問２－４】　当社のＡ工場が火災により焼失しましたが、それを基因として受け取った火災保険金３億円で同じ場所に新工場を建設するとともに機械設備を購入して事業を再開しました。

このような場合、当社は、それぞれの制度の要件を満たせば、新工場等について、保険金等による圧縮記帳の適用を受けるとともに、特定地域における工業用機械等の特別償却の適用を受けることができますか。

【答】　収用の特例による圧縮記帳、特定資産の買換えの特例による圧縮記帳等、租税特別措置法の圧縮記帳の適用を受けた資産については、原則として租税特別措置法の特別償却の適用を受けることはできませんが、保険金等による圧縮記帳、国庫補助金等による圧縮記帳等、法人税法の圧縮記帳の適用を受けた資産については、租税特別措置法の特別償却の適用を受けることができることとされています。

したがって、御質問の場合には、他の要件を満たせば、保険金等による圧縮記帳と特別償却の双方の適用を受けることができます。

なお、特別償却限度額の計算の基礎となる取得価額は、圧縮記帳後の金額とされていますので注意してください。

参考　法42（国庫補助金等で取得した固定資産等の圧縮額の損金算入）、法47（保険金等で取得した固定資産等の圧縮額の損金算入）、令54③（減価償却資産の取得価額）、措法45①（特定地域における工業用機械等の特別償却）、措法64⑦⑧（収用等に伴い代替資産を取得した場合の課税の特例）、措法65の７⑦⑧（特定の資産の買換えの場合の課税の特例）等

定額法を採用している減価償却資産について特別償却をする場合の取扱い

【問２-５】　当社は、資本金1,000万円で決算期が３月31日の倉庫業を営む法人です。

令和６年４月に租税特別措置法第45条第１項の表の第１号の第１欄に掲げる地区において、倉庫用建物を新設し、事業の用に供しました。

その倉庫用建物について、特定地域における工業用機械等の特別償却の適用を受けたいと考えています。

ところで、建物については、定額法で償却しなければならないとされていますが、普通償却限度額の計算をする場合の取得価額は、圧縮記帳を適用した場合のように特別償却額を控除した後の金額となるのでしょうか。

なお、取得した倉庫用建物は次のとおりです。

・構造又は用途、細目	金属造のもの（骨格材の肉厚が４mm超のもの）、工場（作業場を含む。）用又は倉庫用のもの、その他のもの、倉庫事業の倉庫用のもの、その他のもの
・取得価額	１億円
・取得日	令和６年４月10日（同日事業供用）
・法定耐用年数	26年（償却率　0.039）

【答】　圧縮記帳制度の適用を受けた資産については、圧縮後の金額が取得価額とされ、減価償却の償却限度額の計算においても、取得価額から圧縮額を控除した金額を基礎として計算しなければならないこととされています。

しかし、特別償却を適用した場合であっても、定額法による償却限度額の計算において取得価額から特別償却費の額を控除するという規定がありませんから、圧縮記帳を適用した場合のように取得価額を調整する必要はなく、当初の取得価額を基礎として計算することとなります。

なお、貴社が新設した倉庫用建物（定額法）について、特定地域における工業用機械等の特別償却の適用を受ける場合の償却限度額は次により計算されることとなります。

$$\text{償却限度額}=\underbrace{\text{取得価額}\times\text{法定耐用年数に応じた定額法の償却率}}_{\text{普通償却限度額}}+\underbrace{\text{取得価額}\times\frac{20}{100}}_{\text{特別償却限度額}}$$

御質問の場合の工場用建物の償却限度額の計算は次のようになります。

事業年度	償却限度額（算式）	期末帳簿価額
令６．４．１～ 令７．３．31	23,900,000円 100,000,000×0.039＋100,000,000×20/100	76,100,000円
令７．４．１～ 令８．３．31	3,900,000円 100,000,000×0.039	72,200,000円
令８．４．１～ 令９．３．31	3,900,000円 100,000,000×0.039	68,300,000円

参考　法42（国庫補助金等で取得した固定資産等の圧縮額の損金算入）、令54（減価償却資産の取得価額）、措法45①（特定地域における工業用機械等の特別償却）、措令28の９（特定地域における工業用機械等の特別償却）、耐用年数省令　別表第一、第八、令４改法附43①

収用換地等の場合の所得の特別控除の適用を受けた場合の機械の特別償却

【問２－６】　当社は、令和６年10月に工場用地の一部を小学校用地としてＡ市に買収され補償金4,000万円の交付を受けましたので、その補償金に自己資金を加えて新品の機械及び装置を7,000万円で取得しました。当社としては、この収用による土地の譲渡益について、収用換地等の場合の所得の特別控除の適用を受けるつもりですが、7,000万円で取得した機械及び装置について、中小企業者等が機械等を取得した場合の特別償却の適用を受けられるのでしょうか。

【答】　収用換地等の場合の所得の特別控除の適用を受ける法人が、その特別控除の対象となった補償金を原資として特別償却の対象となる資産を購入し、事業の用に供した場合には、その資産について補償金に対する収用換地等の場合の所得の特別控除の適用の有無にかかわらず、特別償却の適用を受けることができます。

なお、収用等をされた資産に係る対価補償金をもって代替資産を取得し、圧縮記帳を行った場合は、その代替資産の取得価額の一部が対価補償金以外の資金からなるときであっても、その代替資産の全ての部分について、租税特別措置法に規定する特別償却が適用できないこととされていますので注意してください。（租税特別措置法の圧縮記帳の適用を受けた機械の特別償却については、**【問２－３】**を参照してください。）

（注）　中小企業者等が機械等を取得した場合の特別償却制度については、機械等を平成10年６月１日から令和７年３月31日までの間に取得をし、指定事業の用に供した場合に適用できます。

中小企業者等が機械等を取得した場合の特別償却制度の概要については、**【問２－13】**を参照してください。

参考　措法42の６①（中小企業者等が機械等を取得した場合の特別償却又は法人税額の特別控除）、措法64⑦（収用等に伴い代替資産を取得した場合の課税の特例）、措法65の２（収用換地等の場合の所得の特別控除）、措通64(3)－14（圧縮記帳をした資産についての特別償却等の不適用）

繰越償却不足額がある場合の償却限度額の計算

【問２-７】　当社は青色申告法人ですが、前期（令５.４.１～令６.３.31）中の令和５年10月１日に取得し、事業の用に供した機械装置（取得価額4,000万円、耐用年数５年）について、中小企業者等が機械等を取得した場合の特別償却の適用をしました。その際の償却限度額の計算は次の(1)のとおりであり、特別償却限度額1,200万円のうち900万円を特別償却不足額として当期に繰り越しています。

当期（令６.４.１～令７.３.31）のこの機械装置の償却計算においては(2)のとおり、帳簿価額に償却率を乗じて普通償却限度額を計算し、これに繰越償却不足額を加算した合計額を償却費として損金経理しましたが、その全額が損金の額に算入されるでしょうか。

なお、当社は定率法を採用しておりますので、耐用年数５年に対応する年償却率は0.400です。

(1)　前期

普通償却限度額　　$4{,}000\text{万円}\times 0.400\times\frac{6}{12}=800\text{万円}$……①

特別償却限度額　　$4{,}000\text{万円}\times\frac{30}{100}=1{,}200\text{万円}$……②

償却限度額（①＋②）　　800万円＋1,200万円＝2,000万円

2,000万円のうち1,100万円を償却し、900万円を特別償却不足額として繰り越した。

期末帳簿価額　　4,000万円－1,100万円＝2,900万円

(2)　当期　2,900万円×0.400＋900万円＝2,060万円（償却実施額）

【答】　定率法を採用している減価償却資産について、特別償却不足額がある場合の償却限度額は、次の算式により計算することになります。

$$\text{償却限度額}=\left(\text{帳簿価額}-\text{特別償却不足額}\right)\times\text{償却率}+\text{特別償却不足額}$$

貴社の場合は、次の額が償却限度額となります。

（2,900万円－900万円）×0.400＋900万円＝1,700万円

したがって、360万円が当期償却限度超過額として損金の額に算入されないこととなります。

2,060万円（償却費として損金経理した金額）－1,700万円（償却限度額）＝360万円

（注）中小企業者等が機械等を取得した場合の特別償却制度については、機械等を平成10年６月１日から令和７年３月31日までの間に取得をし、指定事業の用に供した場合に適用できます。

中小企業者等が機械等を取得した場合の特別償却制度の概要については、**【問２-13】**を参照してください。

参考　措法42の６①（中小企業者等が機械等を取得した場合の特別償却又は法人税額の特別控除）、措法52の２①（特別償却不足額がある場合の償却限度額の計算の特例）、措令30②（特別償却不足額がある場合の償却限度額の計算の特例）、耐用年数省令　別表第十

繰越償却不足額がある場合の当期償却額の充当順序

【問２－８】　前期から繰り越した特別償却不足額の充当の順序について、具体的に説明してください。

【答】　繰越特別償却不足額がある各割増償却制度の適用資産に係る損金に算入した当期償却額の充当の順位は、①当期発生普通償却限度額、②当期発生割増償却限度額、③繰越特別償却不足額となります。

例えば、輸出事業用資産の割増償却について、

(1)　損金の額に算入した当期償却額　150万円
(2)　繰越特別償却不足額　40万円
(3)　当期発生普通償却限度額　100万円
(4)　当期発生割増償却限度額　40万円

としますと、(1)の150万円は、まず(3)からなるものとし、次に(4)からなるものとし、最後に(2)を充当することになります。これを図示しますと、次のとおりです。

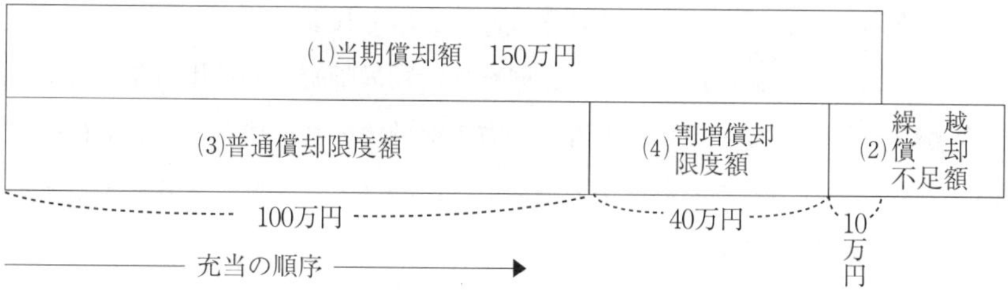

なお、特別償却不足額については、**【問１－105】**を参照してください。

参考　措法52の２②（特別償却不足額がある場合の償却限度額の計算の特例）、措令30③（特別償却不足額がある場合の償却限度額の計算の特例）、措法46（輸出事業用資産の割増償却）

直接控除方式と準備金方式の選択適用

【問２－９】　当社は、前期に取得して事業の用に供した製造設備については、帳簿価額を直接減額する方法で特別償却を行っていますが、当期に取得して事業の用に供した製造設備については、準備金方式による特別償却の適用を考えています。

このような方法は認められるのでしょうか。

【答】　特別償却につき、特別償却額を損金経理によりその資産の帳簿価額から直接控除する「直接控除方式」によるか、損金経理（適用しようとする事業年度の決算の確定の日までに剰余金の処分により積み立てる場合を含みます。）により特別償却準備金として積み立てる「準備金方式」（剰余金の処分による場合は、同額を申告調整により別表四で所得金額から減算します。）によるかは、特別償却対象資産別に、また、適用を受けようとする特別償却制度ごとに、法人が選択できることとされています。

したがって、御質問の場合は、たとえ同一の特別償却制度の適用を受ける場合であっても、異なる方法によることが認められます。

また、同一の事業年度において、同一の特別償却制度の適用対象となる機械等が２以上ある場合であっても、一方の機械等の特別償却については直接控除方式により、他方の機械等の特別償却については準備金方式によるということが認められます。

なお、積み立てた特別償却準備金については、その後の事業年度において、当該特別償却準備金の金額に当該事業年度の月数を乗じてこれを84（法定耐用年数（繰延資産にあっては、その繰延資産に係る支出の効果の及ぶ期間の月数を12で除した数。）が10年未満である場合には、60とその法定耐用年数等に12を乗じて得た数とのいずれか少ない数）で除して計算した金額を取り崩して益金の額に算入することとなります。

参考　措法52の３（準備金方式による特別償却）

遊休資産と特別償却不足額の繰越し

【問２－10】　当社は、年１回決算の製造業を営む資本金5,000万円の青色申告法人です。期首に中小企業者等が機械等を取得した場合の特別償却の対象となる機械を取得して事業の用に供していましたが、事業年度の中途で生産計画の変更によってその機械が遊休することとなり、翌期においても、この遊休状態は続くことが予想されます。

　ところで、当社では業績との関係上当期で特別償却を実施せず、特別償却不足額として繰り越したいのですが、このように機械設備が遊休し翌期では普通償却も完全にストップするような場合、特別償却不足額の繰越しは、自動的に打切りになるのでしょうか。

【答】　当期に発生した特別償却不足額を翌期に繰り越して翌期の償却費に含めるためには、翌期において、その機械が事業の用に供され、減価償却できる状態でなければなりません。

　したがって、その機械の遊休状態が続く限り、普通償却はもちろんのこと、特別償却不足額に基づく特別償却もできないことになります。

　しかしながら、その機械について特別償却不足額の繰越可能期間（１年）内（翌期中）に再び事業の用に供することになれば、当期に発生した特別償却不足額は全額、翌期の償却費に含めることができます。

　なお、遊休資産の取扱いについては、**【問１－10】**、特別償却不足額については、**【問１－105】**を参照してください。

（注）　中小企業者等が機械等を取得した場合の特別償却制度については、機械及び装置を平成10年６月１日から令和７年３月31日までの間に取得をし、指定事業の用に供した場合に適用できます。

　中小企業者等が機械等を取得した場合の特別償却制度の概要については、**【問２－13】**を参照してください。

参考　措法52の２（特別償却不足額がある場合の償却限度額の計算の特例）、措法42の６①（中小企業者等が機械等を取得した場合の特別償却又は法人税額の特別控除）、措令30（特別償却不足額がある場合の償却限度額の計算の特例）

譲渡した特別償却対象資産の特別償却準備金の取崩し

【問２-11】　当社は、紡績業を営む３月決算の法人です。平成31年の決算において準備金方式により特別償却を行っております。今回、この特別償却対象資産（法定耐用年数10年）を譲渡しましたが、この譲渡した資産については７年均等による益金算入中の特別償却準備金が残っております。

この場合、当該償却準備金については取り崩して益金算入する必要があるのでしょうか。

【答】　各特別償却対象資産別に積み立てられた特別償却準備金については、その対象資産を有しないこととなった場合には、その対象資産に係る特別償却準備金を取り崩して益金算入することとされています。

したがって、貴社の当該特別償却対象資産に係る特別償却準備金の残額については、取り崩して益金算入する必要があります。

参考　措法52の３（準備金方式による特別償却）

耐用年数の改正が行われた場合の特別償却準備金の均分取崩し

【問２－12】　当社は、産業廃棄物処理業を営む３月決算の法人です。平成24年の決算において準備金方式により特別償却を行っております。

平成25年度改正により、この特別償却対象資産の法定耐用年数が17年から８年に改正されましたが、準備金の均分取崩しについては従前どおり７年均等取崩しでよろしいでしょうか。

【答】　法人が積立てた特別償却準備金の額は、特別償却対象資産ごとにその積立てをした事業年度の翌事業年度から、特別償却対象資産の法定耐用年数に応じて、法定耐用年数（繰延資産にあっては、その繰延資産に係る支出の効果の及ぶ期間の月数を12で除した数。）が10年以上のものは７年間、５年以上10年未満のものは５年間、それ以外のものは法定耐用年数に相当する期間に均分して益金の額に算入することとされています。

特別償却準備金の取崩しは、特別償却の適用を受けた場合のその後の償却計算と均衡を図るものであるところ、法定耐用年数が短くなった場合には償却費を多く計上できることから、それに応じて特別償却準備金の取崩期間も短くするのが合理的であると考えられます。また、このことは法定耐用年数が長くなった場合も同様です。

したがって、特別償却準備金の積立てをした事業年度後において特別償却対象資産に係る法定耐用年数が改正された場合には、改正後の法定耐用年数が適用される事業年度における特別償却準備金の均分取崩しの年数は、改正後の法定耐用年数により判断することになります。

参考　措法52の３⑤（準備金方式による特別償却）、措通52の３－４（耐用年数等の改正が行われた場合の特別償却準備金の均分取崩し）

第２節　中小企業者等の特定機械装置等の特別償却

中小企業者等が機械等を取得した場合の特別償却

【問２－13】　中小企業者等が機械等を取得した場合の特別償却制度の内容について説明してください。

【答】　中小企業者等が機械等を取得した場合の特別償却制度は、平成10年４月の総合経済対策の一環として、中小企業の設備投資を促進するため、それまでの中小企業者の機械等の特別償却制度をベースに内容を大幅に拡大して創設されたものです。

また、平成26年度改正において、生産性向上設備投資促進税制が創設されたことに伴い、中小企業による設備投資を更に促進する観点から、適用資産のうち生産性向上設備投資促進税制の対象資産に該当するものの措置が追加され、制度の拡充が図られています。（平成28年度改正により、生産性向上設備投資促進税制については、適用期限（平成29年３月31日）の到来をもって廃止されました。）

更に、平成29年度改正において、対象資産の見直し等が行われ、令和元年度改正において、制度の適用期限が令和３年３月31日まで２年延長され、令和３年度改正において、指定事業の見直し等が行われるとともに制度の適用期限が令和５年３月31日まで２年延長されました。その後、令和５年度改正において、対象資産の見直しが行われた上、制度の適用期限が令和７年３月31日まで２年延長されました。

この制度の概要は次のとおりです。

１　対象法人

青色申告書を提出する法人で、中小企業者等が対象となります。

（注）　中小企業者等とは、**【問２-15】**の**【答】**欄に掲げる中小企業者（適用除外事業者又は通算適用除外事業者に該当するものを除きます。）又は農業協同組合等若しくは商店街振興組合をいいます。

２　対象資産

平成10年６月１日から令和７年３月31日までの間に取得等をし、指定事業の用に供した次の減価償却資産（以下「特定機械装置等」といいます。）で、その製作の後事業の用に供されたことのない新品のものが対象となります。

ただし、所有権移転外リース取引により取得したものについては、この制度の適用はありません。（所有権移転外リース取引については**【問１-157】**を参照してください。）

①	機械及び装置		１台又は１基の取得価額が160万円以上のもの
②	工具	イ	１台又は１基の取得価額が120万円以上のもの （測定工具及び検査工具に限ります。）
		ロ	当該事業年度において新たに取得等をして指定事業の用に供した測定工具及び検査工具（１台又は１基の取得価額が30万円以上のものに限ります。）の取得価額の合計額が120万円以上のもの
③	ソフトウエア	イ	一のソフトウエアの取得価額が70万円以上のもの
		ロ	当該事業年度において新たに取得等をして指定事業の用に供したソフトウエアの取得価額の合計額が70万円以上のもの
④	車両及び運搬具		貨物の運送の用に供される車両総重量が3.5トン以上の普通自動車
⑤	内航船舶		内航海運業法第２条第２項に規定する内航海運業の用に供される船舶

(注)１　機械及び装置については、コインランドリー業（主要な事業であるものを除き

ます。）の用に供する資産でその管理のおおむね全部を他の者に委託するものを除きます。

2　ソフトウエアについては、一定の要件を満たしたものに限られます。（**【問2-14】**参照）

3　内航船舶のうち、総トン数500トン以上の船舶にあっては、一定の事項を国土交通大臣に届け出たことについて、本制度の適用を受けようとする事業年度の確定申告書等にその届出があった旨を証する書類の写しを添付することにより明らかにされた船舶に限られます。

3　指定事業

次に掲げる、国内にあるいずれかの事業の用（内航船舶貸渡業を営む法人以外の法人の貸付けの用及び性風俗関連特殊営業に該当する事業の用を除きます。）に供したもの

(1)製造業　(2)建設業　(3)農業　(4)林業　(5)漁業　(6)水産養殖業　(7)鉱業　(8)卸売業　(9)道路貨物運送業　(10)倉庫業　(11)港湾運送業　(12)ガス業　(13)小売業　(14)料理店業その他の飲食店業（料亭、バー、キャバレー、ナイトクラブその他これらに類する事業にあっては、生活衛生同業組合の組合員が行うものに限る。）(15)一般旅客自動車運送業　(16)海洋運輸業及び沿海運輸業　(17)内航船舶貸渡業　(18)旅行業　(19)こん包業　(20)郵便業　(21)通信業　(22)損害保険代理業　(23)不動産業　(24)サービス業（娯楽業〔映画業を除く。〕を除く。）

4　特別償却限度額

基準取得価額(※)×30%

※　上記に掲げる基準取得価額は次のようになります。以下５において同じ。

対象資産	基準取得価額
船　　舶	取得価額×75%
船舶以外	取得価額

5　特別税額控除の選択

この制度において、特定中小企業者等については、上記の特別償却に代えて法人税額の特別控除の制度が選択適用できます。

その場合の法人税額の特別控除の控除限度額は、次のとおりです。

特定機械装置等の基準取得価額×７％（法人税額の20％が限度）

（注）１　特定中小企業者等とは、中小企業者等のうち資本金の額又は出資金の額が3,000万円を超える法人（他の通算法人のうちいずれかの法人が資本金の額又は出資金の額が3,000万円を超える法人に該当する場合における通算法人を含み、農業協同組合等及び商店街振興組合を除きます。）以外の法人をいいます。

２　平成29年度改正により、特定機械装置等のうち特定生産性向上設備等に該当するものに係る税額控除との選択適用ができる措置は、適用期限（平成29年３月31日）の到来をもって廃止されました。

参考　措法42の６（中小企業者等が機械等を取得した場合の特別償却又は法人税額の特別控除）、措令27の６（中小企業者等が機械等を取得した場合の特別償却又は法人税額の特別控除）、措規20の３（中小企業者等が機械等を取得した場合の特別償却又は法人税額の特別控除）、平26改法附79、平29改法附64①、平29改措規附１、令３改法附45、令３改措規附12、令５改法附39

ソフトウエアを取得した場合の特別償却

【問２－14】　当社は、年１回３月決算の製造業を営む青色申告法人です。令和６年12月に、教育用ソフトウエアを500万円かけて製作し、これを原本として複写したものの販売を行っています。

このソフトウエアについて、中小企業者等が機械等を取得した場合の特別償却を適用してよろしいでしょうか。

【答】　中小企業者等が機械等を取得した場合の特別償却の適用対象となるソフトウエアの範囲は、一のソフトウエアの取得価額が70万円以上のもので、次のもの以外のものに限られています。

したがって、御質問の場合は、次の①に該当しますので、中小企業者等が機械等を取得した場合の特別償却制度の適用を受けることはできません。

①	複写して販売するための原本
②	開発研究（新たな製品の製造若しくは新たな技術の発明又は現に企業化されている技術の著しい改善を目的として特別に行われる試験研究をいう。）の用に供されるもの

③	次のイからホまでに掲げるもの		
	イ	サーバー用オペレーティングシステム（ソフトウエア〔電子計算機に対する指令であって一の結果を得ることができるように組み合わされたものをいう。以下③において同じ。〕の実行をするために電子計算機の動作を直接制御する機能を有するサーバー用のソフトウエアをいう。ロにおいて同じ。）のうち、国際標準化機構及び国際電気標準会議の規格15408に基づき評価及び認証をされたもの（ロにおいて「認証サーバー用オペレーティングシステム」という。）以外のもの	
	ロ	サーバー用仮想化ソフトウエア（２以上のサーバー用オペレーティングシステムによる一のサーバー用の電子計算機〔当該電子計算機の記憶装置に当該２以上のサーバー用オペレーティングシステムが書き込まれたものに限る。〕に対する指令を制御し、当該指令を同時に行うことを可能とする機能を有するサーバー用のソフトウエアをいう。以下ロにおいて同じ。）のうち、認証サーバー用仮想化ソフトウエア（電子計算機の記憶装置に書き込まれた２以上の認証サーバー用オペレーティングシステムによる当該電子計算機に対する指令を制御するサーバー用仮想化ソフトウエアで、国際標準化機構及び国際電気標準会議の規格15408に基づき評価及び認証をされたものをいう。）以外のもの	
	ハ	データベース管理ソフトウエア（データベース〔数値、図形その他の情報の集合物であって、それらの情報を電子計算機を用いて検索することができるように体系的に構成するものをいう。以下ハにおいて同じ。〕の生成、操作、制御及び管理をする機能を有するソフトウエアであって、他のソフトウエアに対して当該機能を提供するものをいう。）のうち、国際標準化機構及び国際電気標準会議の規格15408に基づき評価及び認証をされたもの以外のもの（以下ハにおいて「非認証データベース管理ソフトウエア」という。）又は当該非認証データベース管理ソフトウエアに係るデータベースを構成する情報を加工する機能を有するソフトウエア	
	ニ	連携ソフトウエア（情報処理システム〔情報処理の促進に関する法律第２条第３項に規定する情報処理システムをいう。以下ニにおいて同じ。〕から指令を受けて、当該情報処理システム以外の情報処理システムに指令を行うソフトウエアで、次の（イ）から（ハ）までに掲げる機能を有するものをいう。）のうち、（イ）の指令を日本産業規格（産業標準化法第20条第１項に規定する日本産業規格をいう。（イ）において同じ。）Ｘ5731-8に基づき認証をする機能及び（イ）の指令を受けた旨を記録する機能を有し、かつ、国際標準化機構及び国際電気標準会議の規格15408に基づき評価及び認証をされたもの以外のもの	
		（イ）	日本産業規格Ｘ0027に定めるメッセージの形式に基づき日本産業規格Ｘ4159に適合する言語を使用して記述された指令を受ける機能
		（ロ）	指令を行うべき情報処理システムを特定する機能
		（ハ）	その特定した情報処理システムに対する指令を行うに当たり、当該情報処理システムが実行することができる内容及び形式に指令の付加及び変換を行い、最適な経路を選択する機能

		ホ	不正アクセス防御ソフトウエア（不正アクセスを防御するために、あらかじめ設定された次の（イ）から（ハ）までに掲げる通信プロトコルの区分に応じそれぞれ次に掲げる機能を有するソフトウエアであって、インターネットに対応するものをいう。）のうち、国際標準化機構及び国際電気標準会議の規格15408に基づき評価及び認証をされたもの以外のもの

（イ）	通信路を設定するための通信プロトコル	ファイアウォール機能（当該通信プロトコルに基づき、電気通信信号を検知し、通過させる機能をいう。）
（ロ）	通信方法を定めるための通信プロトコル	システム侵入検知機能（当該通信プロトコルに基づき、電気通信信号を検知し、又は通過させる機能をいう。）
（ハ）	アプリケーションサービスを提供するための通信プロトコル	アプリケーション侵入検知機能（当該通信プロトコルに基づき、電気通信信号を検知し、通過させる機能をいう。）

参考　措法42の６（中小企業者等が機械等を取得した場合の特別償却又は法人税額の特別控除）、措令27の６②④（中小企業者等が機械等を取得した場合の特別償却又は法人税額の特別控除）、措規20の３⑤（中小企業者等が機械等を取得した場合の特別償却又は法人税額の特別控除）

中小企業者の範囲

【問２－15】　当社は、資本金2,000万円の会社であり、下図のとおり大規模法人である甲社の孫会社に当たります。

令和元年度改正において、租税特別措置法上の中小企業者の範囲が見直されたと伺いましたが、当社においても、租税特別措置法に掲げる中小企業者を対象とした特別償却の適用ができるのでしょうか。

【答】　令和元年度改正において、中小企業関連税制の趣旨に鑑み、租税特別措置法において大企業とみなされ中小企業者に該当しない法人（以下「みなし大企業」といいます。）の範囲の適正化を図るため、中小企業者の範囲が見直されました。

同改正後の租税特別措置法上の中小企業者とは、次表に掲げる法人をいいます。

したがって、貴社のような孫会社であっても、みなし大企業に該当することとなり、租税特別措置法に掲げる中小企業者を対象とした特別償却の適用はできません。

なお、中小企業者のうち適用除外事業者及び通算制度における通算適用除外事業者は、中小企業者等が特定経営力向上設備等を取得した場合の特別償却など、一定の租税特別措置法上の特別償却の適用対象から除かれる場合があります。

（注）１　適用除外事業者とは、その事業年度開始の日前３年以内に終了した各事業年度の所得金額の合計額を各事業年度の月数の合計数で除し、これに12を乗じて計算した金額が15億円を超える法人をいいます。

２　通算適用除外事業者とは、通算法人である法人の各事業年度終了の日においてその通算法人である法人との間に通算完全支配関係がある他の通算法人のうちいずれかの法人が適用除外事業者に該当する場合におけるその通算法人である法人をいいます。

<table>
<tr><td>1</td><td>資本金の額又は出資金の額が１億円以下の法人のうち次に掲げる法人以外の法人（受託法人を除きます。）
<table>
<tr><td>(1)</td><td>その発行済株式又は出資（その有する自己の株式又は出資を除く。以下同じ。）の総数又は総額の１／２以上が同一の大規模法人（注）の所有に属している法人</td></tr>
<tr><td>(2)</td><td>(1)に掲げるもののほか、その発行済株式又は出資の総数又は総額の２／３以上が大規模法人（注）の所有に属している法人</td></tr>
<tr><td>(3)</td><td>他の通算法人のうちいずれかの法人が次のイ及びロに掲げる法人には該当せず、又は受託法人に該当する場合における通算法人
イ　資本金の額又は出資金の額が１億円以下の法人うち上記(1)及び(2)に掲げる法人以外の法人
ロ　資本又は出資を有しない法人のうち常時使用する従業員の数が1,000人以下の法人</td></tr>
</table>
（注）大規模法人とは、次に掲げる法人（中小企業投資育成株式会社を除く。）をいいます。
<table>
<tr><td>イ</td><td>資本金の額又は出資金の額が１億円を超える法人</td></tr>
<tr><td>ロ</td><td>資本又は出資を有しない法人のうち常時使用する従業員の数が1,000人を超える法人</td></tr>
<tr><td>ハ</td><td>次に掲げる大法人（以下ニにおいて同じ。）との間に当該大法人による完全支配関係がある普通法人
(イ)　資本金の額又は出資金の額が５億円以上である法人
(ロ)　保険業法第２条第５項に規定する相互会社及び同条第10項に規定する外国相互会社のうち、常時使用する従業員の数が1,000人を超える法人
(ハ)　法人税法第４条の３に規定する受託法人</td></tr>
<tr><td>ニ</td><td>普通法人との間に完全支配関係がある全ての大法人が有する株式（投資信託及び投資法人に関する法律第２条第14項に規定する投資口を含む。）及び出資の全部を当該全ての大法人のうちいずれか一の法人が有するものとみなした場合において当該いずれか一の法人と当該普通法人との間に当該いずれか一の法人による完全支配関係があることとなるときの当該普通法人（ハに掲げる法人を除く。）</td></tr>
</table>
</td></tr>
<tr><td>2</td><td>資本又は出資を有しない法人のうち常時使用する従業員の数が1,000人以下の法人（受託法人及びその法人が通算親法人である場合における上記１(3)に掲げる法人を除きます。）</td></tr>
</table>

参考　措法42の４⑲Ⅶ、Ⅷ、ⅧのⅡ（試験研究を行った場合の法人税額の特別控除）、措令27の４⑰（試験研究を行った場合の法人税額の特別控除）

中小企業者等の判定の時期

【問２‐16】　当社は、年１回３月決算の製造業を営む青色申告法人です。令和６年７月と10月に増資して、現在の資本金は２億円です。

令和６年５月と９月にそれぞれ特定機械装置等に該当する機械を購入し、いずれも直ちに事業の用に供していますが、期末現在では増資により中小企業者等に該当しないので、中小企業者等が機械等を取得した場合の特別償却の適用を受けることはできないのでしょうか。

なお、当社は、社長及び社長の親族が株式の総数の80％を所有する同族会社で、機械を購入した時点では、いずれも特別償却の適用対象である中小企業者等に該当していました。

増資及び機械の取得状況は次のとおりです。

令和６年４月１日（期首）	資本金2,000万円
令和６年５月20日	機械Aの購入
令和６年７月１日（増資１回目）	資本金5,000万円
令和６年９月15日	機械Bの購入
令和６年10月１日（増資２回目）	資本金２億円

【答】　法人が、中小企業者等が機械等を取得した場合の特別償却の適用を受けることができる中小企業者等に該当するかどうかは、機械装置等を事業の用に供した日の現況によって判定することとされています。

御質問の機械を事業の用に供した日（５月20日・９月15日）において、貴社は資本金が１億円以下であり製造業を営む中小企業者等に該当していますので、いずれについても中小企業者等が機械等を取得した場合の特別償却の適用を受けることができます。

（注）　中小企業者等とは、**【問２‐15】**の**【答】**欄に掲げる中小企業者（適用除外事業者又

は通算適用除外事業者に該当するものを除きます。）又は農業協同組合等若しくは商店街振興組合をいいます。

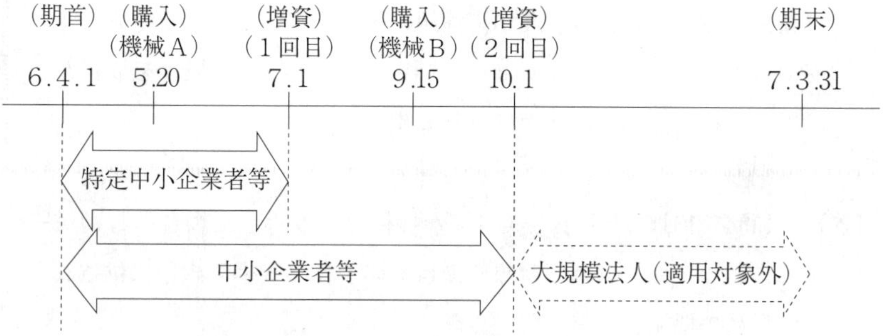

なお、貴社は、期首から第１回目の増資までの間は特定中小企業者等に該当しますので、その間に購入した機械Ａについては、特別償却に代えて法人税額の特別控除を適用することができます。法人税額の特別控除の控除限度額は、「機械Ａの基準取得価額×７％（法人税額の20％が限度）」となります。

（法）　特定中小企業者等とは、中小企業者等のうち資本金の額又は出資金の額が3,000万円を超える法人（他の通算法人のうちいずれかの法人が資本金の額又は出資金の額が3,000万円を超える法人に該当する場合における通算法人を含み、農業協同組合等及び商店街振興組合を除きます。）以外の法人をいいます。

参考　措法42の６（中小企業者等が機械等を取得した場合の特別償却又は法人税額の特別控除）、措令27の６（中小企業者等が機械等を取得した場合の特別償却又は法人税額の特別控除）、措通42の６－１（事業年度の中途において中小企業者等に該当しなくなった場合等の適用）

製作後「事業の用に供されたことのないもの」の判定

【問２- 17】　当社は、展示実演用に供されていた機械を定価より安く購入しましたが、この場合、「中小企業者等が機械等を取得した場合の特別償却」の適用はありますか。

【答】　**【問２-13】**の「中小企業者等が機械等を取得した場合の特別償却」で説明しましたとおり、適用対象資産はその製作の後事業の用に供されたことのない新品の機械装置等に限定されています。

ところで、御質問の機械は、他社において展示実演用減価償却資産として事業の用に供されていた機械を中古資産として貴社が取得したものですから、「製作後事業の用に供されたことのないもの」には該当しません。

したがって、中小企業者等が機械等を取得した場合の特別償却の適用はできません。（展示実演用機械の減価償却については、**【問１-２】**を参照してください。）

参考　措法42の６①（中小企業者等が機械等を取得した場合の特別償却又は法人税額の特別控除）

通算法人が中小企業者に該当するかの判定

【問２－18】　当社は、100％子会社５社とともにグループ通算制度の適用を受けており、各法人において中小企業者等が機械等を取得した場合の特別償却の適用を検討しています。

グループ通算制度を適用している場合、通算法人が中小企業者等に該当するかどうかの判定は、どのように行うのでしょうか。

なお、事業年度中に通算承認を受けている子会社の増減はありません。

【答】　御質問のグループ通算制度を適用している場合の中小企業者等の判定は次のように行います。

1　中小企業者の判定

通算法人が中小企業者に該当するかどうかは、その通算法人だけでなく、他の通算法人も含めたところで判定を行います。

すなわち、通算グループ内の法人のうちいずれかの法人が中小企業者に該当しない場合には、その通算グループ内の法人の全てが中小企業者に該当しないこととなります。

なお、通算グループ内の各法人が中小企業者に該当するかは、**【問２－15】**を参照してください。

2　判定の時期

通算法人が中小企業者に該当するかどうかの判定は、当該通算法人及び他の通算法人（次の①又は②の日及び次の③の日のいずれにおいても当該通算法人との間に通算完全支配関係がある法人に限ります。）の当該①及び②の日の現況によります。

①　当該通算法人が特定機械装置等の取得等をした日

②　当該通算法人が当該特定機械装置等を指定事業の用に供した日

③　当該通算法人の中小企業者等が機械等を取得した場合の特別償却の適

用を受けようとする事業年度終了の日

なお、この取扱いは、通算親法人の事業年度の中途において通算承認の効力を失った通算法人のその効力を失った日の前日に終了する事業年度における中小企業者の判定についても同様です。

したがって、貴社は事業年度中に通算承認を受けている子会社の増減はないとのことですので、貴社と100％子会社５社それぞれが、特定機械装置等の取得等をした日及び指定事業の用に供した日に、貴社を含めたグループ６社の中小企業者の判定を行い、いずれの法人も中小企業者に該当すれば、中小企業者等が機械等を取得した場合の特別償却の適用を受けることができます。

《参考》通算法人が「中小企業者」に該当するかどうかの判定フロー

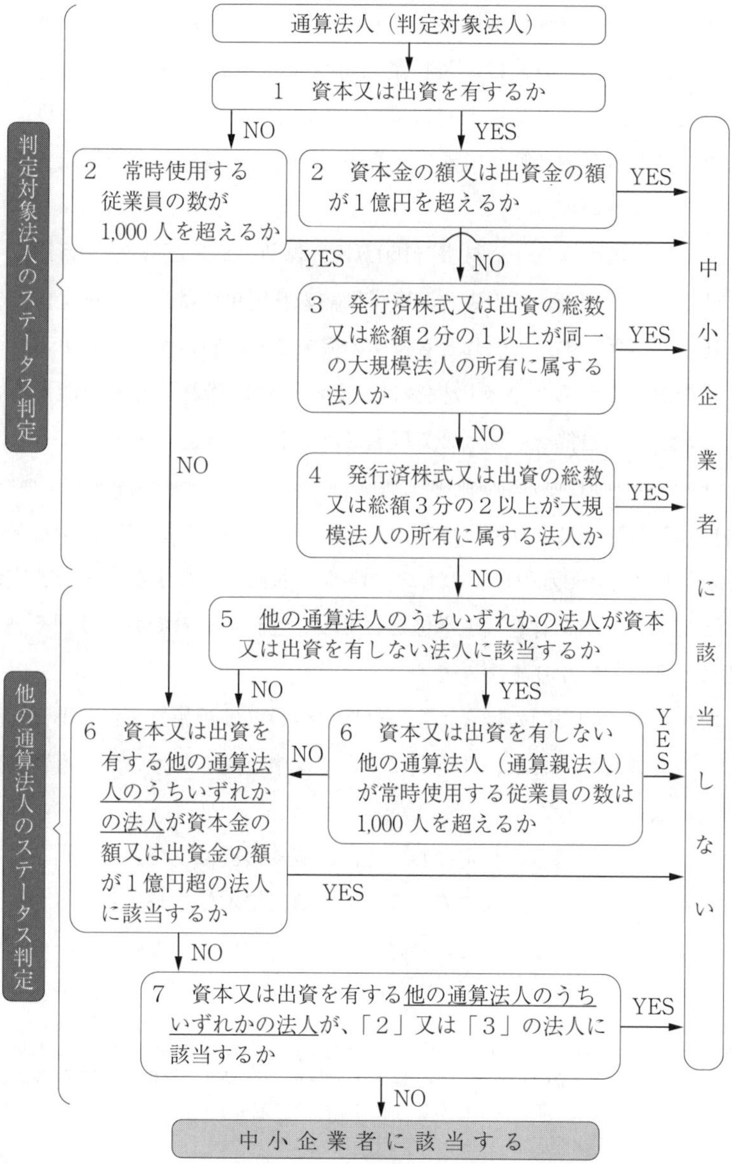

参考　措法42の４⑲Ⅶ、42の６、措令27の４⑰、27の６、措通42の６－１の２（通算法人に係る中小企業者であるかどうか等の判定の時期）

一部中古品を使用した製材設備の特別償却の可否

【問２－19】　当社は、製材業を営む資本金2,000万円の青色申告法人です。今回、自動製材設備（500万円）を購入し、この設備について中小企業者等が機械等を取得した場合の特別償却を適用する予定です。

この設備のうち、送材機（150万円）は新品、帯鋸機（350万円）は中古品ですが、この場合、取得価額の判定単位はこの設備全体で判定すべきですか、それとも個々の機械ごとに判定すべきですか。

なお、これらの個々の機械は、それぞれ単体としての機能を有し、かつ、通常一単位として取引されるものです。

【答】　この制度により特別償却の対象となる機械及び装置は、１台又は１基の取得価額が160万円以上のものに限るとされていますが、その判定は、単体としての機能を有し、１単位として取引されるものであれば、それぞれ別個に行うことになります。

したがって、御質問の場合は、送材機については新品ですが取得価額基準を満たさないため、また、帯鋸機については中古品のためいずれも特別償却の対象にはなりません。

なお、取得価額基準の判定においては、個々の機械及び装置と同時に設置する自動調整装置又は原動機のような附属機器で本体と一体となって使用するものがある場合には、これらの附属機器を含めたところによりその判定を行うことができます。

参考　措法42の６①（中小企業者等が機械等を取得した場合の特別償却又は法人税額の特別控除）、措令27の６④（中小企業者等が機械等を取得した場合の特別償却又は法人税額の特別控除）、措通42の６－２（取得価額の判定単位）

開発研究用資産の中小企業者等が機械等を取得した場合の特別償却

【問２－20】　当社は、車両用ブレーキ製造業を営む資本金1,000万円の青色申告法人です。今回、新規製品の製法を研究するための機械を取得し、これを当社の研究所で使用しています。

この機械は、耐用年数省令別表第六「開発研究用減価償却資産の耐用年数表」の「機械及び装置」の「汎(はん)用金属工作機械」に該当しますので、同別表の耐用年数７年を適用しましたが、その減価償却費は当社の製品の製造原価に算入しておりません。

ところで、中小企業者等が機械等を取得した場合の特別償却は製造業等の事業の用に供することが要件とされていますので、この機械は直接に製品の製造の用に供されていないという理由でこの特別償却の対象外となるのでしょうか。

【答】　開発研究用の機械であっても、貴社の製造業に係る業務の一環として用いられていると認められる場合には、中小企業者等が機械等を取得した場合の特別償却を適用することができます。

参考　措法42の６①（中小企業者等が機械等を取得した場合の特別償却又は法人税額の特別控除）、耐用年数省令　別表第六

クレーン付トラックとトラッククレーンの中小企業者等が機械等を取得した場合の特別償却

【問２‐21】　当社は、建築工事業を営む資本金2,000万円の青色申告法人です。この度、資材運搬用のクレーン付トラック（下図左側）と建設現場で組立作業に使用するトラッククレーン（下図右側）を購入しました。

いずれについても、中小企業者等が機械等を取得した場合の特別償却の適用が受けられるでしょうか。

また、法定耐用年数は何年になるのでしょうか。

クレーン付トラック

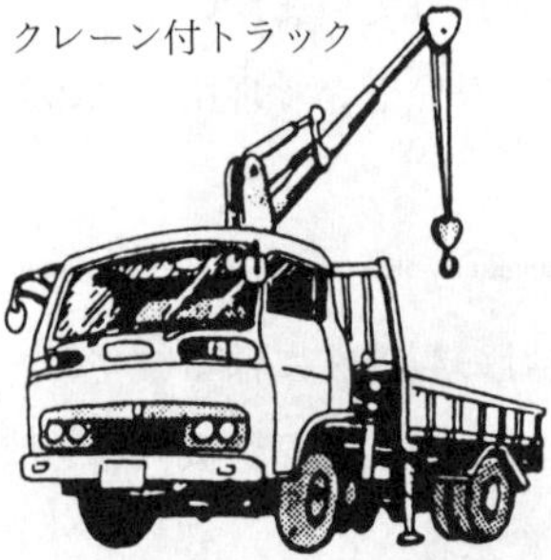

トラック　クレーン

【答】　トラッククレーンは、建設現場において組立作業等に使用されるものであり、機械及び装置に該当しますので、１台の取得価額が160万円以上であれば、中小企業者等が機械等を取得した場合の特別償却を適用することができます。

また、クレーン付トラックは、クレーン装置が搭載されてはいるものの、その使用形態は貨物の運搬を行うものであって、現場において荷役作業を行うことを主たる目的としないものであり、車両及び運搬具に該当しますので、車両総重量が3.5トン以上の普通貨物自動車であれば、中小企業者等が機械等を取得した場合の特別償却を適用することができます。

なお、トラッククレーンに適用する耐用年数は、耐用年数省令別表第二の「30　総合工事業用設備」の耐用年数６年を、また、クレーン付トラックに適用する耐用年数は、耐用年数省令別表第一の「車両及び運搬具」の「前掲のもの以外のもの」の「貨物自動車」の「その他のもの」の５年となります。

参考　措法42の６①（中小企業者等が機械等を取得した場合の特別償却又は法人税額の特別控除）、耐用年数省令　別表第一、第二、耐通２－５－５（特殊自動車に該当しない建設車両等）、耐通１－４－２（いずれの「設備の種類」に該当するかの判定）

登録を要しない貨物自動車の中小企業者等が機械等を取得した場合の特別償却

【問２- 22】　当社は、運送業を営む資本金1,000万円の青色申告法人です。この度、新たに貨物運搬用にトラック（車両総重量４トン）を購入しましたが、請負先の工場の敷地内でのみ使用していることから登録は行っておりません。

この場合、中小企業者等が機械等を取得した場合の特別償却の適用が受けられるでしょうか。

【答】　特別償却の適用対象となる車両及び運搬具は、**【問２-13】**の「中小企業者等が機械等を取得した場合の特別償却」で説明しましたとおり、貨物の運送の用に供される車両総重量が3.5トン以上の普通自動車とされています。

ところで、この「貨物の運送の用に供される普通自動車」とは、登録を受けており、かつ、自動車検査証の「最大積載量」欄に記載のあるものをいいます。

したがって、御質問の貨物自動車は、登録を行っていないとのことですので、中小企業者等が機械等を取得した場合の特別償却の適用を受けることはできません。（なお、耐用年数については**【問３-54】**を参照してください。）

参考　措法42の６①（中小企業者等が機械等を取得した場合の特別償却又は法人税額の特別控除）、措規20の３⑥（中小企業者等が機械等を取得した場合の特別償却又は法人税額の特別控除）

貨物運送用の小型自動車の中小企業者等が機械等を取得した場合の特別償却

【問２－23】　当社は、貨物運送業を営む資本金1,000万円の青色申告法人です。この度、貨物の運送用として小型自動車を購入しました。

この場合は、「中小企業者等が機械等を取得した場合の特別償却」の適用はありますか。

【答】　特別償却の適用対象となる車両及び運搬具は、**【問２-13】**の「中小企業者等が機械等を取得した場合の特別償却」で説明しましたとおり、貨物の運送の用に供される車両総重量が3.5トン以上の普通自動車とされています。

（注）１　「普通自動車」とは小型自動車、軽自動車、大型特殊自動車及び小型特殊自動車以外の自動車とされています。（道路運送車両法施行規則別表１）

２　道路運送車両法上の自動車の種別及び用途は自動車登録番号標（いわゆるナンバープレート）等に表示されている分類番号により確認することができます。（自動車登録規則13①二、別表２）

自動車の範囲	分類番号	対象資産
貨物の運送の用に供する普通自動車	１、10から19まで、100から199まで、10Aから19Zまで、1A0から1Z9まで及び1AAから1ZZまで	○
貨物の運送の用に供する小型自動車	４、６、40から49まで、60から69まで、400から499まで、600から699まで、40Aから49Zまで、60Aから69Zまで、4A0から4Z9まで、6A0から6Z9まで、4AAから4ZZまで及び6AAから6ZZまで	×

したがって、御質問の小型自動車は、普通自動車に該当しませんので、貨物の運送用に供されるものであっても、中小企業者等が機械等を取得した場合の特別償却の適用を受けることはできません。

参考　措法42の６①（中小企業者等が機械等を取得した場合の特別償却又は法人税額の特別控除）、措規20の３⑥（中小企業者等が機械等を取得した場合の特別償却又は法人税額の特別控除）

特別償却の適用対象となる事業が主たる事業でない場合

【問２－24】　当社は、レンタカー業と自動車整備業を併せて営んでいますが、中小企業者等が機械等を取得した場合の特別償却の適用についてはレンタカー業は該当せず、自動車整備業は該当すると聞いています。

この場合、当社が営んでいる自動車整備業は、レンタカー業に比べて事業規模も小さいのですが、従たる事業である自動車整備業のために取得した機械及び装置について、中小企業者等が機械等を取得した場合の特別償却の適用を受けることができるのでしょうか。

【答】　中小企業者等が機械等を取得した場合の特別償却は、中小企業者に該当する法人又は農業協同組合等若しくは商店街振興組合で、青色申告書を提出するものが、特定機械装置等を取得等して、これを指定事業の用に供した場合に適用があります。（中小企業者等が機械等を取得した場合の特別償却の適用要件については、**【問２-13】**を参照してください。）

この場合、適用対象となる事業を主たる事業として営んでいることは要件とされていませんから、御質問の機械及び装置については、他の要件を満たしていれば、特別償却の対象とすることができます。また、その機械及び装置を適用対象となる事業とその他の事業とに共用している場合、例えば、貴社のレンタカーの修繕にも使用している場合であっても、その機械及び装置の全部を指定事業の用に供したものとして、取得価額の全額が特別償却の対象となります。

参考　措法42の６①（中小企業者等が機械等を取得した場合の特別償却又は法人税額の特別控除）、措令27の６（中小企業者等が機械等を取得した場合の特別償却又は法人税額の特別控除）、措規20の３（中小企業者等が機械等を取得した場合の特別償却又は法人税額の特別控除）、措通42の６－４（主たる事業でない場合の適用）、措通42の６－５（事業の判定）、措通42の６－７（指定事業とその他の事業とに共通して使用される特定機械装置等）

医療用機器を取得した場合の特別償却

【問２- 25】　当社は、年１回３月決算の病院を営む青色申告法人で中小企業者等に該当します。この度、施設を拡充し、新たに超音波診断装置などの診療用・治療用の機器を購入しました。これらの機器について中小企業者等が機械等を取得した場合の特別償却を適用してよろしいでしょうか。

【答】　中小企業者等が機械等を取得した場合の特別償却制度は、平成10年６月１日から令和７年３月31日までの間に取得等し、指定事業の用に供した一定の減価償却資産で新品のものが対象となります。（対象資産については**【問２-13】**を参照してください。）

御質問の医療機器については、耐用年数省令別表第二に掲げる「機械及び装置」ではなく、別表第一に掲げる「器具及び備品」の「８　医療機器」に該当しますので、中小企業者等が機械等を取得した場合の特別償却の適用はありません。

なお、以下の医療機器についても同制度の対象とはならないものと考えられます。

「人工腎臓装置」、「CTスキャナ装置」、「歯科治療用椅子」、「ジェネレータ」、「マルチスライス装置」、「デジタルベッド」、「CRシステム」

参考　措法42の６（中小企業者等が機械等を取得した場合の特別償却又は法人税額の特別控除）、措令27の６（中小企業者等が機械等を取得した場合の特別償却又は法人税額の特別控除）、措規20の３（中小企業者等が機械等を取得した場合の特別償却又は法人税額の特別控除）、耐用年数省令　別表第一、耐通２－７－13（医療機器）

第３節　国家戦略特別区域において機械等を取得した場合の特別償却

国家戦略特別区域において機械等を取得した場合の特別償却

【問２－26】　国家戦略特別区域において機械等を取得した場合の特別償却制度の内容について説明してください。

【答】　政府は、デフレからの早期脱却、経済再生の実現及び財政の健全化に向けた政策を「３本の矢」として推進しており、その中で決定された「日本再興戦略」（平成25年６月14日閣議決定）において、立地競争力の更なる強化策として「国家戦略特区」を実現することとしました。

従来の総合特区等の制度は、地域の発意に基づくものですが、「国家戦略特区」は国の成長戦略に基づき、民間の力を活用しながら集中的な取組を行うことが必要との観点から、内閣総理大臣主導の下、大胆な規制改革等を実行するための強力な体制を構築して取り組むものとされています。

こうした方針に基づき、経済社会の構造改革を重点的に推進することにより、産業の国際競争力を強化するとともに、国際的な経済活動の拠点の形成を促進する観点から、国が定めた国家戦略特別区域において、規制改革等の施策を総合的かつ集中的に推進するために必要な事項等を定めた「国家戦略特別区域法」が平成26年４月１日から施行されています。

これを受けて、平成26年度改正により、税制での支援策として国家戦略特別区域において行われる経済再生に大きく寄与する事業について、国家戦略特別区域において機械等を取得した場合の特別償却又は法人税額の特別控除制度が創設されました。

なお、平成27年度改正において、対象資産等が見直され、平成28年度改正において、中核的な特定事業の用に供される特定機械装置等の即時償却が廃止されました。

また、平成30年度改正により、特別償却割合の見直し等が行われ、令和４年度改正により、制度の適用期限が令和６年３月31日まで２年延長されました。その後、令和６年度改正により、制度の適用期限が令和８年３月31日まで２年延長されました。

この制度の概要は次のとおりです。

１　対象法人

青色申告書を提出する法人で、特定事業(注)の国家戦略特別区域法に規定する実施主体として認定区域計画に定められた法人が対象となります。

(注)　特定事業とは、国家戦略特別区域法第27条の２に規定する特定事業をいいます。

２　適用期間

平成26年４月１日から令和８年３月31日までの間に、国家戦略特別区域(注)内において、特定機械装置等の取得等をして、特定事業の用に供した場合（継続的に実施されることが確保される特定事業の用に供する建物及びその附属設備以外のものを貸付けの用に供する場合を除きます。）に適用されます。

(注)　国家戦略特別区域とは、国家戦略特別区域法第２条第１項に規定する国家戦略特別区域をいいます。

３　対象資産

この制度の対象となる特定機械装置等とは、次の①から③までに掲げる資産でその製作又は建設の後事業の用に供されたことのないものをいいます。

ただし、所有権移転外リース取引により取得したものについては、この制度の適用はありません。（所有権移転外リース取引については**【問１-157】**を参照してください。）

①　機械及び装置

１台又は１基の取得価額が2,000万円以上のもの

②　器具及び備品（専ら開発研究の用に供される一定のもの(注)）

１台又は１基の取得価額が1,000万円以上のもの

（注）具体的には、耐用年数省令別表第六の細目欄に掲げる試験又は測定機器、計算機器、撮影機及び顕微鏡をいいます。

③　建物及びその附属設備（以下「建物等」といいます。）並びに構築物
一の建物等及び構築物の取得価額の合計額が１億円以上のもの

（注）１　附属設備については、建物と同時に取得等しない場合は、対象となりません。
２　継続的に実施されることが確保される特定事業の用に供される建物等については、貸付けの用に供した場合にも、対象となります。

４　特別償却限度額

特別償却限度額は、次の算式により計算します。

特定機械装置等の取得価額×特別償却割合(※)

※　上記に掲げる特別償却割合は次のようになります。

特定機械装置等の種類	特別償却割合	
	平成31年３月31日以前に取得等	平成31年４月１日から令和８年３月31日までの間に取得等
機械及び装置並びに器具及び備品	50%	45%
建物等及び構築物	25%	23%

（注）令和２年度改正により、特定機械装置等のうち中核的な特定事業（国家戦略特別区域法施行規則第１条第２号に掲げる事業をいいます。）の用に供される機械及び装置（研究開発の用に供されるもので一定の規模のものに限ります。）について、特別試験研究税制における特別試験研究費とみなして、一定の金額を法人税額の特別控除として行うことができる措置は、令和２年３月31日以前に取得等をしたものをもって廃止されました。

５　特別税額控除の選択

この制度においては、上記の特別償却に代えて法人税額の特別控除の制度が選択適用できます。

その場合の法人税額の特別控除の控除限度額は、次のとおりです。

特定機械装置等の取得価額×税額控除割合(※)(法人税額の20%が限度)

※　上記に掲げる税額控除割合は次のようになります。

特定機械装置等の種類	税額控除割合	
	平成31年３月31日以前に取得等	平成31年４月１日から令和８年３月31日までの間に取得等
機械及び装置並びに器具及び備品	15％	14％
建物等及び構築物	８％	７％

参考　措法42の10（国家戦略特別区域において機械等を取得した場合の特別償却又は法人税額の特別控除）、措令27の10（国家戦略特別区域において機械等を取得した場合の特別償却又は法人税額の特別控除）、措規20の５（国家戦略特別区域において機械等を取得した場合の特別償却又は法人税額の特別控除）、平28改法附88、平30改法附１、令４改法附39、令６改法附１、措通42の10－３（特別償却等の対象となる建物の附属設備）

第４節　国際戦略総合特別区域において機械等を取得した場合の特別償却

国際戦略総合特別区域において機械等を取得した場合の特別償却

> **【問２－27】**　国際戦略総合特別区域に係る税制の内容について説明してください。

【答】　バブル崩壊から約20年近く続く日本経済の低迷状態を脱却するため、強い経済の実現に向けた国家戦略を示した「新成長戦略」（平成22年６月18日閣議決定）が策定されています。この新成長戦略では、21の国家戦略プロジェクトの一つとして、地域の責任ある戦略、民間の知恵と資金、国の施策の「選択と集中」の観点を最大限活かす「総合特区制度」を創設することとしています。さらに、我が国全体の成長を牽引し、国際レベルでの競争優位性を持ちうる大都市等の特定地域を対象とする「国際戦略総合特区」を設け、我が国経済の成長エンジンとなる産業や外資系企業等の集積を促進するため、必要な規制の特例措置及び税制・財政・金融上の支援措置等を総合的に盛り込むこととし、その際、法人税等の措置についても検討を行うこととしています。

こうした方針に基づき、産業の国際競争力の強化及び地域の活性化に関する施策を総合的かつ集中的に推進することにより、我が国の経済社会の活力の向上及び持続的発展を図るため、国際戦略総合特別区域及び地域活性化総合特別区域の二つのパターンの総合特区制度の創設を内容とする「総合特別区域法」が平成23年８月１日から施行されています。

これを受けて、平成23年度改正により、国際戦略総合特別区域制度を支援する観点から、国際戦略総合特別区域において機械等を取得した場合に特別償却を行うことができる制度が創設され、平成25年度改正において、対象資産に専ら開発研究の用に供される一定の器具及び備品が追加されました。

また、平成28年度改正及び平成30年度改正において、特別償却割合の見直し等が行われ、令和４年度改正により、制度の適用期限が令和６年３月31日まで２年延長されました。その後、令和６年度改正により、制度の適用期限が令和８年３月31日まで２年延長等されました。

この制度の概要は次のとおりです。

1　対象法人

青色申告書を提出する法人で総合特別区域法に規定する指定法人(注)に該当する法人が対象となります。

(注)　指定法人とは、認定国際戦略総合特別区域計画に定められている事業を実施する法人で一定の要件に該当するものとして認定地方公共団体の指定を受けたものをいいます。

2　適用期間

平成23年８月１日から令和８年３月31日までの間に国際戦略総合特別区域内において特定機械装置等の取得等をして、特定国際戦略事業の用に供した場合（貸付けの用に供した場合を除きます。）に適用されます。

なお、国家戦略特別区域において機械等を取得した場合の特別償却の適用を受けた事業年度については、本制度の適用はありません。

(注)　国際戦略総合特別区域とは、総合特別区域法第２条第１項に規定する国際戦略総合特別区域をいいます。

3　対象資産

この制度の対象となる特定機械装置等とは、次の①から③までに掲げる資産でその製作又は建設の後事業の用に供されたことのないものをいいます。

ただし、所有権移転外リース取引により取得したものについては、この制度の適用はありません。（所有権移転外リース取引については**【問１-157】**を参照してください。）

①　機械及び装置

１台又は１基の取得価額が2,000万円以上のもの

②　器具及び備品（専ら開発研究の用に供される一定のもの(注)）

１台又は１基の取得価額が1,000万円以上のもの

（注）　具体的には、耐用年数省令別表第六の細目欄に掲げる試験又は測定機器、計算機器、撮影機及び顕微鏡をいいます。

③　建物及びその附属設備（以下「建物等」といいます。）並びに構築物

一の建物等及び構築物の取得価額の合計額が１億円以上のもの

（注）　附属設備については、建物と同時に取得等しない場合は、対象となりません。

4　特別償却限度額

特定機械装置等の取得価額×特別償却割合(※)

※　上記に掲げる特別償却割合は次のようになります。

特定機械装置等の種類	特別償却割合	
	平成31年４月１日から令和６年３月31日までの間に取得等	令和６年４月１日から令和８年３月31日までの間に取得等
機械及び装置並びに器具及び備品	34%	30%
建物等及び構築物	17%	15%

5　特別税額控除の選択

この制度において、上記の特別償却に代えて法人税額の特別控除の制度が選択適用できます。

その場合の法人税額の特別控除の控除限度額は、次のとおりです。

特定機械装置等の取得価額×税額控除割合(※)(法人税額の20%が限度)

※　上記に掲げる税額控除割合は次のようになります。

特定機械装置等の種類	税額控除割合	
	平成31年４月１日から令和６年３月31日までの間に取得等	令和６年４月１日から令和８年３月31日までの間に取得等
機械及び装置並びに器具及び備品	10%	８％
建物等及び構築物	５％	４％

参考　措法42の11（国際戦略総合特別区域において機械等を取得した場合の特別償却又は法人税額の特別控除）、措令27の11（国際戦略総合特別区域において機械等を取得した場合の特別償却又は法人税額の特別控除）、措規20の６（国際戦略総合特別区域において機械等を取得した場合の特別償却又は法人税額の特別控除）、平28改法附89、平30改法附１、令４改法附39、令６改法附40、措通42の11－３（特別償却等の対象となる建物の附属設備）

国際戦略総合特別区域において建物を取得しその一部を貸付けの用に供した場合

【問２－28】　当社は、青色申告法人で総合特別区域法に規定する指定法人に該当します。この度、国際戦略総合特別区域内において商業ビルを取得し、自らの特定国際戦略事業に該当する事業の用に供しますが、一部のフロアーについてはテナントに賃貸する予定です。

この場合、建物の取得価額を特定国際戦略事業の用に供する部分と貸付けの用に供する部分とに合理的に区分すれば、特定国際戦略事業の用に供する部分については国際戦略総合特別区域において機械等を取得した場合の特別償却の適用を受けることができるでしょうか。

【答】　法人が取得等をした減価償却資産を貸付けの用に供した場合には、

国際戦略総合特別区域において機械等を取得した場合の特別償却制度を適用することができないこととなります。（国際戦略総合特別区域において機械等を取得した場合の特別償却の概要については**【問２-27】**を参照してください。）

しかしながら、取得した建物の一部を貸付けの用に供する場合には、当該建物の取得価額を床面積の比その他合理的な基準により、特定国際戦略事業の用に供する部分と貸付けの用に供する部分とに区分した場合の特定国際戦略事業の用に供する部分については、この特別償却の適用対象として差し支えありません。

また、この場合において、建物の取得価額要件（１億円以上）を満たすかどうかは、特定国際戦略事業の用に供する部分に係る取得価額により判定します。

したがって、御質問の商業ビルについては、その取得価額を床面積の比等により、特定国際戦略事業の用に供する部分と貸付けの用に供する部分とに区分し、特定国際戦略事業の用に供する部分に係る取得価額が１億円以上である場合には、当該特定国際戦略事業の用に供する部分についてはこの特別償却の適用を受けることができます。

参 考　措法42の11（国際戦略総合特別区域において機械等を取得した場合の特別償却又は法人税額の特別控除）、措令27の11（国際戦略総合特別区域において機械等を取得した場合の特別償却又は法人税額の特別控除）、措規20の６（国際戦略総合特別区域において機械等を取得した場合の特別償却又は法人税額の特別控除）

第５節　地域経済牽引事業の促進区域内において特定事業用機械等を取得した場合の特別償却

地域経済牽引事業の促進区域内において特定事業用機械等を取得した場合の特別償却

> **【問２－ 29】**　地域経済を牽引する企業向けの設備投資促進税制の内容について説明してください。

【答】　日本経済の持続的な成長のため、地域経済の成長発展の基盤強化を図ることを目的として、「地域経済牽引事業の促進による地域の成長発展の基盤強化に関する法律」（以下「地域経済牽引事業促進法」といいます。）が平成29年７月31日から施行されています。同法においては、各地域の特性を生かして高い付加価値を創出し、当該地域の事業者に対する相当の経済的効果を及ぼすことにより地域経済を牽引する事業を「地域経済牽引事業」と位置付け、地域経済牽引事業を行おうとする事業者等が、地域経済牽引事業計画を作成し、都道府県知事等の承認を受けた場合に適用することができる支援措置が整備されています。

これに伴い、平成29年度改正において、その承認を受けた地域経済牽引事業計画に従って行われる事業に係る設備投資を促進する観点から、地域経済牽引事業の促進区域内において特定事業用機械等を取得した場合の特別償却又は法人税額の特別控除制度が創設されました。また、令和元年度改正において、特別償却割合及び適用投資額の上限の見直しが行われ、令和３年度改正において、制度の適用期限が令和５年３月31日まで２年延長されました。その後、令和５年度改正において、制度の適用期限が令和７年３月31日まで２年延長されました。

この制度の概要は次のとおりです。

1　対象法人

青色申告書を提出している法人で、地域経済牽引事業促進法第25条に規定する承認地域経済牽引事業者が対象となります。

2　適用期間

平成29年７月31日から令和７年３月31日までの間に、承認地域経済牽引事業に係る促進区域内において、その承認地域経済牽引事業に係る承認地域経済牽引事業計画に従って特定地域経済牽引事業施設等の新設又は増設をする場合において、特定事業用機械等の取得等をして、その承認地域経済牽引事業の用に供したとき（貸付けの用に供した場合を除きます。）に適用されます。

3　対象資産

この制度の対象となる特定事業用機械等とは、承認地域経済牽引事業計画に従って特定地域経済牽引事業施設等（一の承認地域経済牽引事業計画に定められた施設又は設備を構成する資産の取得価額の合計額が2,000万円以上のもの）の新設又は増設をする場合におけるその特定地域経済牽引事業施設等を構成する次に掲げる資産で、その製作又は建設の後事業の用に供されたことのないものをいいます。

ただし、所有権移転外リース取引により取得したものについては、この制度の適用はありません。（所有権移転外リース取引については**【問１-157】**を参照してください。）

①　機械及び装置

②　器具及び備品

③　建物及びその附属設備並びに構築物

4　特別償却限度額

特別償却限度額は、次の算式により計算します。

適用期間	特定事業用機械等の取得価額の合計額	特別償却限度額
平成29年７月31日から平成31年３月31日までの間に取得等	100億円以下	特定事業用機械等の取得価額×特別償却割合（※）
	100億円超	100億円×特定事業用機械等の取得価額／特定事業用機械等の取得価額の合計額×特別償却割合（※）
平成31年４月１日から令和７年３月31日までの間に取得等	80億円以下	特定事業用機械等の取得価額×特別償却割合（※）
	80億円超	80億円×特定事業用機械等の取得価額／特定事業用機械等の取得価額の合計額×特別償却割合（※）

※　上記に掲げる特別償却割合は、次のとおりです。

特定事業用機械等の種類	特別償却割合	
	平成29年７月31日から平成31年３月31日までの間に取得等	平成31年４月１日から令和７年３月31日までの間に取得等
①機械及び装置、②器具及び備品	40%	50%
③建物及びその附属設備並びに構築物	20%	

5　特別税額控除の選択

この制度においては、上記の特別償却に代えて法人税額の特別控除の制度が選択適用できます。

その場合の法人税額の特別控除の控除限度額は、次の算式により計算します。（法人税額の20%が限度）

適用期間	特定事業用機械等の取得価額の合計額	税額控除限度額
平成29年７月31日から平成31年３月31日までの間に取得等	100億円以下	特定事業用機械等の取得価額×税額控除割合（※）
	100億円超	100億円×特定事業用機械等の取得価額／特定事業用機械等の取得価額の合計額×税額控除割合（※）
平成31年４月１日から令和７年３月31日までの間に取得等	80億円以下	特定事業用機械等の取得価額×税額控除割合（※）
	80億円超	80億円×特定事業用機械等の取得価額／特定事業用機械等の取得価額の合計額×税額控除割合（※）

※　上記に掲げる税額控除割合は、次のとおりです。

特定事業用機械等の種類	税額控除割合	
	平成29年７月31日から平成31年３月31日までの間に取得等	平成31年４月１日から令和７年３月31日までの間に取得等
①機械及び装置、②器具及び備品	４％	５％（※）
③建物及びその附属設備並びに構築物	２％	

※　令和６年４月１日以後に取得等をする特定事業用機械等について、その承認地域経済牽引事業が地域の事業者に対して著しい経済的効果を及ぼすものとして経済産業大臣が財務大臣と協議して定める基準に適合することについて主務大臣の確認を受けたものである場合には、６％

(1)　なお、中小企業者等以外の法人が平成30年４月１日から令和９年３月31日までの間に開始する各事業年度において、次の①及び②のいずれにも該当しない場合（その事業年度の所得金額が前事業年度の所得金額以下である場合を除きます。）、この法人税額の特別控除は適用できません。

①　継続雇用者給与等支給額＞継続雇用者比較給与等支給額

②　国内設備投資額＞当期償却費総額×30％（令和２年３月31日以前に開始した事業年度については、10％。令和６年４月１日以後に開始する事業年度について、下記(2)の①及び②のいずれにも該当する場合には、40％）

（注）　中小企業者等とは、**【問２-15】**の**【答】**欄に掲げる中小企業者（適用除外事業者又は通算適用除外事業者に該当するものを除きます。）又は農業協同組合等をいいます。

(2)　上記(1)の①の要件について、次の①及び②のいずれにも該当する場合には、上記(1)の①の要件に代えて、次の事業年度の区分に応じてそれぞれ次のとおりになります。

①　事業年度終了の時において、資本金の額若しくは出資金の額が10億円以上であり、かつ、その法人の常時使用する従業員の数が1,000人以上である場合又はその事業年度終了の時においてその法人の常時使用する従業員の数が2,000人を超える場合（※）

※　上記①後段の「又はその事業年度終了の時においてその法人の常時使用する従業員の数が2,000人を超える場合」については、令和６年４月１日以後に開始する事業年度から適用されます。

②　次のいずれかに該当する場合

イ　当該事業年度が設立事業年度及び合併等事業年度のいずれにも該当しない場合であって、当該事業年度の所得が前事業年度の基準所得等金額の合計額が０を超える場合

ロ　当該事業年度が設立事業年度又は合併等事業年度に該当する場合

【令和４年４月１日から令和５年３月31日までの間に開始する事業年度】

$$\frac{\text{継続雇用者給与等支給額}-\text{継続雇用者比較給与等支給額}}{\text{継続雇用者比較給与等支給額}} \geqq 0.5\%$$

【令和５年４月１日から令和７年３月31日までの間に開始する事業年度】

$$\frac{\text{継続雇用者給与等支給額}-\text{継続雇用者比較給与等支給額}}{\text{継続雇用者比較給与等支給額}} \geqq 1\%$$

参考　措法42の11の２（地域経済牽引事業の促進区域内において特定事業用機械等を取得した場合の特別償却又は法人税額の特別控除）、措法42の４⑲（試験研究を行った場合の法人税額の特別控除）、措法42の13⑤（法人税の額から控除される特別控除額の特例）、措令27の４⑰（試験研究を行った場合の法人税額の特別控除）、措令27の11の２（地域経済牽引事業の促進区域内において特定事業用機械等を取得した場合の特別償却又は法人税額の特別控除）、措令27の13③（法人税の額から控除される特別控除額の特例）、平31改法附50、令２改法附78、令６改法附41、38、令６改措令附１

第６節　地方活力向上地域等において特定建物等を取得した場合の特別償却

地方活力向上地域等において特定建物等を取得した場合の特別償却

【問２－30】　地方活力向上地域において特定建物等を取得した場合の特別償却制度の内容について説明してください。

【答】　政府は、急速な少子高齢化の進展に対し、人口の減少に歯止めをかけるとともに、東京圏への人口の過度の集中を是正し、「まち・ひと・しごと創生」を一体的に推進することが重要とし、「まち・ひと・しごと創生」に関する施策を総合的かつ計画的に実施するための計画として、「まち・ひと・しごと創生総合戦略」（平成26年12月27日閣議決定）を策定しました。

こうした方針のうち、「地方への新しいひとの流れをつくる」ための施策として、「企業の地方拠点強化等」を掲げ、地方公共団体が作成する地域再生計画に企業等の地方拠点強化に係る事業を新たに位置付けるとともに、事務所、研修施設等の本社機能の移転・新増設を行う事業者に対して支援するための必要な事項等を定めた「地域再生法の一部を改正する法律」が平成27年８月10日から施行されています。

これを受けて、平成27年度改正により、企業の地方拠点の強化について、積極的に税制で支援する観点から、地方活力向上地域において特定建物等を取得した場合の特別償却又は法人税額の特別控除が創設されました。

なお、平成29年度改正において、対象資産の規模に係る引下げ措置の適用対象の見直しが行われました。

また、令和４年度改正により、制度の適用期限が令和６年３月31日まで２年延長され、更に令和６年度改正により、制度の適用期限が令和８年３月31

日まで２年延長等されました。

この制度の概要は次のとおりです。

１　対象法人

青色申告書を提出する法人で地域再生法に規定する地方活力向上地域等特定業務施設整備計画について認定を受けた法人が対象となります。

２　適用期間

平成27年８月10日から令和８年３月31日までの期間内で、認定を受けた日から同日の翌日以後３年を経過する日までの間に、地方活力向上地域(注)内において、特定建物等の取得又は建設（以下「取得等」といいます。）をして、事業の用に供した場合（貸付けの用に供した場合を除きます。）に適用されます。

(注)　地方活力向上地域とは、地域再生法第５条第４項第５号イ又はロに掲げる地方活力向上地域をいいます。

３　対象資産

この制度の対象となる特定建物等とは、認定を受けた地方活力向上地域等特定業務施設整備計画に記載された特定業務施設(注１)に該当する建物及びその附属設備並びに構築物で、一の建物及びその附属設備並びに構築物の取得価額の合計額が3,500万円以上（注２）（中小企業者（注３）にあっては、1,000万円以上）の資産でその取得等の後事業の用に供されたことのないものをいいます。

ただし、所有権移転外リース取引により取得したものについては、この制度の適用はありません。（所有権移転外リース取引については**【問１-157】**を参照してください。）

なお、建物の附属設備は、当該建物とともに取得等をする場合における建物附属設備に限られます。

(注)１　特定業務施設とは、地域再生法第５条第４項第５号に規定する特定業務施設（同号に規定する特定業務児童福祉施設のうち当該特定業務施設の新設に併せて整備されるものを含みます。）をいいます。

なお、上記括弧書きは、地域再生法の一部を改正する法律（令和６年法律第17

号）附則第１条ただし書に規定する規定の施行の日（令和６年４月19日）以後に地方活力向上地域等特定業務施設整備計画について認定を受ける法人が取得等をする当該認定に係る認定地方活力向上地域等特定業務施設整備計画に記載された特定建物等について適用されます。

２　令和６年３月31日以前に地方活力向上地域等特定業務施設整備計画について認定を受けた法人が取得等をする当該認定に係る認定地方活力向上地域等特定業務施設整備計画に記載された特定建物等については、2,500万円以上になります。

３　中小企業者とは、**【問２-15】**の**【答】**欄に掲げる中小企業者（適用除外事業者又は通算適用除外事業者に該当するものを除きます。）をいいます。

４　特別償却限度額

特定建物等の取得価額（※１）×特別償却割合（※２）

※１　上記に掲げる取得価額は、その特定建物等に係る一の特定業務施設を構成する建物及びその附属設備並びに構築物の取得価額の合計額が80億円を超える場合には、80億円にその特定建物等の取得価額が当該合計額のうちに占める割合を乗じて計算した金額になります。

なお、80億円を超えるかどうかは、その特定業務施設が記載された認定地方活力向上地域等特定業務施設整備計画ごとに判定します。

以上については、令和６年４月１日以後に地方活力向上地域等特定業務施設整備計画について認定を受ける法人が取得等をする当該認定に係る認定地方活力向上地域等特定業務施設整備計画に記載された特定建物等について適用されます。以下５において同じ。

※２　上記に掲げる特別償却割合は次のようになります。

地方活力向上地域特定業務施設整備計画の種類	特別償却割合
拡充型計画	15%
移転型計画	25%

５　特別税額控除の選択

この制度においては、上記の特別償却に代えて法人税額の特別控除の制度が選択適用できます。

その場合の法人税額の特別控除の控除限度額は、次のとおりです。

特定建物等の取得価額×税額控除割合(※)（法人税額の20％が限度）

※　上記に掲げる税額控除割合は次のようになります。

地方活力向上地域特定業務施設整備計画の種類	税額控除割合
拡充型計画	４％
移転型計画	７％

参考　措法42の11の３（地方活力向上地域等において特定建物等を取得した場合の特別償却又は法人税額の特別控除）、措法42の４⑲（試験研究を行った場合の法人税額の特別控除）、措令27の11の３（地方活力向上地域等において特定建物等を取得した場合の特別償却又は法人税額の特別控除）、措令27の４⑰（試験研究を行った場合の法人税額の特別控除）、平29.４改措令附、平30改法附１XV、令２改法附78、令４改法附41、令６改法附42、令６改措令附11、措通42の11の３－１（特別償却等の対象となる建物の附属設備）、措通42の11の３－４（取得価額の合計額が80億円を超えるかどうかの判定）

第７節　中小企業者等が特定経営力向上設備等を取得した場合の特別償却

中小企業者等が特定経営力向上設備等を取得した場合の特別償却

【問２－31】　中小企業経営強化税制の制度の内容について説明してください。

【答】　平成28年度改正において、平成28年３月31日で廃止することとされた生産性向上設備投資促進税制の中小企業特例として位置付けられていた特定生産性向上設備等に係る措置は、その適用期限（平成29年３月31日）の到来をもって廃止されましたが、中小企業にとって、経営力の向上につながる生産性の向上は引き続き促進していくべき重要な課題であると考えられ、「日本再興戦略2016（平成28年６月２日閣議決定）」においては、特にサービス業の生産性向上の促進が掲げられたところです。

このような状況等を踏まえ、中小企業等経営強化法の経営力向上に関する計画に記載された一定の経営力向上設備等の取得等を促進する観点から、中小企業者等が特定経営力向上設備等を取得した場合の特別償却又は法人税額の特別控除制度が創設され、令和元年度改正において、対象設備の要件の見直しが行われ、令和２年度改正において、対象設備にテレワーク等を促進するために、デジタル化設備が追加されました。

また、令和５年度改正において、制度の適用期限が令和７年３月31日まで２年延長されました。

なお、この経営力向上設備等は、原則として、廃止された特定生産性向上設備等に係る措置の生産性向上設備等と同様としつつ、いわゆる先端設備についいては最新モデル要件及び対象となる器具及び備品の範囲限定が撤廃されており、更に中小企業に配慮したものとなっています。

この制度の概要は次のとおりです。

1　対象法人

青色申告書を提出している法人で、中小企業者等のうち、中小企業等経営強化法第17条第１項の認定を受けた同条第２条６項に規定する特定事業者等に該当するものが対象となります。

（注）　中小企業者等とは、**【問２-15】**の**【答】**欄に掲げる中小企業者（適用除外事業者又は通算適用除外事業者に該当するものを除きます。）又は農業協同組合等若しくは商店街振興組合をいいます。

また、令和３年４月１日以後に取得等をする特定経営力向上設備等については、中小企業者の判定において、いわゆる事業承継ファンドを通じて独立行政法人中小企業基盤整備機構から受けた出資を大規模法人の所有する株式又は出資に含まないこととする措置が廃止されました。

2　適用期間

平成29年４月１日から令和７年３月31日までの間に、特定経営力向上設備等の取得等をして、その中小企業者等の営む指定事業の用に供したときに適用されます。

3　対象資産

この制度の対象となる特定経営力向上設備等とは、生産等設備を構成する次に掲げる資産で、中小企業等経営強化法第17条第３項に規定する経営力向上設備等に該当するもののうち、その製作又は建設の後事業の用に供されたことのないものをいいます。

ただし、所有権移転外リース取引により取得したものについては、この制度の適用はありません。（所有権移転外リース取引については**【問１-157】**を参照してください。）

①	機械及び装置	１台又は１基の取得価額が160万円以上のもの
②	工具、器具及び備品	１台又は１基の取得価額が30万円以上のもの
③	建物附属設備	一の取得価額が60万円以上のもの
④	ソフトウエア	一の取得価額が70万円以上のもの （注）この制度の適用対象となるソフトウエアの範囲は、**【問２-14】**の**【答】**欄に掲げる一定のものに限ります。

※　経営力向上設備等の範囲については、**【問２-32】**の**【答】**を参照してください。

４　指定事業

この制度における指定事業の用とは、**【問２-13】**の**【答】**欄の３に掲げるいずれかの事業の用をいいます。

５　特別償却限度額

特定経営力向上設備等の取得価額－普通償却限度額

６　特別税額控除の選択

この制度においては、上記の特別償却に代えて法人税額の特別控除の制度が選択適用できます。

その場合の法人税額の特別控除の控除限度額は、次の算式により計算します。

特定経営力向上設備等の取得価額×７％（※）(法人税額の20％が限度)

※　中小企業者等のうち資本金の額又は出資金の額が3,000万円を超える法人（他の通算法人のうちいずれかの法人が資本金の額又は出資金の額が3,000万円を超える法人に該当する場合における通算法人を含み、農業協同組合等及び協同組合等を除きます。）以外の法人の場合には、10％

７　適用要件

この制度の適用を受けるためには、確定申告書等に次の書類を添付することが必要とされています。

①　償却限度額ないし控除を受ける金額の計算に関する明細書

②　その法人が受けた中小企業等経営強化法第17条第１項の認定に係る申請書の写し

③　②の経営力向上計画に係る認定書の写し

参 考　措法42の６①（中小企業者等が機械等を取得した場合の特別償却又は法人税額の特別控除）、措法42の12の４（中小企業者等が特定経営力向上設備等を取得した場合の特別償却又は法人税額の特別控除）、措令27の12の４（中小企業者等が特定経営力向上設備等を取得した場合の特別償却又は法人税額の特別控除）、措令27の４㉕（試験研究を行った場合の法人税額の特別控除）、措令27の６①⑤（中小企業者等が機械等を取得した場合の特別償却又は法人税額の特別控除）、措規20の９（中小企業者等が特定経営力向上設備等を取得した場合の特別償却又は法人税額の特別控除）、措規20の３②③（中小企業者等が機械等を取得した場合の特別償却又は法人税額の特別控除）、令元財務省令第17号、令２経産省令第45号

経営力向上設備等の範囲

【問２‐32】　中小企業経営強化税制における中小企業等経営強化法第17条第３項に規定する経営力向上設備等とはどのようなものか教えてください。

【答】　中小企業等経営強化法第17条第３項に規定する経営力向上設備等とは、商品の生産若しくは販売又は役務の提供の用に供する施設、設備、機器、装置又はプログラムであって、経営力向上に特に資するものとして経済産業省令で定めるものをいいますが、中小企業経営強化税制の適用対象となるものは、中小企業等経営強化法施行規則第16条第２項に規定する経営力向上に著しく資する設備等で、その中小企業者等の認定に係る経営力向上計画に記載されたものに限ります。

なお、中小企業等経営強化法施行規則第16条第２項に規定する経営力向上に著しく資する設備等とは、コインランドリー業又は暗号資産マイニング業（主要な事業であるものを除きます。）の用に供する設備等でその管理のおおむね全部を他の者に委託するものを除く次に掲げる資産で、以下Ａの生産性向上設備、Ｂの収益力強化設備、Ｃのデジタル化設備又はＤの経営資源集約化設備に該当するものをいいます。

①　機械及び装置（平成31年４月１日以後の申請より、発電の用に供する設備にあっては、主とし電気の販売を行うために取得又は制作するものとして経済産業大臣が定めるものを除きます。）

②　器具及び備品（医療機器にあっては医療保健業を行う事業者が取得又は製作をするものを除きます。）

③　工具（Ａの生産性向上設備にあっては、測定工具及び検査工具に限ります。）

④　建物附属設備（医療保健業を行う事業者が取得又は建設をするものを除き、平成31年４月１日以後の申請より、発電の用に供する設備にあっ

ては、主として電気の販売を行うために取得又は建設をするものとして経済産業大臣が定めるものを除きます。）

⑤　ソフトウエア（Ａの生産性向上設備にあっては、**【問２-14】**の**【答】**欄に掲げる一定のものに限ります。）

（注）１　経済産業大臣が定めるものとは、当該発電設備等により発電されることが見込まれる電気の量のうちに販売を行うことが見込まれる当該電気の量の占める割合が２分の１を超えるものをいいます。

２　経済産業大臣が定める発電の用に供する設備の除外について、平成31年３月31日までに受けた認定及び平成31年４月１日以後に受ける認定のうち平成31年３月31日までに申請がされたものに係る経営力向上設備等については、従前どおり適用されます。

Ａ　生産性向上設備

次のイ及びロの要件（ソフトウエア及び旧モデルがないものにあっては、次のイの要件に限ります。）に該当する設備をいいます。

イ　販売開始時期要件（販売が開始されてから、一定期間内のものであること）

指定設備	販売開始要件
機械及び装置	販売が開始されてから10年以内のものであること
器具及び備品	販売が開始されてから６年以内のものであること
工具（測定工具及び検査工具に限る。）	販売が開始されてから５年以内のものであること
建物附属設備	販売が開始されてから14年以内のものであること
ソフトウエア（設備の稼働状況に係る情報収集機能及び分析指示機能を有するものに限る。）	販売が開始されてから５年以内のものであること

ロ　生産性向上要件（旧モデル比で経営力の向上に資するものの指標（生産効率、エネルギー効率、精度等をいいます。）が年平均１％以上向上しているものであること）

Ｂ　収益力強化設備

年平均の投資利益率が５％以上となることが見込まれることにつき経済産業大臣（経済産業局）の確認を受けた投資計画に記載された投資の目的を達成するために必要不可欠な設備をいいます。

C　デジタル化設備

事業プロセスが次のイからハまでの要件のいずれかを可能にする設備として、経済産業大臣（経済産業局）の確認を受けた投資計画に記載された投資の目的を達成するために必要不可欠な設備をいいます。

イ　遠隔操作（デジタル技術を用いて、遠隔操作をすること）

ロ　可視化（データの収集・分析を、デジタル技術を用いて行うこと）

ハ　自動制御化（デジタル技術を用いて、状況に応じて自動的に指令を行うことができるようにすること）

D　経営資源集約化設備

次の要件を満たすことが見込まれるものとして、経済産業大臣（経済産業局）の確認を受けた投資計画の投資目的を達成するために必要不可欠な一定の設備であって、認定経営力向上計画に従って事業継承等を行った後に取得又は製作若しくは建設するものをいいます。

計画期間	有形固定資産回転率	修正ＲＯＡ
３年	２％以上	0.3％ポイント以上
４年	2.5％以上	0.4％ポイント以上
５年	３％以上	0.5％ポイント以上

［参 考］　措法42の12の４（中小企業者等が特定経営力向上設備等を取得した場合の特別償却又は法人税額の特別控除）、措令27の12の４（中小企業者等が特定経営力向上設備等を取得した場合の特別償却又は法人税額の特別控除）、措令27の６①（中小企業者等が機械等を取得した場合の特別償却又は法人税額の特別控除）、措規20の９（中小企業者等が特定経営力向上設備等を取得した場合の特別償却又は法人税額の特別控除）、平31経産告第85号、令元財務省令第17号、令２経産省令第26号及び第45号、令３財務省令第50号

生産等設備の範囲

【問２－ 33】　当社は、中小企業者等に該当する青色申告法人で小売業を営んでいます。このたび、新たに本社建物を建設し、１階を店舗用、２階から５階を本店用に供しましたが、この本社建物を生産等設備に該当するとして中小企業者等が特定経営力向上設備等を取得した場合の特別償却を適用してよろしいでしょうか。

【答】　特定経営力向上設備等を取得した場合の特別償却制度における生産等設備とは、例えば、製造業を営む法人の工場、小売業を営む法人の店舗又は自動車整備業を営む法人の作業場のように、その法人が行う生産活動、販売活動、役務提供活動その他収益を稼得するために行う活動（以下これらを「生産等活動」といいます。）の用に直接供される減価償却資産で構成されているものをいいますから、例えば、本店、寄宿舎等の建物、事務用器具備品、乗用自動車、福利厚生施設のようなものは、生産等設備に該当しません。

なお、一棟の建物が本店用と店舗用に供されている場合など、減価償却資産の一部が法人の生産等活動の用に直接供されているものについては、その全てが生産等設備となることとされています。

したがって、貴社が建設した本社建物については、１階を店舗用、２階から５階を本店用に供していることから、減価償却資産の一部が貴社の生産等活動の用に直接供されているものとして、その全てが生産等設備に該当しますので、他の要件を満たす限り、生産等設備である当該本社建物を構成する機械及び装置、工具、器具及び備品、建物附属設備並びに政令で定めるソフトウエアについて中小企業者等が特定経営力向上設備等を取得した場合の特別償却が適用できます。

参考　措法42の12の４（中小企業者等が特定経営力向上設備等を取得した場合の特別償却又は法人税額の特別控除）、措通42の12の４－２（生産等設備の範囲）

中小企業者等が取得をした働き方改革に資する減価償却資産の中小企業経営強化税制の適用

【問２－ 34】　当社は、中小企業等経営強化法上の認定を受けた経営力向上計画に基づいて働き方改革の推進に資する次のような資産を取得し、自社が営む指定事業の用に供しようと考えています。

これらの資産は、それぞれの資産について経営力向上計画に基づいた認定を受けていませんが、租税特別措置法第42条の12の４に規定する生産等設備を構成する減価償却資産に該当しますか。

なお、これらの資産は、中小企業経営強化税制の適用要件である一定の金額及び販売時期要件を満たしていることを前提とします。

⑴　建物附属設備

生産等活動の用に直接供される工場、店舗、作業場等の中に設置される施設（食堂、休憩室、更衣室、ロッカールーム、シャワールーム、仮眠室、トイレ等）に係る建物附属設備（電気設備、給排水設備、冷暖房設備、可動式間仕切り等）

⑵　器具及び備品

工場、店舗、作業場等で行う生産等活動のために取得されるもので、その生産等活動の用に直接供される器具備品（テレワーク用電子計算機等）、ソフトウエア（テレビ会議システム、勤怠管理システム等）

【答】　本制度の生産等設備とは、法人が行う生産活動、販売活動、役務提供活動その他収益を稼得するために行う活動（以下「生産等活動」といいます。）の用に直接供される機械及び装置、工具、器具及び備品、建物附属設備並びにソフトウエアで構成されているものをいいます。

御質問の場合、建物附属設備については、生産等活動の用に直接供される建物内に設置される施設に係るものとのことですので、建物と一体のものとして機能していると考えられます。したがって、当該建物附属設備は、生産等設備を構成する減価償却資産に該当するものと考えられます。

また、器具及び備品やソフトウエアについては、生産等設備である建物で行う生産等活動のために取得されるものであり、その生産等活動の用に直接供するとのことですので、それぞれが生産等設備を構成する減価償却資産に該当すると考えられます。

なお、例えば、同一敷地内にある食堂棟、検診施設など工場、店舗、作業場等の建物とは独立した福利厚生施設（建物）の中に設置される建物附属設備や器具及び備品等については、その福利厚生施設（建物）は一般に生産等設備には該当しませんので、その中に設置される器具及び備品等自体が生産等設備に該当する場合を除き、生産等設備を構成する減価償却資産には該当しないと考えられます。

参考　措法42の12の４（中小企業者等が特定経営力向上設備等を取得した場合の特別償却又は法人税額の特別控除）、措通42の12の４－２（生産等設備の範囲）

第８節　認定特定高度情報通信技術活用設備を取得した場合の特別償却

認定特定高度情報通信技術活用設備を取得した場合の特別償却

【問２－35】　令和２年度改正で認定特定高度情報通信技術活用設備を取得した場合の特別償却制度が創設されたと聞きましたが、その制度の内容について説明してください。

【答】　５Ｇ（第５世代移動通信システム）はSociety5.0の実現に不可欠な社会基盤であり、様々な分野における社会課題解決、生産性向上、国際競争力確保の観点から、その導入及び全国への普及が早期に必要とされています。

令和元年末に閣議決定された「安心と成長の未来を拓く総合経済対策（令和元年12月５日）」においても、「(1) Society5.0の加速と社会実装」の中で、「Society5.0時代に向け、社会課題の解決に資する先端技術の社会実装・普及を加速する。そのため、安全で信頼できる５Gの早期普及を図る」とされており、特に、「安全性・信頼性」、「供給安定性」、「オープン性」が確保されたシステムが構築されることが必要とされています。

政府では、令和元年４月以降、我が国における５G用周波数の割当てを順次実施し、携帯電話事業者の５G基地局に係る開設計画の認定を進めるとともに、電波法の改正により同年12月よりいわゆるローカル５Gの免許申請の受付を開始していますが、さらなる５Gの投資促進と経済安全保障の観点を踏まえた、安全・安心な５Gシステムの導入促進を目指し、「特定高度情報通信技術活用システムの開発供給及び導入の促進に関する法律」（以下「特定高度情報通信技術活用システム導入促進法」といいます。）が令和２年５月27日に可決・成立し、同年に公布されています。

こうした中、「安全性・信頼性」、「供給安定性」、「オープン性」が確保されたシステム構築を念頭に、税制においても、①我が国経済社会や国民生活の根幹をなす５Gを早期に国民に普及させる観点から、超高速・大容量通信等を実現する全国基地局の前倒し整備を支援するとともに、②地域活性化や地域の課題解決を促進する観点から、地域の企業等が自ら構築するローカル５Gの整備を支援することとされ、特定高度情報通信技術活用システム導入促進法の規定に基づく認定導入計画に従って導入される一定の５G設備を対象とする税制措置が創設されることとなりました。

また、令和４年度改正により、税額控除割合の見直しが行われるとともに、制度の適用期限が令和７年３月31日まで３年延長されました。

この制度の概要は次のとおりです。

１　対象法人

青色申告書を提出する法人で特定高度情報通信技術活用システム導入促進法第28条に規定する認定導入事業者が対象となります。

２　適用期間

認定導入事業者が、令和２年８月31日から令和７年３月31日までの間に、認定特定高度情報通信技術活用設備を取得し、又は製作若しくは建設（以下「取得等」といいます。）し、国内にあるその法人の事業の用に供した場合（貸付けの用に供した場合を除きます。）に適用されます。

３　対象資産

この制度の対象となる認定特定高度情報通信技術活用設備とは、特定高度情報通信技術活用システム導入促進法第10条第２項に規定する認定導入計画に記載されたもので、その製作又は建設の後事業の用に供されたことのないものに限ります。

なお、認定特定高度情報通信技術活用設備とは、機械及び装置、器具及び備品、建物附属設備並びに構築物のうち、同法第28条に規定する認定導入計画に従って実施される特定高度情報通信技術活用システムの導入の用に供するために取得等をしたものであること及び同法第２条第１項第１号に掲げる特定高度情報通信技術活用システムを構成する上で重要な役割を果たす一定のものに該当することにつき主務大臣の確認を受けたものをいいます。

ただし、所有権移転外リース取引により取得したものについては、この制度の適用はありません。（所有権移転外リース取引については、**【問１-157】**を参照してください。）

４　特別償却限度額

認定特定高度情報通信技術活用設備の取得価額×30％

５　特別税額控除の選択

この制度においては、上記の特別償却に代えて法人税額の特別控除の制度が選択適用できます。

その場合の法人税額の特別控除の控除限度額は、次のとおりです。

認定特定高度情報技術活用設備の取得価額の合計額×税額控除割合（※）（法人税額の20％が限度）

※　上記に掲げる税額控除割合は次のようになります。

<table>
<tr><th rowspan="3">認定特定高度情報通信技術活用設備の種類</th><th colspan="7">税額控除割合</th></tr>
<tr><th rowspan="2">令和２年８月31日から令和４年３月31日までの間に事業の用に供した場合</th><th colspan="2">令和４年４月１日から令和５年３月31日までの間に事業の用に供した場合</th><th colspan="2">令和５年４月１日から令和６年３月31日までの間に事業の用に供した場合</th><th colspan="2">令和６年４月１日から令和７年３月31日までの間に事業の用に供した場合</th></tr>
<tr><th>条件不利地域</th><th>左記以外</th><th>条件不利地域</th><th>左記以外</th><th>条件不利地域</th><th>左記以外</th></tr>
<tr><td>特定基地局用認定設備</td><td rowspan="2">15％</td><td rowspan="2">15％</td><td>９％</td><td rowspan="2">９％</td><td>５％</td><td rowspan="2" colspan="2">３％</td></tr>
<tr><td>上記以外</td><td>15％</td><td>９％</td></tr>
</table>

６　適用要件

この制度の適用を受けるためには、確定申告書等に次の書類を添付することが必要とされています。

①　償却限度額の計算に関する明細書

②　特定高度情報通信技術活用システム導入促進法第31条第１項第５号に定める主務大臣の同法第26条の確認をしたことを証する書類の写し

参考　措法42の12の６（認定特定高度情報通信技術活用設備を取得した場合の特別償却又は法人税額の特別控除）、措令27の12の６（認定特定高度情報通信技術活用設備を取得した場合の特別償却又は法人税額の特別控除）、措規20の10の２（認定特定高度情報通信技術活用設備を取得した場合の特別償却又は法人税額の特別控除）

第９節　情報技術事業適応設備を取得した場合等の特別償却

情報技術事業適応設備を取得した場合等の特別償却

> **【問２‐36】**　令和３年度改正により情報技術事業適応設備を取得した場合等の特別償却（デジタルトランスフォーメーション投資促進税制）が創設されたと聞きましたが、その制度の内容について説明してください。

【答】　新型コロナウイルス感染症の影響により、対面サービスを中心に従来の需要は大きく変化し、供給側についても、対面リスクによりサプライチェーンをはじめ事業プロセスに広く影響が及んでおり、製品・サービスの提供プロセスにも大きな変革が必要となっています。

また、新型コロナウイルス感染症により、多くの企業において、事業・財務基盤が毀損し、企業戦略の見直しを迫られるなど、企業の選択やとう汰が進む可能性が高いと考えられます。このように、新型コロナウイルス感染症によって産業構造転換の必要性が大幅に高まっている中にあっては、今後、我が国企業が競争力を維持・強化するため、事業環境の変化に適応し、企業変革を行っていくことが不可欠です。この点について、「経済財政運営と改革の基本方針2020～危機の克服、そして新しい未来へ～（令和２年７月17日閣議決定）」においても、「１．「新たな日常」構築の原動力となるデジタル化への集中投資･実装とその環境整備（デジタルニューディール）」の中で、「(2)デジタルトランスフォーメーションの推進」として「Society5.0の実現を目指してきた従来の取組を一歩も二歩も進め、「新たな日常」の定着・加速に向け、各種支援や規制改革等を通じ、地域を含む社会全体のＤＸの実装を加速する。」との記載があります。このように、産業構造転換として最も必要性が高いデジタルシフトによる事業再構築、すなわち、デジタル技術を活用した企業変革（デジタルトランスフォーメーション：ＤＸ）の推進 が重要であり、これをレガシーシステムの温存・拡大につながらない形で進めていく必要があります。この企業の取組を後押ししていくため、令和３年度改正においてデジタルトランスフォーメーション投資促進税制が創設されました。

この制度の概要は次のとおりです。

１　情報技術事業適応設備を取得した場合の特別償却

⑴　対象法人

青色申告書を提出する法人で産業競争力強化法第21条の35第１項に規定する認定事業適応事業者（以下「認定事業適用事業者」といいます。）が対象となります。

⑵　適用期間

令和３年８月２日から令和７年３月31日までの間に、情報技術事業適応設備でその製作の後事業の用に供されたことのないものを取得し、又は情報技術事業適応設備を製作して、国内にあるその法人の事業の用に供したとき（貸付けの用に供した場合を除きます。）に適用されます。

⑶　対象資産

この制度の対象となる情報技術事業適応設備とは、産業競争力強化法第21条の23第２項に規定する認定事業適応計画に従って実施される同法第21条の35第１項に規定する情報技術事業適応（以下「情報技術事業適応」といいます。）の用に供するために特定ソフトウエア（注１）の新設若しくは増設をし、又は情報技術事業適応を実施するために利用するソフトウエアのその利用に係る費用（繰延資産となるものに限ります。）を支出する場合において、その新設若しくは増設に係る特定ソフトウエア並びにその特定ソフトウエア若しくはその利用するソフトウエアとともに情報技術事業適応の用に供する機械及び装置並びに器具及び備品（産業試験研究用資産を除きます。）でその製作の後事業の用に供されたことのないものをいいます。

ただし、所有権移転外リース取引により取得したものについては、この制度の適用はありません。（所有権移転外リース取引については**【問１-157】**を参照してください。）

（注）１　特定ソフトウエアとは、電子計算機に対する指令であって一の結果を得ることができるように組み合わされたもの（これに関連するシステム仕様書その他の書類を含むものとし、複写して販売するための原本を除きます。）をいいます。

２　令和５年度改正により、令和５年４月１日前に認定の申請がされた認定事業適応計画に従って実施される情報技術適応の用に供する情報技術事業適応設備で同日以後に取得又は制作をされたものが除かれました。

(4)　特別償却限度額

イ　対象資産合計額（注）が300億円以下の場合

情報技術事業適応設備の取得価額×30％

ロ　対象資産合計額（注）が300億円を超える場合

$$300億円 \times \frac{情報技術事業適応設備の取得価額}{対象資産合計額（注）} \times 30\%$$

（注）　対象資産合計額とは、情報技術事業適応設備の取得価額及び２(3)の事業適応繰延資産の額の合計額をいいます。

(5)　特別税額控除の選択

この制度においては、上記の特別償却に代えて法人税額の特別控除の制度が選択適用できます。

その場合の法人税額の特別控除の控除限度額は、次のとおりです。

イ　対象資産合計額が300億円以下の場合

情報技術事業適応設備の取得価額×３％（※）（法人税額の20％が限度）

ロ　対象資産合計額が300億円を超える場合

$$300億円 \times \frac{情報技術事業適応設備の取得価額}{対象資産合計額} \times 3\%$$（※）（法人税額の20％が限度）

※　情報技術事業適応のうち産業競争力強化法第２条第１項に規定する産業競争力の強化に著しく資するものとして経済産業大臣が定める基準に適合するものであることに

ついて主務大臣の確認を受けたものの用に供する情報技術事業適応設備については、５％

(6) 適用要件

この制度の適用を受けるためには、確定申告書等に次の書類を添付することが必要とされています。

① 償却限度額ないし控除を受ける金額の計算に関する明細書

② 情報技術事業適応設備が記載された産業競争力強化法施行規則第11条の２第１項に規定する認定申請書（変更認定申請書を含みます。）の写し

③ ②の認定申請書に係る認定書（変更の認定書を含みます。）の写し

④ ②の認定申請書に係る認定事業適応計画に従って実施される情報技術事業適応に係る確認書の写し

２　事業適応繰延資産となる費用の額を支出した場合の特別償却

(1) 対象法人

青色申告書を提出する法人で認定事業適応事業者が対象となります。

(2) 適用期間

令和３年８月２日から令和７年３月31日までの間に、情報技術事業適応を実施するために利用するソフトウエアのその利用に係る費用を支出した場合に適用されます。

(3) 適用資産

この制度の対象となる資産は、情報技術事業適応を実施するために利用するソフトウエアのその利用に係る費用を支出した場合における、その支出した費用に係る繰延資産（以下「事業適応繰延資産」といいます。）となります。

(注) 令和５年度改正により、令和５年４月１日前に認定の申請がされた認定事業適応計画に従って実施される情報技術適応を実施するために利用するソフトウエアのその利用に係る費用で同日以後に支出されたものに係る繰延資産が除かれました。

(4) 特別償却限度額

イ　対象資産合計額（注）が300億円以下の場合

事業適応繰延資産の額×30％

ロ　対象資産合計額（注）が300億円を超える場合

$$300億円\times\frac{事業適応繰延資産の額}{対象資産合計額（注）}\times 30\%$$

（注）　対象資産合計額とは、１⑶の情報技術事業適応設備の取得価額及び事業適応繰延資産の額の合計額をいいます。

⑸　特別税額控除の選択

この制度においては、上記の特別償却に代えて法人税額の特別控除の制度が選択適用できます。

その場合の法人税額の特別控除の控除限度額は、次のとおりです。

イ　対象資産合計額が300億円以下の場合

事業適応繰延資産の額×３％（※）（法人税額の20％が限度）

ロ　対象資産合計額が300億円を超える場合

$$300億円\times\frac{事業適応繰延資産の額}{対象資産合計額（注）}\times 3\%（※）（法人税額の20\%が限度）$$

※　情報技術事業適応のうち産業競争力強化法第２条第１項に規定する産業競争力の強化に著しく資するものとして経済産業大臣が定める基準に適合するものであることについて主務大臣の確認を受けた情報技術事業適応を実施するために利用するソフトウエアのその利用に係る費用に係る事業適応繰延資産については、５％

⑹　適用要件

この制度の適用を受けるためには、確定申告書等に次の書類を添付することが必要とされています。

①　償却限度額ないし控除を受ける金額の計算に関する明細書

②　事業適応繰延資産が記載された産業競争力強化法施行規則第11条の２第１項に規定する認定申請書（変更認定申請書を含みます。）の写し

③　②の認定申請書に係る認定書（変更の認定書を含みます。）の写し

④　②の認定申請書に係る認定事業適応計画に従って実施される情報技術事業適応に係る確認書の写し

参考　措法42の12の７①②④⑤⑬⑭⑮⑯（事業適応設備を取得した場合等の特別償却又は法人税額の特別控除）、措令27の12の７①②（事業適応設備を取得した場合等の特

別償却又は法人税額の特別控除）、措規20の10の３（事業適応設備を取得した場合等の特別償却又は法人税額の特別控除）、令３改法附１Ⅹ、令５改法附41、令６改法附１ⅩⅢイ

第10節　生産工程効率化等設備を取得した場合の特別償却

生産工程効率化等設備を取得した場合の特別償却

> **【問２－37】**　令和３年度改正により生産工程効率化等設備等を取得した場合の特別償却(カーボンニュートラルに向けた投資促進税制)が創設されたと聞きましたが、その制度の内容について説明してください。

【答】　気候変動問題に対しては、我が国としても、成長戦略の柱に経済と環境の好循環を掲げて、グリーン社会の実現に最大限注力していくことが必要であり、「2050年カーボンニュートラル」を目指していく必要があります。

2050年カーボンニュートラルの実現という極めて高い目標の達成に向けては、①長期的に脱炭素化を実現するための基盤技術の開発、②基盤技術を製品化に繋げるための中長期的な投資、③大きな脱炭素化効果を持つ商品を早期に市場に投入することで更なるイノベーションを促すこと、④足下の生産プロセス等の着実な改善を促すことといった取組が不可欠です。

この高い目標に向けて、令和３年度改正においては、上記③及び④について、カーボンニュートラルに向けた投資促進税制が創設されました。

なお、令和６年度改正により、対象法人のほか、対象資産及びその取得等の期限につき「生産工程効率化等設備」として見直されました。

この制度の概要は次のとおりです。

1　対象法人

青色申告書を提出する法人で令和３年８月２日から令和８年３月31日までの間にされた産業競争力強化法第21条の22第１項の認定に係る認定エネ

ルギー利用環境負荷低減事業適応事業者（注１）が対象となります。

(注) １　認定エネルギー利用環境負荷低減事業適応事業者とは、産業競争力強化法第21条の23第１項に規定する認定事業適応事業者のうち、認定エネルギー利用環境負荷低減事業適応計画（注２）に当該認定エネルギー利用環境負荷低減事業適応計画に従って行う同法第21条の20第２項第２号に規定するエネルギー利用環境負荷低減事業適応のための措置として生産工程効率化等設備を導入する旨の記載があるものをいいます。

２　認定エネルギー利用環境負荷低減事業適応計画とは、産業競争力強化法第21条の23第２項に規定する認定事業適応計画のうち、同法第21条の20第２項第２号に規定するエネルギー利用環境負荷低減事業適応に関するものをいいます。

２　適用年度

上記１の認定の日から同日以後３年を経過する日までの間に、認定エネルギー利用環境負荷低減事業適応計画に記載された生産工程効率化等設備でその製作若しくは建設の後事業の用に供されたことのないものを取得し、又はその認定エネルギー利用環境負荷低減事業適応計画に記載された生産工程効率化等設備を製作し、若しくは建設して、これを国内にある当該法人の事業の用に供した場合に適用されます。

３　対象資産

この制度の対象となる生産工程効率化等設備とは、産業競争力強化法第２条第13項に規定する生産工程効率化等設備をいいます。

ただし、所有権移転外リース取引により取得したものについては、この制度の適用はありません。（所有権移転外リース取引については、**【問１－157】**を参照してください。）

４　特別償却限度額

イ　生産工程効率化等設備の取得価額の合計額が500億円以下の場合

生産工程効率化等設備の取得価額×50％

ロ　生産工程効率化等設備の取得価額の合計額が500億円を超える場合

$$500\text{億円}\times\frac{\text{生産工程効率化等設備の取得価額}}{\text{生産工程効率化等設備の取得価額の合計額}}\times 50\%$$

５　特別税額控除の選択

この制度においては、上記の特別償却に代えて法人税額の特別控除の制度が選択適用できます。

その場合の法人税額の特別控除の控除限度額は、次のとおりです。

イ　生産工程効率化等設備の取得価額の合計額が500億円以下の場合

生産工程効率化等設備の取得価額×税額控除割合（※）（法人税額の20％が限度）

ロ　生産工程効率化等設備の取得価額の合計額が500億円を超える場合

$$500\text{億円}\times\frac{\text{生産工程効率化等設備の取得価額}}{\text{生産工程効率化等設備の取得価額の合計額}}\times\text{税額控除割合}$$

（※）（法人税額の20％が限度）

※　上記に掲げる税額控除割合は次のようになります。

生産工程効率化等設備の区分	税額控除割合
①　**【問２－15】**の**【答】**欄に掲げる中小企業者（適用除外事業者又は通算適用除外事業者に該当するものを除きます。②において同じ。）が事業の用に供した生産工程効率化等設備のうちエネルギーの利用による環境への負荷の低減に著しく資するものとして経済産業大臣が定める基準に適合するもの	14％
②　次に掲げる生産工程効率化等設備 イ　中小企業者が事業の用に供した生産工程効率化等設備のうち①に掲げるもの以外のもの ロ　中小企業者以外の法人が事業の用に供した生産工程効率化等設備のうちエネルギーの利用による環境への負荷の低減に特に著しく資するものとして経済産業大臣が定める基準に適合するもの	10％
③　①又は②に掲げるもの以外の生産工程効率化等設備	５％

6　適用要件

この制度の適用を受けるためには、確定申告書等に次の書類を添付することが必要とされています。

①　償却限度額ないし控除を受ける金額の計算に関する明細書

②　生産工程効率化等設備が記載された認定申請書等の写し

③　②の認定申請書等に係る認定書等の写し

（注）　以上については、令和６年４月１日以後に取得等をする生産工程効率化等設備について適用されます。

令和６年３月31日以前に取得等をした生産工程効率化等設備等の適用関係については、本書令和５年12月改訂の**【問２−59】**（生産工程効率化等設備等を取得した場合の特別償却）の**【答】**欄を参照してください。

参考　措法42の12の７③⑥⑬⑭⑯（事業適応設備を取得した場合等の特別償却又は法人税額の特別控除）、措令27の12の７③（事業適応設備を取得した場合等の特別償却又は法人税額の特別控除）、措規20の10の３③（事業適応設備を取得した場合等の特別償却又は法人税額の特別控除）、令３改法附１Ｘ、令６改法附45①、令６改措令附１

第11節　港湾隣接地域における技術基準適合施設の特別償却

港湾隣接地域における技術基準適合施設の特別償却

【問２－ 38】　港湾隣接地域における技術基準適合施設の特別償却制度（改正前：耐震基準適合建物等の特別償却制度）の内容について説明してください。

【答】　平成26年４月１日からの消費税率（国・地方）の８％への引上げに伴い、「消費税率及び地方消費税率の引上げとそれに伴う対応について」（平成25年10月１日閣議決定）において、デフレ脱却と経済再生に向けた取組を更に強化することとされました。具体的には、民間投資を活性化するために「日本再興戦略」（平成25年６月14日閣議決定）に沿って、設備投資につながる制度・規制面での環境整備に応じた税制として耐震改修を促進するための税制を創設することとされました。

これを受けて、平成26年度改正において、下記１及び２のとおり、既存建築物に耐震改修を行った場合及び港湾の民有護岸等の耐震化を行った場合の特別償却制度が創設されました。

また、平成30年度改正において、下記１の港湾の民有護岸等の耐震化を行った場合の特別償却につき、特別償却割合の見直し等が行われました。

なお、令和２年度改正において、下記２の既存建築物に耐震改修を行った場合の特別償却については、適用期限（令和２年３月30日）の到来をもって廃止されています。更に、令和５年度改正において、下記１の港湾の民有護岸等の耐震化を行った場合の特別償却も廃止されていますが、令和５年４月１日以後終了する各事業年度の所得の金額の計算については、なお下記１の適用があります。

この制度の概要は、次のとおりです。

1　港湾の民有護岸等の耐震化を行った場合の特別償却

(1) 対象法人

青色申告書を提出する法人で港湾隣接地域内において有する特定技術基準対象施設(注１)につき平成30年４月１日から令和２年３月31日までの間に港湾管理者からの求めに対する報告（以下「特定点検報告」といいます。)(注２)を行ったもの（その特定技術基準対象施設について勧告を受けたものを除きます。）が対象となります。

(注) 1　特定技術基準対象施設は、非常災害により損壊した場合において船舶の交通に著しい支障を及ぼすおそれのある護岸、岸壁及び桟橋に限ります。

2　港湾法第56条の２の２第１項に規定する技術基準（以下「技術基準」といいます。）のうち地震に対する安全性に係るものに適合するかどうかの点検の結果についての報告に限ります。

(2) 適用期間

特定点検報告を行った日から同日以後３年を経過する日、又は災害その他やむを得ない事情により同日までにその特定技術基準対象施設の部分について行う改良のための工事を完了することが困難となった特定技術基準対象施設として財務省令で定めるものについては、当該報告を行った日以後５年を経過する日までの間に、その技術基準適合施設のうちその建設の後事業の用に供されたことのないものを取得し、又は技術基準適合施設を建設して、事業の用に供した場合に適用されます。

(3) 対象資産

この制度の対象となる技術基準適合施設とは、特定技術基準対象施設の部分について行う改良のための工事の施行に伴って取得し、又は建設するその特定技術基準対象施設の部分をいいます。

(注)　港湾管理者から、当該改良のための工事により技術基準に適合することとなるものである旨の証明書による証明がなされたものに限ります。(港湾法56の２の２①)

(4) 特別償却限度額

技術基準適合施設の取得価額×特別償却割合(※)

※　上記に掲げる税額控除割合は次のようになります。

技術基準適合施設の種類	特別償却割合
①　港湾法の港湾隣接地域（緊急確保航路に隣接する港湾区域に隣接する地域に限ります。）で取得又は建設をした技術基準適合施設	22%
②　①以外の技術基準適合施設	18%

（注）　平成30年３月31日以前に取得又は建設をした技術基準適合施設については、特別償却割合は一律20%です。

2　既存建築物に耐震改修を行った場合の特別償却

(1)　対象法人

青色申告書を提出する法人でその有する耐震改修対象建築物につき平成27年３月31日までに耐震診断結果の報告を行ったもの（その報告に関する命令又は必要な耐震改修に関する指示を受けたものを除きます。）が対象となります。

（注）　耐震改修対象建築物とは、要安全確認計画記載建築物又は要緊急安全確認大規模建築物をいいます。（建築物の耐震改修の促進に関する法律（以下「耐震改修促進法」といいます。）７、同法附則３①）

(2)　適用期間

平成26年４月１日からその有する耐震改修対象建築物につき耐震診断結果報告を行った日以後５年を経過する日までの間に、その耐震基準適合建物等のうちその建設の後事業の用に供されたことのないものを取得し、又は耐震基準適合建物等を建設して、事業の用に供した場合に適用されます。

(3)　対象資産

この制度の対象となる耐震基準適合建物等とは、耐震改修対象建築物の部分について行う耐震改修のための工事の施行に伴って取得し、又は建設するその耐震改修対象建築物の部分をいいます。

（注）　耐震改修は、その耐震改修対象建築物の地震に対する安全性の向上に資するものとして、次のイからハまでのいずれかの者から、当該工事により耐震改修

促進法における耐震関係規定又は国土交通大臣が定める基準に適合することとなる旨の証明書による証明がなされたものに限ります。（耐震改修促進法５③一、17③一）

イ　耐震改修対象建築物の所在地の地方公共団体の長

ロ　建築基準法第77条の21第１項に規定する指定確認検査機関

ハ　建築士法第23条の３第１項の規定により登録された建築士事務所に属する建築士

(4)　特別償却限度額

耐震基準適合建物等の取得価額×25％

参考　旧措法43の２（港湾隣接地域における技術基準適合施設の特別償却）、旧措令28の２（港湾隣接地域における技術基準適合施設の特別償却）、旧措規20の11（港湾隣接地域における技術基準適合施設の特別償却）、平26改法附77、平30改法附94②、令２改法附86②、令５改法附42②、令５改措令附８③、令５改措規附５

第12節　被災代替資産等の特別償却

被災代替資産等の特別償却

【問２－39】　被災代替資産等の特別償却制度の内容について説明してください。

【答】　災害が発生した際の被災者や被災事業者への対応については、国税通則法、災害減免法や各税法において、申告、納付期限の延長や税の減免などが措置されており、その上で、阪神・淡路大震災及び東日本大震災の際には、被害の状況や規模などを踏まえ、災害ごとに特別立法等により、追加的な税制上の対応がなされてきたところです。

しかしながら、近年災害が頻発していることを踏まえ、被災者や被災事業者の不安を早期に解消するとともに、復旧や復興の動きに遅れることなく税制上の対応を手当てする観点から、災害対応規定を常設化することとされ、その措置の１つとして、被災代替資産等の特別償却制度が創設されました。

この制度の概要は次のとおりです。

1　対象法人

全ての法人が対象となります。青色申告書を提出する法人であるかどうかは問いません。

2　適用期間

特定非常災害(注)に係る特定非常災害発生日から特定非常災害発生日の翌日以後５年を経過する日までの間に、被災代替資産等の取得等をして事業の用に供した場合（機械及び装置については、貸付けの用に供した場合を除きます。）に適用されます。

（注）　特定非常災害とは、特定非常災害の被害者の権利利益の保全等を図るための特別措置に関する法律の規定により特定非常災害として指定された非常災害をいいます。例えば、平成28年熊本地震、平成30年７月豪雨、令和元年台風第19号、令和２年７月豪雨、令和６年能登半島地震などが特定非常災害に該当します。

３　対象資産

この制度の対象となる被災代替資産等とは、被災代替資産（注１）又は被災区域内供用資産（注２）をいいます。

ただし、所有権移転外リース取引により取得したものについては、この制度の適用はありません。（所有権移転外リース取引については**【問１-157】**を参照してください。）

（注）１　被災代替資産については**【問２-40】**を参照してください。
　　２　被災区域内供用資産については**【問２-41】**を参照してください。

４　特別償却限度額

被災代替資産等の取得価額×特別償却割合（※）

※　上記に掲げる特別償却割合は、次のとおりです。

	特定非常災害発生日からその翌日以後３年を経過する日までの間	特定非常災害発生日の翌日以後３年を経過した日以後
建物又は構築物	15% （中小企業者等である場合は18%）	10% （中小企業者等である場合は12%）
機械及び装置	30% （中小企業者等である場合は36%）	20% （中小企業者等である場合は24%）

（注）　中小企業者等とは、**【問２-15】**の**【答】**欄に掲げる中小企業者（適用除外事業者に該当するもの（通算法人である法人の各事業年度終了の日において当該通算法人である法人との間に通算完全支配関係がある他の通算法人のうちいずれかの法人が適用除外事業者に該当する場合には、当該通算法人である法人を含みます。）を除きます。）又は農業協同組合等をいいます。

　また、令和３年４月１日以後に取得等をする特定経営力向上設備等については、中小企業者の判定において、いわゆる事業承継ファンドを通じて独立行政法人中小企業基盤整備機構から受けた出資を大規模法人の所有する株式又は出資に含まないこととする措置が廃止されました。

参考　措法43の２（被災代替資産等の特別償却）、措法42の４⑲Ⅶ（試験研究を行った場合の法人税額の特別控除）、措令27の４⑰（試験研究を行った場合の法人税額の特別控除）、措令28の３（被災代替資産等の特別償却）、平29改法附67②、平29.４改措令附、令３改法附47

被災代替資産における同一の用途の判定

【問２－ 40】　被災代替資産等の特別償却制度における被災代替資産に関して、「その用に供することができなくなった時の直前の用途と同一の用途に供される」かどうかについては、どのような区分により判定することになるのでしょうか。

【答】　被災代替資産等の特別償却制度の対象となる被災代替資産とは、法人が有する建物等（建物（その附属設備を含みます。以下同じ。）、構築物又は機械及び装置をいいます。）で特定非常災害に基因して事業の用に供することができなくなったものに代わるものとして、その用に供することができなくなった時の直前の用途と同一の用途に供される建物等（その規模が被災した建物等と同程度以下のもの等に限ります。）で、その建設又は製作の後事業の用に供されたことのないものをいいます。

ここでいう「その用に供することができなくなった時の直前の用途と同一の用途に供される」ものであるかどうかは、その資産の種類に応じ、おおむね次に掲げる区分により判定することとされています。

1　建物にあっては、住宅の用、店舗又は事務所の用、工場の用、倉庫の用、その他の用の区分

2　構築物にあっては、鉄道業用又は軌道業用、その他の鉄道用又は軌道用、発電用又は送配電用、電気通信事業用、放送用又は無線通信用、農林業用、広告用、競技場用、運動場用、遊園地用又は学校用、緑化施設及び庭園、舗装道路及び舗装路面、その他の区分

３　機械及び装置にあっては、耐用年数通達付表10《機械及び装置の耐用年数表（旧別表第２）》に掲げる設備の種類の区分

（注）　被災建物又は当該被災建物に代わるものとして取得等をした建物（以下「被災代替建物」といいます。）が２以上の用途に併用されている場合において、被災代替建物が被災建物と同一の用途に供されるものであるかどうかは、各々の用途に区分して判定しますが、法人が主たる用途により判定しているときは、これを認めて差し支えないものとされています。

また、被災建物が用途の異なる２以上の建物である場合において、一の被災代替建物が２以上の用途に併用される建物であるとき、又は一の被災建物が２以上の用途に併用されている場合において、被災代替建物が用途の異なる２以上の建物であるときも、同様とされています。

参考　措法43の２①（被災代替資産等の特別償却）、措令28の３（被災代替資産等の特別償却）、措通43の２－１（同一の用途の判定）

建物等と一体的に事業の用に供される附属施設の意義

【問２－41】　当社は、このたび特定非常災害として指定された非常災害により被災したことで、事業の用に供していた所有する工場及びその工場に隣接する駐車場が滅失してしまいましたが、この工場及びその工場に隣接する駐車場を被災区域内供用資産として、被災代替資産等の特別償却制度を適用することはできるのでしょうか。

【答】　被災代替資産等の特別償却制度の対象となる被災区域内供用資産とは、被災区域（その特定非常災害に基因して事業又は居住の用に供することができなくなった建物又は構築物の敷地及び当該建物又は構築物と一体的に事業の用に供される附属施設の用に供されていた土地の区域をいいます。）及びその被災区域である土地に付随して一体的に使用される土地の区域内において事業の用に供した建物等で、その建設又は製作の後事業の用に供されたことのないものをいいます。

ここでいう「建物又は構築物と一体的に事業の用に供される附属施設」と

は、特定非常災害に基因して事業又は居住の用に供することができなくなった建物又は構築物と機能的及び地理的な一体性を有して事業の用に供される施設をいうとされていますので、例えば、滅失をした工場の構内にある守衛所、詰所、自転車置場、浴場その他これらに類する施設又は滅失をした建物に隣接する駐車場等の施設がこれに該当します。（この附属施設は、当該特定非常災害に基因して事業又は居住の用に供することができなくなったものであるかどうかは問いません。）

したがって、御質問の場合、滅失した工場及びその工場に隣接する駐車場については、特定非常災害に基因して事業の用に供することができなくなった建物と機能的及び地理的な一体性を有して事業の用に供される施設として、被災区域内供用資産に該当しますので、他の要件を満たす限り、被災代替資産等の特別償却制度を適用することができます。

参考　措法43の２①（被災代替資産等の特別償却）、措令28の３（被災代替資産等の特別償却）、措通43の２－６（建物等と一体的に事業の用に供される附属施設）

第13節　特定事業継続力強化設備等を取得した場合の特別償却

特定事業継続力強化設備等を取得した場合の特別償却

> **【問２－42】**　中小企業者が行う事業継続力強化に資する設備投資を促進するための税制の制度の内容について説明してください。

【答】　近年自然災害が頻発し、中小企業・小規模事業者の事業活動の継続に支障をきたす事態が生じています。

このような中小企業・小規模事業者をめぐる環境の変化を踏まえ、我が国の経済の活力の源泉である中小企業・小規模事業者の経営の強靭化を図り、事業活動の継続に資するため、サプライチェーンや地域の経済・雇用を支える中小企業を中心に災害への対応力を高める必要があります。

そこで、事前の防災・減災対策の先行事例を踏まえ、中小企業者が行う事業継続力強化の取組みや中小企業を取り巻く関係者による中小企業者の事業継続力強化に関する協力など、中小企業者の事業継続力強化に関する基本方針を策定するとともに、中小企業者が単独で又は相互に連携して行う事業継続力強化のための計画を認定し、認定を受けた者について、各種の支援措置を講ずることとされ、税制においても、中小企業者が行う事業継続力強化に資する設備投資を促進する観点から、特定事業継続力強化設備等を取得した場合の特別償却制度が創設されました。

なお、令和３年度改正において、対象法人及び対象資産の見直しが行われるとともに、制度の適用期限が令和５年３月31日まで２年延長されました。その後、令和５年度改正において、制度の適用期限が令和７年３月31日まで

２年延長されました。

この制度の概要は次のとおりです。

１　対象法人

青色申告書を提出する法人で、**【問２-15】**の**【答】**欄に掲げる中小企業者（適用除外事業者又は通算適用除外事業者を除きます。）又はこれに準ずる法人（注）のうち、中小企業の事業活動の継続に資するための中小企業等経営強化法等の一部を改正する法律（令和元年法律第21号）の施行日（令和元年７月16日）から令和７年３月31日までの間に中小企業等経営強化法第56条第１項又は第58条第１項の認定を受けた同法第２条第１項に規定する中小企業者に該当するものが対象となります。

（注）　中小企業者に準ずる法人とは、事業協同組合、協同組合連合会、水産加工業協同組合、水産加工業協同組合連合会及び商店街振興組合をいいます。

２　適用期間

その認定を受けた日から同日以後１年を経過する日までの間に、特定事業継続力強化設備等の取得等をして、事業の用に供した場合に適用されます。

３　対象資産

この制度の対象となる特定事業継続力強化設備等とは、中小企業等経営強化法第56条第１項に規定する事業継続力強化計画若しくは同法第58条第１項に規定する連携事業継続力強化計画に係る事業継続力強化設備等として当該認定事業継続力強化計画等に記載された次に掲げる資産で、その製作若しくは建設の後事業の用に供されたことのないものが対象となります。

なお、特定事業継続力強化設備等の取得等に充てるための国又は地方公共団体の補助金等の交付を受けて取得等をした資産は除かれます。

また、所有権移転外リース取引により取得したものについては、この制度の適用はありません。（所有権移転外リース取引については**【問１-157】**を参照してください。）

①	機械及び装置（注）	１台又は１基の取得価額が100万円以上のもの
②	器具及び備品（注）	１台又は１基の取得価額が30万円以上のもの
③	建物附属設備	一の取得価額が60万円以上のもの

（注）　機械及び装置、器具及び備品の部分について行う改良又は機械及び装置、器具及び備品の移転のための工事の施行に伴って取得し、又は製作するものを含みます。

４　特別償却限度額

特定事業継続力強化設備等の取得価額×18％（令和５年３月31日以前に取得等したものについては20％、令和７年４月１日以後に取得等したものについては16％）

参考　措法44の２（特定事業継続力強化設備等の特別償却）、措令28の５（特定事業継続力強化設備等の特別償却）、令３改法附50③④、令５改法附42③

第14節　共同利用施設の特別償却

共同利用施設の特別償却

【問２－43】　共同利用施設の特別償却制度の内容は、どのようなものか簡単に説明してください。

【答】　この制度は、青色申告書を提出する法人で、生活衛生同業組合（出資組合に限ります。）又は生活衛生同業小組合であるものが、平成３年４月１日から令和７年３月31日までの間に、取得又は製作若しくは建設をする生活衛生関係営業の運営の適正化及び振興に関する法律第56条の３第１項の認定を受けた振興計画に係る共同利用施設について、その初年度において取得価額の６％の特別償却を行うことができるというものです。

また、平成27年度改正において、制度の適用対象資産の見直しが行われ、平成27年４月１日以後に取得等をする共同利用施設については、一の共同利用施設の取得価額が100万円以上のものに限定されました。

更に、平成29年度改正において、平成29年４月１日以後に取得等をする一の共同利用施設の取得価額につき、200万円以上のものに限定され、令和３年度改正において、令和３年４月１日以後に取得等をする一の共同利用施設の取得価額につき、400万円以上のものに限定されるとともに、制度の適用期限が令和５年３月31日まで２年延長されました。その後、令和５年度改正において、令和５年４月１日以後に取得等をする一の共同利用施設のうち建物については、取得価額が600万円以上のものに限定されるとともに、制度の適用期限が令和７年３月31日まで２年延長されました。

ただし、所有権移転外リース取引により取得したものについては、この制度の適用はありません。（所有権移転外リース取引については**【問１-157】**を参照してください。）

参考　措法44の３（共同利用施設の特別償却）、措令28の６（共同利用施設の特別償却）、平27改措令附１、平29改措令附19④、令３改措令附21③、令５改措令附８⑤

第15節　環境負荷低減事業活動用資産等の特別償却

環境負荷低減事業活動用資産等の特別償却

【問２－ 44】　環境負荷低減事業活動用資産等の特別償却について教えてください。

【答】　気候変動、生物多様性の低下等、食料システムを取り巻く環境が変化しており、農林漁業・食品産業の持続的発展のためには、生産から販売までの各段階での環境負荷の低減、農林水産物・食品の流通・消費が課題となっています。

これを踏まえ、関係者の行動変容と技術開発・普及により、環境と調和のとれた食料システムを確立するための「環境と調和のとれた食料システムの確立のための環境負荷低減事業活動の促進等に関する法律」（以下「みどりの食料システム法」といいます。）が令和４年４月22日に可決・成立し、同年５月２日に公布されました。この法律では、環境負荷の低減を図る農林漁業者の取組を促進するための環境負荷低減事業活動実施計画の認定制度や、新技術の提供等を行う事業者の取組を促進するための基盤確立事業実施計画の認定制度が設けられています。

これを受けて、税制においては、同法の認定を受けたこれらの計画に従って行う一定の設備投資に対する特別償却制度が創設されました。

なお、令和６年度改正により、制度の適用期限が令和８年３月31日まで２年延長等されました。

この制度は環境負荷低減事業活動用資産に係る措置と基盤確立事業用資産に係る措置があり、それぞれの概要は次のとおりです。

【環境負荷低減事業活動用資産に係る措置】

１　対象法人

青色申告書を提出する法人で、みどりの食料システム法第19条第１項又は第21条第１項の認定を受けた農林漁業者が対象となります。

なお、この農林漁業者が団体である場合はその構成員等も対象となります。

（注）　農林漁業者とは、みどりの食料システム法第２条第３項に規定する農林漁業者をいい、具体的には、農業者、林業者若しくは漁業者又はこれらの者の組織する団体（これらの者が主たる構成員又は出資者となっている法人を含みます。）をいいます。

２　適用期間

農林漁業者が令和４年７月１日から令和８年３月31日までの間に、環境負荷低減事業活動用資産でその製作若しくは建設の後事業の用に供されたことのないものを取得し、又は製作し、若しくは建設し、その法人の事業の用に供した場合に適用されます。

３　対象資産

この制度の対象となる環境負荷低減事業活動用資産とは、環境負荷低減事業活動（注１）又は特定環境負荷低減事業活動（注２）の用に供する設備等を構成する機械その他の減価償却資産のうち、環境負荷の低減に著しく資するものとして農林水産大臣が定める基準（注３）に適合するもので、その取得価額の合計額が100万円以上のものをいいます。

ただし、所有権移転外リース取引により取得したものについては、この制度の適用はありません。（所有権移転外リース取引については**【問１-157】**を参照してください。）

（注）１　環境負荷低減事業活動とは、農林漁業者が行う農林漁業の持続性の確保に資するよう、環境負荷（農林漁業に由来する環境への負荷をいいます。以下同じ。）の低減を図るために行う次の事業活動をいいます（みどりの食料システム法２④）。

イ　堆肥その他の有機質資材の施用により土壌の性質を改善させ、かつ、化学的に合成された肥料及び農薬の施用及び使用を減少させる技術を用いて行われる生産方式による事業活動

ロ　温室効果ガスの排出の量の削減に資する事業活動

ハ　上記イ及びロのほか、環境負荷の低減に資する一定の事業活動

２　特定環境負荷低減事業活動とは、集団又は相当規模で行われることにより地域における環境負荷の低減の効果を高める一定の環境負荷低減事業活動をいいます（みどりの食料システム法15②Ⅲ）。

３　農林水産大臣が定める基準とは、令和４年農林水産省告示第1415号第１条に規定するものをいいます。

４　特別償却限度額

次の表の区分に応じて資産の取得価額に特別償却割合を乗じて計算した金額の特別償却が認められます。

環境負荷低減事業活動資産の区分	特別償却割合
建物及びその附属設備並びに構築物	16%
上記以外の環境負荷低減事業活動用資産	32%

【基盤確立事業用資産に係る措置】

１　対象法人

青色申告書を提出する法人で、みどりの食料システム法第39条第１項の認定を受けたものが対象となります。

２　適用期間

令和４年７月１日から令和８年３月31日までの間に、基盤確立事業用資産でその製作若しくは建設の後事業の用に供されたことのないものを取得し、又は製作し、若しくは建設し、その法人の事業の用に供した場合に適用されます。

ただし、所有権移転外リース取引により取得したものについては、この制度の適用はありません。（所有権移転外リース取引については**【問１-157】**を参照してください。）

３　対象資産

この制度の対象となる基盤確立事業用資産とは、基盤確立事業（注１）の用に供する設備等を構成する機械その他の減価償却資産のうち、環境負荷の低減を図るために行う取組の効果を著しく高めるものとして農林水産大臣が定める基準（注２）に適合するものをいいます。

（注）１　基盤確立事業とは、環境負荷の低減を図るために行う取組の基盤を確立するた

めに行う事業をいいます（みどりの食料システム法２⑤）が、本制度の対象となる基盤確立事業は、環境負荷の低減に資する資材又は機械類その他の物件の生産及び販売に関する事業に限られます。

２　農林水産大臣が定める基準とは、令和４年農林水産省告示第1415号第２条に規定するものをいいます。

４　特別償却限度額

次の表の区分に応じて資産の取得価額に特別償却割合を乗じて計算した金額の特別償却が認められます。

基盤確立事業用資産の区分	特別償却割合
建物及びその附属設備並びに構築物	16%
上記以外の基盤確立事業用資産	32%

５　適用要件

令和６年４月１日以後に取得等をする機械その他の減価償却資産について、法人が【基盤確立事業用資産に係る措置】の適用を受けるためには、確定申告書等に次の書類を添付することが必要とされています。

①　償却限度額の計算に関する明細書

②　みどりの食料システム法に基づく基盤確立事業実施計画の認定等に関する省令（以下「認定等省令」といいます。）第１条第１項の申請書に添付された基盤確立事業実施計画（変更の認定があったときは、認定等省令第３条第１項の申請書に添付された変更後の基盤確立事業実施計画を含みます。）の写し

③　認定等省令第１条第１項の申請に係る認定通知書（②の変更の認定があったときは、当該変更の認定に係る認定通知書を含みます。）の写し

参考　措法44の４（環境負荷低減事業活動用資産等の特別償却）、措令28の７（環境負荷低減事業活動用資産等の特別償却）、措規20の15（環境負荷低減事業活動用資産等の特別償却）、令６改措令附14、令６改措規附１

第16節　生産方式革新事業活動用資産等を取得した場合の特別償却

生産方式革新事業活動用資産等を取得した場合の特別償却

【問２－45】　生産方式革新事業活動用資産等を取得した場合の特別償却制度の内容について説明してください。

【答】　基幹的農業従事者は令和６年時点から20年間で約４分の１にまで減少することが見込まれ、従来の生産方式を前提とした農業生産では農業の持続的な発展や食料の安定供給を確保できないおそれがあり、農業者の減少下において生産水準が維持できる生産性の高い食料供給体制を確立するためには、農作業の効率化等に資するスマート農業技術の活用と併せて生産方式の転換を進めることが急務とされており、「経済財政運営と改革の基本方針2023（令和５年６月16日閣議決定）」においては、「産学官連携による新技術開発と生産・流通等の方式の変革を促進する仕組みの検討やスマート農林水産業の実装加速化、担い手・サービス事業体等の育成・確保…等を進める」こととされました。

これを踏まえ、「農業の生産性の向上のためのスマート農業技術の活用の促進に関する法律」（以下「スマート農業法」といいます。）が令和６年６月に成立・公布されており、同法においては、スマート農業技術の活用及びこれと併せて行う農産物の新たな生産方式の導入に関する計画並びにスマート農業技術等の開発及びその成果の普及に関する計画の認定制度が設けられています。税制においては、令和６年度改正により、これら認定を受けた計画に従って行う一定の設備投資に対する特別償却制度が創設されました。

この制度の概要は次のとおりです。

1　対象法人

青色申告書を提出する法人で、スマート農業法第８条第３項に規定する認定生産方式革新事業者が対象となります。

2　適用期間

スマート農業法の施行の日（令和６年10月１日）から令和９年３月31日までの間に、当該認定生産方式革新事業者として行う同法第２条第３項に規定する生産方式革新事業活動の用に供するため、生産方式革新事業活動用資産等で、その製作若しくは建設の後事業の用に供されたことのないものを取得等し、これを当該法人の当該生産方式革新事業活動の用に供したときに適用されます。

3　対象資産

この制度の対象となる生産方式革新事業活動用資産等とは、当該認定生産方式革新事業者として行うスマート農業法第２条第３項に規定する生産方式革新事業活動の用に供するための次に掲げる資産をいいます。

ただし、所有権移転外リース取引により取得したものについては、この制度の適用はありません。（所有権移転外リース取引については**【問１-157】**を参照してください。）

①　スマート農業法第８条第３項に規定する認定生産方式革新実施計画に記載された同法第７条第４項第１号に規定する設備等を構成する機械及び装置、器具及び備品、建物及びその附属設備並びに構築物のうち、同法第２条第１項に規定する農作業の効率化等を通じた農業の生産性の向上に著しく資するものとして農林水産大臣が定める基準に適合するもの

②　スマート農業法第８条第３項に規定する認定生産方式革新実施計画に記載された同法第７条第４項第２号に規定する設備等を構成する機械及び装置のうち、当該認定生産方式革新実施計画に係る同法第２条第３項に規定する農業者等が行う生産方式革新事業活動の促進に特に資するものとして農林水産大臣が定める基準に適合するもの

４　特別償却限度額

生産方式革新事業活動用資産等の取得価額に、上記①及び②の区分に応じた次の割合を乗じて計算した金額の特別償却が認められます。

対象資産の区分		特別償却割合
上記①	機械及び装置、器具及び備品	32%
	建物及びその附属設備並びに構築物	16%
上記②		25%

参 考　措法44の５（生産方式革新事業活動用資産等の特別償却）、措令28の８（生産方式革新事業活動用資産等の特別償却）、令６改法附１XⅣ、令６改措令附１Ｖ

第17節　特定地域における工業用機械等の特別償却

特定地域における工業用機械等の割増償却

【問２－ 46】　特定地域における工業用機械等の割増償却制度の内容はどのようなものか、簡単に説明してください。

【答】　特定地域における工業用機械等の割増償却制度は、平成25年度改正において半島振興対策実施地域、離島振興対策実施地域及び奄美群島の地域について、自ら産業振興を戦略的に進めようとする市町村を積極的に支援するとの観点から、域外からの大規模な企業誘致を前提とした製造業中心の設備投資を対象とする一律横断的な措置を見直し、各地域の実情を踏まえた戦略に応じることができるように、創設されました。

なお、過疎地域自立促進特別措置法が令和３年３月31日をもってその効力を失うことに伴い、過疎地域における持続的発展に関する施策を総合的かつ計画的に推進するため、過疎地域の持続的発展の支援に関する特別措置法が令和３年４月１日に施行され、本制度における過疎地域に係る措置については、同法の過疎地域又は過疎地域に準ずる地域の市町村が定める過疎地域持続的発展市町村計画に記載された産業振興促進区域及び事業に係る割増償却措置に改組されました。

また、離島振興法の一部を改正する法律が令和５年４月１日に施行され、本制度における離島振興対策実施地域に係る措置については、同法の離島振興計画に記載された区域及び事業に係る措置に見直されました。

更に、令和６年度改正により、対象となる特定地域の見直し等がされました。

この制度の概要は次のとおりです。

1　対象法人

青色申告書を提出する法人が対象となります。

2　適用期間・対象資産

平成25年４月１日から令和７年３月31日まで（表１の①の地区にあっては令和３年４月１日から令和９年３月31日まで）の間に、同表の特定地域内において、同表の指定事業の用に供する同表の設備の取得等をする場合（中小規模法人以外の法人にあっては、新設又は増設に係る当該設備の取得をする場合に限ります。）において、その取得等をしたその設備をその特定地域内においてその法人の指定事業の用に供したときに適用されます。

（注）中小規模法人とは、次の法人（他の通算法人のうちいずれかの法人が資本金の額等が5,000万円を超える法人に該当する場合における通算法人を除きます。）であって、適用除外事業者又は通算適用除外事業者に該当する法人以外のものをいいます。

①　資本金の額等が5,000万円以下の法人

②　資本又は出資を有しない法人

【表１】

	特定地域	指定事業	設備
①	過疎地域の持続的発展の支援に関する特別措置法の過疎地域及びこれに準ずる地域のうち、産業の振興のための取組が積極的に促進される地区	製造業、農林水産物等販売業、旅館業及び情報サービス業等（以下「製造業等」といいます。）のうち、その特定地域に係る特定過疎地域持続的発展市町村計画に振興すべき業種として定められた事業	特定地域内において営む指定事業の用に供される設備で一定の規模のもの
②	半島振興法の半島振興対策実施地域として指定された地区のうち、産業の振興のための取組が積極的に促進される地区（①に該当する地区を除きます。）	製造業等のうち、その特定地域に係る認定半島産業振興促進計画に記載された事業	特定地域内において営む指定事業の用に供される設備で一定の規模のもの
③	離島振興法の離島振興対策実施地域として指定された地区のうち、産業の振興のための取組が積極的に促進される地区（①に該当する地区を除きます。）	製造業等のうち、その特定地域に係る特定離島振興計画に記載された事業	特定地域内において営む指定事業の用に供される設備で一定の規模のもの

④ (※)	奄美群島振興開発特別措置法の奄美群島のうち、産業の振興のための取組が積極的に促進される地区（①に該当する地区を除きます。）	製造業等のうち、その特定地域に係る認定奄美産業振興促進計画に記載された事業	特定地域内において営む指定事業の用に供される設備で一定の規模のもの

※　なお、上記④は令和６年度改正により対象から除かれており、平成25年４月１日から令和６年３月31日までの間に取得等をした設備に限り、本制度が適用されます。

３　割増償却

事業の用に供した日以後５年以内の日を含む各事業年度のその対象設備に係る産業振興機械等の償却限度額は、供用日以後５年以内でその用に供している限り、普通償却限度額に表２の一定割合を乗じた割増償却額を加えたものとなります。

（注）　産業振興機械等とは、同表の一定の規模の設備を構成するもののうち、機械及び装置、建物及びその附属設備並びに構築物をいいます。

【表２】

産業振興機械等の種類	割増償却割合
機械及び装置	32%
建物及びその附属設備並びに構築物	48%

参考　措法45③（特定地域における工業用機械等の割増償却）、措令28の９（特定地域における工業用機械等の特別償却）

自社工場から特定地域の工場へ移設した機械装置の特別償却

【問２－ 47】　当社は、Ａ市で電気製品の部品を製造していましたが、この度、特定地域に該当するＢ町に新工場が完成したので、老朽化したＡ市の工場を閉鎖し、新工場に機械及び装置を移設しました。

この場合、旧工場から新工場へ移設した機械及び装置について特定地域における工業用機械等の特別償却の適用を受けることができるのでしょうか。

【答】　特定地域における工業用機械等の特別償却の対象となる資産は、生産等設備の新増設に伴って取得し又は製作し、若しくは建設した工業用機械等をいい、その工業用機械等が新品であることを要しませんが、自社の他の工場から転用したものは含まれません。

したがって、旧工場から新工場へ移設した機械及び装置については、特別償却の適用を受けることができません。

なお、新築した工場用建物については、その建物にこの特別償却の対象となる設備が設置されていることの要件は付されていませんので、その建物が特別償却の要件を満たす以上、特別償却が受けられることになります。

なお、令和３年度改正により、過疎地域に係る特別償却制度が廃止され、新たな過疎地域に係る割増償却措置が設けられました。（詳しくは、**【問２－46】**を参照してください。）

参考　措法45①（特定地域における工業用機械等の特別償却）、措通45－４（特別償却等の対象となる新設又は増設に伴い取得等をした資産）

中古の工業用機械等を取得した場合の特別償却

【問２－48】　当社は、この度、特定地域において操業していた親会社の自動車部品製造工場を３億円で譲り受け、これに新品の機械及び装置を増設して引き続き自動車部品を製造することになりました。

この場合、特定地域における工業用機械等の特別償却の適用を受けることができるのは、増設に伴って取得した新品の機械及び装置だけでしょうか。

【答】　特定地域における工業用機械等の特別償却の対象となる資産とは、生産等設備の新増設に伴って取得し、又は製作し、若しくは建設した工業用機械等をいいますから、その新増設に伴って取得し、又は製作し、若しくは建設したものであれば、新品であることは要しません。

この場合の新増設に係る工業用機械の取得には、次のような資産の取得が含まれるものとして取り扱われています。

1　既存設備が災害により滅失又は損壊したため、その代替設備として取得をした工業用機械等

2　既存設備の取替え又は更新のために工業用機械等の取得をした場合で、その取得により生産能力、処理能力等が従前に比して相当程度（おおむね30%）以上増加したときにおけるその工業用機械等のうちその生産能力、処理能力等が増加した部分に係るもの

3　特定地域において他の者が製造の事業等の用に供していた工業用機械等を取得した場合におけるその工業用機械等

御質問の場合は、関連会社間における工業用機械等の承継移転ですが、譲渡した側の法人と譲り受けた側の法人とがどのような関係にあるかを問わず、これを取得した法人の側においては明らかに新規の設備投資であると認められますから、上記３に該当すると判断されます。

したがって、親会社から譲り受けた機械及び装置、工場用建物及びその附

属設備についても特別償却の適用を受けることができます。

なお、令和３年改正により、過疎地域に係る特別償却制度が廃止され、新たな過疎地域に係る割増償却措置が設けられました。（詳しくは、**【問２-46】**を参照してください。）

参考　措法45①（特定地域における工業用機械等の特別償却）、措通45－５（新増設の範囲）

２以上の用途に共用されている工場用建物の特別償却

【問２- 49】　当社は、この度、特定地域において、下図のような工場用建物を８億円で建設しました。

この工場用建物は、２階建で、１階部分はテレビ部品製造工場として使用し、２階部分は資材、製品等の保管用倉庫として使用しています。この場合、建物全体について特定地域における工業用機械等の特別償却の適用を受けることができるのでしょうか。

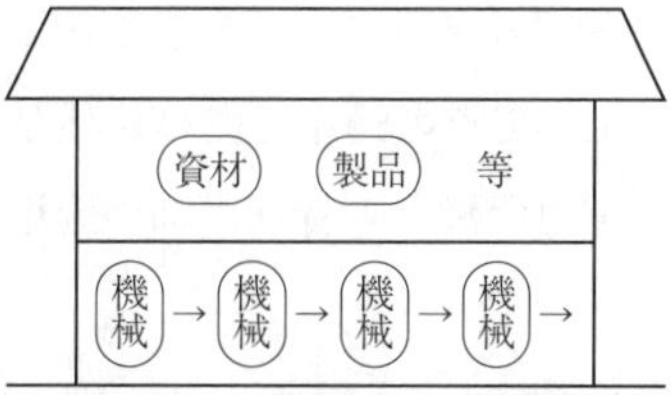

【答】　一の建物が工場用とその他の用に共用されている場合の特定地域における工業用機械等の特別償却の適用に当たっては、原則としてその用途の異なるごとに区分し、工場用に供されている部分についてのみこの特別償却の対象となりますが、次の場合には、次によることとなります。

１　工場用とその他の用に供されている部分を区分することが困難であるときは、その建物が主としていずれの用に供されているかにより判定します。

２　その他の用に供されている部分が極めて小部分であるときは、その全部が工場用に供されているものとすることができます。

したがって、御質問の建物は、区分が可能と考えられますので、１階部分のみが、この特別償却の適用対象となります。

なお、令和３年度改正により、過疎地域に係る特別償却制度が廃止され、新たな過疎地域に係る割増償却措置が設けられました。（詳しくは、**【問２-46】**を参照してください。）

参考　措法45①（特定地域における工業用機械等の特別償却）、措通45－７（工場用、作業場用等とその他の用に共用されている建物の判定）

特定地域における工業用機械等の特別償却と特定経営力向上設備等の特別償却との関係

【問２-50】　当社は、この度、特定地域であるＡ町に機械部品の製造を行うための新工場を建設しました。

その際、取得した機械及び装置の中に特定経営力向上設備等の特別償却の適用を受けることができるものがあるため、それだけを取り出してその適用を受け、残りのものについては特定地域における工業用機械等の特別償却の適用を受けたいと考えていますが認められるでしょうか。

【答】　御質問のような場合、特定経営力向上設備等の特別償却の適用を受けることができる資産についてはその適用を受け、残りの資産については特定地域における工業用機械等の特別償却の適用を受けることができます。

なお、特定地域における工業用機械等の特別償却限度額の計算において、工業用機械等で一の生産等設備を構成するものの取得価額の合計額が20億円を超えるか否かの判定及び20億円を超える場合の按分計算のいずれについても、特定経営力向上設備等の特別償却の適用を受けるものは関係させません。

また、特定地域における工業用機械等の特別償却の対象となる一の生産等設備で、これを構成する減価償却資産の取得価額の合計額が50万円、100万円、500万円又は1,000万円を超えるかどうかの判定をする場合には、特定経営力向上設備等の特別償却の適用を受けるものを含めたところで判定します。

なお、令和３年度改正により、過疎地域に係る特別償却制度が廃止され、新たな過疎地域に係る割増償却措置が設けられました。（詳しくは、**【問2-46】**を参照してください。）

参 考　措法45①（特定地域における工業用機械等の特別償却）、措令28の９②（特定地域における工業用機械等の特別償却）、措通45－２（一の生産等設備等の取得価額基準の判定）、措通45－９（取得価額の合計額が20億円を超えるかどうか等の判定）

第18節　医療用機器等の特別償却

医療用機器を取得した場合の特別償却

【問2－51】　医療用機器を取得した場合の特別償却制度の内容について説明してください。

【答】　この制度の概要は次のとおりです。

1　対象法人

青色申告書を提出する法人で医療保健業を営むもの

2　適用期間

昭和54年4月1日から令和7年3月31日までの間に、医療用機器でその製作の後事業の用に供されたことのないものを取得し、又は製作して、これを医療保健業の用に供した場合に適用されます。

3　対象資産

この制度の対象となる医療用機器とは、医療用の機械及び装置並びに器具及び備品（1台又は1基（通常1組又は1式を取引単位とされるものにあっては、1組又は1式）の取得価額が500万円以上のものに限ります。）のうち高度な医療の提供に資するもの若しくは先進的なものとして次の表に掲げるものをいいます。

①	医療用の機械等のうち、高度な医療の提供に資するものとして厚生労働大臣が財務大臣と協議して指定するもの	
	イ	主にがんの検査、治療、療養のために用いられる機械等（核医学診断用検出器回転型SPECT装置　等86設備）
	ロ	主に心臓疾患の検査、治療、療養のために用いられる機械等（人工心肺用システム　等16設備）

①	ハ	主に糖尿病等の生活習慣病の検査、治療、療養のために用いられる機械等（眼科用レーザー光凝固装置　等16設備）
	ニ	主に脳血管疾患又は精神疾患の検査、治療、療養のために用いられる機械等（患者モニタシステム　等９設備）
	ホ	主に歯科疾患の検査、治療、療養のために用いられる機械等（歯科用ユニット　等12設備）
	ヘ	異常分娩における母胎の救急救命、新生児医療、救急医療、難病、感染症疾患その他高度な医療における検査、治療、療養のために用いられる機械等（全身用Ｘ線CT診断装置　等78装置）
	(注)　平成31年４月１日以後に取得等をする次に掲げる医療用機器については、医療用機器の配置の効率化及び共同利用を促進する観点から、それぞれの区分に応じた要件を満たすことについて、その対象機器を医療保健業の用に供する病院の所在する構想区域等に係る都道府県知事による確認が必要となります。 (1)　超電導磁石式全身用MR装置 (2)　永久磁石式全身用MR装置 (3)　全身用Ｘ線CT診断装置（４列未満を除きます。） (4)　人体回転型全身用Ｘ線CT診断装置（４列未満を除きます。）	
②	医薬品、医療機器等の品質、有効性及び安全性の確保等に関する法律第２条第５項に規定する高度管理医療機器、同条第６項に規定する管理医療機器又は同条第７項に規定する一般医療機器で、これらの規定により厚生労働大臣が指定した日の翌日から２年を経過していないもの（①に掲げるものを除きます。）	

ただし、所有権移転外リース取引により取得したものについては、この制度の適用はありません。（所有権移転外リース取引については、**【問１-157】**を参照してください。）

4　特別償却限度額

医療用機器の取得価額×12％

参考　措法45の２①（医療用機器等の特別償却）、措令28の10（医療用機器等の特別償却）、平29改法附１、平31改措令附20②、平21厚労告第248号（最終改正令５厚労告第166号〔別表〕）、平31厚労告第151号（最終改正令３厚労告第160号）

医療用機器の範囲

【問２－ 52】　当病院は青色申告書を提出する３月決算の医療法人です。令和６年11月に病院で使用するため、次の資産を取得しました。取得した資産のうち、特別償却ができるものはどれですか。

なお、これらの資産の取得価額はいずれも１台当たり500万円以上です。

(1)　核医学診断用検出器回転型SPECT装置

(2)　人工心肺用システム

(3)　スプリンクラー設備

(4)　自動カルテ抽出機

(5)　レントゲン車

【答】　医療用機器を取得した場合の特別償却制度の対象となる医療用機器とは、医療用の機械及び装置並びに器具及び備品のうち高度な医療の提供に資するもの若しくは先進的なものとして**【問２-51】**の**【答】**「３　対象資産」の表に掲げるものをいいます。

したがって、ご質問の(1)核医学診断用検出器回転型SPECT装置及び(2)人工心肺用システムについては特別償却の適用がありますが、(3)スプリンクラー設備、(4)自動カルテ抽出機及び(5)レントゲン車については適用がありません。

参考　措法45の２①（医療用機器等の特別償却）、措令28の10（医療用機器等の特別償却）、平29改法附１、平31改措令附20②、平21厚労告第248号（最終改正令５厚労告第166号〔別表〕）

医師等の勤務時間短縮用設備等を取得した場合の特別償却

【問２－53】　医師等の働き方改革を推進するための勤務時間短縮用設備等の特別償却制度の内容について説明してください。

【答】　医師の長時間労働は、医療事故の危険性の増大などの医療安全上のリスクに直結しており、医師は全業種・職種の中でも最も長時間労働の実態にあるとされています。いわゆる応召義務を背景とする不確実性の高い医療ニーズへの対応や日々進歩する知識・技術の習得など不可欠な自主研鑽の実施といった医師の特性から、その複雑な労働態様の管理は容易ではないとされ、労働時間管理の実効性の向上に加え、医師の労働時間の直接的な短縮等を実現する必要があるとされています。

こうした実態を踏まえれば、安心で安全な最新の医療技術を広く提供する体制を確保する観点から、医療用機器の効率的な配置の促進に加え、医師の働き方改革の推進が不可欠です。

そこで、医師の働き方改革の推進を税制においても支援するため、医師の労働時間削減に資する機器の導入を促進する税制措置が創設されました。

この制度の概要は次のとおりです。

１　対象法人

青色申告書を提出する法人で医療保健業を営む法人が対象となります。

２　適用期間

平成31年４月１日から令和７年３月31日までの間に、勤務時間短縮用設備等の取得等をして、これを法人の営む医療保健業の用に供した場合に適用されます。

３　対象資産

この制度の対象となる勤務時間短縮用設備等とは、医師等勤務時間短縮計画に医療従事者の勤務時間の短縮に資する機能別の機器の種類として厚生労働大臣が指定するものに該当する旨の記載がされた次に掲げる資産で、製作の後事業の用に供されたことのないものをいいます。

ただし、所有権移転外リース取引により取得したものについては、この制度の適用はありません。（所有権移転外リース取引については**【問１-157】**を参照してください。）

（注）医師等勤務短縮時間計画とは、医療法第30条の21第１項第１号に掲げる事務を実施する都道府県の機関の助言を受けて作成される医師その他の医療従事者の勤務時間を短縮するための計画として医療従事者の勤務時間の実態、勤務時間の短縮のための対策、その対策に有用な設備の機能その他の厚生労働大臣が定める事項が記載された計画をいいます。

①	器具及び備品	１台又は１基の取得価額が30万円以上のもの
②	特定ソフトウエア	一の取得価額が30万円以上のもの

（注）１　医療用機器の特別償却の適用を受けるものは除かれます。（医療用機器の特別償却、医療用機器の範囲については**【問２-51】【問２-52】**を参照してください。）

２　特定ソフトウエアとは、電子計算機に対する指令であって一の結果を得ることができるように組み合わされたものとされ、これに関連するシステム仕様書その他の書類を含むものをいいます。

４　特別償却限度額

勤務時間短縮用設備等の取得価額×15％

５　適用要件

この制度の適用を受けるためには、確定申告書等に次の書類を添付することが必要とされています。

①　償却限度額の計算に関する明細書

②　医師等勤務時間短縮計画の写し

参考　措法45の２②④（医療用機器等の特別償却）、措令28の10③④⑤（医療用機器等の特別償却）、措規20の17（医療用機器等の特別償却）

構想適合病院用建物等を取得した場合の特別償却

【問２－54】　構想適合病院用建物等の特別償却制度の内容について説明してください。

【答】　地域医療構想の実現のため、構想区域ごとに設置された地域医療構想調整会議において、個別の医療用機関の対応方針に関する協議が進展しており、民間の医療用機関における病床の機能分化・連携についても、その具体的対応方針の合意形成に向けた自主的な取組が進められています。

こうした取組を推進するとともに、地域医療構想調整会議において合意された具体的対応方針に基づく病床再編等の実施を促進する観点から、その病床再編等に係る工事等により取得する具体的対応方針に適合する建物等の特別償却措置が創設されました。

この制度の概要は次のとおりです。

1　対象法人

青色申告書を提出する法人で医療保健業を営むものが対象となります。

2　適用期間

平成31年４月１日から令和７年３月31日までの間に、構想区域等内において、構想適合病院用建物等の取得等をして、これを法人の営む医療保健業の用に供した場合に適用されます。

（注）　構想区域等とは、医療法第30条の４第１項に規定する医療計画に係る構想区域等をいいます。

3　対象資産

この制度の対象となる構想適合病院用建物等とは、構想区域等内において医療保健業の用に供される病院用又は診療所用の建物及びその附属設備のうち次に掲げる要件のいずれかに該当するもので、当該構想区域等に係る協議の場における協議に基づく病床の機能区分に応じた病床数の増加に資するものであることについて当該構想区域等に係る都道府県知事のその旨を確認した書類を本措置の適用を受ける事業年度の確定申告書等に添付することにより証明がされたものをいいます。

ただし、所有権移転外リース取引により取得したものについては、この制度の適用はありません。（所有権移転外リース取引については**【問１-157】**を参照してください。）

①　医療保健業の用に供されていた病院用又は診療所用の建物及びその附属設備（以下「既存病院用建物等」といいます。）についてその用途を廃止し、これに代わるものとして新たに建設されるもの

②　その改修により既存病院用建物等において病床の機能区分のうちいずれかのものに応じた病床数が増加する場合の当該改修のための工事により取得又は建設をされるもの

４　特別償却限度額

構想適合病院用建物等の取得価額×８％

５　適用要件

この制度の適用を受けるためには、確定申告書等に次の書類を添付することが必要とされています。

①　償却限度額の計算に関する明細書

②　構想区域等に係る都道府県知事のその旨を確認した書類

参考　措法45の２③④（医療用機器等の特別償却）、措令28の10⑥（医療用機器等の特別償却）、平31改法附１

第19節　事業再編計画の認定を受けた場合の事業再編促進機械等の割増償却

事業再編計画の認定を受けた場合の事業再編促進機械等の割増償却

> **【問２－55】**　事業再編計画の認定を受けた場合の事業再編促進機械等の割増償却制度の内容について説明してください。

【答】　日本の農業を将来にわたって持続的に発展させるため、平成28年11月に改訂された「農林水産業・地域の活力創造プラン」等に基づき、国の責務や国が講ずべき施策等を明確化し、良質かつ低廉な農業資材の供給と農産物流通等の合理化の実現を図ることによって、農業の競争力の強化の取組を支援していくため、国が農業資材事業及び農産物流通等事業について、事業環境の整備、適正な競争の下で高い生産性を確保するための事業再編又は事業参入の促進等を講ずること等を内容とする「農業競争力強化支援法」が平成29年８月１日から施行されています。

税制においても、良質かつ低廉な農業資材の提供又は農産物流通等の合理化を目的として行う事業再編又は事業参入を促進するため、事業再編等に関する計画認定制度が創設されることに伴い、当該制度の利用を通じた業界再編を後押しする観点から、認定を受けた計画に基づく設備投資に際し、その後のキャッシュフローの改善に資するため、事業再編計画の認定を受けた場合の事業再編促進機械等の割増償却制度が創設されました。

なお、令和６年度改正により本制度は廃止されていますが、取得等をした令和６年度改正前の事業再編促進機械等で令和６年３月31日以前に受けた認定に係る認定事業再編計画に記載されたもの（令和６年４月１日以後に取得等をする事業再編促進機械等にあっては、令和６年３月31日において記載されているものに限ります。）については、本制度の適用があります。

この制度の概要は次のとおりです。

１　対象法人

青色申告書を提出している法人で、農業競争力強化支援法の認定事業再編事業者（平成29年８月１日から令和７年３月31日までの間に認定を受けた法人又はその認定に係る事業再編計画に従って設立された法人に限ります。）であるものが対象となります。

２　適用期間

その認定に係る認定事業再編計画に係る実施期間内に取得等をした事業再編促進機械等を事業再編促進対象事業の用に供した日以後５年以内（以下「供用期間」といいます。）で、その用に供している期間に限り適用されます。

なお、供用期間内にその事業再編促進機械等に係る認定事業再編計画について認定の取消しがあった場合には、供用日から認定の取消しがあった日までの期間でその用に供している期間について適用されます。

（注）　認定事業再編計画は、変更の認定があったときはその変更後のものとし、その認定事業再編計画に係る事業再編が農業競争力強化支援法第２条第５項１号の措置のうち良質かつ低廉な農業資材の供給又は農産物流通等の合理化に特に資するものとして財務省令で定めるものを行うものである場合における事業再編計画に限られます。

３　対象資産

この制度の対象となる事業再編促進機械等とは、その認定事業再編計画に記載された事業再編促進設備等を構成する機械及び装置、建物及びその附属設備並びに構築物で、その製作若しくは建設の後事業の用に供されたことのないものをいいます。

ただし、所有権移転外リース取引により取得したものについては、この制度の適用はありません。（所有権移転外リース取引については**【問１-157】**を参照してください。）

４　割増償却限度額

普通償却限度額に、次の区分に応じた償却割合を乗じて計算した金額の割増償却が認められます。

事業再編促進機械等の種類	割増償却割合
①　機械及び装置	35%
②　建物及びその附属設備並びに構築物	40%

5　適用要件

この制度の適用を受けるためには、確定申告書等に次の書類を添付することが必要とされています。

①　償却限度額の計算に関する明細書

②　その適用に係る事業再編促進機械等が記載された事業再編計画のその認定に係る申請書の写し

③　②の事業再編計画に係る認定書の写し

参考　旧措法46（事業再編計画の認定を受けた場合の事業再編促進機械等の割増償却）、旧措令29の３（事業再編計画の認定を受けた場合の事業再編促進機械等の割増償却）、旧措規20の19（事業再編計画の認定を受けた場合の事業再編促進機械等の割増償却）、令５改法附42⑤、令６改法附48②、令６改措令附１、令６改措規附１

第20節　輸出事業用資産の割増償却

輸出事業用資産の割増償却

【問２‐56】　令和４年度改正により輸出事業用資産の割増償却制度が創設されたと聞きましたが、その制度の内容について説明してください。

【答】　「食料・農業・農村基本計画（令和２年３月閣議決定）」において、農業・農村の持続性を確保し農業の生産基盤を維持していくための手段の一つとして、国内需要に応じた生産を拡大することに加え、可能な限り輸出を拡大していくこととされ、令和12年までに５兆円という農林水産物・食品の輸出額の目標が設定されました。また、同計画では、「海外の食品安全規制への対応の強化、海外の規制・ニーズに応じた生産ができる事業者の育成、輸出先のニーズに応じた供給力の強化」などの対応を進めることとされています。

これを踏まえ、農林水産物・食品輸出促進団体（品目団体）の認定制度の創設、認定輸出事業者に対する支援の拡充及び民間検査機関による輸出証明書の発行制度の創設等をする、農林水産物及び食品の輸出の促進に関する法律（以下「輸出促進法」といいます。）等の一部を改正する法律が令和４年５月19日に可決・成立し、同月25日に公布されました。この輸出促進法の改正により、施設等の整備に関する事項が同法の輸出事業計画の記載事項とされ、税制においては、同法の認定を受けた輸出事業計画に従って行う一定の設備投資に対する割増償却制度が創設されました。

なお、令和６年度改正により、制度の適用期限が令和８年３月31日まで２年延長等されました。

この制度の概要は次のとおりです。

１　対象法人

青色申告書を提出する法人で、輸出促進法第38条第１項に規定する認定輸出事業者が対象となります。

（注）　認定輸出事業者とは、輸出促進法第37条第１項に規定する輸出事業計画の認定を受けた者をいいます。

２　適用期間

認定輸出事業者が、令和４年10月１日から令和８年３月31日までに輸出事業用資産を取得し、又は製作若しくは建設し、その法人の輸出事業の用に供した場合には、その用に供した日以後５年以内（以下「供用期間」といいます。）の日を含む各事業年度（その輸出事業用資産を輸出事業の用に供していることにつき農林水産省関係農林水産物及び食品の輸出の促進に関する法律施行規則第８条第１項の証明書の写しを確定申告書等に添付することにより証明がされた事業年度に限ります。）に限り適用されます。

なお、供用期間内にその輸出事業用資産に係るその認定輸出事業計画について認定の取消しがあった場合には、供用日からその認定の取消しがあった日までの期間でその輸出事業の用に供している期間について適用されます。

３　対象資産

この制度の対象となる輸出事業用資産とは、その法人の認定輸出事業計画（注１）に記載された輸出事業の用に供する施設に該当する機械及び装置、建物及びその附属設備並びに構築物のうち、輸出促進法第２条第１項に規定する農林水産物又は同条第２項に規定する食品の生産、製造、加工又は流通の合理化、高度化その他の改善に資するものとして農林水産大臣が定める要件を満たすもの（注２）とされています。

ただし、所有権移転外リース取引により取得したものについては、この制度の適用はありません。（所有権移転外リース取引については**【問１-157】**を参照してください。）

なお、建物の附属設備は、当該建物とともに取得等をする場合における建物附属設備に限られます。

（注）１　認定輸出事業計画とは、認定輸出事業者のその認定に係る輸出事業計画（輸

出促進法第38条第１項の規定による変更の認定があったときは、その変更後のもの）をいいます。

2　令和６年４月１日以後に取得等をする輸出事業用資産については、開発研究の用に供されるものは除きます。

この開発研究とは、新たな製品の製造又は新たな技術の発明に係る試験研究として、次の①から④に掲げる試験研究をいい、また次の①、②及び④に掲げるような試験研究を基礎とし、これらの試験研究の成果を企業化するためのデータの収集も含まれます。

①	新たな製品のうち当該法人の既存の製品と構造、品種その他の特性が著しく異なるものの製造を目的として行う試験研究
②	新たな製品を製造するために行う新たな資源の利用方法の研究
③	新たな製品を製造するために現に企業化されている製造方法その他の生産技術を改善することを目的として行う試験研究
④	新たな技術のうち当該法人の既存の技術と原理又は方法が異なるものの発明を目的として行う試験研究

4　割増償却限度額

普通償却限度額に、次の区分に応じた償却割合を乗じて計算した金額の割増償却が認められます。

輸出事業用資産の種類	割増償却割合
①　機械及び装置	30%
②　建物及びその附属設備並びに構築物	35%

参考　措法46（輸出事業用資産の割増償却）、措令29（輸出事業用資産の割増償却）、措規20の20（輸出事業用資産の割増償却）、令４改法附１Ｘイ、令６改法附48③、令６改措令附１、措通46－１（特別償却の対象となる建物の附属設備）、措通46－２（開発研究の意義）

第21節　企業主導型保育施設用資産の割増償却

企業主導型保育施設用資産の割増償却

【問２－ 57】　企業主導型保育施設用資産の割増償却制度の内容について説明してください。

【答】　平成29年６月２日に公表された「子育て安心プラン」においては、平成30年度から平成34年度までの５年間で女性就業率80％に対応できる約32万人の保育の受け皿を整備することとされていましたが、「新しい経済政策パッケージについて」（平成29年12月８日閣議決定）において、待機児童の解消の早期の実現に向けて「子育て安心プラン」を２年間前倒しし、平成32年度までに約32万人分の保育の受け皿整備を着実に進めることとされました。

「子育て安心プラン」においては、これまで以上に民間事業者による保育の受け皿の整備が不可欠であると考えられていますが、特に企業主導型保育事業は制度が創設された平成28年12月から間もなく、これまでその施設整備が十分に進んでいなかったことから、企業主導型保育の受け皿の整備を進めていくことが必要な状況となっています。

このような状況を踏まえ、待機児童の解消の早期の実現を加速化させるための民間事業者による企業主導型保育の受け皿の整備を促進する観点から、企業主導型保育施設用資産の割増償却制度が創設されました。

なお、令和２年度改正において、この制度は適用期限（令和２年３月31日）の到来をもって廃止されています。

この制度の概要は次のとおりです。

１　対象法人

青色申告書を提出している法人が対象となります。

２　適用期間

平成30年４月１日から令和２年３月31日までの間に、企業主導型保育施設用資産で、その製作又は建設の後事業の用に供されたことのないものを取得等し、これを当該法人の保育事業の用に供したときは、供用期間の日を含む各事業年度において、その企業主導型保育施設用資産に係る事業所内保育施設につき助成金の交付を受ける期間に限り、適用されます。

なお、この制度における供用期間とは、企業主導型保育施設用資産を法人の保育事業の用に供した日以後３年以内をいいます。

３　対象資産

この制度の適用となる企業主導型保育施設用資産とは、事業所内保育施設(注１)の新設又は増設をする場合（その新設又は増設をする事業所内保育施設とともに幼児遊戯用構築物等(注２)の取得等をする場合で、かつ、その事業所内保育施設につき子ども・子育て支援法第59条の２第１項の規定による助成を行う事業に係る助成金の交付を受ける場合に限ります。）において、その新設若しくは増設に係る事業所内保育施設を構成する建物及びその附属設備並びにその幼児遊戯用構築物等をいいます。

ただし、所有権移転外リース取引により取得したものについては、この制度の適用はありません。（所有権移転外リース取引については**【問１-157】**を参照してください。）

（注）１　事業所内保育施設とは、子ども・子育て支援法第59条の２第１項に規定する施設のうち児童福祉法第６条の３第12項に規定する業務（以下「保育事業」といいます。）を目的とするものをいいます。

２　幼児遊戯用構築物等とは、(注)１の事業所内保育施設における保育事業の用に供する次に掲げる減価償却資産をいいます。

企業主導型保育施設用資産の種類	具体例
遊戯用の構築物のうち幼児用のもの	滑り台、ぶらんこ、ジャングルジムその他の遊戯用の構築物

遊戯具その他の器具及び備品	遊戯具、家具及び一定の防犯設備

４　割増償却限度額

普通償却限度額に、次の区分に応じた償却割合を乗じて計算した金額の割増償却が認められます。

対象資産の種類	割増償却割合
①　建物及びその附属設備並びに構築物	15%
②　①以外の対象資産	12%

５　適用要件

この制度の適用を受けるためには、確定申告書等に次の書類を添付することが必要とされています。

①　償却限度額の計算に関する明細書

②　（その適用を受ける最初の事業年度の確定申告書等に）新設又は増設に係る事業所内保育施設とともに幼児遊戯用構築物等の取得等をすること及びその事業所内保育施設につき３の助成金の交付を受けることが確認できる書類

参考　旧措法47（企業主導型保育施設用資産の割増償却）、旧措令29の４（企業主導型保育施設用資産の割増償却）、旧措規20の20（企業主導型保育施設用資産の割増償却）

第３章　耐用年数関係

第１節　共通事項

耐用年数の基本的な考え方

【問３－１】　税法上、減価償却資産の耐用年数については、企業が自主的に決定するのではなく、その年数を画一的に定めていますが、この法定耐用年数制度の基本的な考え方を説明してください。

【答】　耐用年数の決定は、減価償却費を計算する場合の重要な要素の一つであることはいうまでもありませんが、その決定を企業の自主性に委ねるとしますと、企業に年数算定のための事務負担を与えることとなるほか、場合によっては、恣意性が介入するというような問題が生じますので、税法では、減価償却資産について、画一的にその耐用年数を定めています。

この法定耐用年数は、原則として通常考えられる維持補修を加える場合において、その減価償却資産の本来の用途・用法により現に通常予定される効果をあげることができる年数、つまり通常の効用持続年数を意味しています。

したがって、個々の減価償却資産の物理的寿命のみならず、その経済的陳腐化も織り込んだところでその年数が定められています。

なお、このように耐用年数が画一的に定められていますと、必ずしも実態に即さないという場合も生じますので、別途、①耐用年数の短縮、②増加償却といった制度を設け、企業の個別事情等に対応することとしています。

「業用のもの」の意義

【問３－２】　当社は、タクシー業を営んでいます。今回、当社の修理工場で洗車用に使用する「自動車洗車機械設備」を購入しました。これは規模等からみて機械及び装置とみられますが、耐用年数省令別表第二のいずれの業用設備に該当するのでしょうか。

【答】　耐用年数省令別表第一及び別表第二に掲げる「…業用のもの」及び「…業用設備」とは、法人がその事業を業として営んでいる場合のその事業の用に供されているものをいいます。

ところで、機械及び装置が同別表第二に掲げる設備の種類のいずれに該当するかは、基本的には、法人の業種で判断するのではなく、法人の当該設備の使用状況等からその設備がどの業種用の設備として通常使用されているかにより判定することとなります。

御質問の自動車洗車機械設備について、貴社においてその設備を利用し、継続して自動車洗車業を営んでいると認められる場合には、同別表第二の「53　自動車整備業用設備」の耐用年数15年を適用することになりますが、自社の修理工場で営業車の洗車のみにしか使用しない場合には、自動車洗車業には該当しないことになりますので、自動車整備業用設備の15年を適用することはできません。

したがって、貴社の自動車洗車機械設備は、道路旅客運送業の業種用設備として常時使用するものと認められますので、同別表第二の「55　前掲の機械及び装置以外のもの並びに前掲の区分によらないもの」の「その他の設備」の「主として金属製のもの」の17年を適用することとなります。

なお、同じ自動車洗車機械設備であっても、その耐用年数は、これを設置する法人の業種又は使用の態様により次のとおり異なりますので、参考にしてください。

1　ガソリン販売業（ガソリンスタンド）

同別表第二「45　その他の小売業用設備」の「ガソリン又は液化石油ガススタンド設備」　８年

2　自動車修理業

同別表第二「53　自動車整備業用設備」　15年

参考　耐用年数省令　別表第一、第二、耐通１－４－２（いずれの「設備の種類」に該当するかの判定）、耐通１－４－５（自家用設備に適用する耐用年数）、耐通２－８－８（道路旅客運送業用設備）

２以上の用途に供している建物の耐用年数

【問３－３】　１階が店舗、２～５階が事務所、地階はこのビル用の電気室、機械室及び車庫となっている建物について、それぞれの用途別に区分して、その用途に応ずる耐用年数により減価償却できるのでしょうか。

5F	事務所
4F	〃
3F	〃
2F	〃
1F	店　舗
B1	電気室ほか

【答】　同一の建物が２以上の用途に供されている場合には、その建物の全体についてその使用目的、使用の状況等より勘案して合理的に判定した用途の耐用年数を適用することとされており、原則として、用途別に区分してその用途に応ずる耐用年数を適用することはできません。

御質問のビルの地階は、事務所及び店舗の機能を果たすのに必要な補助的部分ですから、地上部分の使用目的、使用状況から考えますと、事務所用の建物と判定するのが合理的と考えられますので、このビル全体について事務所用建物の耐用年数を適用することとなります。

参考　耐通１－１－１（２以上の用途に共用されている資産の耐用年数）、耐通１－２－４（２以上の用途に使用される建物に適用する耐用年数の特例）

２以上の用途に供している建物の耐用年数の特例

【問３－４】　当社では、６階建ての鉄筋コンクリート造のビルを所有していますが、１～５階は事務所、６階は劇場、地階はこのビル用の電気室、機械室及び車庫となっています。６階の劇場には、通常の劇場と同じようにステージや客席、緞帳、音響設備を施し、壁や天井には防音を施しています。

6F	劇　場
5F	事務所
4F	〃
3F	〃
2F	〃
1F	〃
B1	電気室ほか

　このビルの場合は、それぞれの用途に区分して、その用途に応ずる耐用年数により減価償却できるのでしょうか。

【答】　一の建物を２以上の用途に使用するためにその建物の一部について特別な内部造作等が施されていて、建物の主たる用途の耐用年数を適用することが相当でないと認められるような場合には、その部分を区分して、それぞれの耐用年数を適用することが認められます。

　御質問の場合、６階の劇場には特別の工事が施してありますから、ビルの他の部分と区分して耐用年数を適用することができます。

　また、地階の各施設は、このビル全体の機能を果たすのに必要な補助的部分ですから、ビルの主たる用途の耐用年数を適用します。

　したがって、このビルの耐用年数は次のとおりとなります。

(1)　６階の劇場部分は、耐用年数省令別表第一の「建物」の「鉄骨鉄筋コンクリート造又は鉄筋コンクリート造のもの」の「劇場用」の「その他のもの」の41年を適用します。

(2)　(1)以外の部分については、同別表第一の「建物」の「鉄骨鉄筋コンクリート造又は鉄筋コンクリート造のもの」の「事務所用」の50年を適用します。

参考　耐用年数省令　別表第一、耐通１－１－１（２以上の用途に共用されている資産の耐用年数）、耐通１－２－４（２以上の用途に使用される建物に適用する耐用年数の特例）

貸与資産の耐用年数

【問３－ ５】　当社は、繊維製品（婦人子供服）の製造問屋です。この度、下請工場の資金繰りの都合上、縫製ミシン20台を自社で購入して下請工場に貸与しました。この縫製ミシンに適用する耐用年数は何年でしょうか。

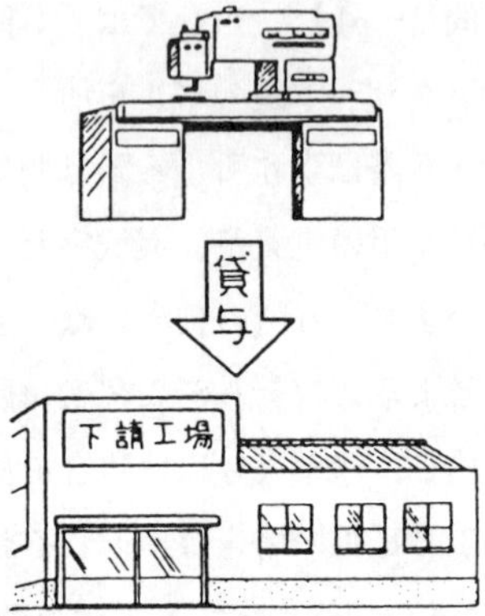

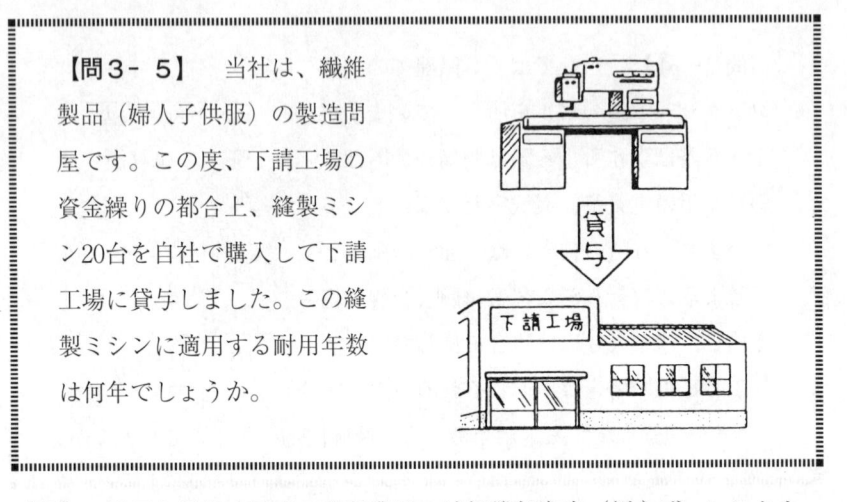

【答】　耐用年数省令別表に貸付業用の減価償却資産（例えば、レンタカー等の貸自動車業用の車両）として特掲されている減価償却資産以外の減価償却資産を貸与した場合には、その減価償却資産については、貸与を受けている者のその資産の用途に応じ、構造又は用途、細目等について定められている耐用年数を適用するものとされています。

したがって、御質問の縫製ミシンについては、その貸与先が、婦人子供服を製造している場合には、同別表第二の「３　繊維工業用設備」の「その他の設備」の耐用年数７年を適用することとなります。

参 考　耐用年数省令　別表第二、耐通１－１－５（貸与資産の耐用年数）

資本的支出部分と耐用年数

【問３‐６】　当社は、次の工場用建物について改造工事を実施し、事業年度の途中で工事が完了したので、事業の用に供しました。

この改造部分については、法定耐用年数から経過年数を控除した残存年数により償却してもよいのでしょうか。

法定耐用年数　　24年（経過年数18年）
改造費用　　　　3,000万円

【答】　平成19年４月１日以後に既存の減価償却資産に対して資本的支出をした場合には、その資本的支出とされた金額を取得価額として、その資本的支出の対象となった減価償却資産と種類及び耐用年数を同じくする減価償却資産を新たに取得したものとされています。

したがって、貴社の改造部分については、その本体建物とは別の資産として本体建物の耐用年数24年により償却することとなります。

なお、平成19年３月31日以前に取得した減価償却資産に対して資本的支出を行った場合には、資本的支出を行った事業年度で資本的支出の対象となった減価償却資産の取得価額に資本的支出の金額を加算する特例が設けられています。

この特例を適用する場合、資本的支出部分については、資本的支出のあった初年度は、事業の用に供した日から期末までの期間に対応する償却限度額を月割計算しますが、翌期以後は本体と一括して償却計算をすることになります。

参考　令55①②（資本的支出の取得価額の特例）、耐通１－１－２（資本的支出後の耐用年数）

ボウリング場を倉庫に用途変更した場合の取扱い

【問３－７】　当社は、倉庫業を営んでいます。

この度、ボウリング場として使用されていた建物を土地と一括して取得し、その建物を倉庫として使用することとしましたが、その際に支出する次の費用の取扱いはどうなるのでしょうか。

(1) 電灯配線工事費と蛍光灯の取付費用

(2) クレーン等の動力線引込み費用

(3) 床にコンクリートを敷いた費用

(4) レーンの撤去費用

【答】　それぞれ次のように取り扱われます。

(1) 蛍光灯を含めて、耐用年数省令別表第一の「建物附属設備」の「電気設備」の「その他のもの」の15年で減価償却します。

(2) 同別表第二の「40　倉庫業用設備」の12年で減価償却します。

(3) 倉庫用建物の取得価額に算入し、倉庫用建物と同じ耐用年数を適用して減価償却します。

(4) 倉庫用建物の取得価額に算入し、倉庫用建物と同じ耐用年数を適用して減価償却します。

参考　令54①（減価償却資産の取得価額）、耐用年数省令　別表第一、第二、基通７－８－１（資本的支出の例示）

ソフトウエアの耐用年数

【問３－８】　ソフトウエアの耐用年数について、簡単に説明してください。

【答】　ソフトウエアの耐用年数については、その用途によって次のように区分されることとなります。

用　途	耐用年数別表の区分等	耐用年数
販 売 用	別表第三 種類「ソフトウエア」 細目「複写して販売するための原本」	３年
自社利用	別表第三 種類「ソフトウエア」 細目「その他のもの」	５年

（注）ソフトウエアが耐用年数省令第２条第２号に規定する開発研究の用に供されている場合には、上記に関わらず開発研究用減価償却資産として耐用年数省令別表第六により耐用年数３年を適用することとなります。

参考　耐用年数省令　別表第三、第六、基通７－１－８の２（研究開発のためのソフトウエア）

個人事業を法人組織にした場合に引き継いだ減価償却資産の耐用年数

【問３－９】　菓子製造業を営んでいたＡ個人が、Ｂ株式会社を設立して同社に菓子製造設備の全部を譲渡しました。

この場合、Ｂ株式会社がＡ個人より取得した設備について、中古資産の見積耐用年数を適用することができますか。

【答】　新設法人が個人から取得した中古資産については、これを事業の用に供した事業年度において、その用に供した時以後の使用可能期間の年数（中古資産の見積耐用年数）の見積りをした場合には、その見積耐用年数により減価償却することができます。

なお、御質問の機械及び装置は、総合償却資産に該当しますから、個々の機械につき見積もった耐用年数により個別に償却するのではなく、その設備の全部について使用可能期間を見積もることになりますので、注意してください。

参考　耐用年数省令３①（中古資産の耐用年数等）、耐通１－５－１（中古資産の耐用年数の見積法及び簡便法）

中古資産の見積耐用年数の選択適用の可否

【問３－10】　当社は、前期に中古車両を購入し、法定耐用年数６年により償却しましたが、当期になって中古資産については、その耐用年数を見積もって償却することができることを知り、当期から見積耐用年数により償却したいと考えていますが、これでよろしいでしょうか。

【答】　中古資産を取得して事業の用に供した場合には、その資産の耐用年数はその事業の用に供した時以後の未経過使用可能期間の年数によることができることとされています。

この残存耐用年数の見積りは、中古資産を取得して事業の用に供した事業年度においてすることができるもので、御質問のようにその事業年度において残存耐用年数の見積りをせずに法定耐用年数６年により償却したときは、その後の事業年度において見積りをすることはできず法定耐用年数６年により償却することになります。

また、中古資産を事業の用に供した後に耐用年数の短縮を必要とする事由が生じたときは別ですが、中古資産について見積耐用年数によっていないことを理由として耐用年数の短縮の承認申請をすることはできません。

参考　令57（耐用年数の短縮）、耐用年数省令３①（中古資産の耐用年数等）、耐通１－５－１（中古資産の耐用年数の見積法及び簡便法）

中古資産の耐用年数の見積りの簡便法

【問３－11】　建築後８年を経過した中古建物（鉄筋コンクリート造　事務所　法定耐用年数50年）を取得しました。この建物に適用する耐用年数として、簡便法により残存耐用年数を見積もりたいのですが、１年未満の端数計算はどのようにすればよいのでしょうか。

【答】　中古の建物、船舶等の個別償却資産を取得した場合において、その資産を事業の用に供するために支出した資本的支出の金額が中古資産の取得価額の50％に相当する金額を超えない場合で、その残存耐用年数を見積もることが困難な場合には、次の１又は２によって計算した年数を残存耐用年数とする簡便法によることが認められています。

１　法定耐用年数の全部を経過したもの

法定耐用年数×20％＝残存耐用年数

２　法定耐用年数の一部を経過したもの

法定耐用年数－経過年数＋（経過年数×20％）＝残存耐用年数

１又は２の算式により計算した年数に１年未満の端数があるときは、その端数を切り捨て、その年数が２年に満たない場合には２年とすることとされています。

このように、年数の端数計算は最後に行うことになりますから、御質問の中古建物の耐用年数は43年となります。

50年－８年＋（８年×20％）＝600月－96月＋19.2月

＝523.2月＝43.6年→43年

参考　耐用年数省令３①⑤（中古資産の耐用年数等）

簡便法による見積りができない中古資産の耐用年数

【問３－12】　当社は、この度、工場用の土地及び建物を5,000万円で取得しました。そのうち工場用建物（木造、法定耐用年数15年）の価額は1,000万円でしたが、建築後８年を経過し、かなり損傷しているので使用するに当たり、600万円をかけて改修しました。

この工場用建物について、簡便法によって残存耐用年数の見積りをすることができるのでしょうか。

【答】　中古資産を取得し、事業の用に供するに当たって支出した金額は、その資産の取得価額に算入する必要があり、その支出した資本的支出の金額が、中古資産の取得価額の50％に相当する金額を超えるときは、簡便法による残存耐用年数の見積りはできません。

この場合には、原則として合理的に残存耐用年数を見積もることになりますが、法人が次の算式により計算した年数を、その中古資産の残存耐用年数としているときは、これを認めることとされています。

（算式）　　残存耐用年数（１年未満の端数切捨て）

$$= \frac{\text{中古資産の取得価額}}{\text{（資本的支出の額を含みます。）}} \div \left(\frac{\text{中古資産の取得価額（資本的支出の額を含みません。）}}{\text{中古資産につき簡便法により算定した耐用年数}} + \frac{\text{中古資産の資本的支出の額}}{\text{中古資産に係る法定耐用年数}} \right)$$

なお、この算式を適用した場合の残存耐用年数は次のとおりです。

$$（1{,}000\text{万円}+600\text{万円}）\div \left\{ \frac{1{,}000\text{万円}}{15-8+（8\times0.2）} + \frac{600\text{万円}}{15} \right\} = 9.69 \rightarrow 9\text{年}$$

（注）中古資産を事業の用に供するに当たり、支出した資本的支出の金額が中古資産の再取得価額（中古資産と同じ新品のものを取得する場合のその取得価額をいいます。）の50％に相当する金額を超えるときは、上記の取扱いはできません。

参考　耐用年数省令３①（中古資産の耐用年数等）、耐通１－５－６（資本的支出の額を区分して計算した場合の耐用年数の簡便計算）、耐通１－５－２（見積法及び簡便法を適用することができない中古資産）

見積法及び簡便法を適用することができない中古資産

【問３－13】　中古の乗用車を20万円で購入しましたが、そのままでは使用できないので、エンジンの取替えその他車体の改良等をしたところ、80万円を要しました。

この乗用車は、法定耐用年数（６年）の全部を経過しているので２年の見積耐用年数により償却することができますか。

なお、この乗用車の新品の価額は150万円です。

【答】　中古資産を購入し、事業の用に供するに当たって支出した資本的支出の金額が、その資産の再取得価額の50％に相当する金額を超えるときは、その資産はもはや中古資産として取り扱うのではなく新品と同様に取り扱う必要があることから、その資産については見積耐用年数によることができず、法定耐用年数により償却することとされています。

したがって、御質問の場合は、その乗用車の新品価額の50％を超える改良費を支出されていますので、見積耐用年数２年ではなく法定耐用年数６年により償却することになります。

参考　耐用年数省令３①（中古資産の耐用年数等）、耐通１－５－２（見積法及び簡便法を適用することができない中古資産）

取得した中古資産を用途変更して使用する場合の見積耐用年数

【問３-14】　当社は、この度、鉄道会社から次のように客車を購入し、喫茶店として使用することとしましたが、残存耐用年数の見積りをどのようにすればよいのでしょうか。

購入価額	500万円
運搬費、改装費等	200万円
法定耐用年数	客車（鉄道用車両のその他のもの）20年
	喫茶店（建物で肉厚４㎜を超える金属造の飲食店用のもの）31年

なお、この客車は法定耐用年数（20年）を経過しています。

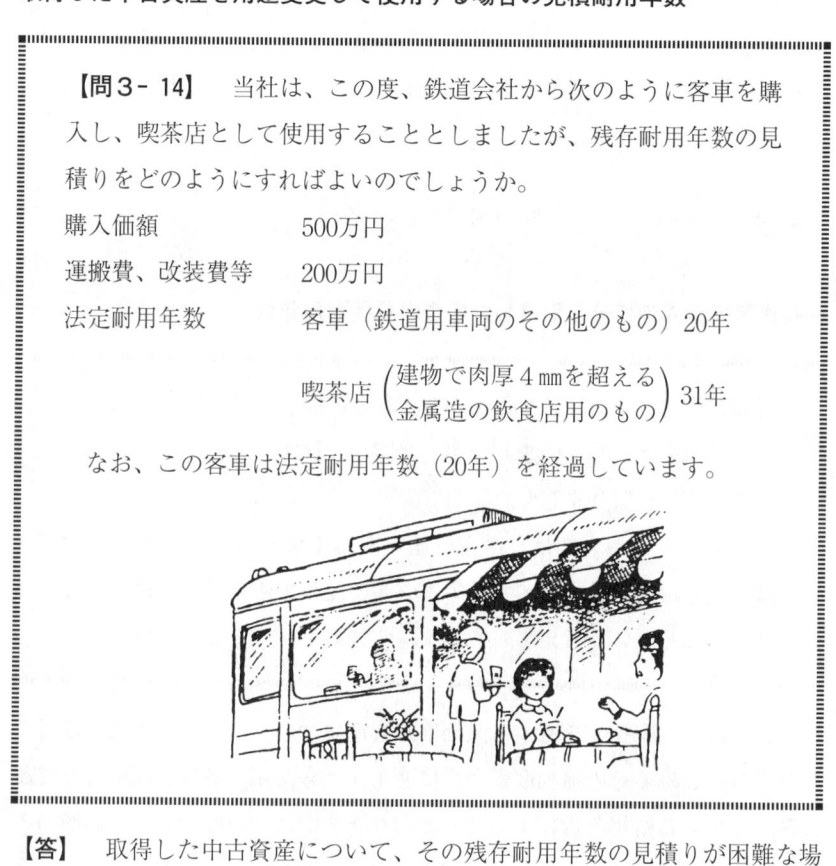

【答】　取得した中古資産について、その残存耐用年数の見積りが困難な場合には、簡便法による残存耐用年数の見積りができることとされています。（中古資産の耐用年数の見積りの簡便法については、**【問３-11】**を参照してください。）

ところで、御質問のような用途変更をした減価償却資産については、用途変更前後で法定耐用年数が異なることから、直ちに簡便法の算式によってその残存耐用年数の見積りはできませんが、簡便法によって計算した年数に置換率（取得後の用途に適用される法定耐用年数÷取得前の用途に適用される法定耐用年数）を乗じた年数をもって、その用途変更後の残存耐用年数とすることが認められるものと思われます。

したがって、喫茶店として使用される客車については、次の計算のとおりその残存耐用年数を６年とすることが認められると考えられます。

$$20年 \times 20\% \times \frac{31年}{20年} = 6.2年 \rightarrow 6年$$

参考　耐用年数省令３①（中古資産の耐用年数等）

共有資産の他人の持分を取得した場合の見積耐用年数

【問３－15】　当社は、従来からＡ社との共有（持分割合50％）により船舶を所有していましたが、今回、Ａ社の要請により、その持分を時価で買取りました。

買取部分については、中古資産の取得ですから、この耐用年数は、法定耐用年数によらず「中古資産の見積耐用年数」を適用して減価償却したいと考えていますが、これでよいのでしょうか。

【答】　既に共有持分を有する減価償却資産について共有持分の追加取得をした場合におけるその追加取得資産に適用すべき耐用年数は、原則として現に適用している耐用年数によることとなりますが、一方において、お尋ねのとおり共有持分の追加取得には中古資産の取得としての一面があるともいえます。

そこで、その追加取得をした日の属する事業年度以後の各事業年度におけるその減価償却資産に適用する耐用年数は、次の算式により算定した年数によることができることとされています。

ただし、その追加取得をした日の属する事業年度においてその算定をしなかった場合又はその算定した年数がその減価償却資産につき、現に適用している耐用年数の100分の90に相当する年数（１年未満の端数があるときは、その端数を切り捨てた年数）以上である場合には、この取扱いは認められません。

（算式）

$$\text{共有持分の追加取得をした後におけるその減価償却資産の取得価額} \div \left[\frac{\text{共有持分の追加取得をする前におけるその減価償却資産の取得価額}}{\text{その減価償却資産につき現に適用している耐用年数}} + \frac{\text{追加取得をした共有持分の取得に要した金額}}{\text{追加取得をした共有持分を別個の減価償却資産とみなして算定した耐用年数}} \right]$$

（注）１　算出した年数に１年未満の端数があるときは、その端数を切り捨て、その年数が２年に満たない場合には、２年とします。

２　算式の適用上、追加取得をした共有持分について残存耐用年数を算定する場合には、耐用年数省令第３条第１項第２号《中古資産の耐用年数の簡便法》の規定を準用することができます。

参考　令54①（減価償却資産の取得価額）、耐用年数省令３①（中古資産の耐用年数等）、昭54直法２－17（共有持分を有する法人が共有持分の追加取得をした場合の耐用年数の適用について）

耐用年数の短縮制度

【問３- 16】　当社は、５年前に工場用建物を建築しましたが、敷地が沼地の埋立地であったことと、この地域一帯の地質がやや軟弱なこと等により、建築後徐々に地盤の不等沈下現象が起り始め、床上げ等の補修をしながら現在に至っています。

沈下の著しい場所では、20cmも床上げした部分もあり、この状態は現在も続いています。

この結果、建物の壁等に亀裂の生じている部分もあり、この状態であれば、到底この建物の法定耐用年数31年は持ちこたえそうもありません。

このような場合は、納税地の所轄国税局長の承認を受けて、実情に即した年数を適用することができる制度があることを聞きましたが、その申請手続等について教えてください。

【答】　耐用年数の短縮制度では、法人の所有する減価償却資産について、次に掲げるいずれかの事由によって、その資産の実際の使用可能期間がその資産の法定耐用年数に比べて著しく短い場合（おおむね10%以上短い場合をいいます。）には、あらかじめ国税局長の承認を受けて、その資産の未経過使用可能期間を耐用年数として償却することができることになっています。

1　その資産の材質又は製作方法がこれと種類及び構造を同じくする他の減価償却資産の通常の材質又は製作方法と著しく異なること。

2　その資産の存する地盤が隆起し、又は沈下したこと。

3　その資産が陳腐化したこと。

4　その資産がその使用される場所の状況に基因して著しく腐食したこと。

5　その資産が通常の修理又は手入れをしなかったことに基因して著しく損耗したこと。

6　その資産の構成が、同一種類の他の減価償却資産の通常の構成と著しく異なること。

７　その資産が機械及び装置である場合に、その資産の属する設備が旧別表第二に特掲されていないこと。

８　その他上記の１から７までに準ずる事由があること。

なお、上記６、７の判定は平成20年度改正前の耐用年数省令を基に判定することとされています。具体的には、上記６は標準的プラントで判定することとされ、上記７の旧別表第二に特掲されていない機械及び装置は、短縮事由に該当することになります。

耐用年数の短縮承認を受けようとする法人は、「耐用年数の短縮の承認申請書」を納税地の所轄税務署長（２部提出します。）を経由して、所轄国税局長に提出することになっています。

なお申請書には、申請の根拠となる事由を具体的に記載し、承認を受けようとする使用可能期間及び未経過使用可能期間の算定の明細書、直近の営業報告書及び法人税確定申告書の別表十六、その他その事実が明らかになるようなカタログ・写真又は配置図等の参考資料を添付してください。

国税局長の承認があった場合には、その承認があった日の属する事業年度以後、その承認された耐用年数によって償却することになります。

御質問の建物については、その沈下の状況等が具体的に分かりませんので、的確に回答しかねますが、短縮の事由としては前記の２に該当するものと思われます。

いずれにしても申請の結果、その理由が認められれば、実情に即した年数により承認されるものと思われます。

なお、上記の申請書の提出期限については、特に規定されていませんが、その承認を受けようとする事業年度の末日のおおむね３か月前までに提出されることが望まれます。

参考　令57（耐用年数の短縮）、規16（耐用年数の短縮が認められる事由）、規17（耐用年数短縮の承認申請書の記載事項）、基通７－３－18（耐用年数短縮の承認事由の判定）

更新資産と取り替えた場合等

【問３－17】　当社の事務用機器製造設備（旧別表第二「265」）には、事務用機器製造設備の標準的プラントにはない資産が組み込まれており、その全体の構成が通常のものと著しく異なることから、耐用年数の短縮承認申請を行い、耐用年数11年を５年とする承認を受けております。

この度、この短縮特例承認資産の一部についてこれに代わる新たな資産と取り替えました。

本件製造設備について改めて耐用年数の短縮承認申請を行う必要がありますか。

１　対象資産　事務用機器製造設備
２　取得価額　600百万円
３　更新資産の取得価額　50百万円
４　その取替後の使用可能年数は５年である。

【答】　更新資産の取得価額が短縮特例承認資産の取得価額の10％相当額を超えない（50百万円≦60百万円〔＝600百万円×10％〕）こと、かつ、その取替後の使用可能年数（５年）と短縮特例承認資産の使用可能期間（５年）との間に差異が生じないことから、本件更新資産を取得した日の属する事業年度に係る確定申告書の提出期限までに「短縮特例承認資産の一部の資産を取り替えた場合の届出書」を納税地の所轄税務署長を経由して納税地の所轄国税局長に提出すれば、当該届出書をもって耐用年数の短縮承認申請書とみなし、当該事業年度の終了の日において承認があったものとみなされます。

また、短縮特例承認資産の一部についてこれに代わる新たな資産と取り替えた場合には、

①　当該短縮特例承認資産の一部の資産を除却することなく、当該短縮特例承認資産に属することとなる資産を新たに取得した場合や、

② 当該短縮特例承認資産に属することとなる資産を新たに取得することなく、当該短縮特例承認資産の一部を除却した場合

が含まれますが、この取扱いは、当初の承認事由が法人税法施行規則第16条第１号（承認事由については【問３-16】の６を参照してください。）に該当する場合又はこれに準ずる場合に限られ、この場合の届出書の提出は、当該資産を新たに取得した日又は当該一部の資産を除却した日の属する事業年度に係る申告書の提出期限までに行う必要がありますので御注意ください。

参考　令57⑦（耐用年数の短縮）、規18①Ⅱ（耐用年数短縮が届出により認められる資産の更新の場合等）、基通７－３－24（耐用年数短縮が届出により認められる資産の更新に含まれる資産の取得等）

短縮特例資産と材質等を同じくする他の減価償却資産の取得をした場合

【問３-18】　当社の電気計測器製造設備（旧別表第二「268」）には、電気計測器製造設備の標準的プラントにはない資産が組み込まれており、その全体の構成が通常のものと著しく異なることから、耐用年数の短縮承認を受けております。

この度、第二工場に短縮特例承認資産と同一の設備を設置し、事業の用に供しました。この製造設備について改めて耐用年数の短縮承認申請を行う必要がありますか。

【答】　短縮特例承認資産と同一の設備を設置したとのことですので、その取得をした日の属する事業年度の確定申告書等の提出期限までに、「耐用年数の短縮の承認を受けた減価償却資産と材質又は製作方法を同じくする減価償却資産を取得した場合等の届出書」を納税地の所轄税務署長を経由して納税地の所轄国税局長に提出すれば、当該届出書をもって耐用年数の短縮承認申請書とみなし、当該事業年度の終了の日において承認があったものとみなされますので、改めて耐用年数の短縮承認申請を行う必要はありません。

なお、この耐用年数の短縮のみなし承認は短縮特例承認資産が次の左欄の事由により短縮承認されたものについて、右欄の減価償却資産である場合に限られます。

	短縮特例承認資産の承認事由	対象となる減価償却資産
①	当該資産の材質又は製作方法がこれと種類及び構造を同じくする他の減価償却資産の通常の材質又は製作方法と著しく異なることにより、その使用可能期間が法定耐用年数に比して著しく短いこと	左の事由により短縮承認された減価償却資産と材質又は製作方法を同じくする減価償却資産
②	耐用年数省令に定める一の耐用年数を用いて償却限度額を計算すべき減価償却資産の構成が当該耐用年数を用いて償却限度額を計算すべき同一の種類の他の減価償却資産の通常の構成と著しく異なること（注）	左の事由により短縮承認された減価償却資産と構成を同じくする減価償却資産
③	上記①及び②に準ずる事由	左の事由により短縮承認された減価償却資産と材質若しくは製作方法又は構成に準ずるものを同じくする減価償却資産

（注）　上記②の償却限度額については、減価償却資産の耐用年数等に関する省令の一部を改正する省令（平成20年財務省令第32号）による改正前の耐用年数省令を用いて計算します。

参 考　令57⑧（耐用年数の短縮）、規18③④（耐用年数短縮が届出により認められる資産の更新の場合等）

耐用年数の短縮の承認があった後に取得した資産の耐用年数

【問３－19】　当社は、次の資産について、それぞれ次の事由によりその資産の使用可能期間が法定耐用年数に比して著しく短くなったため又は短いため、耐用年数の短縮の承認を受けています。

今回は、その承認の対象となった資産と種類を同じくする資産をそれぞれ取得しましたが、これらについても承認に係る耐用年数を適用してもよろしいでしょうか。

資　産	事　　由	法定耐用年数	承認年数
(1)　構築物	その使用される場所の状況に基因して著しく腐食したこと	45年	15年
(2)　機械及び装置	通常の修理又は手入れをしなかったことに基因して著しく損耗したこと	５年	４年
(3)　機械及び装置	耐用年数省令旧別表第二に特掲された設備以外のものであること	17年	８年

【答】　耐用年数短縮の承認に係る減価償却資産が機械及び装置である場合に、その資産の属する設備が機械及び装置の耐用年数表（旧別表第二）に特掲されていない又はこれに準ずる事由に基づいて短縮の承認を受けたものである場合には、短縮の承認を機会にその設備について新たに耐用年数を定めたことになりますので、その後同種の資産を取得したときも承認に係る耐用年数を適用することになります。

したがって、御質問の(3)の機械及び装置と同種の機械及び装置については、８年を適用できることになります。

しかし、耐用年数短縮の承認が上記以外の事由に基づくものである場合には、その後同種の資産を取得しても、その資産については改めて耐用年数短縮の承認を受けない限り法定耐用年数を適用することになります。

したがって、御質問の(1)の構築物及び(2)の機械及び装置と同種のものについては、改めて耐用年数短縮の承認を受けない限り法定耐用年数（45年及び５年）を適用することになります。

参考　令57（耐用年数の短縮）、規16（耐用年数の短縮が認められる事由）、基通７－３－22（耐用年数短縮の承認があった後に取得した資産の耐用年数）

定期借地権と耐用年数の短縮

【問３－20】　当社は、ファミリーレストランを経営する法人です。

この度、郊外に良い土地がありましたので、地主との間で賃貸借期間を20年とする定期借地権契約を締結し、その土地の上に法定耐用年数25年の金属造の建物（骨格材の肉厚が４ミリメートルのもの）を建築しました。

賃貸借期間は借地契約において20年に設定されていますから、建築した建物は20年後に取り壊して地主に土地を返還することになります。

そこで、この建物の使用可能期間を20年とする耐用年数の短縮申請をしたいのですが、認められるでしょうか。

【答】　賃貸借期間終了に伴う建物の取壊しは、建物自体の構造等に変化が生じて、物理的、客観的に使用可能期間が短くなったという理由ではなく、取壊しの行われることが将来予定されているという契約当事者双方の取決めによるもので、耐用年数の短縮事由に該当しません。（耐用年数の短縮制度については、**【問３-16】**を参照してください。）

したがって、耐用年数の短縮は認められませんので、御質問の場合、法定耐用年数が25年の建物であれば、25年で減価償却の償却限度額の計算を行うこととなります。

参考　令57（耐用年数の短縮）、規16（耐用年数の短縮が認められる事由）、耐用年数省令　別表第一

耐用年数の確認

【問３－21】　当社は、ひき船業を営む資本金1,000万円の法人です。今回、潮の干満差の激しい港の発着岸壁に浮き桟橋を設置しました。

この浮き桟橋は鉄製で取得価額は1,500万円です。耐用年数省令別表第一によりますと、これには「構築物」の「金属造のもの」の「その他のもの」の耐用年数45年を適用することとなりますが、実際には20年程度しかもたないものと思われます。

このような場合には、税務署長の確認を受けて、この浮き桟橋と構造及び使用状況が類似する「浮きドック」の耐用年数20年を適用することができると聞きましたが、この耐用年数の確認について教えてください。

【答】　御質問の浮き桟橋について適用すべき法定耐用年数は、貴見のとおり45年となります。

しかし、構築物又は器具及び備品（以下「構築物等」といいます。）で耐用年数省令別表第一の細目が特掲されていないもののうちに、その構築物等と「構造又は用途」及び使用状況が類似している同別表第一に特掲されている構築物等がある場合には、耐用年数の短縮の承認申請の手続によらなくても、税務署長（調査課所管法人にあっては国税局長）の確認を受けて、その特掲されている構築物等の耐用年数を適用することができます（器具及び備品については、**【問３-78】**を参照してください。）。

御質問の浮き桟橋については、類似する構築物として貴見の「浮きドック」以外に「鋼矢板岸壁」（耐用年数25年）がありますので、上記の確認を受ける場合には、そのいずれかの耐用年数によることになるものと思われます。

参考　耐用年数省令　別表第一、耐通１－１－９（「構築物」又は「器具及び備品」で特掲されていないものの耐用年数）

適格合併等により引継ぎを受けた減価償却資産の耐用年数

【問３－22】　適格合併により合併法人が被合併法人から減価償却資産の引継ぎを受けた場合や、適格分割型分割により分割承継法人が分割法人から減価償却資産の引継ぎを受けた場合に、中古資産の見積耐用年数を適用することができますか。

【答】　中古資産の見積耐用年数の特例を使用する場合の取得には、適格合併や適格分割型分割により被合併法人又は分割法人からの引継ぎを含むこととされていますので、その引継ぎを受けた減価償却資産の耐用年数を見積もることができます。

なお、被合併法人又は分割法人がすでに見積り耐用年数を適用していた場合には、その見積り耐用年数によることもできます。

参考　令54①Ⅴ（減価償却資産の取得価額）、耐用年数省令１（一般の減価償却資産の耐用年数）、耐用年数省令３①②（中古資産の耐用年数等）

第2節　建　　　　物

建物の範囲

【問3－23】　耐用年数の適用上における建物の範囲について、具体的に説明してください。

【答】　建物とは、土地に定着して建設された工作物で周壁、屋根を有し、住居、工場、貯蔵又はこれらに準ずる用に供される物をいいます。

税法上の取扱いではこれらの他に、乗降場の上屋、荷揚積卸場の上屋等も建物とされています。

したがって、建造物の構造、用途、使用状況等に基づき総合的に勘案して建物に該当するか構築物に該当するかを判定することになります。

例えば、かき船、海上ホテル等のように、構造がたとえ船舶に類似していても水上を移動することがなく、その設置目的及び使用状況が料理店舗、ホテル用等の建物とほぼ同一であるものは、建物の耐用年数を適用することとされています。

また、建物の範囲は、通常、建物の基礎、柱、壁、はり、階段、窓、床等の主物及びその従物たる建具（畳、ふすま、障子、ドア、リノリュームその他本体と一体不可分の内部造作物をいいます。）とされていますので店舗等のシャッター、建物の壁面を構成するショーウインドー等も建物に含まれます。

参考　耐用年数省令　別表第一、不動産登記事務取扱手続準則第77条（建物認定の基準）、耐通2－4－4（サルベージ船等の作業船、かき船等）

建設業者が所有するモデルハウスの耐用年数

【問３- 24】　当社は建設業を営んでいます。この度、モデルハウスを建築して、建物、内部造作を展示することとしました。この建物の耐用年数は何年を適用すればよいのでしょうか。

【答】　展示することを目的として建築された建物の耐用年数については、耐用年数省令別表第一の「建物」の細目に特掲されていませんので、原則として建物の構造ごとの「事務所用又は美術館用のもの及び左記以外のもの」の耐用年数を適用することになります。

しかし、展示用建物については、商品見本として広告宣伝に供されているもので建物としての本来の用途に供されているものではなく、比較的短期間で取り壊し、展示物の取替えが行われること等から、同別表第一の「建物」の「簡易建物」の「仮設のもの」の７年を適用することとして取り扱われています。

参考　耐用年数省令　別表第一、耐通２－１－23（仮設の建物）、昭54直法２－４（展示用建物の耐用年数の取扱いについて）

建物の内部造作

【問３‐ 25】　当社は、所有するビルの事務室内に新たに応接室及び会議室を造りました。この造作は、主として木材を使用していますので、建物本体とは別に木造建物の耐用年数により償却したいと思いますが、これでよろしいのでしょうか。それとも、この木造造作部分についても、鉄筋コンクリート造の事務所の耐用年数を適用しなければなりませんか。

【答】　自己の有する建物の内部に施設した造作については、その造作が建物附属設備に該当する場合を除いて、その造作の構造がその建物の骨格の構造と異なっている場合においても、それを区分しないで、その建物本体の耐用年数により償却しなければなりません。

元来、建物の内部造作は建物を構成する一部分であり、建物の耐用年数もまた内部造作を含めて算定されていますから、内部造作を分離して別途に償却することはできません。

したがって、建物完成後において内部造作をした場合でも、その建物の耐用年数により償却することとなります。

なお、その造作のうち可動間仕切りその他の建物附属設備に該当する部分については、「建物附属設備」の耐用年数を適用することになります。

参考　耐通１－２－３（建物の内部造作物）、耐通２－２－６の２（可動間仕切り）

ユニットバスの耐用年数

【問３‐26】　当社は、今回、社員の社宅用として中古マンション（鉄筋コンクリート造の住宅用建物）を取得しました。

しかし、ユニットバス部分の傷みが激しかったため、事業の用に供する前にユニットバス部分の入れ替え工事を行いました。当該工事費用については、減価償却資産である「器具及び備品」の耐用年数を適用しようと考えていますが、よろしいでしょうか。

ユニットバスとは、建物内の浴室設置場所に防湿性の部材（壁、天井、床、ドア等）を用い、それらの部材を相互に連結、結合させて、湿気、水分を漏らさないようにして浴室を形成するものです。

【答】　「器具及び備品」に該当するには、構造上建物と物理的又は機能的に独立・可分であって、かつ、建物本来の効用を維持する目的以外の固有の目的で設置されていることが要件となります。

そこで、御質問のユニットバスは、建物に固着しており、物理的又は機能的に一体不可分な内部造作であり、建物と一体となってその効用を維持増進する目的を有するものですから、「器具及び備品」に該当せず、当該建物本体の耐用年数が適用されることになります。

なお、当該中古建物の耐用年数の見積りを行うに当たり、当該建物を事業の用に供するに当たって支出した資本的支出の金額が当該中古建物の取得価額の50％に相当する金額を超える場合には、中古資産の耐用年数の見積りの簡便法を適用することはできません。（簡便法による見積りができない中古資産の耐用年数については、**【問３-12】**を参照してください。）

参考　耐用年数省令　別表第一、耐用年数省令３①（中古資産の耐用年数等）

賃借建物について行った造作等の取扱い

【問３－ 27】　当社は、次の条件で他人の建物の一部を借り受け、店舗を増設することにしました。

(1) 賃借期間は５年間とし、更新することができる。

(2) 家賃は、月額10万円とする。

(3) 賃借物件に対し、賃借人が行った造作等については、退去時に造作物等を撤去して原状に復する。

そこで、入居に当たって床の張替えをはじめ造作を行いましたが、この場合の造作、改造費用については、耐用年数を賃借期間の５年として償却を行ってよいでしょうか。

また、賃借契約を解除したときの経理はどうしたらよいのですか。

【答】　他人の建物について行った造作等については、その造作等を一つの資産として、その建物の耐用年数、行った造作の種類、用途、使用材質等を勘案し、合理的に見積もった耐用年数により償却することとされています。

また、電気設備、給排水設備等の建物附属設備について造作等が行われたときは、見積もるのではなく建物附属設備の法定耐用年数そのものにより償却することとされています。

ただし、その建物について賃借期間の定めがあるもの（賃借期間の更新のできないものに限ります。）で、かつ、有益費の請求又は買取請求をすることができないものについては、その賃借期間を耐用年数として償却することが認められています。

御質問の場合、契約の更新ができるとのことですから、賃借期間の５年で償却することは認められず、合理的に見積もった耐用年数により償却することになります。（耐用年数の見積りについては、**【問３-28】**を参照してください。）

また、賃借契約を解除したときは、その資産の未償却残額は解除した事業年度の損金となります。

参考　耐通１－１－３（他人の建物に対する造作の耐用年数）

賃借建物について行った造作の耐用年数の見積り

【問３－28】　当社は、支店の開設に当たり、ビルの一室を賃借し、次のとおりの内部造作を行いましたが、賃借建物について行った造作の耐用年数について、具体的にどのように見積もればよいのでしょうか。

・建物の用途…………店舗用

・造作の内容…………

造作の内容	作り付けの陳列棚	1,600千円
	床防水タイル工事	3,400
	その他の木造内装部分	11,000
	合　計	16,000

【答】　他人の建物を賃借し、使用する場合に施設した造作については、当該建物の耐用年数、その造作の種類（ウィンドー、床、壁等）、用途（小売店舗、飲食店舗、事務所等）、使用材質（金属製、木製等）等を勘案して、合理的に見積もった耐用年数により償却することができることとされ、造作が建物附属設備についてされたときは、その建物附属設備の耐用年数により償却することとされています。

御質問の場合、合理的な見積方法としては、例えば次のような方法が考えられます。

1　造作を構成する種類や材質ごとに区分し、その個別年数を判断します。

(1) 作り付けの陳列棚は、器具及び備品の陳列ケースの耐用年数である８年としました。

(2) 床防水タイル工事については、デパートの取替実績により10年としました。

(3) その他の木造内装部分については、木造建物の店舗用の耐用年数である22年を適用しました。

２　１により判断した個別年数に基づき年要償却額を算出した後、造作の取得価額を年要償却額で除して造作全体の耐用年数を見積もります。その結果、御質問の造作の耐用年数は15年と算定されます。

	取得価額	個別年数	年要償却額
作り付けの陳列棚	1,600千円	８年	200千円
床防水タイル工事	3,400	10	340
その他の木造内装部分	11,000	22	500
計	16,000	15	1,040

16,000千円÷ 1,040千円＝15.38 ……15年

参考　耐用年数省令　別表第一、耐通１－１－３（他人の建物に対する造作の耐用年数）

開発研究用建物の耐用年数

【問３－29】　当社がこの度新築した研究所は、開発研究の用に供するため、建物の全部に恒温室としての内部造作を特に施設しており、耐用年数省令別表第六の開発研究用減価償却資産に該当するものです。

この場合、この研究所の建物全部について同別表の「建物」の耐用年数５年を適用してよろしいでしょうか。

【答】　耐用年数省令別表第六の耐用年数を適用できる建物及び建物附属設備は、開発研究（新たな製品の製造若しくは新たな技術の発明又は現に企業化されている技術の著しい改善を目的として特別に行われる試験研究をいいます。）の用に供されているもので「建物の全部又は一部を低温室、恒温室、無響室、電磁遮へい室、放射性同位元素取扱室その他の特殊室にするために特に施設した内部造作又は建物附属設備」に限られています。

したがって、建物の本体、一般の内部造作及び一般の建物附属設備については、通常の耐用年数（同別表第一）を適用することとなりますので、研究所の建物全部には、５年の耐用年数を適用することはできません。

参考　耐用年数省令２Ⅱ（特殊の減価償却資産の耐用年数）、耐用年数省令　別表第六、耐通２－10－１（開発研究の意義）

耐用年数省令別表第一の「建物」に掲げる「左記以外のもの」の取扱い

【問３－30】　当社は、工場の新設に伴い、構内に鉄筋コンクリート造の社員食堂を別棟で新築しました。

この社員食堂の耐用年数の適用に当たっては、工場構内にある他の守衛所、自転車置場及び洗面所と同様に「工場（作業場を含む。）用又は倉庫用のもの」を適用してもよいのでしょうか。

【答】　耐用年数の適用に当たって、建物の用途別の判定は、個々の建物ごとに行うのが原則ですが、工場の構内にあり、工場用建物の附属的建物で比較的簡易なもの、例えば守衛所、自転車置場、洗面所等については、工場用の建物としてその耐用年数を適用することができます。

しかしながら、工場用建物に附属するとみられないような簡易でない食堂、体育館、娯楽施設等の用に供する建物は、それぞれの用途により耐用年数を適用することになります。

御質問の社員食堂は、工場構内の簡易な附属建物とはいえませんので、「工場（作業場を含む。）用又は倉庫用のもの」を適用するのではなく、「建物」の「鉄筋コンクリート造」の「事務所用又は美術館用のもの及び左記以外のもの」の50年を適用することになります。

［参考］ 耐用年数省令　別表第一、耐通２－１－１（左記以外のもの）、耐通２－１－10（工場構内の附属建物）

建物の一部を区分所有した場合の耐用年数

【問３－ 31】　当社は、地下１階地上５階建ての鉄筋コンクリート造のオフィスビルの地下１階の一部を取得して、喫茶店を開業しました。

この区分所有部分に適用する耐用年数は何年となるのでしょうか。

なお、当社の区分所有部分の延べ面積のうちに占める木造内装部分の面積は３割以下です。

【答】　建物を区分所有する場合における耐用年数の適用は、区分所有ごとにその部分の用途により行います。

また、耐用年数省令別表第一では、鉄骨鉄筋コンクリート造又は鉄筋コンクリート造の建物で、飲食店用等のものについては、木造内装部分の面積が延べ面積の３割を超えるかどうかにより耐用年数に差を設けています。

御質問の場合は、木造内装部分の面積は３割以下ですから、「建物」の「鉄筋コンクリート造」の「飲食店用のもの」の「その他のもの」の41年を適用することになります。

なお、償却の対象となる価額は、その建物の取得価額に共有持分に係る土地相当額が含まれている場合には、原則として、その土地相当額を控除した金額となります。

参考　耐用年数省令　別表第一、耐通１－１－１（２以上の用途に共用されている資産の耐用年数）、耐通２－１－７（木造内装部分が３割を超えるかどうかの判定）

プレハブ建物の耐用年数

【問３－ 32】　当社は、現在の事務所が手狭になったため、長期間にわたって使用する目的で「プレハブ建物」を建設しました。

この建物の耐用年数は何年ですか。

【答】　プレハブ建物とは、建物を構成する柱、壁、床等の部品材料が一定の規格に基づいた形状に加工されたもので組み立てた建物をいいますが、その耐用年数の適用に当たっては、一般の建物と同様にその建物の構造又は用途によって判定することになります。

御質問の場合、建物の主要柱、はり等の主要骨格が判然としませんが、これが、金属造のものであれば、その骨格材の肉厚に応じた「金属造のもの」、「事務所用又は美術館用のもの及び左記以外のもの」の細目に対応する年数で償却することが相当であると思われます。

また、建設業者が工事現場で使用するいわゆる「現場事務所」についても、基本的には、建物の主要部分の構造によって耐用年数を判定することになります。

例えば、その建物が、木造（主要柱が10cm角以下のもの）でトタンぶきのものであれば「簡易建物」の10年となります。

もっとも、その現場事務所が、移動性のある仮設建物であって事業遂行に伴って組立て、解体を反復して行うことを常態としているのであれば、「簡易建物」の「掘立造のもの及び仮設のもの」として７年の耐用年数を適用することができます。

参考　耐用年数省令　別表第一、耐通１－２－１（建物の構造の判定）、耐通２－１－23（仮設の建物）

壁画の耐用年数

【問３－ 33】　当社（年１回３月決算）では、本社ビル（鉄骨鉄筋コンクリート造のもの、法定耐用年数50年）の新築をした際、ビルの正面玄関ロビーの壁一面に陶壁画（壁に接着されており、取り外すことはできません。）を設置しました。

この壁画の製作費用は500万円でしたが、建物本体に適用する耐用年数により償却しなければならないのでしょうか。

【答】　この壁画は、建物の壁に接着されており取り外すことができないということですから、装飾された壁であり、構造的に本社ビルと一体不可分のものと認められます。

したがって、壁画部分の取得価額を建物と区分することなく、建物本体に含めた上で、建物本体の耐用年数を適用して定額法により償却限度額の計算を行うことになります。

参考　耐用年数省令　別表第一

いわゆるスーパー銭湯の耐用年数

【問３－ 34】　当社では、鉄筋コンクリート造のいわゆるスーパー銭湯（サウナ、ジャグジーバスなど９種類の風呂を有する大浴場）を建設中です。

このスーパー銭湯の営業については、公衆浴場法の規定により知事の許可を受けており、入浴料金は、大人2,000円、子供1,000円を予定しています。

スーパー銭湯の建物の減価償却については、耐用年数省令別表第一に掲げる「公衆浴場用のもの」として耐用年数31年で償却してよろしいでしょうか。

【答】　公衆浴場の耐用年数は、公衆浴場が住民の日常生活に欠くことができない施設であり、公衆衛生の向上や増進に寄与するものであると認められることなどから、耐用年数省令によって構造等を同じくする他の施設より短く定められています。

この耐用年数省令に規定されている「公衆浴場」は、耐用年数通達２－１－９により「その営業につき公衆浴場法第２条の規定により都道府県知事の許可を受けた者が、公衆浴場入浴料金の統制額の指定等に関する省令に基づき公衆浴場入浴料金として当該知事の指定した料金を収受して不特定多数の者を入浴させるための浴場をいう。」と定義されています。

お尋ねのスーパー銭湯の建物については、その営業について公衆浴場法の規定による知事の許可は得ているということですが、公衆浴場入浴料金として知事の指定した料金を収受するものには該当しませんので、「公衆浴場用のもの」の耐用年数を適用することはできず、「店舗用のもの」として39年で償却しなければなりません。

しかしながら、スーパー銭湯の機械及び装置については、原則として、当該設備の使用状況等からいずれの業種用の設備として通常使用しているかにより判定します。

この判定は、原則として、日本標準産業分類の分類によります。

したがって、スーパー銭湯の機械及び装置は、耐用年数省令別表第二の「49　洗濯業、理容業、美容業又は浴場業用設備」に該当することになります。

参考　耐用年数省令　別表第一、第二、耐通２－１－９（公衆浴場用の建物）、耐通２－１－３（店舗）、耐通１－４－２（いずれの「設備の種類」に該当するかの判定）、耐通１－４－３（最終製品に基づく判定）、耐通付表８

第3節　建物附属設備

建物附属設備の範囲

【問3－35】　耐用年数の適用上における建物附属設備の範囲について説明してください。

また、建物附属設備のうち「前掲のもの以外のもの」にはどのようなものがありますか。

【答】　1　建物附属設備とは、建物に固着されたもので、①その建物の使用価値を増加させるもの、②その建物の維持管理上必要なものをいい、具体的には、「電気設備（照明設備を含む。）」、「給排水又は衛生設備及びガス設備」、「冷房、暖房、通風又はボイラー設備」、「昇降機設備」、「消火、排煙又は災害報知設備及び格納式避難設備」、「エヤーカーテン又はドアー自動開閉設備」、「アーケード又は日よけ設備」、「店用簡易装備」及び「可動間仕切り」等があります。

（注）「可動間仕切り」とは、一の事務室を適宜仕切って使用するために間仕切りとして建物の内部空間に取り付ける資材のうち、取り外して他の場所で再使用することが可能なパネル式若しくはスタッド式又はこれらに類するものをいいます。

なお、店用簡易装備については、**【問3-38】**を参照してください。

2　建物附属設備のうち「前掲のもの以外のもの」を例示すると、次のようなものがあります。

⑴　雪害対策のため建物に設置された融雪装置で、電気設備に該当するもの以外のもの（その建物への出入を容易にするため設置するものを含みます。）

(2) 危険物倉庫等の屋根の過熱防止のために設置された散水装置
(3) 建物の外窓清掃のために設置された屋上のレール、ゴンドラ支持装置及びこれらに係るゴンドラ
(4) 建物に取り付けられた避雷針その他の避雷装置
(5) 建物に組み込まれた書類搬送装置（簡易なものを除きます。）

参考　耐用年数省令　別表第一、耐通２－２－７（前掲のもの以外のものの例示）

建物附属設備の「給排水又は衛生設備及びガス設備」の範囲

【問３- 36】　耐用年数省令別表第一の「建物附属設備」の「給排水又は衛生設備及びガス設備」とは、具体的にどのようなものをいうのですか。

【答】　給排水設備、衛生設備及びガス設備とは、次に掲げるものをいいます。

1　「給排水設備」

給水用又は排水用ポンプ、配管、建物に附属する給水用タンクその他の附属品をいいます。

2　「衛生設備」

用水管、水槽、便器、配管及びこれらの附属品をいいます。

3　「ガス設備」

ガス配管及びその附属品をいいます。

（注）上記の範囲には耐用年数省令別表第一の「器具及び備品」に特掲されている機器等は含まれないことに注意してください。

なお、建物に附属する給水用タンク及び給水設備に直結する井戸又は衛生設備に附属する浄化水槽等で、その取得価額等からみて、強いて構築物として区分する必要がないと認められるものについては、それぞれ同別表第一の「建物附属設備」に掲げる「給排水設備」又は「衛生設備」に含めることができます。

参考　耐用年数省令　別表第一、耐通２－２－３（給水設備に直結する井戸等）

受配電設備（キュービクル）等の耐用年数

【問３－37】　次のⒶⒷⒸⒹ及びⒺに係る電気設備等には、何年の耐用年数を適用すべきでしょうか。

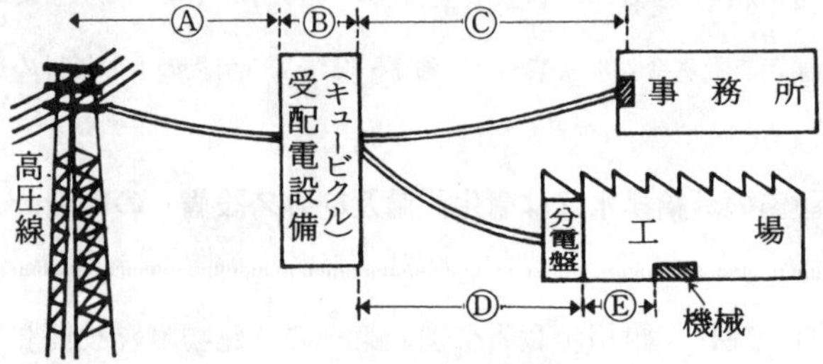

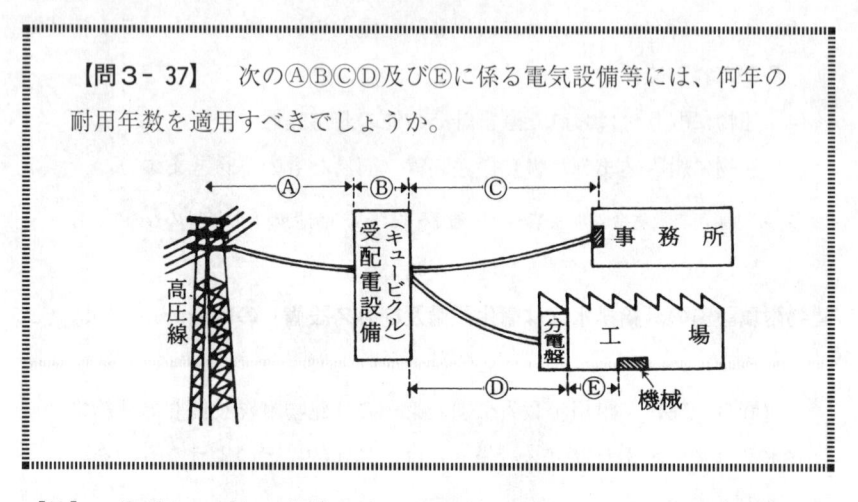

【答】　御質問の電気設備等に適用する耐用年数は、次のように取り扱われます。

Ⓐ　電力会社に対して支払う工事負担金等……耐用年数省令別表第三の「電気ガス供給施設利用権」 15年

Ⓑ　共用の受配電設備については、その用途が主としていずれの設備に属しているかにより判定します。

主として製造の用に供されている場合……同別表第二の「機械及び装置」の該当業用設備の耐用年数

主として照明又は冷暖房等の用に供されている場合……同別表第一の「建物附属設備」の「電気設備（照明設備を含む。）」の「その他のもの」 15年

Ⓒ　同別表第一の「建物附属設備」の「電気設備（照明設備を含む。）」の「その他のもの」 15年

Ⓓ　製造の用に供されている部分……同別表第二の「機械及び装置」の該当業用設備の耐用年数

工場内の照明等に供されている部分（作業環境を良くするための冷暖房用のものを含む。）……同別表第一の「建物附属設備」の「電気設備（照

明設備を含む。）」の「その他のもの」 15年

Ⓔ　同別表第二の「機械及び装置」の該当業用設備の耐用年数

参 考　耐用年数省令　別表第一、第二、第三、耐通１－１－１（２以上の用途に共用されている資産の耐用年数）、耐通１－４－１（機械及び装置の耐用年数）、耐通１－４－２（いずれの「設備の種類」に該当するかの判定）、耐通１－４－３（最終製品に基づく判定）、耐通２－２－２（電気設備）

他人の建物に対する造作と店用簡易装備

【問３- 38】　当社は、ビルの１階の一部を賃借して化粧品の小売店を始め、開店に当たって、いろいろ内部造作を行いましたが、この造作の全てについて「建物附属設備」の「店用簡易装備」の耐用年数３年により償却しています。これでよいのでしょうか。

【答】　店用簡易装備とは、小売店、飲食店（食堂、レストラン、すし屋、そば屋等）、旅館又は銀行等の店舗に取り付けられる次のようなもので、短期間（おおむね３年）内に取替えが見込まれるものをいいます。

１　建物に組み込まれた壁面飾り棚、ルーバー、壁板等装飾を兼ねた造作

２　器具及び備品に該当しない陳列棚

３　比較的容易に取替えのできるカウンターで、単に床の上に置いたものでないもの

したがって、この店用簡易装備に該当しない建物造作については、その賃借している建物の耐用年数、その造作の種類、用途、使用材質等を勘案して合理的に見積もった年数により償却することとされています。（見積もり方法については、**【問３-28】**を参照してください。）

なお、電気配線及び照明設備についてされた造作については、建物附属設備の電気設備として償却することになります。

参 考　耐用年数省令　別表第一、耐通１－１－３（他人の建物に対する造作の耐用年数）、耐通１－２－３（建物の内部造作物）、耐通２－２－６（店用簡易装備）

可動間仕切りの耐用年数

【問３－ 39】　耐用年数省令別表第一の「建物附属設備」の「可動間仕切り」には、「簡易なもの……３年」と「その他のもの……15年」がありますが、具体的にはどのように適用したらよいのでしょうか。

【答】　「間仕切り」とは、本来建物についてした造作であって、建物そのものに含めて耐用年数を適用すべきものです。

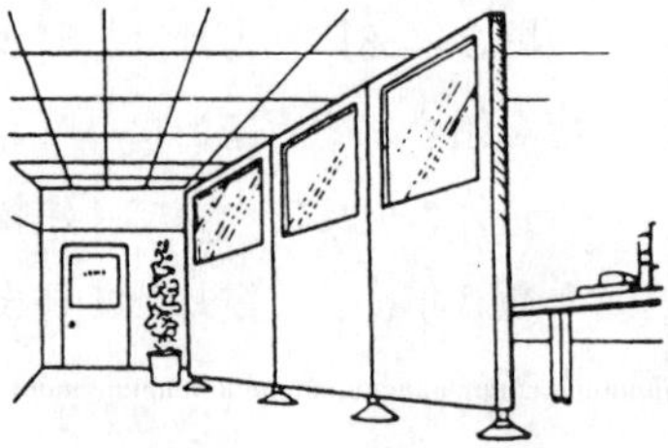

例えば、ビル等の建築に当たって間仕切りをしたような場合や、ビルのある階を借り切って自由な設計で間仕切りをしたような場合がこれに該当します。

また、建物附属設備に該当する「可動間仕切り」とは、一の事務室等を適宜仕切って使用するために間仕切りとして建物の内部空間に取り付ける資材のうち、取り外して再使用することが可能なパネル式若しくはスタッド式又はこれらに類するものをいいます。

したがって、会議室等に設備されているアコーディオンドア、スライディングドア等で他の場所に移設して再使用する構造となっていないものは、「可動間仕切り」に該当しません。

そこで御質問の「簡易なもの」と「その他のもの」の区分ですが、その適用については、次のとおりとなります。

(1)　「簡易なもの３年」……材質（ベニヤ板等）及び構造が簡易で容易に撤去できるものをいい、床に接する部分のみをボルト締め等で取り付け、天井との間が空いているようなものが該当します。

(2)　「その他のもの15年」……天井板と床とに接する部分の双方をボル

ト締め等で取り付けているようなものが該当します。

具体的には、次の図のように考えられます。

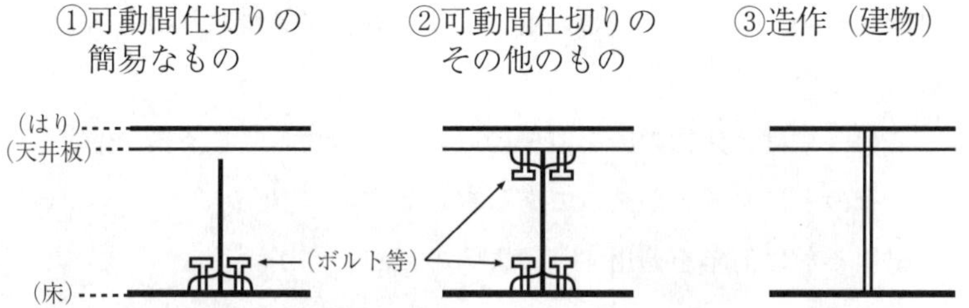

参考　耐用年数省令　別表第一、耐通１－２－３（建物の内部造作物）、耐通２－２－６の２（可動間仕切り）

浴槽の耐用年数

【問３－ 40】　当社は、この度、従業員寮にタイル貼りの浴槽を設置しました。

この浴槽は、建物の床を浴槽の底とし、建物の壁を浴槽の壁として、その上にタイルが貼ってあるものです。

耐用年数は何年を適用すればよいのでしょうか。

【答】　御質問の浴槽は、建物の床を浴槽の底とし、建物の壁を浴槽の壁として、その上にタイルを貼ったものだということですから、建物の一部であると考えられます。

したがって、その建物の耐用年数により償却することになります。（ユニットバスの耐用年数については、**【問３-26】**を参照してください。）

なお、屋外に設置するいわゆるフロハウスの浴槽部分については、「建物附属設備」の「給排水又は衛生設備及びガス設備」の15年を適用することになります。

また、室内に設置する移動が容易ないわゆるホームサウナ（ボックス型）等は、その構造等が主として木製であれば、「器具及び備品」の「11　前掲のもの以外のもの」の「その他のもの」の「その他のもの」の５年で償却することが適当であると考えられます。

参考　耐用年数省令　別表第一

ソーラーシステム（太陽熱温水器）の耐用年数

【問３－41】　当社は、光熱費節減のためソーラーシステムを本社ビルの屋上に取り付けました。また、本年完成予定の工場の屋根の上にも取り付けることにしていますが、このソーラーシステムに適用すべき耐用年数は何年でしょうか。

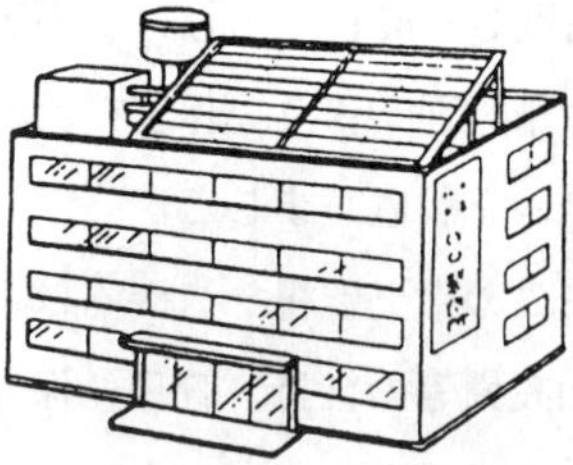

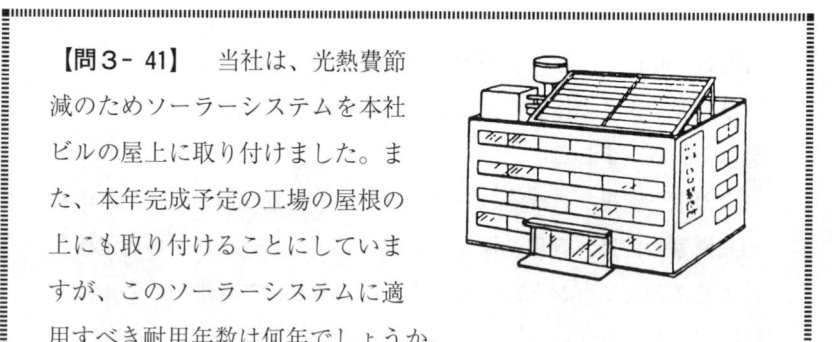

【答】　御質問の本社ビルの屋上のソーラーシステムの場合は、屋上一面を利用するといった大掛りなものであれば、耐用年数省令別表第一の「建物附属設備」の「給排水又は衛生設備及びガス設備」の15年を適用します。

しかし、その規模が一般家庭用のものと大差のないようなものであれば、それが金属製か、その他のものかに応じ同別表第一の「器具及び備品」の「１　家具、電気機器、ガス機器及び家庭用品（他の項に掲げるものを除く。）」の「その他のもの」の「主として金属製のもの」の15年か、「その他のもの」の８年を適用します。

また、工場のソーラーシステムの場合は、その設備の内容が十分に判明しませんが、一般的には建築当初から設計に組み込まれているものであれば、「建物附属設備」として15年を適用します。

ただし、ソーラーシステムの温水を、専ら製造工程で使用するために設備されるものであれば、その工場の製造設備に含めて、その業種用設備の耐用年数を適用することとなります。

参考　耐用年数省令　別表第一、耐通２－７－２（主として金属製のもの）、耐通１－４－５（自家用設備に適用する耐用年数）、耐通１－４－２（いずれの「設備の種類」に該当するかの判定）

ビルの中央監視システムの耐用年数

【問３－42】　当社は、不動産賃貸業を営んでいますが、この度、設備管理業務及び保安業務の省力化のため、各ビルに中央監視システムを設置しました。

この中央監視システムは、空調設備、受変電設備、災害発生の報知設備等の維持、管理、保守等をコンピューター及びその周辺機器により総合的にコントロールする設備ですが、この設備の耐用年数は何年でしょうか。

【答】　御質問の中央監視システムは、耐用年数省令別表第一「建物附属設備」に特掲されている各種の設備（「電気設備（照明設備を含む。）」、「給排水又は衛生設備及びガス設備」、「冷房、暖房、通風又はボイラー設備」、「昇降機設備」、「消火、排煙又は災害報知設備及び格納式避難設備」等）をコンピューターなどと連結し、コンピューター及びその周辺機器によりこれらの設備を総合的にコントロールするものですが、これらの設備とは機能的に独立した一つの建物附属設備に該当するものといえます。

したがって、耐用年数省令別表第一「建物附属設備」の「前掲のもの以外のもの及び前掲の区分によらないもの」の「主として金属製のもの」の18年を適用することになります。

参考　耐用年数省令　別表第一

第4節　構　　築　　物

燃料用重油貯蔵タンクの資産区分

【問3－43】　当社は、金属熱処理業を営む法人ですが、今回、熱処理炉で使用する重油の貯蔵用タンクを設置しました。

これは、熱処理炉にとって必要不可欠なものですから、耐用年数省令別表第二の「16　金属製品製造業用設備」の機械及び装置に含めて償却できるのでしょうか。

【答】　構築物と機械及び装置の区分は、一般的に生産工程の一部としての機能を有するか否かにより判断することになり、例えば、①生産工程中にあって、醸成、焼成等原材料に直接変化を与える機能を有するなど製造機能を有しているもの、②製造工程中にあり、単に流量の調整、次工程へ移る際の一時的な貯留を目的とするもので小規模なもの、③工業薬品、ガス、水又は油の配管施設のうち製造工程中にあるものは、機械及び装置に該当することになります。

御質問の場合は、生産工程の一部というよりも単に重油の貯蔵を目的とするタンクと認められますので、機械及び装置に該当せず構築物に該当します。

参考　耐用年数省令　別表第一、第二、耐通1－3－2（構築物と機械及び装置の区分）

テニスコートの耐用年数

【問３‐44】　当社は、次のような構造のテニスコートと夜間照明設備を施設しましたが、どの耐用年数を適用したらよいのでしょうか。

⑴　路盤に10㎝の厚さにコンクリートを打ち、その上に合成樹脂（ケミカル）の溶解したものを５㎜の厚さに流して、コートの表面処理をしています。

⑵　工事費は約1,000万円で、合成樹脂部分は、その約60％を占めています。

⑶　夜間照明設備は、金属製の柱に照明機器を取り付けたものです。

【答】　テニスコートについては、耐用年数省令別表第一の「構築物」の「競技場用、運動場用、遊園地用又は学校用のもの」の「野球場、陸上競技場、ゴルフコースその他のスポーツ場の排水その他の土工施設」の30年を適用するのが原則です。

しかし、御質問のテニスコートは、基礎部分と表層部分（合成樹脂）との材質が著しく異なりますので、コンクリート部分については30年を、合成樹脂部分については、同別表第一「構築物」の「合成樹脂造のもの（前掲のものを除く。)」の耐用年数10年を適用することができます。

夜間照明設備については、同別表第一「構築物」の「競技場用、運動場用、遊園地用又は学校用のもの」の「その他のもの」の「その他のもの」の「その他のもの」の30年を適用します。

参考　耐用年数省令　別表第一、耐通２－３－６（野球場、陸上競技場、ゴルフコース等の土工施設）

ゴルフ場の諸設備の耐用年数

【問３－45】　当社は、不動産販売業を営む法人ですが、この度、A市内でゴルフ場を経営する計画が持ち上がりましたので、別会社を設立するとともに用地買収を順次進めています。
　ところで、ゴルフ場には、いろいろな種類の設備を設置する必要がありますが、これらの耐用年数の適用はどのようにしたらよいのでしょうか。

【答】　御質問では設置される個々の設備の内容が分かりませんので、ゴルフ場において一般的に設置されている設備等のうち主なものを想定してお答えしますと、次のとおりです。

資産区分		適用耐用年数
1	建物	
	⑴　クラブハウス	耐用年数省令別表第一の「建物」の「構造」等に応じた「左記以外のもの」の年数
	⑵　コース内の売店	同別表第一の「建物」の「構造」等に応じた「店舗用のもの」の年数
	⑶　避雷小屋（掘立造）	同別表第一の「建物」の「簡易建物」の「掘立造のもの」の７年
2	ゴルフコースのフェアウェイ・グリーン	土地に該当し、非償却資産 　なお、ゴルフコースの築山、池その他これらに類するもので、一体となってそのゴルフコースを構成するものも土地に該当します。
3	暗きょ排水施設	同別表第一の「構築物」の「競技場用のもの」の「ゴルフコースの排水その他の土工施設」の30年
4	動く歩道	同別表第二の「51　娯楽業用設備」の「その他の設備」の「主として金属製のもの」の17年

5	橋（金属造）	同別表第一の「構築物」の「金属造のもの」の「橋」の45年
6	ラインカート ⑴　レール ⑵　カート	 同別表第一の「構築物」の「その他の軌道用のもの」の「軌条」の15年 同別表第一の「車両及び運搬具」の「前掲のもの以外のもの」の「その他のもの」の「自走能力を有するもの」の７年
7	電動式ゴルフカート ⑴　乗用型(四輪) ⑵　歩行型(三輪)	 同別表第一の「車両及び運搬具」の「前掲のもの以外のもの」の「自動車」の「小型車」の４年 同別表第一の「車両及び運搬具」の「前掲のもの以外のもの」の「三輪自動車」の３年
8	ガソリンエンジン式乗用ゴルフカート（四輪・660cc以下）	同別表第一の「車両及び運搬具」の「前掲のもの以外のもの」の「自動車」の「小型車（総排気量が0.66リットル以下のものをいう。）」の４年
9	自走式芝刈機 ⑴　乗用型 ⑵　歩行型	 同別表第二の「51　娯楽業用設備」の「その他の設備」の「主として金属製のもの」の17年 同別表第一の「器具及び備品」の「前掲のもの以外のもの」の「その他のもの」の「主として金属製のもの」の10年
10	花壇（クラブハウス周辺のもの）	同別表第一の「構築物」の「緑化施設」の「その他の緑化施設」の20年
11	防球ネット	同別表第一の「構築物」の「競技場用のもの」の「ネット設備」の15年

参考　耐用年数省令　別表第一、第二、耐通２－３－６（野球場、陸上競技場、ゴルフコース等の土工施設）、耐通２－３－８の２（緑化施設）、耐通２－５－11（電気自動車に適用する耐用年数）、耐通１－４－３（最終製品に基づく判定）、耐通１－４－２（いずれの「設備の種類」に該当するかの判定）

ゴルフ練習場の諸設備の耐用年数

【問３－46】　ゴルフ練習場には、いろいろな設備が設置されておりますが、これらに適用する耐用年数は、何年でしょうか。

【答】　御質問の内容が具体的ではありませんが、ゴルフ練習場において一般的に設置されている設備等を想定してお答えしますと、次のとおりです。

資産区分		適用耐用年数
1	建物（クラブハウス）	耐用年数省令別表第一の「建物」の「構造」等に応じた「左記以外のもの」の年数
2	打席用建造物（上記１以外のもの）	いわゆる建物に属さないものについては、同別表第一の「構築物」の「競技場用のもの」の「その他のもの」の「その他のもの」の「その他のもの」の30年
3	ネット設備	同別表第一の「構築物」の「競技場用のもの」の「ネット設備」の15年
4	夜間照明設備	同別表第一の「構築物」の「競技場用のもの」の「その他のもの」の「その他のもの」の「その他のもの」の30年
5	練習場用の芝生	同別表第一の「構築物」の「競技場用のもの」の「その他のもの」の「その他のもの」の「その他のもの」の30年 ただし、人工芝は「構築物」の「合成樹脂造のもの」の10年
6	ボール洗浄、乾燥、配球装置、オートティーアップ装置（その設備に係る電気設備を含む。）	同別表第二の「51　娯楽業用設備」の「その他の設備」の「主として金属製のもの」の17年
7	自走式ボール回収機、芝刈機	同別表第二の「51　娯楽業用設備」の「その他の設備」の「主として金属製のもの」の17年
8	ビデオ装置	同別表第一の「器具及び備品」の「１　家庭用品」の「テレビジョン、テープレコーダー」の５年
9	プリペイドカードの自動販売機、自動ボール貸出機	同別表第一の「器具及び備品」の「11　前掲のもの以外のもの」の「自動販売機（手動のものを含む。）」の５年
10	貸クラブ、靴等	同別表第一の「器具及び備品」の「９　娯楽器具」の「スポーツ具」の３年

（注）　少額の減価償却資産の取得価額の損金算入の規定に該当する資産については、その事業の用に供した日の属する事業年度において損金経理をしたときは、損金の額に算入することが認められます。

参考　令133（少額の減価償却資産の取得価額の損金算入）、耐用年数省令　別表第一、第二、耐通２－３－８の２（緑化施設）

テトラポッドの取得価額の損金算入

【問３- 47】　当社は、海に面しているＮ工場の護岸が海流に浸食されるおそれがあるため、この度、海岸に新たにテトラポッド約100個を投入しましたが、これに適用する耐用年数は何年でしょうか。

また、このテトラポッドは、１個７万円ないし８万円で、総額800万円余りでしたが、１個当たりの単価が10万円未満ですので、少額の減価償却資産として全額損金算入できるのでしょうか。

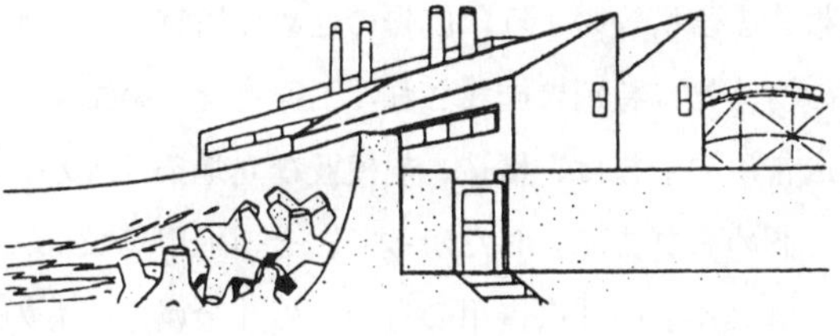

【答】　テトラポッドは、「構築物」の「コンクリート造又はコンクリートブロック造のもの（前掲のものを除く。）」の「その他のもの」の40年を適用することになります。

ただし、税務署長の確認（耐用年数の確認については、**【問３-21】**を参照してください。）を得て、「防波堤」の30年を適用する余地もあります。

また、テトラポッドは、それ自体単体では機能を発揮せず、一の工事ごとに全体として消波施設としての機能を果たすものであり、少額の減価償却資産かどうかの判定も、一の工事ごとに行うことになります。

したがって、お尋ねのテトラポッドについては、一時に損金の額に算入することはできません。

参考　令133（少額の減価償却資産の取得価額の損金算入）、耐用年数省令　別表第一、基通７－１－11（少額の減価償却資産又は一括償却資産の取得価額の判定）、耐通１－１－９（「構築物」又は「器具及び備品」で特掲されていないものの耐用年数）

鉄板の看板の耐用年数

【問３－48】　当社は、この度、工場構外に150万円の費用をかけて鉄製の支柱に広告用の看板（鉄板）を取り付けました。

これは、構築物、器具及び備品のいずれに該当しますか。また、この耐用年数は何年を適用すればよいのでしょうか。

【答】　耐用年数省令別表第一の「構築物」の「広告用のもの」とは、いわゆる野立看板、広告塔等のように広告のために構築された工作物や、建物の屋上又は他の構築物に特別に施設された工作物をいいます。

御質問の広告用の看板は、構造、規模及び立地条件等からみれば、構築物に該当すると認められます。したがって、その耐用年数は、鉄柱を含めて同別表第一の「構築物」の「広告用のもの」の「金属造のもの」の20年を適用することになります。

なお、広告塔等に取り付けられた広告用のネオンサイン放電管及びこれに附属する変圧器等の電気設備の耐用年数は、広告塔等とは別個に同別表第一の「器具及び備品」の「５　看板及び広告器具」の「看板、ネオンサイン及び気球」に該当し、３年を適用することになります。

参考　耐用年数省令　別表第一、耐通２－３－５（広告用のもの）、耐通２－７－10（ネオンサイン）

屋根付カーポートの耐用年数

【問３－ 49】　当社はスーパーマーケットを営む法人ですが、この度、来客用の駐車場に日除けのための屋根付カーポートを設置しました。

この屋根付カーポートの耐用年数は何年を適用すればよいのでしょうか。

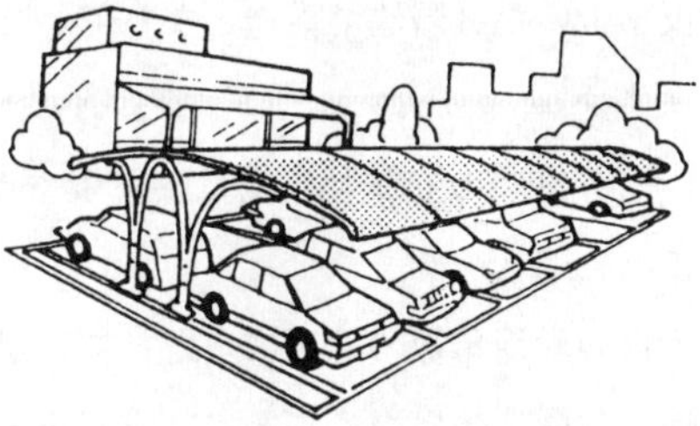

なお、この屋根付カーポートの主要構造の鋼管は直径14cm、肉厚が４mmであり、屋根以外は吹き抜け構造となっています。

【答】　御質問の屋根付カーポートは、屋根以外は吹き抜け構造ということであり、外界と隔絶した構造物とは認められませんので「建物」には該当せず、「構築物」に該当します。

構築物の耐用年数の適用に当たっては耐用年数省令別表第一において、まず、その用途により判定し、用途の特掲されていない構築物については、その構造の異なるごとに判定します。

御質問の場合は、用途が特掲されていませんので、その構造により判定することとなり、主要構造の鋼管が直径14cmで肉厚が４mmですから耐用年数省令別表第一「構築物」の「金属造のもの」の「その他のもの」の45年を適用することになります。

参考　耐用年数省令　別表第一、耐通１－３－１（構築物の耐用年数の適用）

立体駐車場の耐用年数

【問３－50】　当社は、この度、従業員用駐車場として屋外露天式立体駐車場を建設しましたが、何年の耐用年数を適用することができますか。

なお、当社の駐車場は屋根や外壁がなく、柱が鉄骨造りで床は鋼板を敷いた３階建て構造となっています。

【答】　御質問の立体駐車場は、屋根や壁を有しておらず、「構築物」に該当します。

構築物の耐用年数の適用に当たっては耐用年数省令別表第一において、その用途及び構造の異なるごとに判定しますが、御質問の場合は、柱が鉄骨造りですので、「構築物」の「金属造のもの」の「露天式立体駐車設備」の15年が法定耐用年数となります。

参考　耐用年数省令　別表第一

前掲の区分によらない場合

【問３－51】　当社は、料亭を経営する法人ですが、この度、次のような金属造の広告塔、旧館と新館を結ぶ鉄筋コンクリート造の構内トンネル及び木造の塀を新設しました。

これらの耐用年数の適用に当たって、広告塔及び塀については耐用年数省令別表第一の「構築物」に特掲された年数の20年及び10年により、トンネルについては「前掲の区分によらないもの」の50年によることができますか。

<table>
<tr><th></th><th>構　　　　築　　　　物</th><th>特掲によるもの</th><th>前掲の区分によらないもの</th></tr>
<tr><td>1</td><td>広告塔　広告用のもの（金属造）</td><td>年
20</td><td rowspan="2">年
50</td></tr>
<tr><td>2</td><td>構内トンネル　鉄筋コンクリート造のもの（トンネル）</td><td>75</td></tr>
<tr><td>3</td><td>塀　木造のもの（塀）</td><td>10</td><td>15</td></tr>
</table>

【答】　耐用年数省令別表第一の「構築物」の「前掲の区分によらないもの」とは、法人が、構築物について、「構造又は用途」又は「細目」ごとに区分しないで、構築物の全部を一括して償却する場合のこれらの資産をいいますので、構築物のうちその一部については区別されて定められた耐用年数を適用し、その他のものについては「前掲の区分によらないもの」の耐用年数を適用するいわゆるつまみぐいはできないこととされています。

ただし、その他のものに係る「構造又は用途」又は「細目」による区分ごとの耐用年数の全てが、「前掲の区分によらないもの」の耐用年数より短いものである場合には、この限りでないこととされています。

御質問のような場合の耐用年数の組合せは、次の４つのケースが想定されます。

適用例	構築物	適用耐用年数		適用可否	説　　明
		特 掲 分	前掲以外		
1	広 告 塔 トンネル 塀	20 年 75 10		可	
2	広 告 塔 トンネル 塀		50 年 50 15	可	前掲の区分によらないもの（一括適用）
3	広 告 塔 トンネル 塀	20 – 10	– 50 –	否	耐通１－１－６　本書による
4	広 告 塔 トンネル 塀	– 75 –	50 – 15	可	耐通１－１－６　但書による

御質問の場合は３のケースに該当することとなり、その適用はできません。

したがって、適用例の１、２又は４のケースから法人の選択により適用することになります。

参 考　耐用年数省令　別表第一、耐通１－１－６（前掲の区分によらない資産の意義等）

第５節　船舶、車両及び運搬具

クルーザーの耐用年数

【問３－52】　当社は、この度、従業員の福利厚生用として次のようなクルーザーを購入しましたが、耐用年数は何年でしょうか。

船体：強化プラスチック

全長：14m

総トン数：18トン

機関：高速ディーゼル機関

定員：12名

【答】　船舶に適用する耐用年数は、まず「船舶法第４条から第19条までの適用を受けるもの」と「その他のもの」に区分して判定します。

御質問の総トン数18トンのクルーザーは、船舶法第４条から第19条までの適用を受けないこと、また、強化プラスチック製であることから、「その他のもの」の「その他のもの」の「モーターボート及びとう載漁船」に該当し、その耐用年数は４年となります。

（注）　総トン数が20トン未満の船舶については、船舶法第４条から第19条までの規定の適用がありません（船舶法第20条）。

参考　耐用年数省令　別表第一

船舶搭載機器の耐用年数

【問３－53】　当社は、この度、砂利採取船を購入しました。この船に常時搭載されている砂利採取用の機械については、耐用年数省令別表第二の「29　鉱業、採石業又は砂利採取業用設備」の耐用年数を適用してもよいのでしょうか。

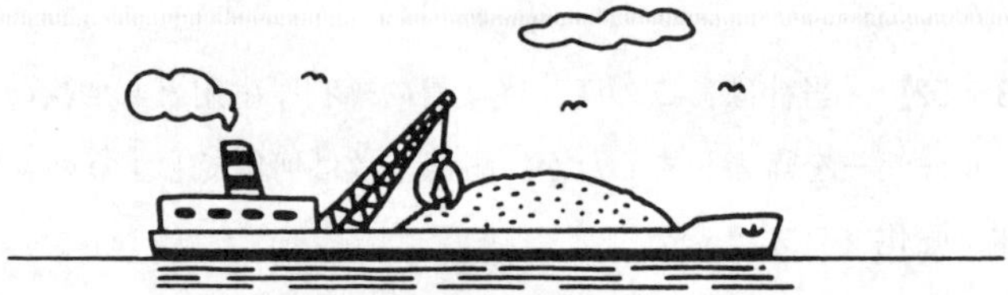

【答】　船舶に搭載する機器等の耐用年数については、

(1) 船舶安全法及びその関係法規により施設することを規定されている電信機器、救命ボートその他の法定備品については、船舶と一括してその耐用年数を適用する。

(2) (1)以外の工具、器具及び備品並びに機械及び装置で船舶に常時搭載するものについても、船舶と一括してその耐用年数を適用すべきであるが、法人が、これらの資産を船舶と区分して別表第一又は別表第二に定める耐用年数を適用しているときは、それが特に不合理と認められる場合を除き、これを認める。

とされています。

ところで、砂利採取船に搭載された砂利採取用の機械のように、船舶に常時搭載するもので、耐用年数省令別表第一の船舶の細目（しゅんせつ船及び砂利採取船等）の区分に関係する機器についてこれらを搭載している船舶本体と分離して別個の耐用年数を適用することは、この(2)の不合理と認められる場合に該当しますので、御質問の砂利採取用の機械については、砂利採取船の耐用年数を適用することになります。

なお、漁船に搭載する魚群の探知装置、揚網、揚縄、揚綱装置、釣り装置、漁具処理装置及び魚体保蔵装置等の漁ろう用設備については、同別表第二の「27　漁業用設備」の５年を適用することもできます。

参考　耐用年数省令　別表第一、第二、耐通２－４－１（船舶搭載機器）、耐通２－４－３（しゅんせつ船及び砂利採取船）、昭57直法２－８（減価償却資産の耐用年数等に関する省令別表第二に掲げる「漁ろう用設備」の範囲について）

登録を要しない自動車の耐用年数

【問３－54】　当社では、この度、工場の構内のみで使用する貨物自動車（登録を要しないもの）を購入しましたが、耐用年数の適用はどのようにしたらよいのでしょうか。

【答】　耐用年数の適用に当たって、車両及び運搬具に該当するかどうかは、自動車登録規則による登録の有無には関係なく、人や物を運搬するものかどうかによってその判定を行うことになります。

したがって、御質問の自動車は、貨物運搬用ということですから、耐用年数省令別表第一の「車両及び運搬具」の「前掲のもの以外のもの」の「自動車」の耐用年数を適用することになります。

参考　耐用年数省令　別表第一

車両と自走式作業用機械の区分

【問３－55】　耐用年数省令別表第一の「車両及び運搬具」と同別表第二の「26　林業用設備」、「30　総合工事業用設備」、「41　運輸に附帯するサービス業用設備」などとされるブルドーザー、パワーショベルその他の自走式作業用機械の適用区分はどのように判定するのですか。

【答】　御質問の適用区分は、次のようになります。

1　耐用年数省令別表第一の「車両及び運搬具」は、自走能力の有無を問わず、人又は物の運搬を主目的とするもので、例えば、電車、乗用車、貨物自動車、フォークリフト及び自転車等がこれに該当します。

2　同別表第二の「26　林業用設備」、「30　総合工事業用設備」、「41　運輸に附帯するサービス業用設備」などとされるブルドーザー、パワーショベルその他の自走式作業用機械は、作業現場において、掘削、積込み、てん圧等の作業を行う機械で、自らの動力により移動することのできるものをいいます。

例えば、くい打機、ロードローラー、アースドリル、積込機、コンクリートフィニッシャー等がこれに該当します。

これらの自走式作業用機械の耐用年数については、原則として、当該自走式作業用機械の使用状況等からいずれの業種用の設備として通常使用しているかにより、耐用年数省令別表第二の「26　林業用設備」、「30　総合工事業用設備」、「41　運輸に附帯するサービス業用設備」などに掲げるものが適用されます。

参考　耐用年数省令　別表第一、第二、耐通１－４－２（いずれの「設備の種類」に該当するかの判定）、耐通１－４－３（最終製品に基づく判定）、耐通２－５－５（特殊自動車に該当しない建設車両等）

特殊自動車の耐用年数

【問３－ 56】　当社は、造園業を営んでおり、街路樹の手入れ用に発電機（発電能力6.25KVA（５kw））及び工事中であることを示す電灯式の標識を搭載した貨物自動車を所有しています。

この貨物自動車には、耐用年数省令別表第一の「車両及び運搬具」の「特殊自動車」の耐用年数を適用してもよいのでしょうか。

【答】　特殊自動車とは、例えば、消防車、散水車、タンク車等シャーシーに特殊車体を架装したものをいい、御質問のように通常の自動車に発電機を搭載した程度のものは該当しませんので、次の区分により償却することとなります。

１　自動車

耐用年数省令別表第一の「車両及び運搬具」の「前掲のもの以外のもの」の「自動車」の「その他のもの」の「貨物自動車」の「その他のもの」の５年

２　搭載器具

イ　発電機

可搬性のある発電能力6.25KVA（５kw）程度のものであれば、同別表第一の「器具及び備品」の「11　前掲のもの以外のもの」の「その他のもの」の「主として金属製のもの」の10年

ロ　標　識

同別表第一の「器具及び備品」の「５　看板及び広告器具」の「看板、ネオンサイン及び気球」の３年

参 考　耐用年数省令　別表第一、耐通２－５－５（特殊自動車に該当しない建設車両等）

自走式クローラダンプの耐用年数

【問３‐57】　当社は土木建築業を営む法人です。この度、軟弱地で土砂等の運搬をするために、ダンプカーにキャタピラーを架装した自走式クローラダンプ（総排気量4,300cc）を取得しました。

この自走式クローラダンプは、耐用年数省令別表第二の「30　総合工事業用設備」に該当するでしょうか。

【答】　ブルドーザー、パワーショベルなど作業現場において作業することを目的とし、機械が移動しやすいように車輪をつけたものは、原則として、法人の当該設備の使用状況等から耐用年数省令別表第二のいずれの業種用の設備として通常使用しているかにより判定することになります。

しかし、御質問の自走式クローラダンプは、軟弱地での土砂等の運搬を目的とするものであることから、これには該当せず車両及び運搬具に該当することになります。

したがって、キャタピラーを架装したものであっても、車体はダンプ式貨物自動車であり、かつ、総排気量が4,300ccであるところから、耐用年数省令別表第一の「車両及び運搬具」の「前掲のもの以外のもの」の「自動車」の「その他のもの」の「貨物自動車」の「ダンプ式のもの」の４年を適用することになります。

参考　耐用年数省令　別表第一、耐通１－４－２（いずれの「設備の種類」に該当するかの判定）、耐通２－５－５（特殊自動車に該当しない建設車両等）

白ナンバーの貨物自動車の耐用年数

【問３－ 58】　当社は、国土交通大臣の免許を受けて、貨物運送事業を営んでいます。当社が所有する白ナンバーの貨物自動車についても、「運送事業用のもの」の耐用年数を適用することができますか。

【答】　耐用年数省令別表第一の「車両及び運搬具」の「運送事業用の車両及び運搬具」とは、道路運送法第４条の規定により、国土交通大臣の許可を受けた者及び貨物自動車運送事業法第３条の規定により国土交通大臣の許可を受けた者が、自動車運送事業の用に供するものとして登録された車両をいいます。

したがって、たとえ運送事業を営む法人が所有し、貨物運送の用に供している車両であっても、白ナンバーのものは運送事業用の車両には該当せず、同別表第一の「車両及び運搬具」の「前掲のもの以外のもの」の「自動車」の「その他のもの」の「貨物自動車」の耐用年数を適用することとなります。

参考　耐用年数省令　別表第一、耐通２－５－６（運送事業用の車両及び運搬具）

貸自動車の耐用年数

【問３‐ 59】　当社は、リース業を営む法人です。この度、㈱Ａ社に対して、役員送迎用として自動車５台をリースする契約を締結しました。

この貸与自動車の耐用年数は、耐用年数省令別表第一の「車両及び運搬具」の「貸自動車業用」を適用するのでしょうか。

それとも、貸与先において実際に使用されている用途により判断するのでしょうか。

【答】　車両及び運搬具の耐用年数は、耐用年数省令別表第一において、その構造又は用途により「鉄道用又は軌道用車両（架空索道用搬器を含む。）」、「特殊自動車（この項には、別表第二に掲げる減価償却資産に含まれるブルドーザー、パワーショベルその他の自走式作業用機械並びにトラクター及び農林業用運搬機具を含まない。）」、「運送事業用、貸自動車業用又は自動車教習所用の車両及び運搬具（前掲のものを除く。）」及び「前掲のもの以外のもの」の四つに区分されています。

このうち「貸自動車業用の車両」とは、不特定多数の者に一時的に自動車を賃貸することを業とする法人がその用に供する自動車をいい、例えば、レンタル会社のレンタカーがこれに該当します。

しかし、リース事業者が一定の契約のもとに特定の者に長期にわたって貸与する自動車については、不特定多数の者に一時的に賃貸するものではありませんので、「貸自動車業用」の耐用年数を適用することはできず、貸与先の実際の用途に応じた耐用年数を適用することとなります。

したがって、御質問の貸自動車については、耐用年数省令別表第一「車両及び運搬具」の「前掲のもの以外のもの」の「自動車」の「その他のもの」の「その他のもの」の６年を適用することになります。

参考　耐用年数省令　別表第一、耐通１－１－５（貸与資産の耐用年数）、耐通２－５－７（貸自動車業用）

第６節　工具、器具及び備品

工具の範囲（特掲されていない工具）

【問３-60】　耐用年数省令別表第一の「工具」の耐用年数の適用について「前掲のもの以外のもの」には、どのような工具が考えられますか。

【答】　御質問の「前掲のもの以外のもの」には、次に例示するような工具が考えられます。

1　作業工具

(1) レンチ、スパナ、ペンチ、パンチ、ドライバー、万力、ハンマー、ヤットコ、金床、その他手動による作業工具

(2) 電気ハンドドリル、電気ドライバー、携帯用電気グラインダー、その他機動による作業工具

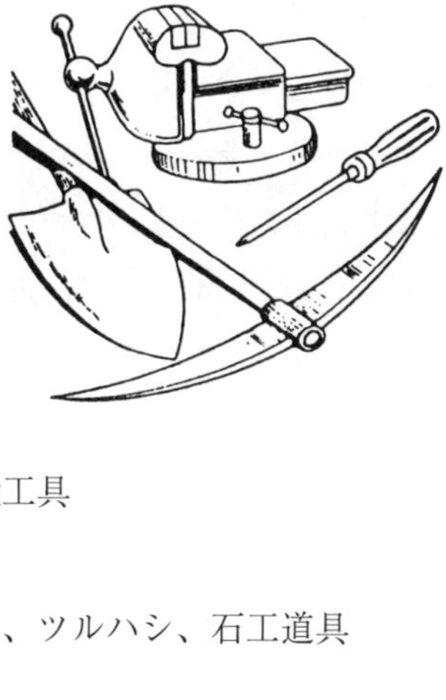

2　運搬工具

ジャッキ、チェンブロック、その他の運搬工具

3　建設用、造船用又は鉱山用工具

(1) シャベル、スコップ、スペード、ホーク、ツルハシ、石工道具

(2) しゅんせつ用カッタ、ロックビット

4　ねん糸製造設備及び織物設備等において使用されるボビン、シリンダー

参考　耐用年数省令　別表第一

器具及び備品の耐用年数の選択適用

【問３- 61】　当社は、器具及び備品の耐用年数については、従来から、事務の簡素化等の理由で耐用年数省令別表第一の「器具及び備品」の「12　前掲する資産のうち、当該資産について定められている前掲の耐用年数によるもの以外のもの及び前掲の区分によらないもの」を適用して、「主として金属製のもの」の15年、「その他のもの」の８年の２区分により償却限度額の計算を行っております。

当期購入の事務用のデジタル複写機は、取得価額が高額なため同表の「２　事務機器及び通信機器」に特掲されている「複写機」の５年の耐用年数を適用したいと考えますが差し支えないでしょうか。

【答】　器具及び備品の耐用年数については、耐用年数省令別表第一に掲げる「器具及び備品」の「１　家具、電気機器、ガス機器及び家庭用品（他の項に掲げるものを除く。）」から「11　前掲のもの以外のもの」までに掲げる品目のうち、そのいずれか一についてはその区分に特掲されている耐用年数により、その他のものについては一括して「12　前掲する資産のうち、当該資産について定められている前掲の耐用年数によるもの以外のもの及び前掲の区分によらないもの」の耐用年数により償却することができるものとされています。

したがって、御質問のように複写機だけを区分して耐用年数の適用をすることができます。

なお、この場合、品目を一にするものは、その全てについて、一つの耐用年数を適用する必要がありますので、一部の複写機については同表の「２　事務機器及び通信機器」に特掲されている耐用年数５年により、残りの複写機については同表の「12　前掲する資産のうち、当該資産について定められている前掲の耐用年数によるもの以外のもの及び前掲の区分によらないもの」の耐用年数15年によるということはできません。

参考　耐用年数省令　別表第一、耐通１－１－７（器具及び備品の耐用年数の選択適用)、耐通２－７－１（前掲する資産のうち当該資産について定められている前掲の耐用年数によるもの以外のもの及び前掲の区分によらないもの）

パチンコ器等の耐用年数

【問３- 62】　当社は、パチンコ店を開業するため、次の諸設備を購入しました。これらの設備の耐用年数は何年でしょうか。

(1)　自動玉洗浄・配球装置
(2)　パチンコ器取付台（島……木製のもの）
(3)　パチンコ器
(4)　自動玉貸機
(5)　パチンコ玉
(6)　自動電磁カウンター
(7)　パチスロ器

【答】　御質問の諸設備に係る耐用年数は、次の区分により適用することとなります。

(1)　自動玉洗浄・配球装置は、耐用年数省令別表第一の「器具及び備品」の「９　娯楽又はスポーツ器具及び興行又は演劇用具」の「その他のもの」の「主として金属製のもの」の10年
(2)　木製パチンコ器取付台は、同別表第一の「９　娯楽又はスポーツ器具及び興行又は演劇用具」の「その他のもの」の「その他のもの」の５年
(3)　パチンコ器は、同別表第一の「９　娯楽又はスポーツ器具及び興行又は演劇用具」の「パチンコ器、ビンゴ器その他これらに類する球戯用具及び射的用具」の２年
(4)　自動玉貸機は、同別表第一の「11　前掲のもの以外のもの」の「自動販

売機（手動のものを含む。)」の５年

(5) パチンコ玉は、払出時の損金として差し支えありません。

(6) 自動電磁カウンターは、その構造により次のいずれかとなります。

イ　自動還元装置として同一のシステムに組み込んだもの

同別表第一の「11　前掲のもの以外のもの」の「その他のもの」の「主として金属製のもの」の10年

ロ　単独のもの

同別表第一の「２　事務機器及び通信機器」の「複写機、計算機（電子計算機を除く。)、金銭登録機、タイムレコーダーその他これらに類するもの」の５年

(7) パチスロ台は、同別表第一の「９　娯楽又はスポーツ器具及び興行又は演劇用具」の「スポーツ具」の３年

参考　耐用年数省令　別表第一、耐通２－７－14（自動遊具等）

バッティングセンターの諸設備の耐用年数

【問３‐63】　当社は、バッティングセンターを開業しました。当社が取得した次の諸設備の耐用年数は何年でしょうか。

(1)　ピッチングマシン
(2)　ネット設備
(3)　打球場の屋根
(4)　ボール及びバット

【答】　御質問の諸設備に係る耐用年数は、次の区分により適用することになります。

(1)　ピッチングマシンは、耐用年数省令別表第一の「器具及び備品」の「９　娯楽又はスポーツ器具及び興行又は演劇用具」の「スポーツ具」の３年
(2)　ネット設備は、同別表第一の「構築物」の「競技場用、運動場用、遊園地用又は学校用のもの」の「ネット設備」の15年
(3)　打球場の屋根は、建物と認められるものを除き、その構造に応じ、同別表第一の「構築物」の「競技場用、運動場用、遊園地用又は学校用のもの」の「その他のもの」の「その他のもの」の「主として木造のもの」の15年、又は「その他のもの」の30年
(4)　ボール及びバットは、耐用年数省令別表第一の「器具及び備品」の「９　娯楽又はスポーツ器具及び興行又は演劇用具」の「スポーツ具」の３年

参考　耐用年数省令　別表第一

ゴルフシミュレーターの耐用年数

【問３- 64】　当社はアスレチッククラブを営んでいますが、今回次のようなゴルフシミュレーターを設置しました。耐用年数は何年を適用すべきでしょうか。

1　本物のゴルフクラブとボールを使用して約８メートル先にあるスクリーンに向かってボールを打ちます。

2　スクリーンには、プロジェクター（映写機）により世界でも有名なゴルフコースの各ホールの映像が映し出されます。

3　プレーヤーが打ったボールは、赤外線のセンサーとコンピュータにより計測された軌道でスクリーン上を移動します。

4　画面は、次打の場面に移り、プレーヤーはその状況から次のプレーを行います。

【答】　御質問のゴルフシミュレーターは、ゴルフの練習に使用する簡易なネット設備をスクリーンとして使用し、そこに、コンピュータで計算した打球の軌道及びコースの映像を映写することにより、プレーヤーが実際にそのコース（ホール）をプレイしているようにシミュレートするものです。

したがって、耐用年数は、耐用年数省令別表第一の「器具及び備品」の「９　娯楽又はスポーツ器具及び興行又は演劇用具」の「スポーツ具」の３年を適用します。

参考　耐用年数省令　別表第一

結婚式場用資産の耐用年数

【問３－65】　当社は、結婚式場を開業するため、次の資産を購入しましたが、それぞれの耐用年数は何年を適用すべきでしょうか。

(1) 式場用の建物（鉄筋コンクリート造）
(2) 照明用のシャンデリア
(3) 応接セット等の家具
(4) 式場にある祭壇（木造）
(5) じゅうたん

【答】　御質問に係る資産の耐用年数は、次の区分により適用することになります。

(1) 建　物……耐用年数省令別表第一の「建物」の「鉄骨鉄筋コンクリート造又は鉄筋コンクリート造のもの」の「飲食店用、貸席用、劇場用、演奏場用、映画館用又は舞踏場用のもの」の木造内装部分の面積の割合に応じて34年又は41年

(2) シャンデリア……同別表第一の「建物附属設備」の「電気設備（照明設備を含む。）」の「その他のもの」の15年

(3) 応接セット等の家具……同別表第一の「器具及び備品」の「１　家具、電気機器、ガス機器及び家庭用品（他の項に掲げるものを除く。）」の「応接セット」及び「その他の家具」の「接客業用のもの」の５年

(4) 祭　壇……同別表第一の「器具及び備品」の「11　前掲のもの以外のもの」の「その他のもの」の「その他のもの」の５年

(5) じゅうたん……同別表第一の「器具及び備品」の「１　家具、電気機器、ガス機器及び家庭用品（他の項に掲げるものを除く。）」の「じゅうた

んその他の床用敷物」の「小売業用、接客業用、放送用、レコード吹込用又は劇場用のもの」の３年

参考　耐用年数省令　別表第一、耐通２－１－７（木造内装部分が３割を超えるかどうかの判定）、耐通２－７－３（接客業用のもの）

ＰＲ用映画フィルムの耐用年数

【問３‐66】　当社は、創立20周年を記念して、会社のＰＲ用映画フィルムの制作を映画会社に依頼し、このほど完成しました。

費用はネガティブフィルム製作費500万円、ポジティブフィルムの複製費５本分で40万円、合計540万円を支払いました。

この場合、ＰＲ用映画フィルムの取得価額はいくらになりますか。

また耐用年数は何年を適用すればよいのでしょうか。

当社では、このフィルムを５～６年は使用する予定です。

【答】　ＰＲ用映画フィルムの取得価額は、その制作費、複製費等直接・間接に要した一切の費用を含めて、一の資産に計上することになります。

したがって、貴社の場合の取得価額は540万円となります。

なお、耐用年数は、耐用年数省令別表第一の「器具及び備品」の「11　前掲のもの以外のもの」の「映画フィルム（スライドを含む。）、磁気テープ及びレコード」の２年を適用することになります。

参考　耐用年数省令　別表第一、耐通４－１－３（映画用フィルムの取得価額）

ルームクーラーの耐用年数

【問３-67】　冷房用機器にはいろいろな種類がありますが、耐用年数の適用について説明してください。

【答】　冷房用機器は、家庭用の小型のものからダクトを使って広範囲に冷房する大型のもの、また冷暖房共用のもの等多くの種類があります。

したがって、耐用年数の適用について耐用年数省令別表第一の「建物附属設備」の「冷房、暖房、通風又はボイラー設備」又は「器具及び備品」の「１家具、電気機器、ガス機器及び家庭用品（他の項に掲げるものを除く。）」の「冷房用又は暖房用機器」のいずれに該当するかは、次の区分によります。

なお、冷暖房共用のものについても同様です。

１　「建物附属設備」

ダクトを通じて広範囲にわたって冷房する大型の冷房用機器が該当します。また、冷却装置、冷風装置等が一つのキャビネットに組み合わされたパッケージドタイプのエアーコンディショナーであっても、ダクトを通じて相当広範囲にわたって冷房するものもこれに含まれます。

これらの耐用年数の適用は次のようになります。

イ　冷凍機の出力が22kw以下のもの……………13年

ロ　その他のもの ……………………………………15年

２　「器具及び備品」

いわゆるウィンドータイプのルームクーラー、エアーコンディショナー及びパッケージドタイプのエアーコンディショナーで１の「建物附属設備」に該当しないもの ……………………………６年

参考　耐用年数省令　別表第一、耐通２－２－４（冷房、暖房、通風又はボイラー設備）、耐通２－７－４（冷房用又は暖房用機器）

防犯用監視カメラ装置の耐用年数

【問３- 68】　当社は、書店を営んでいる法人ですが、この度、次のような店内防犯用監視カメラ装置を設置しました。

(1) 店内に設置する監視カメラ　　　　　５台（１台22万円）

(2) 店内の様子を表示するテレビ受像器　　１台（22万円）

(3) ビデオデッキ　１台(33万円)

この装置の耐用年数は、耐用年数省令別表第一の「器具及び備品」に特掲されているカメラ、テレビ及びテープレコーダーの耐用年数を適用することになるのでしょうか。

【答】　耐用年数省令別表第一の「器具及び備品」の細目には、カメラ及びテレビが特掲されていますが、これらの耐用年数（カメラは５年、テレビ受像器は５年）は、カメラ及びテレビを単体として使用している場合に適用されます。

しかし、貴社が設置された(1)～(3)の装置は、店内監視用システムとして機能的に一体性があり、また、構造的には、放送用設備に該当するものと考えられます。

したがって、この装置の耐用年数は、耐用年数省令別表第一の「器具及び備品」の「２　事務機器及び通信機器」の「インターホーン及び放送用設備」の６年を適用することになります。

参考　耐用年数省令　別表第一

無線タクシー位置、動態表示装置の耐用年数

【問３－69】　当社は、タクシー業を営む法人ですが、この度、無線タクシー位置、動態表示装置（ＡＶＭシステム）を設置しました。この装置に適用する耐用年数は何年でしょうか。

なお、この装置は、次の二つの機器で構成されています。

(1) 移動局信号発生器……タクシーに設置

(2) 配車指令卓（タクシー動態表示ディスプレー、音声通話装置、配車等入力キーボード等で構成）………指令室に設置

【答】　御質問の機器については、その耐用年数を次のように取り扱うことになります。

(1) 移動局信号発生器

車両に常時搭載されているラジオ、メーター、無線通信機器、クーラーなどの機器と同様にタクシー本体と一括して車両の耐用年数を適用します。

なお、既存のタクシーに設置したもので、その設置に要した費用の額が20万円未満の場合には、損金経理をすることにより、設置した日の属する事業年度の一時の損金とすることができます。

(2) 配車指令卓

耐用年数省令別表第一の「器具及び備品」の「２　事務機器及び通信機器」の「電話設備その他の通信機器」の「その他のもの」の10年を適用します。

参考　耐用年数省令　別表第一、基通７－８－３（少額又は周期の短い費用の損金算入）、耐通２－５－１（車両にとう載する機器）

移動式書棚の耐用年数

【問３‐ 70】　当社は、年々増加する資料等の整理のため、次のような移動式書棚を設置しましたが、耐用年数は何年でしょうか。

⑴　金属製書棚（幅１m20cm、高さ２m50cm、奥行40cm）を前列に４個、後列に５個配置したものです。

⑵　前列の書棚は、底にコマを取り付け、床に設置したレール上を左右に移動するものです。

⑶　移動式書棚には、手動式のものと、電動式のものがありますが、当社が設置したものは、手動式のものです。

【答】　一般的な書棚の耐用年数については、耐用年数省令別表第一の「器具及び備品」の「１　家具、電気機器、ガス機器及び家庭用品（他の項に掲げるものを除く。）」の「その他の家具」の「その他のもの」により、「主として金属製のもの」は15年、「その他のもの」は８年を適用するのが相当と考えられます。

御質問の移動式書棚は、構造的には、従来の固定式書棚にコマを取り付けたものと思われますので、レール部分も含めて、従来の耐用年数と同様に15年を適用することになります。

なお、参考までに、電動式移動式書棚の耐用年数の取扱いについて説明しますと、規模及び構造等から機械及び装置に該当すると認められる場合には、書棚及びレール部分も含め、その使用状況等からどの業種用の設備として通常使用しているかにより、耐用年数省令別表第二の当該業用の耐用年数若しくは「55　前掲の機械及び装置以外のもの並びに前掲の区分によらないもの」の「その他の設備」の「主として金属製のもの」の17年などを適用することになります。

参考　耐用年数省令　別表第一、第二、耐通１－４－２（いずれの「設備の種類」に該当するかの判定）、耐通１－４－３（最終製品に基づく判定）

ＬＡＮ設備の耐用年数

【問３－71】　当社は、コンピュータの更新に伴い、本社ビル全体をつなぐＬＡＮ設備を導入しました。

ＬＡＮ設備とは、同一フロアや同一建物内などの限られたエリア内に分散配置されたパソコンやワークステーション等の装置をケーブルなどの伝送媒体で

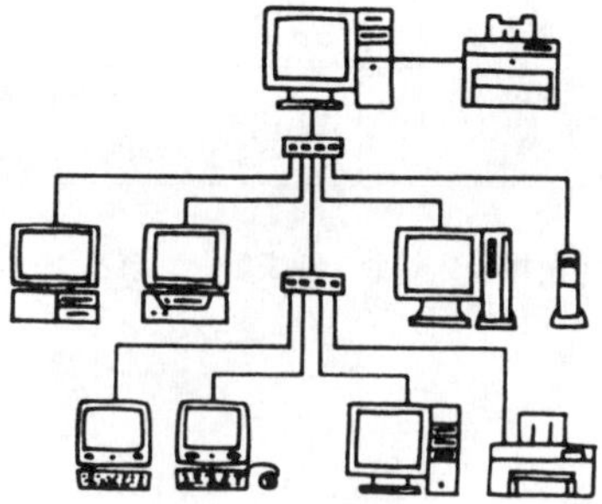

接続することによって構築される企業内通信ネットワークのことをいいますが、その耐用年数の適用に当たって、ＬＡＮ設備を一の減価償却資産として判定してもよいのでしょうか。

【答】　ＬＡＮ設備は、ＬＡＮ設備を構成する個々の資産ごとに耐用年数を適用して償却費の計算を行いますので、その耐用年数の適用に当たり、これを一の減価償却資産として判定することはできません。

ＬＡＮ設備を構成する個々の減価償却資産ごとの耐用年数はおおむね次のようになります。

個々の減価償却資産	耐用年数	「種類」「構造又は用途」「細目」
サーバー	５年	「器具及び備品」「事務機器及び通信機器」「電子計算機」「その他のもの」
ネットワークオペレーションシステム、アプリケーションソフト	５年	「無形減価償却資産」「ソフトウエア」「その他のもの」
ハブ、ルーター、リピーター、ＬＡＮボード	10年	「器具及び備品」「事務機器及び通信機器」「電話設備その他の通信機器」「その他のもの」

端末機	4年	「器具及び備品」「事務機器及び通信機器」「電子計算機」「パーソナルコンピュータ(サーバー用のものを除く。)」
プリンター	5年	「器具及び備品」「事務機器及び通信機器」「その他の事務機器」
ツイストペアケーブル、同軸ケーブル	18年	「建物附属設備」「前掲のもの以外のもの及び前掲の区分によらないもの」「主として金属製のもの」
光ケーブル	10年	「建物附属設備」「前掲のもの以外のもの及び前掲の区分によらないもの」「その他のもの」

参考　耐用年数省令　別表第一、第三

衛星放送受信用パラボラ・アンテナとチューナーの耐用年数

【問３－ 72】　当社は、この度、衛星放送受信用のパラボラ・アンテナとチューナーをセットで購入し、従来から社員食堂で使用しているテレビに取り付けました。

これらの機器の耐用年数は何年を適用すればよいのでしょうか。

【答】　衛星放送は、テレビにパラボラ・アンテナとチューナーを取り付けることにより初めて受信することができます。つまり、御質問のパラボラ・アンテナとチューナーは、単独では何の機能も果たさず、テレビ、パラボラ・アンテナ、チューナーが一体となって初めて衛星放送の受信が可能になり、テレビとしての機能を有することになります。

したがって、耐用年数の適用に当たっては、パラボラ・アンテナとチューナーを個別的にみるのではなく、テレビとしての機能面から全てを一括してとらえ、耐用年数省令別表第一の「器具及び備品」の「１　家具、電気機器、ガス機器及び家庭用品（他の項に掲げるものを除く。）」の「ラジオ、テレビジョン、テープレコーダーその他の音響機器」の５年を適用することになります。

御質問の場合、従来から使用しているテレビにパラボラ・アンテナとチューナーを新たに取り付けたということですから、これらの機器の取得に要した費用（取付工事費等を含みます。）は資本的支出に該当します。

しかし、その金額が20万円未満であれば、その事業の用に供した日の属する事業年度において損金経理をしたときは、損金の額に算入することが認められます。

参 考　耐用年数省令　別表第一、基通７－８－１（資本的支出の例示）、基通７－８－３（少額又は周期の短い費用の損金算入）

オートロック式パーキング装置の耐用年数

【問3－73】　当社は、この度、代表者が所有する駅前の空地を賃借し、駐車場を営むこととなり、その土地を整備した上でオートロック式パーキング装置を取り付けました。

この装置に適用する耐用年数は何年でしょうか。

【答】　オートロック式パーキング装置とは、駐車時は自動車を所定の位置に止めると車輪が車止めに固定され、また、発車時には、自動料金装置に駐車料金を入金すると自動的に車止めが解除される仕組みのもので、無人で駐車管理と料金徴収とを行うものです。

この装置は、大別して、①時計機構と、②油圧シリンダー機構から構成されていて、①で駐車時間に応じた駐車料金の算定を行い、②で自動車を固定、解除するものですが、その構造、規模等から見て「器具及び備品」に該当すると認められます。

この装置の耐用年数については、耐用年数省令別表第一の「器具及び備品」の「11　前掲のもの以外のもの」の「無人駐車管理装置」の５年を適用することになります。

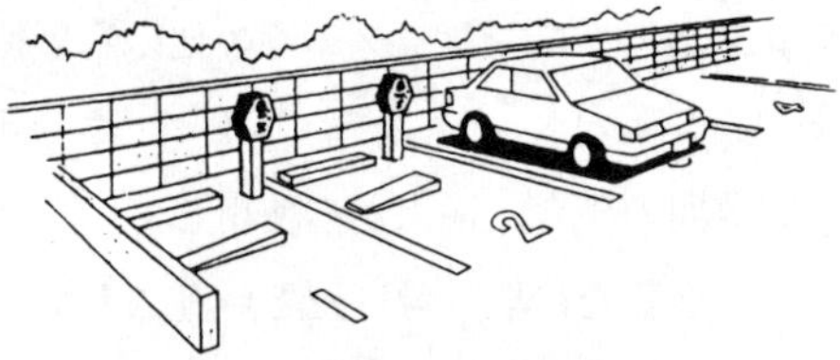

なお、「無人駐車管理装置」には自動車の入出庫時に機械的に遮断できるパーキングゲート式のものも含まれますが、バイク又は自転車用の駐輪装置は含まれませんのでご注意ください。

［参考］　耐用年数省令　別表第一、耐通２－７－19（無人駐車管理装置）

ＣＤ-ＲＯＭ化された百科辞典の耐用年数

【問３- 74】　当社では、この度、CD-ROM化された百科辞典を購入しましたが、無形固定資産であるソフトウエアとして、その耐用年数を自社で使用する場合の５年としてよろしいでしょうか。

【答】　平成12年４月１日以後に取得するソフトウエアは、無形固定資産に該当し、その耐用年数は、複写して販売する原本となるソフトウエア及び開発研究用に使用するソフトウエアについては３年、それ以外のものについては５年とされました。

著作権法で規定されている「ソフトウエア」とは、電子計算機を機能させて、一の結果を得ることができるように、これに対する指令を組み合わせたものとして表現されたものをいいます。

また、一般的には、コンピュータを有効に働かせ、最適な情報処理システムを確立するための技術をいうといわれています。

御質問の場合、コンピュータを有効に働かす機能は別のソフトウエアによっており、CD-ROMは百科辞典の内容を情報として記憶させたものに過ぎません。

すなわち、百科辞典が「書籍」か「CD-ROM」のいずれの形をとるかという、いわば記憶媒体の違いであり、百科辞典を「CD-ROM」の形で購入したものとして、耐用年数省令別表第一の「器具及び備品」の「11　前掲のもの以外のもの」の「その他のもの」の「その他のもの」の５年を適用することになります。

参考　令13Ⅷ（無形固定資産）、耐用年数省令　別表第一、第三、第六

生ゴミ処理装置の耐用年数

【問３‐75】　当社は、バイオシステムによる業務用の「生ゴミ処理装置」を導入することとなりました。この装置の耐用年数は何年を適用することになりますか。

【答】　御質問の生ゴミ処理装置については、次の理由から「器具及び備品」に該当するものと考えられます。

1　この装置は、残飯・魚のあら・野菜等の生ゴミ（有機性廃棄物）を容器の中で、バクテリア菌の活用により分解処理するものであり、結果として堆肥等ができるものであり、製造を行うものでないこと

2　この装置は、「機械及び装置」に組み込んで活用するものでなく、単品で使用し、生ゴミ（有機性廃棄物）を処分しやすいように分解処理するものであること

3　この装置は、その用途及び規模からみて「機械及び装置」というほどの機能を有していないこと

したがって、耐用年数は、「器具及び備品」の「１（家具）」から「10（生物）」に該当しないことから「11　前掲のもの以外のもの」の「その他のもの」の「主として金属製のもの」の10年を適用することとなります。

なお、この装置を「機械及び装置」に組み込んで使用する場合には、その設備の使用状況等からいずれの業種用の設備として通常使用しているかにより耐用年数を判定することとなります。

参考　耐用年数省令　別表第一、第二、耐通１－４－２（いずれの「設備の種類」に該当するかの判定）

無人ヘリコプターの耐用年数

【問３‐76】　当社は、農業を営んでいますが、今回次のような産業用の無人ヘリコプターを購入しました。耐用年数は何年を適用すべきでしょうか。

規模・構造…全備重量（機体＋散布装置＋薬剤＋燃料）：90kg、
エンジン：240cc、燃料：ガソリン

用途…………病害虫防除用の薬剤散布又は播種用等に使用

【答】　航空法上の「無人航空機」は「航空機」とは別の区分とされているものであり、「航空機」のうち「無人航空機」を規定したものではないことからすれば、「無人航空機」に該当する無人ヘリコプターについては、耐用年数省令別表第一に掲げる「航空機」には該当しないと解されます。

（注）１　「航空機」とは、人が乗って航空の用に供することができる飛行機、回転翼航空機、滑空機、飛行船その他政令で定める機器をいいます（航空法第２条第１項）。

２　「無人航空機」とは、航空の用に供することができる飛行機等であって構造上人が乗ることができないもののうち、遠隔操作又は自動操縦により飛行させることができる重量100ｇ以上のものをいいます（航空法第２条第22項）。

したがって、航空法上「無人航空機」に該当する無人ヘリコプターの耐用年数については、その種類、規模、構造、用途等を総合的に勘案して個別に判定することとなります。

御質問の病害虫防除用の薬剤散布又は播種用等に使用する無人ヘリコプターについては、耐用年数省令別表第二に掲げる「25　農業用設備」の７年を適用します。

なお、農業用の用途以外に使用される無人ヘリコプターは、一般の事業用に供される減価償却資産に該当しますので、耐用年数省令の別表第一に掲げる耐用年数を適用することになります。

例えば、測量用の無人ヘリコプターで、全備重量（機体＋測量装置＋燃料）30kg程度のものであれば、耐用年数省令別表第一の「器具及び備品」の「11

前掲のもの以外のもの」の「その他のもの」の「主として金属製のもの」の耐用年数10年を適用します。

参 考　耐用年数省令　別表第一、第二、耐通１－４－２（いずれの「設備の種類」に該当するかの判定）

写真撮影専用ドローンの耐用年数

【問３‐ 77】　当社は、建設業を営んでいますが、このたび建設現場の航空写真を撮影するための写真撮影専用ドローンを購入しました。当該ドローンは、人が乗れる構造とはなっておらず、送信機による遠隔操作により飛行等させるものであり、重量は約10kgです。当社では、当該ドローンを用いて撮影した画像を解析ソフトに落とし込み、その画像等を活用して施工時の無人重機の動作制御や施工結果の確認等を行います。

当該ドローンの耐用年数は何年を適用すべきでしょうか。

【答】　航空法上「無人航空機」に該当する無人ヘリコプター（ドローン等）の耐用年数については、その種類、規模、構造、用途等を総合的に勘案して個別に判定することとなります。

（注）　航空法上の「無人航空機」の定義については、**【問３‐76】**の**【答】**欄の（注）２を参照してください。

この写真撮影専用ドローンは、人が乗れる構造とはなっていないことから、航空法上「無人航空機」に該当し（耐用年数省令別表第一の「航空機」には該当しません。）、また飛行することを目的とせず、空中からの写真撮影を目的としていることから、写真撮影機器としての機能を高めるためにドローンを移動手段として取り付けた、いわゆるカメラとドローンが一体となって機能を発揮する設備であると認められます。

したがって、この写真撮影専用ドローンは、耐用年数省令別表第一の「器具及び備品」の「４　光学機器及び写真製作機器」の「カメラ」の５年を適用します。

参 考　耐用年数省令　別表第一、第二

「器具及び備品」で特掲されていないものの耐用年数

【問３－ 78】　当社は、卸売業を営んでおります。

この度、当社店舗の消火設備として自動消火装置を３台（１台当たり35万円）取得しました。

この装置は、従来から使用している消火器と異なり、大型テレビ大のもので、１つのキャビネットの中に煙感知器、熱感知器、自動制御装置、自動噴射装置等が内蔵され、自動的に火災発生を感知して消火ガスが噴射されるというものです。この装置は、自由に移動できますので、耐用年数省令別表第一の「器具及び備品」の「11　前掲のもの以外のもの」の「その他のもの」の「主として金属製のもの」の耐用年数10年を適用することとなります。

しかし、この装置は電気で作動することから、その「構造又は用途」及び使用状況が「電気機器」と類似し、また、温度による自動制御機能があることからその「細目」は「冷房用機器」と類似しています。

そこで、当社はこの自動消火装置については、耐用年数の短縮承認申請の手続によらないで同別表第一の「器具及び備品」の「１　家具、電気機器、ガス機器及び家庭用品（他の項に掲げるものを除く。）」の「冷房用又は暖房用機器」の耐用年数６年を適用したいと思っていますが、認められるのでしょうか。

【答】　御質問の自動消火装置について適用すべき法定耐用年数は、10年となります。

しかし、器具及び備品で耐用年数省令別表第一の細目が特掲されていないもののうちに、その器具及び備品と「構造又は用途」及び使用状況が類似している同別表第一に特掲されている器具及び備品がある場合には、耐用年数の短縮の承認申請の手続によらなくても、税務署長（調査部所管法人にあっては、国税局長）の確認を受けて、その特掲されている器具及び備品の耐用年数を適用することができます。（耐用年数の確認については、**【問３-21】**を参照してください。）

したがって、御質問の自動消火装置の耐用年数は、この装置が同別表第一の「器具及び備品」の「１　家具、電気機器、ガス機器及び家庭用品（他の項に掲げるものを除く。）」の「冷房用（又は暖房用）機器」に類似していることについて確認を受けた場合には、その６年を適用することができます。

参考　耐用年数省令　別表第一、耐通１－１－９（「構築物」又は「器具及び備品」で特掲されていないものの耐用年数）

第７節　機械及び装置

機械及び装置と工具の区分

【問３－79】　当社は、電気器具製造業者の下請会社で、特定部品を大量に生産しています。

このために、当社の工場には専用工作機械を多数設置していますが、製品のモデルチェンジ等に伴って専用工作機械の特定の部品が更新されることがあります。

この部品について工具の耐用年数を適用したいと思いますが、これでよろしいでしょうか。

なお、税法における取扱上、機械及び装置と工具の区分については、基本的にどのように考えたらよいかも併せてお教えください。

【答】　機械及び装置と工具との区分は、対象物についてそれぞれ具体的に判定する必要がありますが、おおむね次のように取り扱われます。

1　機械及び装置

通常、機械とは、次の三つの要素を充足するものであるといわれています。

(1) 剛性のある物体から構成されている。

(2) 一定の相対運動をする機能を持っている。

(3) それ自体が仕事をする。

耐用年数表における機械も、基本的には上記の定義を基礎においたもので、航空機、車両等耐用年数省令別表第一に該当する機器を除いたものが、同別表第二の適用を受ける機械となります。

すなわち、金属工作機械、金属加工機械類のほか、食品、繊維、印刷等の各種産業用機械がこれに該当し、また、汎用機器では、ポンプ、電動機、コンプレッサー、クレーン等各種のものがあります。

しかし、例えば、電気洗濯機（業務用のものを除きます。）のように、社会通念上、器具及び備品と認められているものは、航空機、車両等と同様に同別表第一の適用を受けます。

次に装置の概念ですが、広義には、工場等の用役設備全体をいうことになりますが、耐用年数表では、上記機械の機能のうち、(2)又は(3)が欠如したもので、機械とともに、又は補助用具として工場等の設備を形成し、総合設備の一部として用役の提供を行うもの（同別表第一の工具等に該当するものを除きます。）の総称と考えられます。

したがって、これを該当するものの範囲は広範で、例えば、工場の中間受槽、純水装置、反応タンク、熱処理炉、架台、組立定盤、受配電施設等各種のものがあります。

２　工　具

通常、工具とは原則的には、①機械作業の補助的手段に用いる、②運動の転換機能がない、③それ自体は作業をしない等の要素のあるものが考えられ、具体的にはおおむね次のように分類されます。

(1)　機械に取り付けて初めてその機能を果たすが、その機械を機構上構成せず、通常、工具として取り扱われるもの、又は耐用年数表において工具とされているもの

治具、取付工具、ロール、型、鍛圧工具、打抜工具、切削工具、活字、白金ノズル等

(2)　そのもの自体で固有の機能を果たすことができる機器類のうち、その構造、規模等からみて、通常、工具として処理することが適当であると認められるもの

ブロックゲージ、硬度計、精密測定定盤、マイクロメーター等の測定工具及び検査工具

なお、これにはオシロスコープ、抵抗測定器等の電気又は電子を利用するものも含まれますが、工具たるもののみが該当するのですから、これらも可搬式のものに限定されます。

(3) 主として手動によりその効果を果たす用具類その他社会通念上、工具として扱われる雑工具（同別表第一の「工具」の「前掲のもの以外のもの」の「その他のもの」を適用するもの）

イ　作業工具

ロ　運搬工具

ハ　その他

（注）　イ～ハの詳細については、**【問３-60】**を参照してください。

機械及び装置と工具の範囲についての基本的な考え方は上記のとおりですが、具体的区分については、その構造、用途、機械及び装置との関連等に基づいて判定すべきです。

したがって、御質問の貴社の専用工作機械の部分品は、この文面のみでは的確に判定しかねますが、おそらくその専用工作機械の一部を機構的に構成するもの（例えば、機械に組み込まれた自動制御装置、カム、自動計測装置、自動送り機構、自動チャッキング機構等）であると思われます。その場合、これは工具ではなく、機械及び装置として償却しなければなりません。

なお、専用機、自動機については、技術革新による経済的陳腐化を考慮し、一般的な汎用の機械及び装置に比し短い個別年数を基礎としてその設備の総合耐用年数が算定されています。

参考　耐用年数省令　別表第一、第二、耐通２－６－１（測定工具及び検査工具）

機械及び装置の耐用年数の見方

【問３－80】　個々の機械及び装置が別表第二に掲げる「設備の種類」のいずれに該当するかはどのように判定するのですか。

【答】　機械及び装置の耐用年数は、機械及び装置を耐用年数省令別表第二、同別表第五及び同別表第六に属するものに区分し、その耐用年数を適用することとなりますが、その中でも、同別表第二に属するものは、更に「設備の種類」ごとに区分し、その耐用年数を適用します。

1　機械及び装置が一の設備を構成する場合には、その機械及び装置の全部についての一の耐用年数を適用するのですが、その設備が別表第二の「設備の種類」に掲げる設備のいずれに該当するかは、原則として、貴社のその設備の使用状況等からいずれの業種用の設備として通常使用しているかにより判定します。

⑴　この場合に、貴社がその設備をいずれの業種用の設備として通常使用しているかは、その設備に係る製品のうち最終的な製品に基づき判定することとされていますので、まず、その製造設備で生産される最終製品が何かを明らかにする必要があります。なお、製品には役務の提供を含みます。

⑵　次に、日本標準産業分類により最終製品の小分類番号を求めます。

⑶　更に、耐通付表８により、小分類番号に対応する設備の種類を求めます。

⑷　最後に、機械及び装置の耐用年数表により、設備の種類に対応する耐用年数を求めます。

2　最終製品に係る一連の設備を構成する中間製品（最終製品以外の製品をいいます。）に係る設備の規模がその一連の設備の規模に占める割合が相当程度であるときは、その中間製品に係る設備については、最終製品に係る業用設備の耐用年数を適用せず、その中間製品に係る業用設備の耐用年数を適用します。

この場合において、次のいずれかに該当すると認められるときは、その割合が相当程度であると判定して差し支えありません。

(1) 貴社が中間製品を他に販売するとともに、自己の最終製品の材料、部品等として使用している場合において、他に販売している数量等のその中間製品の総生産量等に占める割合がおおむね50％を超えるとき

(2) 貴社が工程の一部をもって、他から役務の提供を請け負う場合において、その工程における稼動状況に照らし、その請負に係る役務の提供のその工程に占める割合がおおむね50％を超えるとき

参考　耐用年数省令　別表第二、第五、第六、耐通１－４－１（機械及び装置の耐用年数）、耐通１－４－２（いずれの「設備の種類」に該当するかの判定）、耐通１－４－３（最終製品に基づく判定）、耐通１－４－４（中間製品に係る設備に適用する耐用年数）、耐通付表８

機械及び装置に組み込まれた電子計算機の耐用年数

【問３－81】　当社は建設機械製造業を営んでいますが、今回、生産ラインのスピード化を図るために電子計算機機能を組み込んだ工作機械を取得しました。この電子計算機は耐用年数省令別表第一の「器具及び備品」の「２　事務機器及び通信機器」の「電子計算機」の「その他のもの」に該当するものとして、耐用年数は５年となるのでしょうか。

【答】　耐用年数省令別表第一の「器具及び備品」としての電子計算機は、事務所等に設置して事務機器として使用されるものをいい、電子計算機機能を生産工程に採用し、生産速度の管理や自動制御装置として使用する場合や、工場内の生産管理室に設備し自動遠隔集中制御として使用するものは、その製造設備に適用する耐用年数によることとなります。

このことは耐通付表10の機械及び装置の総合耐用年数算定の基礎とされている「機械及び装置の細目と個別年数表」をみますと「自動遠隔集中制御装置」を組み込んだところで、その設備の耐用年数を定めているものが数多くみられることからもお分かりいただけるでしょう。

したがって、貴社が取得された電子計算機機能を組み込んだ工作機械は、電子計算機を含めて同別表第二の「18　生産用機械器具（物の生産の用に供されるものをいう。）製造業用設備（次号及び第21号に掲げるものを除く。）」の「その他の設備」の12年を適用することになります。

参考　耐用年数省令　別表第一、第二、個別耐用年数表、耐通２－７－６（電子計算機）、耐通付表10

自走式作業用機械の耐用年数

【問３‐ 82】　当社は産業廃棄物処理業を営んでいます。

廃棄物処理施設での作業用にパワーショベル及びブルドーザーを有しておりますが、これらの自走式作業用機械については、別表第二の「30　総合工事業用設備」の耐用年数（６年）を適用してよろしいですか。

【答】　御質問のパワーショベル、ブルドーザー等のように人又は物の運搬を目的とせず、作業場において作業することを目的とするものは、機械及び装置に該当します。また、その設備が別表第二の「設備の種類」に掲げる設備のいずれに該当するかは、原則として、その設備の使用状況等からいずれの業種用の設備として通常使用しているかにより判定します。

具体的には、貴社は、パワーショベル等の自走式作業用機械を廃棄物処理施設での作業用に使用しているとのことですので、これらの自走式作業用機械は産業廃棄物処理業用の設備と考えられます。

この事業は日本標準産業分類の中分類の産業廃棄物処理業に該当しますが、別表第二に当該業種用の設備が特掲されていないことから、「55　前掲の機械及び装置以外のもの並びに前掲の区分によらないもの」に該当します。

なお、耐用年数については、平成25年４月１日以後に開始する事業年度については、「ブルドーザー、パワーショベルその他の自走式作業用機械設備」の８年（同日前に開始した事業年度については、「その他の設備」の「主として金属製のもの」の17年）を適用することになります。

また、日本標準産業分類の中分類の項目で耐用年数省令別表第二の「設備の種類」に特掲されていないものについては、おおむね「55　前掲の機械及び装置以外のもの並びに前掲の区分によらないもの」に判定されることになります。

参考　耐用年数省令　別表第二、耐通２－５－５（特殊自動車に該当しない建設車両等）、耐通１－４－２（いずれの「設備の種類」に該当するかの判定）、耐通１－４－３（最終製品に基づく判定）、平25改耐用年数省令附②

ロボットの耐用年数

【問３－83】　産業用ロボットを導入する会社が増えていますが、ロボットの耐用年数は何年でしょうか。

【答】　産業用ロボットといえば、製造業者が生産工程の一部において人間に代わって溶接作業や部品組み立て作業等に使用するケースが一般的ですが、最近では製造業に限らずサービス業等でも、ロボットを使用する企業が少なくありません。これらのロボットに適用する耐用年数は、それぞれの用途に応じて、次のようになります。

(1)　製造工程の中で使用する場合
　機械及び装置として、そのロボットを使用している製造業用設備の耐用年数

(2)　ロボット製造業者がロボットの性能等を宣伝するために使用する場合
　ロボット製造業者は、日本標準産業分類上、中分類「26　生産用機械器具製造業」とされているので、耐用年数省令別表第二の「18　生産用機械器具製造業用設備」の「その他の設備」の12年（展示実演用機械の減価償却については、**【問１－２】**を参照してください。）

(3)　スーパーマーケット等の店内で使用する場合
イ　単に宣伝用として使用するもの……同別表第一の「器具及び備品」の「５　看板及び広告器具」の「その他のもの」の「主として金属製のもの」の10年
ロ　商品の運搬等に使用するもの……同別表第一の「器具及び備品」の「11　前掲のもの以外のもの」の「その他のもの」の「主として金属製のもの」の10年

参考　耐用年数省令　別表第一、第二、耐通１－４－２（いずれの「設備の種類」に該当するかの判定）

２以上の用途に共用されているボイラー設備の耐用年数

【問３－84】　当社の大阪工場には、①グリセリン、②合成洗剤、③塩化りんの各製造工場があり、それぞれを製品として出荷しています。これらの製造工場に共通して蒸気等を供給するボイラー設備を有していますが、その耐用年数は何年を適用すべきでしょうか。

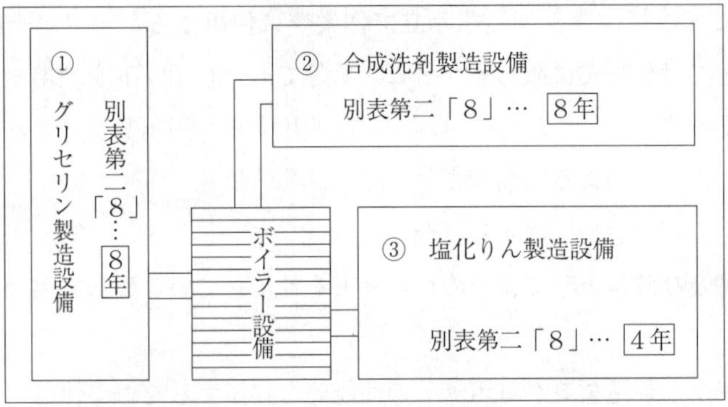

【答】　御質問の場合、ボイラー設備は、工場において使用する蒸気等の供給源として使用されていますので、その属する機械及び装置の中に含めて償却することとなりますが、適用する耐用年数を４年、８年のいずれの年数とすべきかが問題となります。

同一の減価償却資産について、その用途により異なる耐用年数が定められている場合において、減価償却資産が２以上の用途に共通して使用されているときは、その減価償却資産の用途は、その使用目的、使用の状況等より勘案して合理的に判定するものとされています。

御質問のボイラー設備については、各製造設備の蒸気の使用量などを参考にして、いずれの製造設備に専ら使用されているかということを合理的に判定し、その判定された製造設備に含めたところにより、その製造設備の耐用年数を適用します。

なお、以上により判定した耐用年数は、その判定の基礎となった事実が著しく異ならない限り、継続して適用することとされています。

参考　耐用年数省令　別表第二、耐通１－１－１（２以上の用途に共用されている資産の耐用年数）

工場内で使用するクレーンの耐用年数

【問３- 85】　当社は、産業用機械を製造していますが、工場内で半製品等の搬送に使用するクレーンの耐用年数は何年でしょうか。

【答】　御質問のクレーンのように、工場内で製品製造過程において使用されるものは、そのクレーンが属する製造設備に含めて耐用年数を適用することになります。

ただし、工場内の天井走行クレーンのように建物に固着したレールの上を走行するものについては、そのレールを取り付けている柱等は工場用建物に含め、そのレールに係る部分については、クレーン部分に該当するものとして耐用年数を適用することになります。

参考　耐通１－４－７（プレス及びクレーンの基礎）

公害防止施設に適用する耐用年数

【問３‐86】　当社は、黒鉛化炉を使用した炭素繊維製造業を営んでいますが、生産工程から生じた粉じん等をそのまま放出すると大気汚染の原因ともなりかねませんので、ばい煙処理を行っています。

この公害防止用設備（耐用年数省令別表第五の機械及び装置の耐用年数５年）であるばい煙処理用設備について、耐用年数省令別表第二の「３　繊維工業用設備」の「炭素繊維製造設備」の「黒鉛化炉」（耐用年数３年）に含めてその耐用年数を適用することは認められますか。

【答】　ばい煙処理用設備に係る構築物や機械及び装置については、原則として、炭素繊維製造設備と区分して、耐用年数省令別表第五の「公害防止用減価償却資産の耐用年数表」による耐用年数を適用することとなります。

なお、この設備のうち機械及び装置に該当するものについては、原則として同別表第五の「機械及び装置」の耐用年数５年を適用しますが、これより耐用年数の短い同別表第二の「３　繊維工業用設備」の「炭素繊維製造設備」の「黒鉛化炉」の耐用年数３年を適用している場合は、継続して適用することを要件としてこれを認めることとされています。

参考　耐用年数省令２Ⅰ（特殊の減価償却資産の耐用年数）、耐用年数省令　別表第二、第五、耐通１－１－10（特殊の減価償却資産の耐用年数の適用の特例）

修理工場の機械設備に適用する耐用年数

【問３- 87】　当社は金型製造業を営んでいます。当社で使用するプレス機械等がかなり損傷しますので、修理工場を設けて自社使用する機械装置を修理しています。

この修理工場の機械設備については、耐用年数省令別表第二に掲げる「24　その他の製造業用設備」の９年を適用すればよろしいですか。

【答】　製造業を営むために有する修理工場設備のように、その設備から生ずる最終製品を専ら用いて他の最終製品が生産等される場合のその設備については、その最終製品に係る設備ではなく、その他の最終製品に係る設備として、その使用状況等からいずれの業種用の設備に該当するかを判定します。

したがって、貴社が金型製造業を営むために有する修理工場設備は耐用年数省令別表第二に掲げる「16　金属製品製造業用設備」の「その他の設備」の10年を適用することになります。

参考　耐用年数省令　別表第二、耐通１－４－５（自家用設備に適用する耐用年数）、耐通１－４－２（いずれの「設備の種類」に該当するかの判定）

自社トラック用給油設備の耐用年数

【問３－88】　当社はトラック運送業を営んでいますが、この度、自社のトラックに給油するため給油設備を設置しました。この地下油槽（鋼鉄製）及び計量機の耐用年数は何年でしょうか。

【答】　トラック運送業を営むために有する給油設備のように、その設備から生ずる最終製品を専ら用いて他の最終製品が生産等される場合の当該設備については、当該最終製品に係る設備ではなく、当該他の最終製品に係る設備として、その使用状況等からいずれの業種用の設備に該当するかを判定します。

したがって、貴社が設置した給油設備は専ら自社のトラックに給油するための設備ということですので、耐用年数省令別表第二に掲げる「39　道路貨物運送業用設備」の12年を適用することになります。

ただし、地下油槽については別表第一の「構築物」の「金属造のもの」の「水そう及び油そう」の「鋼鉄製のもの」の15年を適用することになります。

参考　耐用年数省令　別表第一、第二、耐通１－４－５（自家用設備に適用する耐用年数）、耐通１－４－２（いずれの「設備の種類」に該当するかの判定）

太陽光発電システムの耐用年数

【問３－ 89】　当社は、化粧品の製造業を営んでいます。

工場の建替えに伴い、屋上に太陽光電池により発電する太陽光発電システムを導入し、得られた電力を専ら工場設備の動力源のために使用しています。

太陽光発電システムの耐用年数は何年でしょうか。

【答】　御質問の太陽光発電システムは、自家発電設備の一つであり、その規模等からみて、「機械及び装置」に該当するといえます。

製造業を営むために有する発電設備のように、その設備から生ずる最終製品を専ら用いて他の最終製品が生産等される場合のその設備については、その最終製品に係る設備ではなく、その他の最終製品に係る設備として、その使用状況等からいずれの業種用の設備に該当するかを判定します。

したがって、貴社が導入した太陽光発電システムは専ら工場設備の動力源としての設備であるとのことですので、他の最終製品である化粧品の製造に係る設備に該当するものと考えられます。

具体的には、耐用年数省令別表第二に掲げる「８　化学工業用設備」の「その他の設備」の８年を適用することになります。

参考　耐用年数省令　別表第二、耐通１－４－５（自家用設備に適用する耐用年数）、耐通１－４－２（いずれの「設備の種類」に該当するかの判定）

倉庫用機械設備の耐用年数

【問３‐90】　当社は、事務用機器の製造業を営んでおります。

今回、工場構外にある営業所所管の倉庫用として、各工場で生産された製品を集荷保管し、出荷するために使用するエレベーター、スタッカー等の倉庫用機械設備を取得しました。

この倉庫用機械設備の構成や使用状況等は倉庫業で使用される倉庫用機械設備と同様ですが、これらの機械設備の耐用年数は何年でしょうか。

【答】　機械及び装置が耐用年数省令別表第二に掲げる設備の種類のいずれに該当するかは、原則として、貴社のその設備の使用状況等からいずれの業種用の設備として通常使用しているかにより判定します。

御質問の倉庫用機械設備は工場構外にある営業所所管の倉庫で使用し、その構成や使用状況が通常の倉庫業用の設備と同様であるとのことですので、別表第二の「40　倉庫業用設備」に該当し12年の耐用年数が適用されます。

なお、事務用機器の製造工場構内の倉庫で、事務用機器製造業を営むために有するエレベーター、スタッカー等の倉庫用設備のように、その設備から生ずる最終製品を専ら用いて他の最終製品が生産等される場合のその設備についてはその最終製品に係る設備ではなく、その他の最終製品に係る設備として、その使用状況等からいずれの業種用の設備に該当するかを判定しますので、耐用年数省令別表第二に掲げる「19　業務用機械器具製造業用設備」に該当し７年の耐用年数を適用することになります。

参考　耐用年数省令　別表第二、耐通１－４－５（自家用設備に適用する耐用年数）、耐通１－４－２（いずれの「設備の種類」に該当するかの判定）

ホテル内設備の耐用年数

【問３‐91】　当社はホテル業を営んでいます。

当社のホテルの施設として、クリーニング、浴場、レストラン等の設備を有しておりますが、これらの諸設備については、その該当する業種用の設備の耐用年数を適用してよろしいですか。

【答】　ホテルでは一般的に、御質問の諸設備のような、それぞれの設備から生ずるサービスの提供が複合して一のサービスの提供を構成するものと考えられます。

このような場合の諸設備については、それぞれの設備から生ずるサービスの提供に係る業種用の設備の耐用年数を適用せず、その一のサービスの提供に係る業種用の設備の耐用年数を適用します。

御質問の諸設備の使用状況については不明な点もありますが、ホテルにおいて宿泊の業種用の設備の一部として通常使用しているクリーニング設備、浴場設備やちゅう房設備については、別表第二の「47　宿泊業用設備」に掲げる耐用年数（10年）を適用することとなります。

なお、ホテル内にある宿泊客以外も利用可能なレストラン等のちゅう房用の機械及び装置は、別表第二の「48　飲食店業用設備」に掲げる耐用年数（８年）を適用することになります。

参考　耐用年数省令　別表第二、耐通１－４－６（複合的なサービス業に係る設備に適用する耐用年数）、耐通２－８－５（ホテル内のレストラン等のちゅう房設備）

オフセット印刷機の耐用年数

【問３‐ 92】　当社は、医薬品の製造業を営んでいます。従来、効能書等の印刷は外注に出しておりましたが、この度、オートタイプオフセット印刷機（取得価額200万円）を購入して、自社において印刷することにしました。

このオフセット印刷機の耐用年数は何年を適用すればよいのでしょうか。

【答】　耐用年数省令別表第二の「７　印刷業又は印刷関連業用設備」の「その他の設備」の10年を適用することになります。

機械及び装置が別表第二に掲げられる設備の種類のいずれに該当するかは、基本的には、その設備がどの業種用の設備に該当するかにより判定しますから、印刷業者以外の者が使用するフォトオフセット、タイプオフセット、フォトタイプオフセット等の印刷機器もこれに含まれます。

ところで、このオフセット印刷機で専ら医薬品のパッケージのみを印刷するなど、自社製品の製造のための設備として使用している場合には、医薬品製造設備と同じく別表第二の「８　化学工業用設備」の「その他の設備」の８年を適用することになります。

なお、卓上型のオフセット印刷機のように印刷設備とまでに至らないものは、同別表第一の「器具及び備品」の「２　事務機器及び通信機器」の「その他の事務機器」の５年を適用することになります。

参 考　耐用年数省令　別表第一、第二、耐通１－４－２（いずれの「設備の種類」に該当するかの判定）、耐通１－４－５（自家用設備に適用する耐用年数）、耐通２－７－５（謄写機器）

多段式駐車場設備の耐用年数

【問３－ 93】　当社は駐車場業を営む法人ですが、この度、下図のようなＡ、Ｂの２種類の多段式駐車場設備を取得しました。

Ａの駐車場設備は、複数の階層を油圧によって上下するタイプのもので、また、Ｂの駐車場設備は、駐車棚（露天式）とカーリフトが分離したタイプのものです。

この駐車場設備については、いずれも耐用年数省令別表第二の「55　前掲の機械及び装置以外のもの並びに前掲の区分によらないもの」の「機械式駐車設備」の耐用年数10年を適用することになるのでしょうか。

Ａ設備

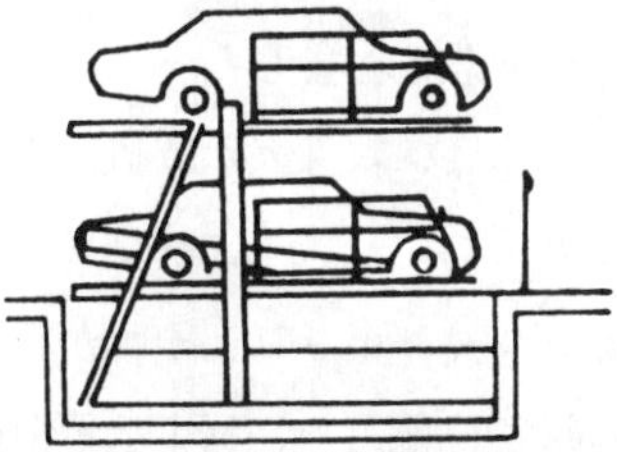

Ｂ設備

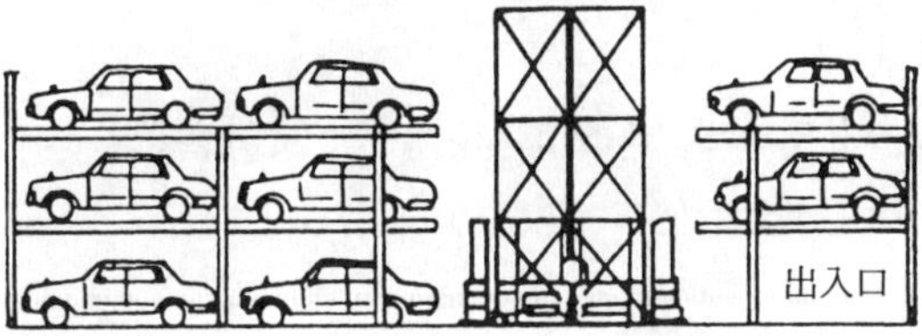

【答】　御質問のＡの駐車場設備は、各階層の床面及び床面を支える支柱の全体が一体となって油圧装置により上下に動くものですから、これらの床面及び支柱部分を含めた全体が機械及び装置に該当すると判断され、耐用年数省令別表第二の「55　前掲の機械及び装置以外のもの並びに前掲の区分によらないもの」の「機械式駐車設備」の10年を適用することになります。

また、Ｂの駐車場設備については、駐車棚は別個独立した構築物と判断するのが相当と考えられますので、その駐車棚は、耐用年数省令別表第一の「構築物」の「金属造のもの（前掲のものを除く。）」の「露天式立体駐車設備」の15年を、カーリフトは、Aの駐車場設備と同様に「55　前掲の機械及び装置以外のもの並びに前掲の区分によらないもの」の「機械式駐車設備」の10年を適用することになります。

参考　耐用年数省令　別表第一、第二

ドライビングシミュレーターの耐用年数

【問３－94】　当社は、自動車教習所を営む法人です。

この度、模擬運転による教習用装置として三次元コンピュータ・グラフィックを応用したドライビングシミュレーターとライディングシミュレーターを設置しました。

この装置は、運転席、映像表示装置、操作パネル、制御装置等から構成されており、コンピュータ制御により画面上の映像にさまざまな場面や状況がつくり出され、それが教習生の運転操作に応じてリアルタイムに反応するため、実車教習前の運転教習用に使用しています。

このドライビングシミュレーター及びライディングシミュレーターの耐用年数は何年でしょうか。

【答】　御質問のドライビングシミュレーター及びライディングシミュレーターは、コンピュータ、テレビ、音響装置及び自動車運転装置から構成されており、それらが一体となってその機能が発揮されるものですから、機械及び装置に該当します。

なお、自動車教習所の運転教習用に使用されるとのことですから、耐用年数省令別表第二の「52　教育業（学校教育業を除く。）又は学習支援業用設備」の「教習用運転シミュレータ設備」の５年を適用することとなります。

参考　耐用年数省令　別表第二

電気自動車用急速充電設備の耐用年数

【問３－95】　当社は、貨物運送業を営む法人ですが、この度、事務所の敷地内に、貨物運送に使用する電気自動車用急速充電設備を取得しました。

この充電設備は、充電器本体と充電用コネクタで構成され、これらが一体となって、電気自動車からの制御指令に基づいて電気自動車へ充電するというもので、基礎工事を行った上で、基礎工事部分に固定して使用するタイプです。

この充電設備の耐用年数は何年でしょうか。

【答】　御質問の電気自動車用急速充電設備は、その構成等から見て、「機械及び装置」に該当するといえます。（**【問３-79】**参照）

その設備から生ずる最終製品を専ら用いて他の最終製品が生産等される場合のその設備については、その最終製品に係る設備ではなく、その他の最終製品に係る設備として、その使用状況等からいずれの業種用の設備に該当するかを判定します。

貴社が取得した電気自動車用急速充電設備は、電気自動車の動力源となるためのものですが、貴社では、その電気自動車を用いて、専ら貨物運送というサービスを行っています。

したがって、貴社が取得した電気自動車用急速充電設備は専ら貨物運送に用いる電気自動車の動力源としての設備であり、他の最終製品である貨物運送に係る設備に該当するものと考えられます。

具体的には耐用年数省令別表第二に掲げる「39　道路貨物運送業用設備」の12年を適用することになります。

参考　耐用年数省令　別表第二、耐通１－４－５（自家用設備に適用する耐用年数）、耐通１－４－２（いずれかの「設備の種類」に該当するかの判定）

付録

別表第一を中心とした50音順耐用年数早見表

耐用年数省令別表第一には、機械及び装置以外の減価償却資産の耐用年数が①建物、②建物附属設備、③構築物、④船舶、⑤航空機、⑥車両及び運搬具、⑦工具、⑧器具及び備品の種類別に定められています。

したがって、その耐用年数の適用に当たっては、耐用年数表の仕組みを理解した上、個々の減価償却資産が同別表第一に掲げるいずれの種類等(種類、構造、用途及び細目の区分のことです。)に該当するかの判定をする必要があります。この場合の判定は、具体的には、減価償却資産の属性その他の技術的な事項に基づいて行うこととされています。

本表は、同別表第一の減価償却資産を中心として通称により50音順に配列し、それぞれの耐用年数を明らかにしました（平成20年４月１日以後に開始される事業年度に適用される耐用年数を掲げています。)。

なお、活用に当たっては、同一の品名の減価償却資産であっても次の[例]に示すとおり異なった耐用年数を適用することとされている場合や、機械装置については、その使用状況等によって「構造又は用途及び細目」欄及び「耐用年数」欄の表示と異なる判定結果となる場合がありますので「備考」欄等を参考にして十分検討してください。

[例]

資産の名称	種類	構造又は用途及び細目	耐用年数	備考
いす(事務用)	器具備品	「１」事務いす		
		主として金属製のもの	15	(耐通2-7-2参照)
		その他のもの	8	理髪いす、ドライヤーいすは「理容又は美容機器(５年)」に該当する。
(児童用)	〃	「１」児童用いす	5	
(歯科診療用)	〃	「８」歯科診療用ユニット	7	(耐通2-7-13参照)
(劇場用)	〃	「９」劇場用観客いす	3	

(ア)

資産の名称	種類	構造又は用途及び細目	耐用年数	備考
アーケード	建物附属設備	アーケード 主として金属製のもの その他のもの	 15 8	
アース	構築物	放送用・無線通信用のもの	10	
アースドリル	機械装置	「30」総合工事業用設備など	6	自走式のものがこれに該当する（耐通2-5-5参照）。
アイスクリームフリーザー	器具備品 機械装置	「1」電気冷蔵庫に類する電気機器 「48」飲食店業用設備 「47」宿泊業用設備 など	6 8 10	（耐通1-4-2参照）
あき缶処理プレス	器具備品	「11」その他のもの 主として金属製のもの	10	
アクアラング	器具備品	「11」漁具 「9」スポーツ具 「11」その他のもの その他のもの	3 3 5	漁業用のものがこれに該当する。 スポーツ用のものがこれに該当する。 海底調査用のものがこれに該当する。
アコーデオンカーテン	器具備品 建物	「1」カーテン （構造、用途、細目別に）	3 50～7	簡単な型式で、普通のカーテンとあまり変らないような上部がレールのみのようなものがこれに該当する。 上、下部を完全にとめて左右に自動的に動くようになったものは建物に含まれる（耐通2-2-6の2参照）。
アコーデオンハウス 支柱部分 天幕	 器具備品 〃	 「11」その他のもの 主として金属製のもの 「11」シート及びロープ	 10 2	支柱と本体とが材質的に異なるようなものがこれに該当する（耐通2-7-17参照）。 なお、基礎が土地に定着する等別個の構築物と

資産の名称	種類	構造又は用途及び細目	耐用年数	備考
				認められる場合には、その基礎部分は構築物として取り扱う。
アスファルトコンクリート軌道路	構築物	舗装道路 アスファルト敷のもの	10	
アスファルトコンクリート敷舗装路面	構築物	舗装路面 アスファルト敷のもの	10	
アスファルトスプレッダー	機械装置	「30」総合工事業用設備など	6	自走式のものがこれに該当する（耐通2-5-5参照）。
アスファルトスプレヤー	機械装置	「30」総合工事業用設備など	6	自走式のものがこれに該当する（耐通2-5-5参照）。
アスファルトディストリビューター	機械装置	「30」総合工事業用設備など	6	自走式のものがこれに該当する（耐通2-5-5参照）。
アスファルトフィニッシャー	機械装置	「30」総合工事業用設備など	6	自走式のものがこれに該当する（耐通2-5-5参照）。
アスファルトメルター	機械装置	「30」総合工事業用設備など	6	自走式のものがこれに該当する（耐通2-5-5参照）。
アスファルト敷道路	構築物	舗装道路 アスファルト敷のもの	10	
アドビジョン	器具備品	「５」その他のもの 主として金属製のもの	10	
アルカリ類用貯槽（金属造）	構築物	金属造のもの 薬品貯槽 アルカリ類用のもの	15	生産工程の一部としての機能を有するものは、機械装置に該当する（耐通1-3-2、**【問３－43】**参照）。
アルコール用貯槽（金属造）	構築物	金属造のもの 薬品貯槽 アルコール用のもの	15	生産工程の一部としての機能を有するものは、機械装置に該当する（耐

(ア・イ)

資産の名称	種類	構造又は用途及び細目	耐用年数	備考
				通1-3-2、【問３－43】参照)。
アングルブロックゲージ	工具	測定工具・検査工具	5	
アンツーカー(庭球場等)	構築物	競技場用……のもの 野球場……の土工施設	30	(耐通2-3-6参照)
アンテナ	構築物	放送用・無線通信用のもの アンテナ	10	
足洗場(児童用)	構築物	運動場用 その他のもの 児童用のもの その他のもの	15	(耐通2-3-8参照)
粗さ測定器	工具	測定工具・検査工具	5	(耐通2-6-1参照)
足場材料	工具	金属製柱・カッペ	3	建設業者等が使用する建設用の金属製の足場材料がこれに該当する(耐通2-6-4参照)。
圧力計	工具	測定工具・検査工具	5	(耐通2-6-1参照)
宛名印刷装置	器具備品	「２」その他の事務機器	5	ダイレクトメール代行業者が使用するもので、高速自動宛名印刷装置がこれに該当する。
安全ネット	工具	前掲のもの以外のもの その他のもの	3	建築現場で使用するものがこれに該当する。
イメージメモリーカード	器具備品	「11」その他のもの その他のもの	5	デジタルカメラの項を参照。
インゴットケース	工具	型 鋳造用型	2	
インターホーン	器具備品	「２」インターホーン	6	
インピーダンス測定器	工具	測定工具・検査工具	5	(耐通2-6-1参照)
いす(事務用)	器具備品	「１」事務いす 主として金属製のもの その他のもの	15 8	(耐通2-7-2参照) 理髪いす、ドライヤー

資産の名称	種類	構造又は用途及び細目	耐用年数	備考
				いすは「理容又は美容機器(5年)」に該当する。
(児童用)	器具備品	「1」児童用いす	5	
(歯科診療用)	〃	「8」歯科診療用ユニット	7	(耐通2-7-13参照)
(劇場用)	〃	「9」劇場用観客いす	3	
井戸（打ち込み井戸を除く。)	建物附属設備	給排水設備	15	建物に附属する給水設備に直結する井戸で、その取得価額からみて強いて構築物として区分する必要がないと認められるものは、「建物附属設備」に含めることができる(耐通2-2-3参照)。
	構築物	鉄骨鉄筋コンクリート造・鉄筋コンクリート造のもの		
		その他のもの	60	
		コンクリート造・ブロック造・れんが造・土造のもの		
		その他のもの	40	
		石造のもの		
		その他のもの	50	
衣装	器具備品	「9」衣装	2	貸衣装もこの耐用年数を適用することができる(耐通2-7-15参照)。
医療機器	器具備品	「8」		(耐通2-7-13参照)
		消毒殺菌用機器	4	
		手術機器	5	
		血液透析又は血しょう交換用機器	7	
		ハバードタンクその他の作動部分を有する機能回復訓練機器	6	
		調剤機器	6	
		歯科診療用ユニット	7	
		光学検査機器		
		ファイバースコープ	6	
		その他のもの	8	
		その他のもの		
		レントゲンその他の電子装置を使用する機器		
		移動式のもの、救急医療用のもの及び自動血液分析器	4	

(イ)

資産の名称	種類	構造又は用途及び細目	耐用年数	備考
		その他のもの その他のもの 陶磁器製又はガラス製のもの 主として金属製のもの その他のもの	6 3 10 5	
医療用の生物	器具備品	「10」生物 植物 貸付業用のもの その他のもの 動物 魚類 鳥類 その他のもの	 2 15 2 4 8	(耐通2-7-16参照)
移動式トイレ	器具備品	「11」その他のもの 主として金属製のもの	 10	建築現場等における金属製の移動式トイレがこれに該当する。
移動式観覧席 いす	器具備品	「9」その他のもの 主として金属製のもの	 10	
駆動装置等いす以外の部分	機械装置	「51」娯楽業用設備 映画館又は劇場用設備 主として金属製のもの 「55」前掲の機械装置以外のもの 主として金属製のもの など	 11 17 17	(耐通1-4-2参照)
移動無線車	車両運搬具	特殊自動車 移動無線車	 5	単に車両に無線機を搭載したに過ぎないものはこれに該当しない。
鋳型	工具	型 鋳造用型	 2	
一酸化炭素測定機器	工具	測定工具・検査工具	5	自動車整備工場で使用する可搬式のものがこれに該当する。
	機械	「53」自動車整備業用設備	15	自動車整備工場に固定

資産の名称	種類	構造又は用途及び細目	耐用年数	備考
	装置			して据え付けられており、規模等より他の機械装置と一連をなすと認められるものがこれに該当する。
稲荷神社の建造物（会社構内等に設置したコンクリート製）	構築物	コンクリート造のもの その他のもの	 40	
犬	器具備品	「10」動物 その他のもの	 8	観賞用、興行用その他これらに準ずる用に供されるものがこれに該当する。繁殖用の犬もこれに該当する（耐通2-7-16参照）。
引湯管	構築物	コンクリート造・コンクリートブロック造・合成樹脂造・木造のもの	10	
印刷機	器具備品 機械装置	「２」その他の事務機器 「７」印刷業又は印刷関連業用設備 デジタル印刷システム設備 その他の設備	5 4 10	卓上型のものがこれに該当する。 （耐通2-7-5、**【問３－92】**参照）
飲食店用建物	建物	鉄骨鉄筋コンクリート造・鉄筋コンクリート造のもの 飲食店用又は貸席用のもの 延面積のうちに占める木造内装部分の面積が３割を超えるもの その他のもの れんが造・石造・ブロック造のもの 金属造のもの 骨格材の肉厚が次のもの ４㎜超 ３㎜超４㎜以下 ３㎜以下	 34 41 38 31 25 19	これは、耐用年数表の細目の「飲食店用、貸席用、劇場用、演奏場用、映画館用又は舞踏場用のもの」に該当する。 木造内装部分が３割を超えるかどうかの判定については耐通2-1-7を参照。

(イ・ウ)

資産の名称	種類	構造又は用途及び細目	耐用年数	備考
		木造・合成樹脂造のもの 木骨モルタル造のもの	20 19	
飲料自動販売機	器具備品	「11」自動販売機	5	(耐通2-7-18参照)
魚市場用建物	建物	鉄骨鉄筋コンクリート造・鉄筋コンクリート造のもの れんが造・石造・ブロック造のもの 金属造のもの 骨格材の肉厚が次のもの 4㎜超 3㎜超4㎜以下 3㎜以下 木造・合成樹脂造のもの 木骨モルタル造のもの	38 34 31 25 19 17 15	これは、耐用年数表の細目の「変電所用、発電所用、送受信所用、停車場用、車庫用、格納庫用、荷扱所用、映画製作ステージ用、屋内スケート場用、魚市場用又はと畜場用のもの」に該当する。
浮き桟橋	構築物	金属造のもの その他のもの	 45	税務署長の確認手続により「浮きドック」又は「鋼矢板岸壁」に類似しているものとして20年又は25年の適用が認められる場合がある（耐通1-1-9、**【問3－21】**参照)。
浮きドック	構築物	金属造のもの 浮きドック	 20	
動く歩道 建物内にある場合 屋外にある場合（ゴルフ場等)	 建物附属設備 構築物 機械装置	昇降機設備 エスカレーター コンクリート造のもの その他のもの 「51」娯楽業用設備 主として金属製のもの 「55」前掲の機械装置以外のもの 主として金属製のもの など	 15 40 17 17	構築物と機械装置部分とに区分する。 (耐通1-4-2参照)
打ち込み井戸	構築物	金属造のもの 打ち込み井戸	 10	(耐通2-3-22参照)

(ウ)

資産の名称	種類	構造又は用途及び細目	耐用年数	備考
打抜工具	工具	打抜工具		
		プレスその他の金属加工用金型	2	
		合成樹脂・ゴム・ガラス成型用金型	2	
		その他のもの	3	
鰻養殖設備				
鉄筋コンクリート槽	構築物	鉄筋コンクリート造のもの		
		水槽	50	
シラス槽(合成樹脂造のもの)	〃	合成樹脂造のもの	10	
運送事業用自動車	車両運搬具	運送事業用車両運搬具		(耐通2-5-6参照)
		自動車(二輪又は三輪自動車を含む。)		
		小型車	3	小型車とは次のものをいう。 1 貨物自動車…積載量が2トン以下のもの 2 その他…総排気量が2リットル以下のもの
		その他のもの		
		大型乗用車	5	大型乗用車とは、総排気量が3リットル以上のものをいう。
		その他のもの	4	
		乗合自動車	5	(耐通2-5-9参照)
運動場用構築物	構築物	競技場用、運動場用、遊園地用又は学校用のもの		
		スタンド		
		主として鉄骨鉄筋コンクリート造・鉄筋コンクリート造のもの	45	
		主として鉄骨造のもの	30	
		主として木造のもの	10	
		競輪場用競走路		
		コンクリート敷のもの	15	
		その他のもの	10	
		ネット設備	15	

資産の名称	種類	構造又は用途及び細目	耐用年数	備考
		野球場・陸上競技場・ゴルフコースその他のスポーツ場の排水その他の土工施設	30	左の「土工施設」とは、一定期間経過後に取替え等の大改造を必要とする暗きょ、排水溝等の排水施設、アンツーカー等をいう（耐通2-3-6参照）。
		水泳プール	30	
		その他のもの 　児童用のもの 　　すべり台・ぶらんこ・ジャングルジムその他の遊戯用のもの	10	幼稚園等が屋外に設けた水飲場、足洗場及び砂場は、左の「児童用のもの」の「その他のもの」に該当する（耐通2-3-8参照）。
		その他のもの	15	
		その他のもの 　　主として木造のもの	15	
		その他のもの	30	
S L列車ホテル	建物	（ホテル用建物（金属造）参照）	29 〜 17	原則として、中古資産の耐用年数の適用がある。
エスカレーター	建物附属設備	昇降機設備 　エスカレーター	15	
エヤーカーテン	建物附属設備	エヤーカーテン	12	（耐通2-2-5参照）
エヤーコンディショナー	建物附属設備	冷房設備 　冷暖房設備(冷凍機の出力が22キロワット以下のもの)	13	冷却装置、冷風装置等が一つのキャビネットに組み合わされたパッケージドタイプのエヤーコンディショナーで、通常単体として使用される小型のものは、「器具備品」に該当する（耐通2-2-4参照）。
		その他のもの	15	
	器具備品	「1」冷房用又は暖房用機器	6	
エヤーシューター	建物附属設備	前掲のもの以外のもの 　主として金属製のもの	18	簡易なものは器具及び備品に該当する（耐通2-7-8参照）。
		その他のもの	10	
	器具備品	「2」その他の事務機器	5	

資産の名称	種類	構造又は用途及び細目	耐用年数	備考
エヤードーム	器具備品	「9」その他のもの その他のもの	5	屋外プールをスケート場に使用するときに、プール上に設置する半球状のビニール製のものがこれに該当する。
エヤーホッケー	器具備品	「9」スポーツ具	3	(耐通2-7-14参照)
LPガスメーター	器具備品 〃	「3」試験又は測定機器 「6」ボンベ	5 10〜6	メーターとボンベが物理的に一体となっているものは、ボンベに該当する(ボンベ参照)。
L.P.Gタンカー	船舶	(油槽船参照)	13〜5	(耐通2-4-2参照)
エレベーター	建物附属設備	昇降機設備 エレベーター	17	
映画フィルム	器具備品	「11」映画フィルム	2	スライドもこれに該当する。 (**【問3-66】**参照)
映画館用建物	建物	(飲食店用建物参照)	41〜19	
映画撮影機	器具備品	「4」映画撮影機	5	
映画製作ステージ用建物	建物	(魚市場用建物参照)	38〜15	
映写機	器具備品	「4」映写機	5	
衛生設備 (用水管、水槽、便器、配管、これらの附属品)	建物附属設備	衛生設備	15	浄化槽は「構築物」に該当するが、その取得価額からみて強いて構築物として区分する必要がないと認められるものは、「衛生設備」に含めることができる(耐通2-2-3参照)。
衛星放送受信用	器具	「1」電気機器		(**【問3-72】**参照)

(エ・オ)

資産の名称	種類	構造又は用途及び細目	耐用年数	備考
機器(パラボラ・アンテナ、チューナー)	備品	テレビジョン	5	
塩水用貯槽（金属造）	構築物	金属造のもの 薬品貯槽 塩水用のもの	15	生産工程の一部としての機能を有するものは、機械装置に該当する（耐通1-3-2、**【問３－43】**参照）。
塩素用貯槽（金属造）	構築物	金属造のもの 薬品貯槽 無機酸用のもの	8	生産工程の一部としての機能を有するものは、機械装置に該当する（耐通1-3-2、**【問３－43】**参照）。
演奏場用建物	建物	（飲食店用建物参照）	41 ～ 19	
煙道	構築物	れんが造のもの 塩素、クロールスルホン酸その他の著しい腐食性を有する気体の影響を受けるもの その他のもの	 7 25	（耐通2-3-20参照）
煙突（汽力発電用のものを除く。）	構築物	鉄骨鉄筋コンクリート造・鉄筋コンクリート造のもの れんが造のもの 塩素、クロールスルホン酸その他の著しい腐食性を有する気体の影響を受けるもの その他のもの 金属造のもの	35 7 25 10	（耐通2-3-20参照）
オーディオ機器	器具備品	「１」音響機器	5	
オートロック式パーキング装置	器具備品	「11」無人駐車管理装置	5	（**【問３－73】**参照）
オーロラビジョン 操作部	機械装置	「55」前掲の機械装置以外のもの		広告用としてビルの壁面に設備されたもの

資産の名称	種類	構造又は用途及び細目	耐用年数	備　考
		主として金属製のもの	17	
表示部	器具備品	「5」看板及び広告器具 その他のもの 主として金属製のもの	 10	(電光文字設備：耐通2-8-9参照)
オイルフェンス 浮沈式のもの	機械装置	「9」石油製品又は石炭製品製造業用設備 「55」前掲の機械装置以外のもの その他のもの	7 8	
可変式のもの	器具備品	前掲以外のもの その他のもの その他のもの	 5	
船舶常備用のもの	船舶	船舶の耐用年数による	15〜4	(耐通2-4-1参照)
発泡スチロールにロープを通したもの	器具備品	前掲以外のもの シート及びロープ	 2	※　税務署長の確認手続を要する。(耐通1-1-9)
オシロスコープ	工具	測定工具・検査工具	5	(耐通2-6-1参照)
オフセット印刷機	器具備品	「2」その他の事務機器	5	卓上型のものがこれに該当する。
	機械装置	「7」印刷業又は印刷関連業用設備 その他の設備	 10	(耐通2-7-5、**【問3−92】**参照)
オペラグラス	器具備品	「4」オペラグラス	2	
応接セット	器具備品	「1」応接セット 接客業用のもの その他のもの	 5 8	(耐通2-7-3参照)
大型コンクリートプレハブ住宅	建物	鉄筋コンクリート造のもの	47	主要柱が鉄筋コンクリート造の場合
		ブロック造のもの	38	コンクリート板が耐力壁となっている場合
		金属造（骨格材の肉厚4㎜超）のもの	34	主要柱が鉄骨造の場合

(オ)

資産の名称	種類	構造又は用途及び細目	耐用年数	備　考
大道具	器具備品	「９」大道具	2	
屋外運動場照明設備	構築物	競技場用、運動場用のもの 　その他のもの 　　その他のもの 　　　その他のもの	 30	
屋上の特殊施設				
危険防止のために設置された金網、さく	建物		50～7	建物に含めて償却する（耐通2-1-22参照）。
ゴルフ練習場	構築物	競技場用のもの 　その他のもの 　　その他のもの 　　　その他のもの	 30	ゴルフ練習場用設備を参照（**【問３－46】**参照）。
花壇	〃	緑化施設及び庭園 　その他の緑化施設及び庭園	 20	
稲荷神社（コンクリート製）	〃	コンクリート造のもの 　その他のもの	 40	
広告塔	〃	広告用のもの 　金属造のもの 　その他のもの	 20 10	（耐通2-3-5参照）
建物の外窓清掃のために設置された屋上のレール、ゴンドラ支持装置及びこれに係るゴンドラ	建物附属設備	前掲のもの以外のもの 　主として金属製のもの 　その他のもの	 18 10	（耐通2-2-7参照）
避雷針その他の避雷装置	〃	前掲のもの以外のもの 　主として金属製のもの 　その他のもの	 18 10	（耐通2-2-7参照）
屋内プール用建物	建物	（学校用建物参照）	47～19	
屋内スケート場用建物	建物	（魚市場用建物参照）	38～15	

資産の名称	種類	構造又は用途及び細目	耐用年数	備考
親子時計	器具備品	「３」時計	10	親時計、子時計の間の配線設備を含む。 なお、ビルの壁面に時計を設置している場合も同様である。ただし、壁面（文字板部分）は建物に該当する。
オリジナルシールプリンター（いわゆるプリクラ）	器具備品	「11」自動販売機	5	
折たたみ式縄ばしご	器具備品	「11」その他のもの 主として金属製のもの その他のもの	 10 5	
温室	機械装置 建物	「25」農業用設備 （構造、用途、細目別に）	7 38〜7	その構造・規模等からみて建物に該当する場合があることに留意する。
温度計	工具	測定工具・検査工具	5	（耐通2-6-1参照）
カーテン	器具備品	「１」カーテン	3	
カーテレビ	車両運搬具	（搭載されている車両の構造、用途、細目別に）	20〜3	車両に常時搭載するものがこれに該当する（耐通2-5-1参照）。
カートレーナー（模擬運転装置）（自動車教習所で使用。）	機械装置	「52」教育業（学校教育業を除く。）又は学習支援業用設備 教習用運転シミュレータ設備	 5	（**【問３－94】**参照）
カーナビゲーション（カーナビ）	車両運搬具	（搭載されている車両の構造、用途、細目別に）	20〜3	車両に常時搭載するものがこれに該当する（耐通2-5-1、**【問１－51】**参照）。
カーバ	機械装置	「30」総合工事業用設備など	6	自走式のものがこれに該当する（耐通2-5-5参照）。

(カ)

資産の名称	種類	構造又は用途及び細目	耐用年数	備考
カーフェリー	船舶	船舶法第4条から第19条までの適用を受ける船舶 鋼船 その他のもの 総トン数が2,000トン以上のもの 総トン数が2,000トン未満のもの カーフェリー 木船 その他のもの 軽合金船 強化プラスチック船	 15 11 10 9 7	船舶法第4条から第19条までの適用を受ける船舶とは、次に掲げる船舶以外の船舶をいう(船舶法第20条参照)。 1 総トン数20トン未満の船舶 2 端舟その他櫓櫂(ろかい)のみをもって運転し、又は主として櫓櫂(ろかい)をもって運転する舟
カーペット	器具備品	「1」じゅうたんその他の床用敷物 小売業用、接客業用、放送用、レコード吹込用又は劇場用のもの その他のもの	 3 6	(耐通2-7-3参照)
カウンター	建物附属設備	店用簡易装備	3	(耐通2-2-6参照)
	器具備品	「1」その他の家具 接客業用のもの その他のもの 主として金属製のもの その他のもの	 5 15 8	特定の場合には、建物に含めて償却することに留意する(**【問3-38】**参照)。
カギ複製器	器具備品	「11」その他のもの 主として金属製のもの	 10	小売店の店頭で使用するものがこれに該当する。
カセットレコーダー	器具備品	「1」ラジオ、テレビジョン、テープレコーダー	5	
カッター	工具	切削工具	2	
カッペ	工具	カッペ	3	(耐通2-6-3参照)
カプセルベッド	器具備品	「1」ベッド	8	

資産の名称	種類	構造又は用途及び細目	耐用年数	備考
カプセルライナー(採掘現場用)	機械装置	「29」鉱業、採石業又は砂利採取業用設備 その他の設備	 6	
カメラ	器具備品	「4」カメラ	5	
カラオケ	器具備品	「1」音響機器	5	
カラオケ用マザーテープ	器具備品	「11」映画フィルム	2	
ガードレール(金属造)	構築物	金属造のもの ガードレール	 10	
ガス設備(ガス配管、その附属品)	建物附属設備	ガス設備	15	瞬間湯沸器、ガスレンジ等のガス機器は、「器具備品」に該当する。
ガス貯槽(金属造)	構築物	金属造のもの ガス貯槽 液化ガス用のもの その他のもの	 10 20	
ガス漏れ防止装置	建物附属設備	災害報知設備	8	
ガス湯沸器、ガス冷蔵庫、ガスレンジ	器具備品	「1」ガス機器	6	
ガストロスコープ(医療用)	器具備品	「8」光学検査機器 その他のもの	 8	
ガソリンアナライザー	器具備品	「3」測定機器	5	ガソリンスタンドで使用するものがこれに該当する。
ガソリン給油設備(自家用のもの)				(**【問3−88】**参照)
地下油槽(鋼鉄製)	構築物	金属造のもの 水槽及び油槽 鋼鉄製のもの	 15	
計量機	機械装置	「39」道路貨物運送業用設備など	12	(耐通1-4-5参照)

(カ)

資産の名称	種類	構造又は用途及び細目	耐用年数	備考
ガラス飛散防止フィルム	建物	(構造、用途、細目別に)	50 ≀ 7	建物の新築又は取得後に取り付けた場合の取付費用は、資本的支出と修繕費に区分する(基通7-8-4、7-8-5、**【問1－142】**参照)。
ガレージ	建物	(魚市場用建物参照)	38 ≀ 15	
かき船	建物	(構造、用途、細目別に)	31 ≀ 19	(耐通2-4-4参照)
かつら	器具備品	「9」かつら	2	
かんな	工具	切削工具	2	
がい子	構築物	送電用のもの がい子	 36	
火災報知設備	建物附属設備	災害報知設備	8	
火力発電用構築物	構築物	発電用のもの 汽力発電用のもの(岸壁・桟橋・堤防・防波堤・煙突・その他)	41	この区分に属する構築物の細目と個別耐用年数については耐通付表4を参照。
花器	器具備品	「1」室内装飾品 主として金属製のもの その他のもの	 15 8	歴史的価値又は希少価値を有し、代替性のないものや、取得価額が1点100万円以上のものは非減価償却資産に該当する(基通7-1-1、**【問1－7】**参照)。
花壇	構築物	緑化施設及び庭園 工場緑化施設 その他の緑化施設及び庭園	 7 20	(耐通2-3-8の2～2-3-9参照)
可動間仕切り	建物附属設備	可動間仕切り 簡易なもの その他のもの	 3 15	これは、一の事務室等を適宜仕切って使用するために間仕切りとして建物の内部空間に取り付け

資産の名称	種類	構造又は用途及び細目	耐用年数	備考
				る資材のうち、取り外して他の場所で再使用することが可能なパネル式又はスタッド式（JIS規格A6512参照）のもの等をいい、「簡易なもの」とは、このうちその材質及び構造が簡易で、容易に撤去することができるものをいう(耐通2-2-6の2参照)。
海底無人探査機	船舶	その他のもの 　その他のもの 　　その他のもの	 5	
架空索道用搬器	車両運搬具	鉄道用・軌道用車両 　架空索道用搬器 　　閉鎖式のもの 　　その他のもの	 10 5	ロープウェイ、観光リフト、スキーリフト、貨物索道等の搬器がこれに該当する(耐通2-5-4参照)。
家具				
事務机、事務いす	器具備品	「1」事務机、事務いす 　主として金属製のもの 　その他のもの	 15 8	 （耐通2-7-2参照）
キャビネット	〃	「1」キャビネット 　主として金属製のもの 　その他のもの	 15 8	 （耐通2-7-2参照）
応接セット	〃	「1」応接セット 　接客業用のもの 　その他のもの	 5 8	 （耐通2-7-3参照）
ベッド	〃	「1」ベッド	8	
児童用机及びいす	〃	「1」児童用机及びいす	5	
陳列棚・陳列ケース	〃	「1」陳列棚・陳列ケース 　冷凍機付又は冷蔵機付のもの 　その他のもの	 6 8	
書棚	〃	「1」その他の家具 　その他のもの 　　主として金属製のもの 　　その他のもの	 15 8	（**【問３－70】**参照）

(カ)

資産の名称	種類	構造又は用途及び細目	耐用年数	備考
	機械装置	「55」前掲の機械装置以外のもの 主として金属製のもの など	 17	電動移動式のもので機械装置と認められるものがこれに該当する。 (耐通1-4-2参照)
その他の家具	器具備品	「1」その他の家具 接客業用のもの その他のもの 主として金属製のもの その他のもの	 5 15 8	 (耐通2-7-3参照)
家畜育成用建物	建物	(魚市場用建物参照)	38 ~ 15	(耐通2-1-8参照)
仮設の建物	建物	簡易建物 仮設のもの	 7	これは、建設業における移動性仮設建物のように、解体、組立てを繰り返して使用することを常態としているものをいう(耐通2-1-23参照)。 なお、建設業者の有する工事現場の木造仮設建物については、経理処理の特例がある(基通2-2-7参照)。
貨車	車両運搬具	鉄道用・軌道用車両 貨車 高圧ボンベ車 高圧タンク車 薬品タンク車 冷凍車 その他のタンク車 特殊構造車 その他のもの	 10 10 12 12 15 15 20	 (耐通2-5-2参照) (耐通2-5-2参照) (耐通2-5-3参照)
貨幣計算器	器具備品	「2」計算機に類するもの	5	
貨物自動車	車両運搬具	運送事業用・貸自動車業用・自動車教習所用のもの 自動車		(耐通2-5-6～2-5-8参照)

資産の名称	種類	構造又は用途及び細目	耐用年数	備考
		小型車（積載量２トン以下のものをいう。）	3	
		その他のもの その他のもの	4	
		前掲のもの以外のもの 自動車 小型車(総排気量が0.66リットル以下のものをいう。)	4	
		その他のもの 貨物自動車 ダンプ式のもの	4	
		その他のもの	5	
回転計	工具	測定工具・検査工具	5	（耐通2-6-1参照）
海上ホテル	建物	（ホテル用建物参照）	39 ～ 15	（耐通2-4-4参照）
開発研究用建物・建物附属設備	建物 建物附属設備	「別表六」建物 「別表六」建物附属設備	5 5	開発研究の用に供するために建物の全部又は一部を低温室等の特殊室にするために特に施設した内部造作又は建物附属設備がこれに該当する（**【問３－29】**参照）。
街路灯	構築物	金属造のもの 街路灯	10	
角度ゲージ	工具	測定工具・検査工具	5	
拡大鏡	器具備品	「４」その他の機器	8	
格納庫用建物	建物	（魚市場用建物参照）	38 ～ 15	
格納式避難設備	建物附属設備	格納式避難設備	8	これには、格納式避難階段、格納式避難通路がある。折り畳み式縄ばしご、救助袋等は、「器具備品」に該当する（耐通2-2-4の2参照）。

(カ)

資産の名称	種類	構造又は用途及び細目	耐用年数	備考
学校用構築物	構築物	(運動場用構築物参照)	45～10	
学校用建物	建物	鉄骨鉄筋コンクリート造・鉄筋コンクリート造のもの れんが造・石造・ブロック造のもの 金属造のもの 　骨格材の肉厚が次のもの 　　4㎜超 　　3㎜超4㎜以下 　　3㎜以下 木造・合成樹脂造のもの 木骨モルタル造のもの	47 38 34 27 19 22 20	これは、耐用年数表の細目の「住宅用、寄宿舎用、宿泊所用、学校用又は体育館用のもの」に該当する。
楽器	器具備品	「11」楽器	5	
掛軸	器具備品	「1」室内装飾品 　その他のもの	8	歴史的価値又は希少価値を有し、代替性のないものや、取得価額が1点100万円以上のものは非減価償却資産に該当する(基通7-1-1、**【問1－7】**参照)。
貸衣装	器具備品	「9」衣装	2	(耐通2-7-15参照)
貸自動車業用自動車	車両運搬具	(運送事業用自動車参照)	5～3	
貸席用建物	建物	(飲食店用建物参照)	41～19	
貸ボート	船舶	その他のもの 　その他のもの 　　その他のもの	5	
型枠	工具	型 　鋳造用型 　その他のもの	2 3	

資産の名称	種類	構造又は用途及び細目	耐用年数	備考
活字	工具	活字 　購入活字（活字の形状のまま反復使用するものに限る。） 　自製活字	 2 8	
活字に常用される金属	工具	活字に常用される金属 　活字に常用される金属	 8	
活字母型	工具	型 　鋳造用型	 2	
金型	工具	型 　プレスその他の金属加工用金型 　合成樹脂・ゴム・ガラス成型用金型 　その他のもの	 2 2 3	
金床	工具	前掲のもの以外のもの 　その他のもの	 3	
株価表示装置	器具備品	「2」その他の事務機器	5	証券取引所と接続されている株価表示装置がこれに該当する。
岸壁	構築物	鉄骨鉄筋コンクリート造・鉄筋コンクリート造のもの コンクリート造・コンクリートブロック造のもの 石造のもの 木造のもの	50 30 50 10	汽力発電用岸壁は「火力発電用構築物」に該当する。
看板	構築物 建物附属設備 器具備品	広告用のもの 　金属造のもの 　その他のもの 前掲のもの以外のもの 　主として金属製のもの 　その他のもの 「5」看板	 20 10 18 10 3	（広告用構築物参照） 野立看板、ビルの屋上の広告塔は構築物に該当する（**【問３－48】**参照）。 そで看板は建物附属設備に該当する。 店頭にある立看板は器具備品に該当する。
乾燥機（写真製作用）	器具備品	「4」乾燥機	8	

資産の名称	種類	構造又は用途及び細目	耐用年数	備考
乾ドック	構築物	鉄骨鉄筋コンクリート造・鉄筋コンクリート造・石造のもの	45	
監視用テレビ、カメラの装置（スーパーマーケット等の店内用）	器具備品	「２」インターホーン及び放送用設備	6	（【問３－68】参照）
簡易建物（掘立造のもの及び仮設のものを除く。）	建物	簡易建物 木製主要柱が10cm角以下のもので、土居ぶき、杉皮ぶき、ルーフィングぶき又はトタンぶきのもの	10	
観光用の鉄塔	構築物	金属造のもの その他のもの	45	鉄塔に展望台等を施設しているものがこれに該当する。
観賞用魚等	器具備品	「10」動物 魚類	2	
観賞用植物	器具備品	「10」植物 貸付業用のもの その他のもの	 2 15	（耐通2-7-16参照）
キャッシュディスペンサー	器具備品	「２」その他の事務機器	5	
キャノピー（金属造）				キャノピーとは、ガソリンスタンドにおける給油設備の日よけ設備をいう。
キャノピーのみ独立しているもの	構築物	金属造のもの その他のもの	45	
建物に接続しているもの	建物	（構造、用途、細目別に）	50 ～ 14	建物本体の耐用年数を適用する。ただし、建物本体と構造材質が異なる場合には、金属造建物の耐用年数を適用できる。
キャノピーに設置した給油設備（ガソリン販売業用に使用）	機械装置	「45」その他の小売業用設備 ガソリン又は液化石油ガススタンド設備	8	

資産の名称	種類	構造又は用途 及び細目	耐用年数	備考
キャリパス	工具	測定工具・検査工具	5	(耐通2-6-1参照)
キャビネット	器具備品	「1」キャビネット 主として金属製のもの その他のもの	 15 8	 (耐通2-7-2参照)
キュービクル	建物附属設備 機械装置	電気設備 その他のもの	 15	別表第二の「設備の種類」に応じた耐用年数を適用する。 (**【問3－37】** 参照)。
きゅう舎	建物	(魚市場用建物参照)	38 ～ 15	
気球	器具備品	「5」気球	3	
気泡コンクリートプレハブ住宅	建物	(大型コンクリートプレハブ住宅参照)	47 ～ 34	
汽力発電用構築物	構築物	(火力発電用構築物参照)	41	
軌道業用構築物	構築物	軌道業用のもの 軌条・その附属品 まくら木 木製 コンクリート製・金属製 分岐器 通信線・信号線・電燈電力線・信号機・電線支持物(電柱・腕木を除く。) 送配電線・き電線 電車線・第三軌条 帰線ボンド 木柱・木塔(腕木を含む。) 架空索道用のもの その他のもの 前掲以外のもの 線路設備	 20 8 20 15 30 40 20 5 15 25	「前掲以外のもの」の構築物の細目と個別耐用年

(キ)

資産の名称	種類	構造又は用途及び細目	耐用年数	備考
		軌道設備		数については耐通付表3を参照。
		道床	60	
		その他のもの	16	
		土工設備	57	「土工設備」とは、鉄道軌道施設のため構築した線路切取り、線路築堤、川道付替え、土留め等の土工施設をいう（耐通2-3-1参照）。
		橋りょう		高架鉄道の高架構造物のく体は「高架道路」に該当せず、「橋りょう」に含まれる（耐通2-3-2参照）。
		鉄筋コンクリート造	50	
		鉄骨造	40	
		その他のもの	15	
		トンネル		
		鉄筋コンクリート造	60	
		れんが造	35	
		その他のもの	30	
		その他のもの	21	
		停車場設備	32	
		電路設備		
		鉄柱･鉄塔･コンクリート柱･コンクリート塔	45	
		踏切保安設備	12	
		自動列車停止設備	12	
		その他のもの	19	
		その他のもの	40	
軌道用構築物	構築物	軌道用のもの		「土工設備」とは、鉄道軌道施設のため構築した線路切取り、線路築堤、川道付替え、土留め等の土工施設をいう（耐通2-3-1参照）。
		軌条・その附属品・まくら木	15	
		道床	60	
		土工設備	50	
		橋りょう		高架鉄道の高架構造物のく体は「高架道路」に該当せず、「橋りょう」に含まれる（耐通2-3-2参照）。
		鉄筋コンクリート造	50	
		鉄骨造	40	
		その他のもの	15	
		トンネル		
		鉄筋コンクリート造	60	
		れんが造	35	

資産の名称	種類	構造又は用途及び細目	耐用年数	備考
		その他のもの その他のもの	30 30	
軌道用車両	車両 運搬具	(鉄道用·軌道用車両参照)	20 〜 5	
起重機船	構築物	(構造、用途、細目別に)		一定の場所に固着したものは、構築物に該当する(耐通2-4-4参照)。
	船舶	船舶法第4条から第19条までの適用を受ける船舶 鋼船 その他のもの 総トン数が2,000トン以上のもの 総トン数が2,000トン未満のもの その他のもの 木船 その他のもの 軽合金船 強化プラスチック船	 15 14 10 9 7	船舶法第4条から第19条までの適用を受ける船舶とは、次に掲げる船舶以外の船舶をいう(船舶法第20条参照)。 1 総トン数20トン未満の船舶 2 端舟その他櫓櫂(ろかい)のみをもって運転し、又は主として櫓櫂(ろかい)をもって運転する舟
		その他のもの 鋼船 その他のもの 木船 その他のもの その他のもの その他のもの	 12 8 5	自力で水上を航行しないものであっても、船舶に該当する(耐通2-4-4参照)。
	機械装置	(「設備の種類」別の耐用年数による。)		クレーン部分については、船舶本体と区分して耐用年数省令別表第二(機械装置)の耐用年数を適用することができる(耐通2-4-1、耐通1-4-2参照)。
寄宿舎	建物	(学校用建物参照)	47 〜 19	
基準巻尺	工具	測定工具・検査工具	5	(耐通2-6-1参照)

(キ)

資産の名称	種類	構造又は用途及び細目	耐用年数	備考
機能回復訓練機器	器具備品	「8」ハバードタンクその他の作動部分を有するもの 「8」その他のもの その他のもの 主として金属製のもの その他のもの	6 10 5	(耐通2-7-2参照)
喫茶店用簡易装備	建物附属設備	店用簡易装備	3	主として小売店舗等に取り付けられる装飾を兼ねた造作(ルーバー、壁板等)、陳列棚(器具備品に該当するものを除く。)カウンター(比較的容易に取替えのできるものに限る。)等でおおむね3年以内に取替えが見込まれるものがこれに該当する(耐通2-2-6参照)。
客室冷蔵庫自動管理機器 客室の冷蔵庫 フロント等に設置する機器	 器具備品 〃	 「1」電気冷蔵庫 「2」電子計算機 その他のもの	 6 5	旅館又はホテルの客室の冷蔵庫内の物品出し入れを自動的に記録するためにフロント等に設置されるものがこれに該当する(耐通2-7-6の2参照)。
救急車	車両運搬具	特殊自動車 救急車	5	
救命袋	器具備品	「11」その他のもの その他のもの	5	(耐通2-2-4の2参照)
球戯用具	器具備品	「9」球戯用具	2	パチンコ器、ビンゴ器その他これらに類するものがこれに該当する。
給食加工場用建物	建物	(工場用建物参照)	38 〜 7	(耐通2-1-11参照)

資産の名称	種類	構造又は用途及び細目	耐用年数	備考
給排水設備 (給水用ポンプ、排水用ポンプ、配管、建物に附属する給水用タンクその他の附属品等)	建物附属設備	給排水設備	15	多数の建物に給水するために設けられた井戸、浄水設備、給水塔、給水塔から各建物までの配管等の設備は、「建物附属設備」に該当せず、「構築物」又は「機械装置」に該当する。
凶器発見器	器具備品	「3」試験・測定機器	5	
共同アンテナ	器具備品 構築物 建物	(テレビジョン共同聴視用装置参照)	10 10 50〜7	ビルの建築に際してビル近辺の住民のために設定してビル近辺の住民に寄贈した場合がこれに該当する(耐通2-7-9参照)。
教会用建物	建物	(研究所用建物参照)	50〜22	(耐通2-1-1参照)
競技場用構築物	構築物	(運動場用構築物参照)	45〜10	
強化プラスチック船	船舶	船舶法第4条から第19条までの適用を受ける強化プラスチック船 その他のもの その他のもの モーターボート・搭載漁船 その他のもの	7 4 5	船舶法第4条から第19条までの適用を受ける船舶とは、次に掲げる船舶以外の船舶をいう(船舶法第20条参照)。 1 総トン数20トン未満の船舶 2 端舟その他櫓櫂(ろかい)のみをもって運転し、又は主として櫓櫂(ろかい)をもって運転する舟
金庫	器具備品	「6」金庫 手提げ金庫 その他のもの	 5 20	金融機関等の建物内にある「金庫室」は、その全部が建物に含まれる(耐通2-7-12参照)。

(キ)

資産の名称	種類	構造又は用途及び細目	耐用年数	備考
金銭登録機	器具備品	「2」金銭登録機	5	
金属製柱	工具	金属製柱	3	鉱業の坑道において鉱物の採掘等の作業に使用される金属製の支柱及び横はり（梁）がこれに該当する(耐通2-6-3参照)。
漁具	器具備品	「11」漁具	3	
魚群探知器	工具	測定工具	5	可搬式の簡易なものがこれに該当する（耐通2-4-1参照)。
魚群探知器等	機械装置	「27」漁業用設備	5	（昭57. 10. 6付直法2-8、**【問３－53】**参照）
漁船	船舶	船舶法第４条から第19条までの適用を受ける船舶		船舶法第４条から第19条までの適用を受ける船舶とは、次に掲げる船舶以外の船舶をいう（船舶法第20条参照)。 1　総トン数20トン未満の船舶 2　端舟その他櫓櫂（ろかい）のみをもって運転し、又は主として櫓櫂（ろかい）をもって運転する舟
		鋼船		
		漁船		
		総トン数が500トン以上のもの	12	
		総トン数が500トン未満のもの	9	
		木船		
		漁船	6	
		軽合金船	9	
		強化プラスチック船	7	
		その他のもの		
		鋼船		
		搭載漁船	8	
		その他のもの	12	
		木船		
		搭載漁船	4	
		動力漁船	6	
		その他のもの	8	
		その他のもの		
		搭載漁船	4	
		その他のもの	5	

資産の名称	種類	構造又は用途及び細目	耐用年数	備考
漁網	器具備品	「11」漁具	3	網地、浮子、沈子、綱及び延縄もこれに該当する。
クリーンルーム 内部造作	建物附属設備	可動間仕切り その他のもの	15	建物の内部造作を構成しないものがこれに該当する。
	建物	（工場用建物参照）	38 ～ 7	建物の内部造作を構成するものがこれに該当する（耐通1-2-3参照）。
照明設備	建物附属設備	電気設備 その他のもの	15	（耐通2-2-4参照）
空調設備・温湿度監視装置	機械装置	（「設備の種類」別の耐用年数による）		
クルーザー	船舶	その他のもの その他のもの モーターボート・搭載漁船	4	総トン数20トン未満のものがこれに該当する（**【問３－52】**参照）。
クレーン （工場内で使用のもの）	機械装置			（耐通1－4－7参照） クレーンが属する製造設備の耐用年数を適用。
クレーン船	船舶	（起重機船参照）	15 ～ 5	
クローラ型ダンプトレーラー	車両運搬具	前掲のもの以外のもの その他のもの 自走能力を有するもの	7	
クロノメーター	器具備品	「３」時計	10	
クラブハウス（ゴルフ場）	建物	（研究所用建物参照）	50 ～ 22	（耐通2-1-1参照）
グライダー	航空機	その他のもの グライダー	5	
供養塔（石造）	構築物	石造のもの その他のもの	50	（**【問１－５】**参照）
杭打機	機械装置	「30」総合工事業用設備など	6	自走式のものがこれに該当する（耐通2-5-5参照）。

(ク・ケ)

資産の名称	種類	構造又は用途及び細目	耐用年数	備考
空気清浄機	器具備品	「1」電気冷蔵庫、電気洗濯機その他これらに類する電気又はガス機器	6	
空港ビル	建物	(魚市場用建物参照)	38 ~ 15	売店、食堂等を有する空港ビルは、2以上の用途に供されているものとする(耐通1-2-4参照)。
組立式プール(ナイロングランドプール)	器具備品	「11」その他のもの 主として金属製のもの その他のもの	 10 5	内側ナイロン部分については支柱と区分して耐用年数を適用することができる(耐通2-7-17参照)。 なお、ナイロン部分については、税務署長の確認手続により「11」の「シート及びロープ」の2年が認められる場合がある(耐通1-1-9参照)。
組立式商品保管棚	器具備品	「11」その他のもの 主として金属製のもの その他のもの	 10 5	建物に固着し、建物と一体となっているようなものは「建物」の本体に含めて償却する(**【問1－63】**参照)。
車いす(医療用)	器具備品	「8」その他のもの その他のもの 主として金属製のもの その他のもの	 10 5	
ゲージ	工具	測定工具・検査工具	5	主なゲージは、ブロックゲージ、ダイヤルゲージ、限界ゲージ及びアングルブロックゲージである(耐通2-6-1参照)。
ゲレンデの土工施設(スキー場)	構築物	競技場用・運動場用のもの スポーツ場の土工施設	 30	リフト事業者が他人の所有地に行った左の工事費用は繰延資産となる(基通8-1-9参照)。

資産の名称	種類	構造又は用途及び細目	耐用年数	備考
下水清掃車	車両運搬具	特殊自動車 タンク車その他特殊車体を架装したもの 小型車 その他のもの	 3 4	真空ポンプとタンクを架装したものがこれに該当する。 小型車とは、総排気量が2リットル以下のものをいう。
下水道	構築物	鉄骨鉄筋コンクリート造・鉄筋コンクリート造・石造のもの コンクリート造・コンクリートブロック造・土造のもの	35 15	土地の取得に伴って行った下水路の改修費用は、土地の取得価額に含めることもできる（**【問１－４】**参照）。
計算機（電子計算機を除く）。	器具備品	「２」計算機	5	
鶏舎 隔壁により内部と外部が遮断されている構造のもの	建物	（魚市場用建物参照）	38～15	
上記以外のもの	構築物	（飼育場参照）	30～7	これに附帯する養鶏用のゲージ等の一切の施設もこれに含めて償却することができる（耐通2-3-15参照）。
軽合金船	船舶	船舶法第４条から第19条までの適用を受ける軽合金船 水中翼船・ホーバークラフト その他のもの その他のもの その他のもの モーターボート・搭載漁船 その他のもの	 8 9 4 5	船舶法第４条から第19条までの適用を受ける船舶とは、次に掲げる船舶以外の船舶をいう（船舶法第20条参照）。 1　総トン数20トン未満の船舶 2　端舟その他櫓櫂（ろかい）のみをもって運転し、又は主として櫓櫂（ろかい）をもって運転する舟
携帯用電気グラインダー	工具	前掲のもの以外のもの その他のもの	 3	

(ケ)

資産の名称	種類	構造又は用途及び細目	耐用年数	備考
警備情報自動探知処理装置（自動警報装置）	機械装置	「55」前掲の機械装置以外のもの 主として金属製のものなど	 17	NTTの電話回線を利用するものがこれに該当する(耐通1－4－2参照)。
掲揚塔	構築物	金属造のもの その他のもの	 45	税務署長の確認を受けて、街路灯の耐用年数10年の適用ができる場合がある(耐通1-1-9、**【問３－21】**参照)。
競輪場用競走路	構築物	（運動場用構築物参照）	15〜10	
劇場用観客いす	器具備品	「９」劇場用観客いす	3	
劇場用建物	建物	（飲食店用建物参照）	41〜19	
結婚式場用の各種資産				(**【問３－65】**参照)
じゅうたん	器具備品	「１」じゅうたんその他の床用敷物 小売業用、接客業用	 3	
応接セット等の家具	〃	「１」応接セット 接客業用	 5	
祭壇（木造）	〃	「11」その他のもの その他のもの	 5	建物に固着している祭壇は、「建物」に含まれる。
照明用のシャンデリア	建物附属設備	電気設備 その他のもの	 15	
式場用の建物	建物	（飲食店用建物参照）	41〜19	
研究所用建物	建物	鉄骨鉄筋コンクリート造・鉄筋コンクリート造 れんが造・石造・ブロック造 金属造 骨格材の肉厚が次のもの ４㎜超 ３㎜超４㎜以下 ３㎜以下	50 41 38 30 22	これは、耐用年数表の細目の「事務所用又は美術館用のもの及び左記以外のもの」に該当する。 博物館用、社寺用、教会用及び設計所用の建物もこの細目に含まれる(耐通2-1-1参照)。

資産の名称	種類	構造又は用途及び細目	耐用年数	備考
		木造・合成樹脂造 木骨モルタル造	24 22	
検眼器 眼鏡小売店用	器具備品	「４」その他の機器	8	
眼科医用	〃	「８」光学検査機器 その他のもの	 8	
検孔機	器具備品	「２」その他の事務機器	5	
健康運動機具	器具備品	「９」スポーツ具	3	
検査工具	工具	測定工具・検査工具	5	
顕微鏡	器具備品	「４」顕微鏡	8	
原子時計	器具備品	「３」時計	10	
限界ゲージ	工具	測定工具・検査工具	5	（耐通2-6-1参照）
コイン洗車機	器具備品	「11」その他のもの 主として金属製のもの	 10	
コインランドリー	器具備品	「１」電気洗濯機に類する電気機器	6	家庭用類似の洗濯機、乾燥機を設置した簡易な機器に限る。
	機械装置	「49」洗濯業、理容業、美容業又は浴場業用設備	13	一般的には、機械装置に該当する。
コインロッカー（金属製）	器具備品	「11」その他のもの 主として金属製のもの	 10	（耐通2-7-18参照）
コピー機	器具備品	「２」複写機	5	
コマーシャルフィルム	器具備品	「11」映画フィルム	2	その製作費もこれに含まれる。
コロ	器具備品	「11」その他のもの 主として金属製のもの その他のもの	 10 5	 （耐通2-7-2参照）

(コ)

資産の名称	種類	構造又は用途及び細目	耐用年数	備考
コンクリートスプレッダー	機械装置	「30」総合工事業用設備など	6	自走式のものがこれに該当する（耐通2-5-5参照）。
コンクリートフィニッシャー	機械装置	「30」総合工事業用設備など	6	自走式のものがこれに該当する（耐通2-5-5参照）。
コンクリートプレハブ造建物	建物	ブロック造のもの	41 ～ 20	これには、耐用年数表の細目に応じた耐用年数を適用する。
コンクリートペーバー	機械装置	「30」総合工事業用設備など	6	自走式のものがこれに該当する（耐通2-5-5参照）。
コンクリートポンプ車	機械装置	「30」総合工事業用設備など	6	自走式のものがこれに該当する（耐通2-5-5参照）。
コンクリート敷道路	構築物	舗装道路 コンクリート敷のもの	 15	鉄筋コンクリート敷道路もこれに含まれる。
コンパス測定器	工具	測定工具・検査工具	5	主なコンパス測定器はポケットコンパス、プリズマティックコンパス、ハンギングコンパス及びプルントンコンパスである。
コンテナー	器具備品	「6」コンテナ 大型コンテナー その他のもの 金属製のもの その他のもの	 7 3 2	長さが6メートル以上のものがこれに該当する。
ゴーカート	器具備品	「9」スポーツ具	3	遊園地内で走行するものがこれに該当する（耐通2-7-14参照）。
ゴルフシミュレーター	器具備品	「9」スポーツ具	3	（**【問3－64】**参照）
ゴルフセット	器具備品	「9」スポーツ具	3	社員の福利厚生用のものがこれに該当する。

(コ)

資産の名称	種類	構造又は用途及び細目	耐用年数	備考
ゴルフ場用設備				(【問３－45】参照)
クラブハウス	建物	(研究所用建物参照)	50～22	(耐通2-1-1参照)
コース内の売店	〃	(小売店舗用建物参照)	39～19	
避雷小屋(掘立造)	〃	簡易建物 掘立造のもの	7	
フェアウェイ・グリーン・築山、池その他これらに類するもので一体となってそのゴルフコースを構成するもの	(土地)	(非減価償却資産)		(耐通2-3-6参照)
暗きょ排水施設	構築物	競技場用のもの ゴルフコースの排水その他の土工施設	30	
動く歩道	機械装置	「51」娯楽業用設備 主として金属製のもの	17	(耐通1-4-2参照)
橋(金属造)	構築物	金属造のもの 橋	45	
ラインカート				
レール	〃	その他の軌道用のもの 軌条	15	
カート	車両運搬具	前掲のもの以外のもの その他のもの 自走能力を有するもの	7	
ガソリンエンジン式ゴルフカート 乗用型(四輪・0.66リットル以下)	〃	前掲のもの以外のもの 自動車 小型車	4	
電動式ゴルフカート	〃	前掲のもの以外のもの 自動車		

(コ)

資産の名称	種類	構造又は用途及び細目	耐用年数	備考
乗用型(四輪・0.66リットル以下)		小型車	4	
歩行型(三輪)		三輪自動車	3	
芝刈機				
乗用型自走式	機械装置	「51」娯楽業用設備 主として金属製のもの	17	
歩行型自走式、手押式	器具備品	「11」その他のもの 主として金属製のもの	10	
花壇(クラブハウス周辺のもの)	構築物	緑化施設 その他の緑化施設	20	
防球ネット	〃	競技場用のもの ネット設備	15	
ゴルフ練習場用設備				(【問3－46】参照)
打席用建造物(建物と認められないもの)	構築物	競技場用のもの その他のもの その他のもの 主として木造のもの その他のもの	15 30	
ネット設備	〃	運動場用のもの ネット設備	15	
芝生	〃	緑化施設 その他の緑化施設	20	
人工芝	〃	合成樹脂造のもの	10	
ボール洗浄・乾燥・配球装置(この設備に係る電気設備を含む。)	機械装置	「51」娯楽業用設備 主として金属製のもの	17	
オートティーアップシステム	〃	「51」娯楽業用設備 主として金属製のもの	17	
自走式ボール回収機	〃	「51」娯楽業用設備 主として金属製のもの	17	(耐通2-5-5参照)
芝刈機				
乗用型自走	〃	「51」娯楽業用設備		

資産の名称	種類	構造又は用途及び細目	耐用年数	備考
式		主として金属製のもの	17	
歩行型自走式、手押式	器具備品	「11」その他のもの 主として金属製のもの	10	
ビデオ装置	〃	「1」テレビジョン・テープレコーダー	5	
貸クラブ・貸靴	〃	「9」スポーツ具	3	
ゴンドラ装置	建物附属設備	前掲のもの以外のもの 主として金属製のもの	18	建物の外窓の清掃のために設備された屋上のレール、ゴンドラ支持物及びゴンドラがこれに該当する（耐通2-2-7参照）。
	器具備品	「11」その他のもの 主として金属製のもの	10	ビル清掃会社が作業をするビルまで運搬して使用するものがこれに該当する。
小売店舗用建物	建物	鉄骨鉄筋コンクリート造・鉄筋コンクリート造のもの	39	
		れんが造・石造・ブロック造のもの	38	
		金属造のもの 骨格材の肉厚が次のもの 4㎜超	34	
		3㎜超4㎜以下	27	
		3㎜以下	19	
		木造・合成樹脂造のもの	22	
		木骨モルタル造のもの	20	
小型トランシット	工具	測定工具・検査工具	5	（耐通2-6-1参照）
小道具	器具備品	「9」小道具	2	
碁石・碁盤	器具備品	「9」遊戯具	5	
工業用レントゲン	機械装置	（「設備の種類」別の耐用年数による）		
	工具	検査工具	5	製品の検査等に使用されているポータブル式の

(コ)

資産の名称	種類	構造又は用途及び細目	耐用年数	備考
	器具備品	「３」試験機器	5	ものがこれに該当する。 試験所等で専ら材料の研究等に使われているものがこれに該当する。
工作船	船舶	（起重機船参照）	15〜5	
工場構内の附属建物	建物	（工場用建物参照）	38〜7	（耐通2-1-10参照）
工場土間の舗装	建物	（工場用建物参照）	38〜7	工場用建物の造作として工場用建物に含まれる。
工場用建物	建物	鉄骨鉄筋コンクリート造・鉄筋コンクリート造のもの Ａ・Ｂのもの Ｃのもの その他のもの れんが造・石造・ブロック造のもの Ａのもの Ｃのもの その他のもの 金属造（骨格材の肉厚４㎜超）のもの Ａ・Ｂのもの Ｃのもの その他のもの 金属造（骨格材の肉厚３㎜超４㎜以下）のもの Ａのもの Ｃのもの その他のもの 金属造（骨格材の肉厚３㎜以下）のもの Ａのもの Ｃのもの その他のもの	 24 31 38 22 28 34 20 25 31 15 19 24 12 14 17	作業場用建物は、この細目に含まれる。 Ａは、塩素、塩酸、硫酸、硝酸等著しい腐食性を有する液体又は気体の影響を直接全面的に受けるものを指す。その範囲については耐通2-1-13、2-1-14及び耐通付表1を参照。 Ｂは、放射性同位元素の放射線を直接受けるものを指す。その範囲については耐通2-1-16及び2-1-17を参照。 Ｃは、塩、チリ硝石等著しい潮解性を有する固体を常置するためのもの及び著しい蒸気の影響を直接全面的に受けるものを指す。その範囲については耐通2-1-18、2-1-19、2-1-20及び耐通付表２を参照。

資産の名称	種類	構造又は用途及び細目	耐用年数	備考
		木造・合成樹脂造のもの Aのもの Cのもの その他のもの 木骨モルタル造のもの Aのもの Cのもの その他のもの	 9 11 15 7 10 14	
工場用建物内の電気設備 電灯用配線施設・照明設備その他の電気設備	建物附属設備 機械装置	電気設備 その他のもの （工場の機械装置の「設備の種類」別の耐用年数による。）	 15	その発電設備から生ずる電力を専ら用いて他の最終製品が生産等される場合のその発電設備は、その他の最終製品に係る設備として、いずれの設備の種類に該当するかを判定する（耐通1-4-5、2-2-2参照）。
工場緑化施設	構築物	緑化施設 工場緑化施設	 7	工場の緑化を目的として施設された緑化施設がこれに該当する（耐通2-3-8の3～2-3-8の5参照）。
公衆浴場用建物	建物	鉄骨鉄筋コンクリート造・鉄筋コンクリート造のもの れんが造・石造・ブロック造のもの 金属造のもの 骨格材の肉厚が次のもの 4㎜超 3㎜超4㎜以下 3㎜以下 木造・合成樹脂造のもの 木骨モルタル造のもの	31 30 27 19 15 12 11	特殊浴場、旅館、ホテル、事務所等の浴場又は浴室については、この細目に該当しない（耐通2-1-9参照）。
広告用構築物等 広告塔	構築物	広告用のもの 金属造のもの その他のもの	 20 10	野立看板、ビルの屋上の広告塔もこれに該当する（耐通2-3-5参照）。

(コ)

資産の名称	種類	構造又は用途及び細目	耐用年数	備考
ネオンサイン	器具備品	「5」ネオンサイン	3	ネオン放電管・附属の変圧器、ネオンサインの反射板及びネオンサインを覆う合成樹脂等もこれに該当する（耐通2-3-5、2-7-10参照）。
交通標識（主として金属製）	構築物	金属造のもの その他のもの	 45	税務署長の確認を受けてガードレールの耐用年数を適用できる場合がある（耐通1-1-9、**【問３－21】**参照）。
光学検査機器（医療用）	器具備品	「8」光学検査機器 ファイバースコープ その他のもの	 6 8	
光学読取装置	器具備品	「2」金銭登録機	5	販売時点情報管理装置（POSシステム）を構成するものがこれに該当する。
恒温室（開発研究用）	建物 建物附属設備	「別表第六」建物 「別表第六」建物附属設備	5 5	建物の全部又は一部を開発研究用の恒温室にするために特に施設した内部造作部分又は建物附属設備部分がこれに該当する（**【問３－29】**参照）。
高架道路	構築物	鉄骨鉄筋コンクリート造・鉄筋コンクリート造のもの	30	高架道路の高架構造物のく体部分がこれに該当する（耐通2-3-14参照）。
高圧酸素治療タンク	器具備品	「8」その他のもの その他のもの 陶磁器製・ガラス製のもの 主として金属製のもの その他のもの	 3 10 5	
高圧タンク車	車両運搬具	鉄道用・軌道用車両 貨車 高圧タンク車	 10	（耐通2-5-2参照）

資産の名称	種類	構造又は用途及び細目	耐用年数	備考
高圧ボンベ車	車両運搬具	鉄道用・軌道用車両 貨車 高圧ボンベ車	10	（耐通2-5-2参照）
高所作業車	車両運搬具	特殊自動車 タンク車、レッカーその他特殊車体を架装したもの 小型車 その他のもの	 3 4	人又は物を乗せて運搬することを目的とした車両がこれに該当する。
	機械装置	「30」総合工事業用設備など	6	自走式であるが、人又は物の運搬を目的とせず、作業場において作業することを目的とするものがこれに該当する（耐通2-5-5参照）。
高速自動宛名印刷装置（ダイレクトメール代行業者が使用するもの）	器具備品	「2」その他の事務機器	5	
硬貨計算機	器具備品	「2」計算機に類するもの	5	
硬度計	工具	測定工具・検査工具	5	（耐通2-6-1参照）
鉱業用廃石捨場	構築物	コンクリート造・コンクリートブロック造のもの 鉱業用廃石捨場	5	
鉱車（鉱山用）	車両運搬具	前掲のもの以外のもの 鉱山用鉱車 金属製のもの その他のもの	 7 4	
鋼索鉄道用車両	車両運搬具	鉄道用・軌道用車両 鋼索鉄道用車両	15	
鋼矢板岸壁	構築物	金属造のもの 鋼矢板岸壁	25	
構内デジタル通信設備(LAN設備)				（**【問3－71】**参照）

資産の名称	種類	構造又は用途及び細目	耐用年数	備考
講堂（学校用以外のもの）	建物	（研究所用建物参照）	50 ～ 22	
合成樹脂造構築物	構築物	合成樹脂造のもの	10	
氷自動販売機	器具備品	「11」自動販売機	5	
氷冷蔵庫	器具備品	「1」氷冷蔵庫	4	電気式のものは電気冷蔵庫に該当する。
サイロ	構築物	鉄骨鉄筋コンクリート造・鉄筋コンクリート造のもの コンクリート造・コンクリートブロック造のもの 金属造のもの	35 34 22	
サーバー	器具備品	「2」電子計算機 その他のもの	 5	
サブグレーダー	機械装置	「30」総合工事業用設備など	6	自走式のものがこれに該当する（耐通2-5-5参照）。
サルベージ船	船舶	（起重機船参照）	15 ～ 5	
座卓	器具備品	「1」その他の家具 接客業用のもの その他のもの 主として金属製のもの その他のもの	 5 15 8	 （耐通2-7-3参照） （耐通2-7-2参照）
座ぶとん	器具備品	「1」座ぶとん	3	
災害報知設備	建物附属設備	災害報知設備	8	盗難防止用設備もこれに含まれる。
祭壇（木造）	器具備品	「11」その他のもの その他のもの	 5	結婚式場にある祭壇もこれに含まれる（建物に固着しているものは建物に含まれる）。
在室標示板	器具備品	「2」その他の通信機器 その他のもの	 10	

資産の名称	種類	構造又は用途及び細目	耐用年数	備考
作業場	建物	(工場用建物参照)	38 ～ 7	
三輪自動車	車両運搬具	運送事業用・貸自動車業用・自動車教習所用 自動車 小型車 その他のもの その他のもの 前掲のもの以外のもの 三輪自動車	 3 4 3	小型車とは、次のものをいう。 1　貨物自動車…積載量が２トン以下のもの 2　その他…総排気量が２リットル以下のもの
散水車	車両運搬具	特殊自動車 散水車	 5	
散水装置	建物附属設備	前掲のもの以外のもの 主として金属製のもの その他のもの	 18 10	危険物倉庫等の屋根の過熱防止のために設置されたものがこれに該当する（耐通2-2-7参照)。
酸素テント	器具備品	「８」手術機器	5	
桟橋（汽力発電用のものを除く。)	構築物	(岸壁参照)	50 ～ 10	
産婦人科用検診台	器具備品	「８」その他のもの その他のもの 主として金属製のもの その他のもの	 10 5	
ＣＤ化された百科辞典	器具備品	「11」その他のもの その他のもの	 5	
シート	器具備品	「11」シート	2	
シート門扉 シート部分 支柱部分	 器具備品 〃	 「11」シート 「11」その他のもの 主として金属製のもの その他のもの	 2 10 5	(耐通2-7-17参照)
シャッター	建物			その建物の構成部分として「建物」に含まれる。

(シ)

資産の名称	種類	構造又は用途及び細目	耐用年数	備考
ジャバラハウス 支柱部分 天幕	 器具 備品 〃	 「11」その他のもの 主として金属製のもの 「11」シート	 10 2	基礎が土地に定着する等別個の構築物と認められる場合には、その基礎部分は構築物に該当する。
シャベル	工具	前掲のもの以外のもの その他のもの	 3	
シャンデリヤ	建物附属設備	電気設備（照明設備） その他のもの	 15	
シュレッダー	器具 備品	「2」その他の事務機器	5	事務室等で使用されるものがこれに該当する。
ショーウィンド	建物			その建物の構成部分として「建物」に含まれる。
ショーケース	器具 備品	（陳列棚·陳列ケース参照）	8 ～ 6	オープンショーケースについては機械及び装置に該当するものもある。
ショールーム用建物	建物	（小売店舗用建物参照）	39 ～ 19	（耐通2-1-3参照）
ショベルローダー	機械 装置	「30」総合工事業用設備など	6	自走式のものがこれに該当する（耐通2-5-5参照）。
ジャッキー	工具	前掲のもの以外のもの その他のもの	 3	
ジャングルジム（児童用）	構築物	運動場用のもの その他のもの 児童用のもの ジャングルジム	 10	
ジュークボックス	器具 備品	「1」音響機器	5	
し尿車	車両 運搬具	特殊自動車 し尿車 小型車 その他のもの	 3 4	小型車とは、積載量が2トン以下のものをいう。
しゅんせつ船	船舶	船舶法第4条から第19条までの適用を受ける船舶 鋼船 その他のもの		しゅんせつを行うとともに、その採取した砂、砂利、岩石等を運搬することができる構造となっ

資産の名称	種類	構造又は用途及び細目	耐用年数	備考
		総トン数が2,000トン 以上のもの 総トン数が2,000トン 未満のもの しゅんせつ船 木船 その他のもの 軽合金船 強化プラスチック船 その他のもの 鋼船 しゅんせつ船 木船 しゅんせつ船 その他のもの その他のもの	 15 10 10 9 7 7 5 5	ているものもこれに含めることができる（耐通2-4-3参照）。 船舶法第４条から第19条までの適用を受ける船舶とは、次に掲げる船舶以外の船舶をいう（船舶法第20条参照）。 １　総トン数20トン未満の船舶 ２　端舟その他櫓櫂のみをもって運転し、又は主として櫓櫂をもって運転する舟
しゅんせつ用カッター	工具	前掲のもの以外のもの その他のもの	 3	
じゅうたん	器具備品	「１」じゅうたん 小売業用、接客業用、放送用、レコード吹込用又は劇場用のもの その他のもの	 3 6	（耐通2-7-3参照）
じんかい車	車両運搬具	特殊自動車 じんかい車 小型車 その他のもの	 3 4	小型車とは、積載量が２トン以下のものをいう。
刺しゅう加工業の機械装置	機械装置	「３」繊維工業用設備 その他の設備	 7	
試験機器	器具備品	「３」試験・測定機器	5	
飼育場	構築物	鉄骨鉄筋コンクリート造・鉄筋コンクリート造のもの コンクリート造・コンクリートブロック造・金属造のもの 合成樹脂造のもの	30 15 10	これは、家きん、毛皮獣等の育成、肥育のための飼育小屋、さくその他の工作物をいい、これに附帯する養鶏用のゲージ等の一切の施設を含める

(シ)

資産の名称	種類	構造又は用途及び細目	耐用年数	備考
		木造のもの	7	ことができる（耐通2-3-15参照）。
歯科診療用ユニット	器具備品	「８」歯科診療用ユニット	7	これには、診療用ユニットのほか、歯科エンジン、スプットン、無影燈及び歯科診療用いす等が含まれる（耐通2-7-13参照）。
治具	工具	治具	3	
事務所用建物	建物	（研究所用建物参照）	50 ～ 22	
事務机、事務いす	器具備品	「１」事務机、事務いす 主として金属製のもの その他のもの	 15 8	（耐通2-7-2参照）
磁気カートリッジ・磁気カセット	器具備品	「11」その他のもの その他のもの	 5	
磁気テープ	器具備品	「11」磁気テープ	2	
磁気テープクリーナー	器具備品	「２」その他の事務機器	5	
自家発電設備 非常電源用	建物附属設備	電気設備（照明設備を含む。）	15	建物の停電時の非常電源用のものがこれに該当する（耐通2-2-2参照）。
その他	機械装置			その発電設備から生ずる電力を専ら用いて他の最終製品が生産等される場合のその発電設備は、その他の最終製品に係る設備として、いずれの設備の種類に該当するかを判定する（耐通1-4-5、**【問３-89】**参照）。
自転車	車両運搬具	運送事業用・貸自動車業用・自動車教習所用のもの 自転車 前掲のもの以外のもの	 2	

資産の名称	種類	構造又は用途及び細目	耐用年数	備考
		自転車	2	
自転車置場	建物	(魚市場用建物参照)	38〜15	
自動宛名印刷装置	器具備品	「2」その他の事務機器	5	ダイレクトメール代行業者が使用するもので、高速自動宛名印刷装置がこれに該当する。
自動開閉装置	建物附属設備	ドアー自動開閉設備	12	これには、電動機、圧縮機、駆動装置その他これらの附属機器が含まれる。自動開閉機に直結するドアーは、「建物」に含まれる(耐通2-2-5参照)。
自動株価表示装置	器具備品	「2」その他の事務機器	5	証券取引所と接続されている株価表示装置がこれに該当する。
自動計量機	器具備品	「3」度量衡器	5	小売・卸売店の店頭で使用するものがこれに該当する。
自動警報装置(警備情報自動探知処理装置)	機械装置	「55」前掲の機械装置以外のもの 主として金属製のもの など	 17	NTTの電話回線を利用するものがこれに該当する(耐通1-4-2参照)。
自動血液分析器	器具備品	「8」その他のもの 電子装置を使用する機器 自動血液分析器	 4	電子装置を使用する機器に限る。
自動氷販売機	器具備品	「11」自動販売機	5	手動のものを含む。
自動梱包機	機械装置	「39」道路貨物運送業用設備 「40」倉庫業用設備 「41」運輸に附帯するサービス業用設備 など	12 12 10	(耐通1-4-2参照)
	器具備品	「11」その他のもの 主として金属製のもの	 10	事務所で使用されるものがこれに該当する。

(シ)

資産の名称	種類	構造又は用途及び細目	耐用年数	備考
自動酸素販売機	器具備品	「11」自動販売機	5	手動のものを含む。
自動車	車両運搬具	前掲のもの以外のもの 自動車（二輪又は三輪自動車を除く。） 小型車 その他のもの 貨物自動車 ダンプ式のもの その他のもの 報道通信用のもの その他のもの 二輪・三輪自動車 フォークリフト	 4 4 5 5 6 3 4	運送事業用、貸自動車業用又は自動車教習所用のものは「運送事業用自動車」に、特殊自動車は「特殊自動車」にそれぞれ該当する。 小型車とは、総排気量が0.66リットル以下のものをいう。
自動車のエンジン等の自動診断装置	器具備品	「3」試験・測定機器	5	
自動車教習所の教室	建物	（学校用建物参照）	47〜19	
自動車教習所の模擬運転装置（ドライビングシミュレーター）	機械装置	「52」教育業（学校教育業を除く。）又は学習支援業用設備 教習用運転シミュレータ設備	5	（**【問３−94】**参照）
自動車教習所の信号機	器具備品	「11」その他のもの 主として金属製のもの	10	鉄柱部分と点滅装置が一体となっているものがこれに該当する。
自動車教習所用自動車	車両運搬具	（運送事業用自動車参照）	5〜3	
自動車電話加入料		（電気通信施設利用権）	20	
自動車道	構築物	土造のもの		自動車道事業車の用に

資産の名称	種類	構造又は用途 及び細目	耐用年数	備考
		自動車道	40	供する一般自動車道の土工施設がこれに該当する（耐通2-3-21参照）。
自動消火装置	器具備品	「11」その他のもの 主として金属製のもの	10	建物に固着していないものがこれに該当する。 なお、税務署長の確認手続により「１」冷房用機器に類似するものとして６年の適用が認められる場合がある（耐通1-1-9、**【問３－78】**参照）。
自動錠剤包装機	器具備品	「８」その他のもの その他のもの 主として金属製のもの	10	
自動掃除機				
乗用型自走式	機械装置	「30」総合工事業用設備など	6	（耐通2-5-5参照）
歩行型自走式、手押式	器具備品	「１」電気洗濯機に類する電気機器	6	バッテリー型（電気式のもの）がこれに該当する。
		「11」その他のもの 主として金属製のもの	10	エンジン型のものがこれに該当する。
自動玉洗浄・配球装置	器具備品	「９」その他のもの 主として金属製のもの	10	パチンコ店で使用するものがこれに該当する。
自動送出アダプター	器具備品	「２」電話設備その他の通信機器 デジタル構内交換設備・デジタルボタン電話設備 その他のもの	6 10	
自動販売機	器具備品	「11」自動販売機	5	（耐通2-7-18参照）
自動遊具	器具備品	「９」スポーツ具	3	遊園地、百貨店等に施設されているもので、硬貨・メダルを投入することにより自動的に一定時間遊具自体が駆動する機

(シ)

資産の名称	種類	構造又は用途及び細目	耐用年数	備考
				構のものをいう（耐通2-7-14参照）。
自動理容具	器具備品	「11」自動販売機	5	（耐通2-7-18参照）
自動両替機	器具備品	「11」自動販売機	5	（耐通2-7-18参照）
室内装飾品	器具備品	「１」室内装飾品 主として金属製のもの その他のもの	 15 8	歴史的価値又は希少価値を有し、代替性のないものや、取得価額が１点100万円以上であるものは非減価償却資産に該当する（基通7-1-1、**【問１－７】**参照）。 （耐通2-7-2参照）
芝刈機	器具備品 機械装置	「11」その他のもの 主として金属製のもの 「51」娯楽業用設備 その他の設備 主として金属製のもの など	 10 17	手押式芝刈機及び歩行型の自走式芝刈機がこれに該当する（**【問３－45】**参照）。 人が搭乗する自走式芝刈機がこれに該当する（耐通2-5-5参照）。
芝生	構築物	緑化施設及び庭園 工業緑化施設 その他の緑化施設	 7 20	（耐通2-3-8の2及び2-3-6参照） ゴルフ場及びゴルフ練習場の芝生については**【問３－45】**、**【問３－46】**を参照。
地盤補強鋼板	工具	金属製柱及びカッペ	3	
指紋による個人識別装置（壁掛型）	器具備品	「11」その他のもの 主として金属製のもの	 10	簡易、かつ、小規模なもので、比較的簡単に取り付けられるものがこれに該当する。
写真製作機器	器具備品	「４」写真製作機器	8	主な機器は、引伸機、焼付機及び乾燥機である。

資産の名称	種類	構造又は用途及び細目	耐用年数	備考
車庫用建物	建物	（魚市場用建物参照）	38 ～ 15	
車両搭載機器	車両運搬具	（搭載されている車両の構造、用途、細目別に）	20 ～ 3	車両に常時搭載する機器で、ラジオ、メーター、無線通信機器、クーラー、工具、スペアータイヤ、料金箱、両替機、整理券機、テレビ受像機、カーナビ等については車両と一括して車両の耐用年数を適用する（耐通2-5-1、**【問１－51】**参照）。
社旗	器具備品	「11」その他のもの その他のもの	 5	
社旗掲揚塔	構築物	金属造のもの その他のもの	 45	税務署長の確認を受けて、街路灯の耐用年数10年の適用ができる場合がある（耐通1-1-9、**【問３－21】**参照）。
社寺用建物	建物	（研究所用建物参照）	50 ～ 22	（耐通2-1-1参照）
砂利採取自動車	機械装置	「30」総合工事業用設備など	6	自走式のものがこれに該当する（耐通2-5-5参照）。
砂利採取船	船舶	船舶法第４条から第19条までの適用を受ける船舶 鋼船 その他のもの 総トン数が2,000トン以上のもの 総トン数が2,000トン未満のもの 砂利採取船 木船 その他のもの 軽合金船	 15 10 10 9	砂利採取を行うとともに、その採取した砂、砂利、岩石等を運搬することができる構造となっているものもこれに含めることができる（耐通2-4-3参照）。 船舶法第４条から第19条までの適用を受ける船舶とは、次に掲げる船舶以外の船舶をいう（船舶法第20条）。

(シ)

資産の名称	種類	構造又は用途及び細目	耐用年数	備考
		強化プラスチック船	7	1 総トン数20トン未満の船舶
		その他のもの		2 端舟その他櫓櫂（ろかい）のみをもって運転し、又は櫓櫂（ろかい）をもって運転する舟
		鋼船		
		砂利採取船	7	
		木船		
		砂利採取船	5	
		その他のもの		
		その他のもの	5	
砂利道	構築物	舗装道路 石敷のもの	15	（耐通2-3-13、**【問１－47】**参照）
手術機器	器具備品	「８」手術機器	5	手術機器、手術台、器械台、吸引器、電気手術器、メス麻酔器、酸素テント等がこれに該当する（耐通2-7-13参照）。
周波数測定器	工具	測定工具・検査工具	5	（耐通2-6-1参照）
住宅	建物	（学校用建物参照）	47～19	
集配用建物	建物	（魚市場用建物参照）	38～15	荷扱所がこれに該当する。
宿泊所用建物	建物	（学校用建物参照）	47～19	
書画	器具備品	「１」室内装飾品 その他のもの	8	歴史的価値又は希少価値を有し、代替性のないものや、取得価額が１点100万円以上のものは非減価償却資産に該当する（基通7-1-1、**【問１－7】**参照）。
書籍（図書）	器具備品	「11」その他のもの その他のもの	5	
書棚	器具備品	「１」その他の家具 その他のもの 主として金属製のもの その他のもの	15 8	（**【問３－70】**参照）

資産の名称	種類	構造又は用途及び細目	耐用年数	備考
	機械装置	「55」前掲の機械装置以外のもの 主として金属製のものなど	17	電動移動式のもので機械装置と認められるものがこれに該当する。 (耐通1-4-2参照)
書類搬送装置	建物附属設備 器具備品	前掲のもの以外のもの 主として金属製のもの その他のもの 「2」その他の事務機器	 18 10 5	建物に組み込まれたエアーシューター等は「建物附属設備」に該当し、事務室内の机と机との間を結ぶ書類搬送用の簡易なコンベアー等は「器具備品」に該当する(耐通2-2-7、2-7-8参照)。
除雪機	器具備品	「11」その他のもの 主として金属製のもの	10	人が搭乗するものは「除雪車」に該当する。
除雪車	車両運搬具	特殊自動車 除雪車	4	
小水力発電用構築物	構築物	発電用のもの 小水力発電用のもの	30	農山漁村電気導入促進法に基づき建設したものに限る。
消火器	器具備品	「11」その他のもの 主として金属製のもの	10	可搬性の消火器がこれに該当する。
消火設備	建物附属設備	消火設備	8	
消毒殺菌用機器	器具備品	「8」消毒殺菌用機器	4	煮沸消毒器、殺菌水手洗装置等もこれに該当する。
消防車	車両運搬具	特殊自動車 消防車	5	
硝酸用貯槽(金属造)	構築物	金属造のもの 薬品貯槽 硝酸用のもの	10	生産工程の一部としての機能を有するものは、機械装置に該当する(耐通1-3-2、**【問3−43】**参照)。
焼却炉	構築物 器具備品	(煙突参照) 「11」焼却炉	35〜7 5	土地に固着しているものがこれに該当する。

(シ)

資産の名称	種類	構造又は用途及び細目	耐用年数	備考
照明設備	建物附属設備	電気設備 その他のもの	 15	建物に固着していないものは、「器具備品」又は「機械装置」に該当する。
上水道	構築物	鉄骨鉄筋コンクリート造・鉄筋コンクリート造・石造のもの コンクリート造・コンクリートブロック造・土造のもの	50 30	
蒸気機関車	車両運搬具	鉄道用・軌道用車両 蒸気機関車	 18	
食事用品	器具備品	「1」食事用品 陶磁器製・ガラス製のもの その他のもの	 2 5	
食品製造用型	工具	型 その他のもの	 3	
植物	器具備品	「10」植物 貸付業用のもの その他のもの	 2 15	果樹等（観賞用を除く。）は別表第四（生物の耐用年数表）の耐用年数を適用する。
信号発生器	工具	測定工具・検査工具	5	（耐通2-6-1参照）
寝具	器具備品	「1」寝具	3	
寝台車	車両運搬具	鉄道用・軌道用車両 その他のもの 特殊自動車 寝台車 小型車 その他のもの	 20 3 4	小型車とは、総排気量が2リットル以下のものをいう。
心電計	器具備品	「8」その他のもの 電子装置を使用する機器 その他のもの	 6	病院、診療所等における診療用又は治療用のものがこれに該当する（耐通2-7-13参照）。
人工芝（野球場・運動場用）	構築物	競技場用・運動場用のもの スポーツ場の土工施設	 30	細密アスファルトコンクリート部分及び砕石層部分（基礎部分）がこれ

資産の名称	種類	構造又は用途及び細目	耐用年数	備考
	構築物	合成樹脂造のもの	10	に該当する。 ターフ(芝生状の起毛)部分及びアンダーパット部分がこれに該当する。
人工腎臓透析装置	器具備品	「8」血液透析又は血しょう交換用機器	7	これは、患者の身体に対する外科的処置を行うことを目的とするものでないので「手術機器」に該当しない。
人車(鉱山用)	車両運搬具	前掲のもの以外のもの 鉱山用人車 金属製のもの その他のもの	 7 4	
スイッチロック	建物附属設備	災害報知設備	8	これは、金庫と守衛室間を連絡するもので、金庫に異常があると守衛室のベルが鳴って異常を知らせる装置である。
スコップ	工具	前掲のもの以外のもの その他のもの	 3	
スコヤー	工具	測定工具・検査工具	5	(耐通2-6-1参照)
スタンド	構築物	(運動場用構築物参照)	45 ~ 10	
ステレオ	器具備品	「1」音響機器	5	
ストーブ	器具備品	「1」暖房用機器	6	
スノータイヤ	車両運搬具			これは、当該車両運搬具の取得価額に含まれる。
スノーモービル	車両運搬具	前掲のもの以外のもの 自動車 小型車 その他のもの その他のもの	 4 6	小型車とは総排気量が0.66リットル以下のものをいう。

(ス)

資産の名称	種類	構造又は用途及び細目	耐用年数	備考
スパナ	工具	前掲のもの以外のもの その他のもの	 3	
スピーカー	器具備品	「1」音響機器	5	
スプリンクラー 建物の消火用	 建物附属設備	 消火設備	 8	
芝生等の散水設備 ○工場構内用 ○庭園・事務所構内用 ○ゴルフ場・運動競技場用	構築物	緑化施設 工場緑化施設 その他の緑化施設 金属造のもの 送配管 鋳鉄製のもの 鋼鉄製のもの 合成樹脂造のもの	 7 20 30 15 10	(耐通2-3-8の2参照)
スペード	工具	前掲のもの以外のもの その他のもの	 3	
スペアタイヤ	車両運搬具			車両に常時搭載しているものがこれに該当し、これは当該車両運搬具の取得価額に含まれる(耐通2-5-1参照)。
スポーツ具	器具備品	「9」スポーツ具	3	
スライド	器具備品	「11」映画フィルム(スライドを含む。)	2	
スリーブ	工具	取付工具	3	
スロットマシン(自動遊具)	器具備品	「9」スポーツ具	3	(耐通2-7-14参照)
すべり台(児童用)	構築物	運動場用のもの その他のもの 児童用のもの すべり台	 10	
	器具備品	「9」スポーツ具	3	

資産の名称	種類	構造又は用途及び細目	耐用年数	備考
寿司自動にぎり機(すしロボット)	器具備品 機械装置	「１」電気冷蔵庫、これらに類する電気機器 「48」飲食店業用設備 「47」宿泊業用設備 など	6 8 10	(耐通1-4-2参照)
水泳プール	構築物 器具備品	運動場用のもの 水泳プール (ナイロングランドプール参照)	 30 10〜5	
水銀灯	構築物	金属造のもの 街路灯	 10	
水準器	工具	測定工具・検査工具	5	(耐通2-6-1参照)
水晶時計	器具備品	「３」時計	10	
水槽	構築物	鉄骨鉄筋コンクリート造・鉄筋コンクリート造のもの コンクリート造・コンクリートブロック造のもの 金属造のもの 鋳鉄製 鋼鉄製 合成樹脂造のもの 木造のもの	50 30 25 15 10 10	製造工程中にある中間受槽又はこれに準ずる水槽は、「構築物」に該当せず、「機械装置」に該当する(耐通1-3-2参照)。
水中翼船	船舶	船舶法第４条から第19条までの適用を受ける水中翼船	8	
水道用ダム	構築物	鉄骨鉄筋コンクリート造・鉄筋コンクリート造のもの 水道用ダム	 80	
水力発電用構築物(小水力発電用構築物を除く。)	構築物	発電用のもの 貯水池・調整池・水路	 57	この区分に属する構築物の細目と個別耐用年数については耐通付表４を参照。
砂場(児童用)	構築物	運動場用のもの その他のもの 児童用のもの その他のもの	 15	

(ス・セ)

資産の名称	種類	構造又は用途及び細目	耐用年数	備考
相撲桟敷	建物	簡易建物 仮設のもの	7	体育館内に仮設するものに限る。
セメント製品製造用型・型枠	工具	型 その他のもの	3	これは、その材質のいかんを問わず、「型」に含まれる。
せん孔機	器具備品	「2」その他の事務機器	5	(耐通2-7-7参照)
製塩用沈澱池	構築物	鉄骨鉄筋コンクリート造・鉄筋コンクリート造のもの 製塩用沈澱池	30	
製靴用型	工具	型 その他のもの	3	
製図機	器具備品	「2」その他の事務機器	5	事務所等において使用される設計製図用のものがこれに該当する。
製表機	器具備品	「2」その他の事務機器	5	
製氷器	器具備品 機械装置	「1」電気冷蔵庫に類する電気機器 「48」飲食店業用設備 「47」宿泊業用設備 など	6 8 10	(耐通1-4-2参照)
石工道具	工具	前掲のもの以外のもの その他のもの	3	
切削工具	工具	切削工具	2	主な切削工具は、次のとおりである。 1　手動用のもの……かんな、のみ、手引のこ、やすり、ハンドタップ 2　機動用のもの……ダイス、ドリル、リーマ、カッター、メタルーソ、タップ、ダイヘッド、転造ローラー、ホブ、ブローチ、バイト、マシンソー

資産の名称	種類	構造又は用途及び細目	耐用年数	備考
接地線	構築物	放送用・無線通信用のもの 接地線	 10	
設計所用建物	建物	(研究所用建物参照)	50 ~ 22	(耐通2-1-1参照)
染色見本	器具 備品	「5」模型	2	(耐通2-7-11参照)
船舶	船舶	船舶法第4条から第19条までの適用を受ける船舶 鋼船 漁船 総トン数が500トン以上のもの 総トン数が500トン未満のもの 油槽船 総トン数が2,000トン以上のもの 総トン数が2,000トン未満のもの 薬品槽船 その他のもの 総トン数が2,000トン以上のもの 総トン数が2,000トン未満のもの しゅんせつ船・砂利採取船 カーフェリー その他のもの 木船 漁船 薬品槽船 その他のもの 軽合金船(他の項に掲げるものを除く。) 強化プラスチック船 水中翼船	 12 9 13 11 10 15 10 11 14 6 8 10 9 7 8	船舶法第4条から第19条までの適用を受ける船舶とは、次に掲げる船舶以外の船舶をいう(船舶法第20条参照)。 1 総トン数20トン未満の船舶 2 端舟その他櫓櫂(ろかい)のみをもって運転し、又は櫓櫂(ろかい)をもって運転する舟

(セ・ソ)

資産の名称	種類	構造又は用途及び細目	耐用年数	備考
		ホバークラフト	8	
		その他のもの		
		鋼船		
		しゅんせつ船・砂利採取船	7	
		発電船・搭載漁船	8	
		ひき船	10	
		その他のもの	12	
		木船		
		搭載漁船	4	
		しゅんせつ船・砂利採取船	5	
		動力漁船・ひき船	6	
		薬品槽船	7	
		その他のもの	8	
		その他のもの		
		モーターボート・搭載漁船	4	
		その他のもの	5	
線路建設保守用工作車	車両運搬具	鉄道用・軌道用車両 線路建設保守用工作車	10	
繊維製品製造用型	工具	型 その他のもの	3	
ソーラーシステム(太陽熱温水器)	建物附属設備	給排水設備	15	
	器具備品	「1」その他のもの 主として金属製のもの	15	
		その他のもの	8	
	機械装置	(「設備の種類」別の耐用年数による。)		ソーラーシステムの温水を動力源として製造工程で使用するときは、その製造設備の耐用年数を適用する(**【問3－41】**参照)。
ソイルコンパクター	機械装置	「30」総合工事業用設備など	6	自走式のものがこれに該当する(耐通2-5-5参照)。

資産の名称	種類	構造又は用途及び細目	耐用年数	備考
ソケット	工具	取付工具	3	
そり	車両運搬具	運送事業用のもの その他のもの 前掲のもの以外のもの その他のもの その他のもの	 4 4	
送受信所用建物	建物	（魚市場用建物参照）	38 〜 15	
送電線	構築物	送配電用のもの 送電用のもの 送電線	 36	
送電用構築物	構築物	送配電用のもの 送電用のもの 地中電線路 塔・柱・がい子・送電線・地線・添架電話線	 25 36	この区分に属する構築物の細目と個別耐用年数については耐通付表４を参照。
送配管	構築物	金属造のもの 送配管 鋳鉄製のもの 鋼鉄製のもの 合成樹脂造のもの	 30 15 10	
倉庫事業の倉庫用建物	建物	鉄骨鉄筋コンクリート造・鉄筋コンクリート造のもの A・Bのもの Cのもの Dのもの その他のもの れんが造・石造・ブロック造のもの Aのもの Cのもの Dのもの その他のもの 金属造（骨格材の肉厚４㎜超）のもの A・Bのもの Cのもの	 24 31 21 31 22 28 20 30 20 25	Aは、塩素、塩酸、硫酸、硝酸等著しい腐食性を有する液体又は気体の影響を直接全面的に受けるものを指す。 Bは、放射性同位元素の放射線を直接受けるものを指す。 Cは、塩、チリ硝石等著しい潮解性を有する固体を常置するためのもの及び著しい蒸気の影響を直接全面的に受けるものを指す。 A、B及びCの範囲については工場用建物の項

(ソ)

資産の名称	種類	構造又は用途及び細目	耐用年数	備考
		Dのもの その他のもの 金属造(骨格材の肉厚３㎜超４㎜以下)のもの A・Dのもの Cのもの その他のもの 金属造(骨格材の肉厚３㎜以下)のもの A・Dのもの Cのもの その他のもの 木造・合成樹脂造のもの A・Dのもの Cのもの その他のもの 木骨モルタル造のもの A・Dのもの Cのもの その他のもの	19 26 15 19 24 12 14 17 9 11 15 7 10 14	を参照。 Dは、冷蔵倉庫用のものを指し、冷凍倉庫用、低温倉庫用及び氷の貯蔵庫用のものを含む(耐通2-1-15参照)。
倉庫用建物(冷蔵倉庫用建物及び倉庫事業用のものを除く。)	建物	(工場用建物参照)	38～7	
葬儀用具	器具備品	「11」葬儀用具	3	
造作(賃借建物内のもの)	建物 建物附属設備			建物についてされた造作には合理的に見積もった耐用年数を、建物附属設備についてされた造作には建物附属設備の耐用年数を適用する(耐通1-1-3、**【問３－27】**参照)。
造作(自己所有建物内のもの)	建物 建物附属設備			造作をした建物又は建物附属設備に含まれる(耐通1-2-3、**【問３－25】**参照)。

資産の名称	種類	構造又は用途及び細目	耐用年数	備考
造船台	構築物	鉄骨鉄筋コンクリート造・鉄筋コンクリート造のもの 造船台	 24	
測定機器	器具備品	「3」試験・測定機器	5	
測定工具	工具	測定工具	5	
ターニング治具	工具	治具	3	
タイプオフセット印刷機	機械装置	「7」印刷業又は印刷関連業用設備 その他の設備	 10	（耐通1-4-2、2-7-5、**【問3－92】**参照）
タイプライター	器具備品	「2」タイプライター 孔版印刷・印書業用のもの その他のもの	 3 5	
タイムレコーダー	器具備品	「2」タイムレコーダー	5	
タイムロック	器具備品	「6」金庫 その他のもの	 20	これは、一定時間にならなければ金庫の開扉ができない仕組みの装置であり、金庫内に取り付けて使用する。
タイヤローラー	機械装置	「30」総合工事業用設備など	6	（耐通2-5-5参照）
タクシー用自動車	車両運搬具	運送事業用のもの 自動車 小型車 その他のもの 大型乗用車 その他のもの	 3 5 4	ハイヤー用自動車もこれに該当する。 小型車とは、総排気量が2リットル以下のものをいう（耐通2-5-6参照）。
タップ	工具	切削工具	2	
タンク車	車両運搬具	鉄道用・軌道用車両 貨車 高圧タンク車 薬品タンク車 その他のタンク車 特殊自動車	 10 12 15	（耐通2-5-2、2-5-3参照）

(タ)

資産の名称	種類	構造又は用途及び細目	耐用年数	備考
		タンク車 小型車 その他のもの	3 4	小型車とは、総排気量が2リットル以下のものをいう。
ダイス	工具	切削工具	2	
ダイヘッド	工具	切削工具	2	
ダイヤルゲージ	工具	測定工具・検査工具	5	(耐通2-6-1参照)
ダンプカー	車両運搬具	前掲のもの以外のもの 自動車 その他のもの 貨物自動車 ダンプ式のもの	 4	
たんす	器具備品	「1」その他の家具 接客業用のもの その他のもの 主として金属製のもの その他のもの	 5 15 8	 (耐通2-7-3参照) (耐通2-7-2参照)
多段式駐車場設備				(【問3－93】参照)
駐車棚(建物に該当しないもの)	構築物	金属造のもの 露天式立体駐車設備	 15	
カーリフト	機械装置	「55」機械式駐車設備	10	
大気汚染同時通報装置	器具備品	「2」電話設備その他の通信機器 その他のもの	 10	
台車(鉱山用)	車両運搬具	前掲のもの以外のもの 鉱山用台車 金属製のもの その他のもの	 7 4	
台船	船舶	(船舶参照)		

資産の名称	種類	構造又は用途及び細目	耐用年数	備考
太陽光発電システム	機械装置	「31」電気業用設備 その他の設備 主として金属製のものなど	17	(【問３－89】、耐通1-4-2、耐通1-4-5参照)
太陽灯(医療用)	器具備品	「８」その他のもの その他のもの 主として金属製のもの その他のもの	 10 5	(耐通2-7-13参照)
卓上オフセット印刷機・製版機	器具備品	「２」その他の事務機器	5	事務室等で使用するものがこれに該当する。(【問３－92】参照)
託児所用構築物	構築物	(運動場用構築物参照)	45～10	(耐通2-3-7参照)
託児所用建物	建物	(学校用建物参照)	47～19	(耐通2-1-4参照)
脱水機	器具備品	「１」電気洗濯機に類する電気機器	6	
建具(畳、戸障子、網戸、ふすま)	建物			その建物の構成部分として、「建物」に含まれる(【問３－23】参照)。
建物の内部造作 賃借建物内のもの	建物 建物附属設備			建物についてされた造作には合理的に見積もった耐用年数を、建物附属設備についてされた造作には建物附属設備の耐用年数を適用する(耐通1-1-3、【問３－27】参照)。
自己所有建物内のもの	建物 建物附属設備			造作をした建物又は建物附属設備に含まれる(【問３－25】参照)。
玉突き用具	器具備品	「９」玉突き用具	8	

資産の名称	種類	構造又は用途及び細目	耐用年数	備考
玉磨き機（眼鏡用）	工具	前掲のもの以外のもの その他のもの	 3	ポータブル式のものがこれに該当する。
	器具備品	「11」その他のもの 主として金属製のもの	 10	ポータブル式でないものがこれに該当する。
	機械装置	「19」業務用機械器具製造業用設備	7	乱視用レンズ研磨専業のものがこれに該当する。
丹前	器具備品	「1」丹前	3	
炭車（鉱山用）	車両運搬具	前掲のもの以外のもの 鉱山用炭車 金属製のもの その他のもの	 7 4	
暖房設備（放熱器、パイプ、温風発生機器、加熱装置、送排風機、ダクト、これらの附属品）	建物附属設備	冷暖房設備（冷凍機の出力が22キロワット以下のもの） その他のもの	13 15	（耐通2-2-4参照） 暖房設備には、蒸気暖房設備、温水暖房設備及び熱風暖房設備がある。
暖房用機器	器具備品	「1」暖房用機器	6	（耐通2-2-4、2-7-4参照）
チェックライター	器具備品	「2」その他の事務機器	5	
チェンブロック	工具	前掲のもの以外のもの その他のもの	 3	
チップ製造車	車両運搬具	特殊自動車 チップ製造車	 5	
チンパンジー	器具備品	「10」動物 その他のもの	 8	動物園の観賞用及びヘルスセンター等の客寄せ用のものがこれに該当する。器具備品に該当する「おり」についても、チンパンジーの耐用年数を適用することができる

資産の名称	種類	構造又は用途及び細目	耐用年数	備考
				(耐通2-7-16参照)。
ちゅう房用品	器具備品	「1」ちゅう房用品 陶磁器製·ガラス製のもの その他のもの	 2 5	
中央監視装置	建物附属設備	前掲のもの以外のもの 主として金属製のもの	 18	ビル全体の維持·管理を電子計算機によりコントロールする設備がこれに該当する(**【問3−42】**参照)。
地線	構築物	送配電用のもの 送電用のもの 地線	 36	
地中電線路	構築物	送配電用のもの 送電用のもの・配電用のもの 地中電線路	 25	配電用構築物の「備考」欄を参照。
畜舎	建物 構築物	(魚市場用建物参照) (飼育場参照)	38〜15 30〜7	(耐通2-1-8参照)
蓄電池電源設備	建物附属設備 機械装置	電気設備 蓄電池電源設備 「55」前掲の機械装置以外のもの 主として金属製のもの	 6 17	 (耐通2-2-2参照) (耐通2-8-9参照)
茶ダンス	器具備品	「1」その他の家具 接客業用のもの その他のもの 主として金属製のもの その他のもの	 5 15 8	 (耐通2-7-3参照) (耐通2-7-2参照)
駐車場 多段式駐車場設備 駐車棚(建物に該当しないもの)	 構築物	 金属造のもの 露天式立体駐車設備	 15	 (**【問3−93】** 参照) (**【問3−50】** 参照)

(チ)

資産の名称	種類	構造又は用途及び細目	耐用年数	備考
カーリフト	機械装置	「55」機械式駐車設備	10	
立体駐車場	建物	(魚市場用建物参照)	38〜15	構造体、外壁、屋根その他建物を構成している部分は建物に該当する(耐通2-1-12参照)。
	機械装置	「55」機械式駐車設備	10	機械装置部分がこれに該当する。(【問３－93】参照)
無人駐車料金徴収装置(オートロック式パーキング装置)	器具備品	「11」無人駐車管理装置	5	(【問３－73】参照)
地下駐車場(鉄筋コンクリート造)	建物	鉄筋コンクリート造のもの 車庫用のもの	38	建物に附属しない地下駐車場がこれに該当する(耐通2-1-12参照)。
貯蔵タンク(金属造)	構築物 機械装置	金属造のもの(「ガス貯槽」、「薬品貯槽」、「水槽」、「油槽」参照) (「設備の種類」別の耐用年数による。)	25〜8	生産工程の一部としての機能を有するものは、機械装置に該当する(耐通1-3-2、【問３－43】参照)。
丁合機(可搬式)	器具備品	「11」その他のもの 主として金属製のもの	10	
調剤機器	器具備品	「８」調剤機器	6	主な調剤機器は、調剤台、水剤台、分包台、分包機、製剤機、動力用錠剤台、アンプル洗浄器、手回式製丸器、ぶどう糖ろ過器、浸煎剤器、糖衣器、つや出器、載剤器、単舎鍋及び乾燥器である(耐通2-7-13参照)。
陳列棚・陳列ケース	器具備品	「１」陳列棚・陳列ケース 冷凍機付又は冷蔵機付のもの その他のもの	6 8	

資産の名称	種類	構造又は用途及び細目	耐用年数	備考
ツルハシ	工具	前掲のもの以外のもの その他のもの	 3	
つり橋(金属造)	構築物	金属造のもの つり橋	 10	
通信衛星	機械装置	「35」通信業用設備	9	
通風設備 (送排風機、ダクト、これらの附属品)	建物附属設備	通風設備 冷暖房設備(冷凍機の出力が22キロワット以下のもの) その他のもの	 13 15	冷暖房設備と通風設備とが共用されているものについては、冷暖房設備として取り扱う。
机(事務用) (児童用) (その他)	器具備品 〃 〃	「1」事務机 主として金属製のもの その他のもの 「1」児童用机 「1」その他の家具 接客業用のもの その他のもの 主として金属製のもの その他のもの	 15 8 5 5 15 8	 (耐通2-7-2参照) (耐通2-7-3参照)
釣堀(コンクリート堀)	構築物	コンクリート造のもの その他のもの	 40	
釣堀の魚類	器具備品 たな卸資産	「10」魚類 (非減価償却資産)	2	(耐通2-7-16参照) 客が釣り上げて持ち帰るものがこれに該当する。
テープレコーダー	器具備品	「1」テープレコーダー	5	
テトラポッド	構築物	コンクリート造のもの その他のもの	 40	税務署長の確認手続により「防波堤」の30年の適用が認められる場合がある(耐通1-1-9、**【問3－47】**参照)。
テニスコート	構築物	競技場用・運動場用・学校用のもの スポーツ場の土工施設	 30	アンツーカーを敷きつめたものがこれに該当する(耐通2-3-6参照)。

(テ)

資産の名称	種類	構造又は用途及び細目	耐用年数	備考
		合成樹脂造のもの	10	合成樹脂でコートの表面処理を行ったもののうち合成樹脂部分がこれに該当する(【問３－44】参照)。
テニスコートの夜間照明設備	構築物	競技場用、運動場用のもの 　その他のもの 　　その他のもの 　　　その他のもの	 30	屋外で金属製の柱に照明機器を付けたものがこれに該当する。
テレタイプライター	器具備品	「２」テレタイプライター	5	
テレビゲームマシン	器具備品	「９」スポーツ具	3	(耐通2-7-14参照)
テレビジョン	器具備品	「１」テレビジョン	5	
テレビジョン共同聴視用装置	器具 備品 構築物 建物	「２」その他の通信機器 　その他のもの 放送用・無線通信用のもの 　鉄塔・鉄柱 　　その他のもの 　鉄筋コンクリート柱 　木塔・木柱 　アンテナ 　接地線・放送用配線 (構造、用途、細目別に)	 10 40 42 10 10 10 50～7	土地に定着していないものに限る。 (耐通2-7-9参照) ビルの建築に際してビル近辺の住民のために設定してビル近辺の住民に寄贈した場合がこれに該当する。
テレビ会議装置	器具備品	「２」その他の通信機器 　その他のもの	 10	
データ通信システム設備 　せん孔タイプライター 　データー電送装置	 器具備品 〃	 「２」テレタイプライター 〃	 5 5	電話局と法人間に施設された配線等について支出した負担金は「電気通信施設利用権」に該当する。

資産の名称	種類	構造又は用途及び細目	耐用年数	備考
テレタイプ交換機	器具備品	「2」電話設備その他の通信機器 その他のもの	10	
デジタルカメラ 本体 イメージメモリーカード	器具備品 〃	「4」カメラ 「11」その他のもの その他のもの	5 5	
デジタル電話	器具備品	「2」電話設備その他の通信機器 デジタル構内交換設備及びデジタルボタン電話設備	6	
低温室(開発研究用)	建物 建物附属設備	「別表第六」建物 「別表第六」建物附属設備	5 5	建物の全部又は一部を開発研究用の低温室にするために特に施設した内部造作部分又は建物附属設備部分がこれに該当する(**【問3−29】**参照)。
抵抗測定器	工具	測定工具・検査工具	5	(耐通2-6-1参照)
庭園	構築物	庭園	20	泉水、池、とうろう、築山、あずまや等生物以外のものにより構成されているものがこれに該当する(耐通2-3-9参照)。 いわゆる庭園と称されるもののうち、花壇、植樹等植物を主体として構成されているものは緑化施設に該当する(耐通2-3-8の2参照)。
停車場用建物	建物	(魚市場用建物参照)	38 ~ 15	
堤防(汽力発電用のものを除く。)	構築物	鉄骨鉄筋コンクリート造・鉄筋コンクリート造・れんが造・石造のもの コンクリート造・コンクリートブロック造のもの	50 30	

(テ)

資産の名称	種類	構造又は用途及び細目	耐用年数	備考
		土造のもの	40	
		木造のもの	10	
鉄塔・鉄柱				
鉄道・軌道用	構築物	鉄道業用・軌道業用のもの		
		前掲以外のもの		
		電路設備		
		鉄柱・鉄塔	45	
		その他のもの	40	
送配電用	〃	送配電用のもの		
		送電用のもの		
		塔・柱	36	
		配電用のもの		
		鉄塔・鉄柱	50	
放送・無線通信用	〃	放送用・無線通信用のもの		
		鉄塔・鉄柱		
		円筒空中線式のもの	30	
		その他のもの	40	
広告用	〃	広告用のもの		
		金属造のもの	20	
その他	〃	金属造のもの		
		その他のもの	45	
鉄道業用構築物	構築物	（軌道業用構築物参照）	60〜5	
鉄道用・軌道用車両	車両運搬具	電気・蒸気機関車	18	
		電車	13	
		内燃動車（制御車・附随車を含む。）	11	
		貨車		
		高圧ボンベ車・高圧タンク車	10	
		薬品タンク車・冷凍車	12	
		その他のタンク車・特殊構造車	15	
		その他のもの	20	
		線路建設保守用工作車	10	
		鋼索鉄道用車両	15	

資産の名称	種類	構造又は用途及び細目	耐用年数	備考
		架空索道用搬器 　閉鎖式のもの 　その他のもの 無軌条電車 その他のもの	 10 5 8 20	
鉄道用構築物	構築物	(軌道用構築物参照)	60 ～ 15	
天井走行クレーン	機械装置	(「設備の種類」の耐用年数による。)		(耐通1-4-7、**【問３－85】**参照)
天幕 　シート部分 　支柱部分	器具備品 〃	 「11」シート 「11」その他のもの 　主として金属製のもの 　その他のもの	 2 10 5	(耐通2-7-17参照)
店用簡易装備	建物附属設備	店用簡易装備	3	主として小売店舗等に取り付けられる装飾を兼ねた造作(ルーバー、壁板等)、陳列棚(器具備品に該当するものを除く。)、カウンター(比較的容易に取替えのできるものに限る。)等でおおむね３年以内に取替えが見込まれるものがこれに該当する(耐通2-2-6、**【問３－38】**参照)。
店舗用建物	建物	鉄骨鉄筋コンクリート造・鉄筋コンクリート造のもの れんが造・石造・ブロック造のもの 金属造のもの 　骨格材の肉厚が次のもの 　　４㎜超 　　３㎜超４㎜以下 　　３㎜以下 木造・合成樹脂造のもの 木骨モルタル造のもの	39 38 34 27 19 22 20	

(テ)

資産の名称	種類	構造又は用途及び細目	耐用年数	備考
展示実演用機械（自己が製造する機械を展示実演に使用するもの）	機械装置	「18」生産用機械器具製造業用設備 　金属加工機械製造設備 　その他の設備 など	 9 12	（耐通1-4-2、**【問１－２】**参照）
展示用建物	建物	（モデルハウス参照）	7	（**【問３－24】**参照）
添架電話線	構築物	送配電用のもの 　送電用のもの 　　添架電話線 　配電用のもの 　　添架電話線	 36 30	
伝票発行機（記憶装置を有しないもの）	器具備品	「２」計算機その他これらに類するもの	5	
電圧計	工具	測定工具・検査工具	5	（耐通2-6-1参照）
電気機関車	車両運搬具	鉄道用・軌道用車両 　電気機関車	 18	
電気自動車	車両運搬具	前掲のもの以外のもの 　自動車（二輪・三輪自動車を除く。） 　　小型車 　　その他のもの 　　　貨物自動車 　　　　ダンプ式のもの 　　　　その他のもの 　　　報道通信用のもの 　　　その他のもの	 4 4 5 5 6	小型車とは、道路運送車両法第３条（自動車の種別）に規定する軽自動車に該当するものをいう（耐通2-5-11参照）。
電気ストーブ	器具備品	「１」暖房用機器	6	
電気設備 （受配電盤、変圧器、蓄電器、配電施設、電灯用配線施設、照明設備、	建物附属設備	電気設備 　蓄電池電源設備	 6	停電時に照明用に使用するもので、蓄電池、充電器、整流器及び回転変流機並びにこれらに附属する配線、分電盤等がこれに該当する（耐通2-2-2参照）。

資産の名称	種類	構造又は用途及び細目	耐用年数	備考
(ホテル等の停電時用内燃力発電設備等)		その他のもの	15	工場用建物内の電気設備については「工場用建物内の電気設備」を参照。
電気洗濯機	器具備品	「1」電気洗濯機	6	
電気ハンドドリル	工具	前掲のもの以外のもの その他のもの	3	
電気バリカン	器具備品	「7」理容・美容機器	5	
電気冷蔵庫	器具備品	「1」電気冷蔵庫	6	
電光式在室標示板	器具備品	「2」電話設備その他の通信機器 その他のもの	10	
電光文字設備	機械装置	「55」前掲の機械装置以外のもの 主として金属製のもの	17	(耐通2-8-9参照)
電源車 車体	車両運搬具	前掲のもの以外のもの 自動車 その他のもの その他のもの	6	蓄電池式でないものでかつ、車両用エンジンで発電しないものがこれに該当する。
発電機	機械装置	「31」電気業用設備 内燃力又はガスタービン発電設備 など	15	
電子計算機	器具備品	「2」電子計算機 パーソナルコンピュータ(サーバー用のものを除く。) その他のもの	4 5	
	機械装置	(「設備の種類」別の耐用年数による。)		生産ライン上にある電子計算機は機械装置に該当する(【問3−81】参照)。

(テ)

資産の名称	種類	構造又は用途及び細目	耐用年数	備考
電子計算機の附属機器・端末機器	器具備品	「2」その他の事務機器	5	せん孔機、検査機、カーボンセパレーター、カッター及びいわゆるオンラインシステムの端末機器等がこれに該当する（耐通2-7-7参照）。
電子装置を使用する医療機器	器具備品	「8」その他のもの 電子装置を使用する機器 移動式のもの 救急医療用のもの 自動血液分析器 その他のもの	 4 4 4 6	ポータブル式診断用レントゲン装置、電子顕微鏡、心電計、脳波計、オージオメーター、サーベーメーター、放射能測定器、光電比色計、分光度計、比濁計等がこれに該当する（耐通2-7-13参照）。
電子黒板	器具備品	「2」その他の事務機器	5	
電子冷蔵庫	器具備品	「1」電気冷蔵庫に類する電気機器	6	
電車	車両運搬具	鉄道用・軌道用車両 電車	 13	無軌条電車は無軌条電車（8年）に該当する。
電磁遮へい室（開発研究用）	建物 建物附属設備	「別表第六」建物 「別表第六」建物附属設備	5 5	建物の全部又は一部を開発研究用の電磁遮へい室にするために特に施設した内部造作部分又は建物附属設備部分がこれに該当する（**【問3－29】**参照）。
電柱	構築物	送配電用のもの 送電用のもの 柱 配電用のもの 鉄柱 鉄筋コンクリート柱 木柱	 36 50 42 15	
電力計	工具	測定工具・検査工具	5	（耐通2-6-1参照）

資産の名称	種類	構造又は用途及び細目	耐用年数	備考
電話設備	器具備品	「２」電話設備 デジタル構内交換設備及びデジタルボタン電話設備 その他のもの	 6 10	（【問１－15】参照）
電話転送機	器具備品	「２」電話設備その他の通信機器 その他のもの	 10	
トイレ(移動式)	器具備品	「11」その他のもの 主として金属製のもの	 10	建築現場等における金属製の移動式トイレがこれに該当する。
トラクターFP(セミ)のけん引車（工場構内走行専用）	車両運搬具	運送事業用自動車 自動車 その他のもの その他のもの 前掲のもの以外のもの 自動車 その他のもの 貨物自動車 その他のもの	 4 5	運送事業用のものがこれに該当する。 運送事業用以外のものがこれに該当する。
トラッククレーン	機械装置	「30」総合工事業用設備など	6	貨物の運搬を行うクレーン付トラックは「貨物自動車」に該当する（耐通2-5-5、【問２－21】参照）。
トラックミキサー	車両運搬具	特殊自動車 トラックミキサー 小型車 その他のもの	 3 4	小型車とは、総排気量が２リットル以下のものをいう。 （耐通2-5-5参照）
トロッコ	車両運搬具	前掲のもの以外のもの トロッコ 金属製のもの その他のもの	 5 3	
トンネル	構築物	鉄道業用・軌道業用のもの 前掲のもの以外のもの 線路設備 トンネル		

(ト)

資産の名称	種類	構造又は用途及び細目	耐用年数	備考
		鉄筋コンクリート造のもの	60	
		れんが造のもの	35	
		その他のもの	30	
		鉄骨鉄筋コンクリート造・鉄筋コンクリート造のもの	75	
		コンクリート造・コンクリートブロック造のもの	30	
		れんが造のもの	50	
		木造のもの	10	
ドアー自動開閉装置	建物附属設備	ドアー自動開閉設備	12	これには、電動機、圧縮機、駆動装置その他これらの附属機器が含まれる。自動開閉機に直結するドアーは、「建物」に含まれる(耐通2-2-5参照)。
ドアー自動管理装置	器具備品	「2」インターホーン・放送用設備	6	入室の遠隔監視・扉の施解錠等の装置がこれに該当する。
ドック（木造）	構築物	木造のもの ドック	15	
ドライバー	工具	前掲のもの以外のもの その他のもの	3	電気ドライバーもこれに該当する。
ドライビングシミュレーター（自動車教習所で使用）	機械装置	「52」教育業（学校教育業を除く。)又は学習支援業用設備 教習用運転シミュレータ設備	5	(【問3－94】参照)
ドラム缶	器具備品	「6」ドラム缶 その他のもの		
		金属製のもの	3	
		その他のもの	2	
ドリル	工具	切削工具	2	電気ハンドドリルは、「工具」の「前掲のもの以外のもの」の「その他のもの」に該当する。

資産の名称	種類	構造又は用途及び細目	耐用年数	備考
ドリル治具	工具	治具	3	
と畜場用建物	建物	(魚市場用建物参照)	38〜15	
どん(緞)帳	器具備品	「9」どん帳	5	どん帳とは、厚地の模様入りの幕をいう。
戸棚	器具備品	「1」その他の家具 接客業用のもの その他のもの 主として金属製のもの その他のもの	 5 15 8	 (耐通2-7-3参照) (耐通2-7-2参照)
図書館用建物	建物	(研究所用建物参照)	50〜22	(耐通2-1-1参照)
時計	器具備品	「3」時計	10	親子時計については「親子時計」を参照。
土蔵造の建物	建物	木造のもの	24〜9	その用途に応じた木造の建物の耐用年数を適用する。
土間	建物			その建物の構成部分として「建物」に含まれる。
度量衡器	器具備品	「3」度量衡器	5	
盗難防止用設備	建物附属設備	災害報知設備	8	
塔	構築物	鉄骨鉄筋コンクリート造・鉄筋コンクリート造のもの 木造のもの	50 15	
謄写機器	器具備品	「2」謄写機器 孔版印刷用・印書業用のもの その他のもの	 3 5	いわゆる謄写印刷又はタイプ印刷に用いる手刷機、輪転謄写機等がこれに該当し、フォトオフセット、タイプオフセット、フォトタイプオフセット等の印刷機器は、別表第二の「7印刷業又は印刷関連業用設備」に該当す

(ト)

資産の名称	種類	構造又は用途及び細目	耐用年数	備考
				る（耐通2-7-5、【問３－92】参照）。
動物	器具備品	「10」動物 魚類 鳥類 その他のもの	 2 4 8	牛馬、豚、綿羊及びやぎについては、医療用、興業用のみ適用があり、その他の用のものについては、別途別表第四（生物の耐用年数表）の耐用年数を適用する。 熱帯魚、カナリヤ、番犬その他の生物をいれる容器（器具備品に該当するものに限る。）についてもこの耐用年数を適用することができる（耐通2-7-16参照）。
特殊構造車	車両運搬具	鉄道用・軌道用車両 貨車 特殊構造車	 15	
特殊自動車	車両運搬具	特殊自動車 消防車・救急車・レントゲン車・散水車・放送宣伝車・移動無線車・チップ製造車 モーター・スィーパー・除雪車 タンク車・じんかい車・し尿車・寝台車・霊きゅう車・トラックミキサー・レッカーその他特殊車体を架装したもの 小型車 その他のもの	 5 4 3 4	小型車とは、次のものをいう。 1　じんかい車･し尿車…積載量が２トン以下のもの 2　その他のもの…総排気量が２リットル以下のもの
取付工具	工具	取付工具	3	

資産の名称	種類	構造又は用途及び細目	耐用年数	備考
ナイロングランドプール	器具備品	「9」その他のもの 主として金属製のもの その他のもの	 10 5	金属製柱・金属板については「主として金属製のもの」、ナイロン防水布については「その他のもの」の耐用年数を適用する（耐通2-7-17参照）。
内燃動車	車両運搬具	鉄道用・軌道用車両 内燃動車	 11	ディーゼル・カー等がこれに該当し、制御車及び附随車を含む。
内燃力発電設備	建物附属設備 機械装置	（工場用建物内の電気設備又は電気設備の項参照） 「31」電気業用設備 内燃力又はガスタービン発電設備 など	 15	
内部造作を行わずに賃貸する建物	建物	（研究所用建物参照）	50 ～ 22	（耐通2-1-2参照）
流し台	器具備品 機械装置	「1」食事・ちゅう房用品 その他のもの 「48」飲食店業用設備 など	 5 8	 （耐通1-4-2参照）
生ゴミ処理装置	器具備品	「11」その他のもの 主として金属製のもの	 10	（**【問3－75】**参照）
生ビールディスペンサー	器具備品 機械装置	「1」電気冷蔵庫に類する電気機器 「48」飲食店業用設備 「47」宿泊業用設備 など	6 8 10	（耐通1-4-2参照）
二輪自動車	車両運搬具	前掲のもの以外のもの 二輪自動車	 3	運送事業用・貸自動車業用・自動車教習所用のものは「運送事業用自動車」に該当する。
荷扱所用建物	建物	（魚市場用建物参照）	38 ～ 15	

資産の名称	種類	構造又は用途及び細目	耐用年数	備考
錦鯉	器具備品	「10」動物 魚類	2	観賞用、興行用その他これらに準ずる用に供されるもの（繁殖用の錦鯉を含む。）がこれに該当する（耐通2-7-16参照）。
ネオンサイン	器具備品	「5」ネオンサイン	3	ネオン放電管・附属の変圧器、ネオンサインの反射板及びネオンサインを覆う合成樹脂等もこれに該当する（耐通2-3-5、2-7-10参照）。
ネット設備	構築物	運動場用のもの ネット設備	15	ゴルフ練習場における鉄柱・ネットもこれに含まれる。
	器具備品	「9」スポーツ具	3	土地に定着していないものに限る。
ねじ切治具	工具	治具	3	
熱蔵庫	器具備品	「1」電気冷蔵庫に類する電気・ガス機器	6	
熱帯魚	器具備品	「10」動物 魚類	2	観賞用、興行用その他これらに準ずる用に供されるものがこれに該当する。 器具備品に該当する熱帯魚用容器についてもこの耐用年数を適用することができる（耐通2-7-16参照）。
ノギス	工具	測定工具・検査工具	5	（耐通2-6-1参照）
のみ	工具	切削工具	2	
濃硝酸用貯槽（金属造）	構築物	金属造のもの 薬品貯槽 濃硝酸用のもの	8	

資産の名称	種類	構造又は用途及び細目	耐用年数	備考
乗合自動車	車両運搬具	運送事業用・貸自動車業用・自動車教習所用のもの 　乗合自動車	 5	マイクロバスは、乗車定員よりみてこれに該当しない(耐通2-5-9参照)。
ハイヤー用自動車	車両運搬具	(タクシー用自動車参照)	5 〜 3	
ハンドタップ	工具	切削工具	2	
ハンドドライヤー	器具備品	「7」理容・美容機器	5	
ハンマー	工具	前掲のもの以外のもの 　その他のもの	 3	
バイス	工具	前掲のもの以外のもの 　その他のもの	 3	
バイト	工具	切削工具	2	
バッティングセンター用設備				(【問3−63】参照)
ピッチングマシン	器具備品	「9」スポーツ具	3	
ネット設備	構築物	競技場用・運動場用のもの 　ネット設備	 15	
打球場の屋根	〃	競技場用・運動場用のもの 　その他のもの 　　その他のもの 　　　主として木造のもの 　　　その他のもの	 15 30	建物と認められる場合には、その構造に応じた「体育館用」の耐用年数を適用する。
ボール・バット	器具備品	「9」スポーツ具	3	
バナナの熟成室(鉄筋コンクリート造室)	建物	鉄筋コンクリート造のもの 　工場用又は倉庫用のもの 　　著しい蒸気の影響を直接全面的に受けるもの	 31	一棟の鉄筋コンクリート造建物の帳簿価額をバナナの熟成室とその他の室の部分とに区分経理した場合には、バナナの熟成室については、左の耐用年数により償却をすることができる(耐通2-1-21及び1-2-4参照)。

(ハ)

資産の名称	種類	構造又は用途及び細目	耐用年数	備考
パイプラック	構築物 機械装置	金属造のもの 送配管 鋳鉄製のもの 鋼鉄製のもの (「設備の種類」別の耐用年数による。)	 30 15	支持している「送配管」の耐用年数を適用する(耐通1-3-2参照)。
パソコン	器具備品	「2」電子計算機 パーソナルコンピュータ(サーバー用のものを除く。) その他のもの	 4 5	
パチンコ店用設備				
自動玉洗浄・配球装置	器具備品	「9」その他のもの 主として金属製のもの	 10	(【問3−62】参照)
パチスロ器	〃	「9」スポーツ具	3	
パチンコ器	〃	「9」パチンコ器	2	
パチンコ取付台	〃	「9」その他のもの その他のもの	 5	木製の「島」がこれに該当する。
自動玉貸機	〃	「11」自動販売機	5	
自動電磁カウンター	〃	「11」その他のもの 主として金属製のもの 「2」計算機その他これらに類するもの	 10 5	自動還元装置として同一のシステムに組み込んだものがこれに該当する。 単独のものがこれに該当する。
パチンコ玉	−	−		払出時の損金として差し支えない。
自動両替機	器具備品	「11」自動販売機	5	(耐通2-7-18参照)
パワーショベル	機械装置	「30」総合工事業用設備など	6	(耐通2-5-5参照)
パンチ	工具	前掲のもの以外のもの その他のもの	 3	
歯切治具	工具	治具	3	
馬車	車両運搬具	運送事業用車両運搬具 その他のもの 前掲のもの以外のもの	 4	馬には、別表第四(生物の耐用年数表)の耐用年数を適用する。

資産の名称	種類	構造又は用途及び細目	耐用年数	備考
		その他のもの 　その他のもの	 4	
排煙設備	建物附属設備	排煙設備	8	
配膳ワゴン	器具備品	「1」その他のもの 　主として金属製のもの 　その他のもの	 15 8	 （耐通2-7-2参照）
売店	建物	簡易建物 　仮設のもの	 7	駅などに仮設されているもの。
配電線	構築物	送配電用のもの 　配電用のもの 　　配電線	 30	配電用構築物の「備考」欄を参照。
配電用構築物	構築物	送配電用のもの 　配電用のもの 　　鉄塔・鉄柱 　　鉄筋コンクリート柱 　　木柱 　　配電線・添架電話線 　　引込線 　　地中電線路	 50 42 15 30 20 25	電気事業者以外の事業を営む者の有する「配電線」、「引込線」及び「地中電線路」は、「建物附属設備」の「電気設備」又は「機械装置」に該当する（耐通2-3-3参照）。
白金製るつぼ		（非減価償却資産）		（基通7-1-2参照）
白金ノズル	工具	前掲のもの以外のもの 　白金ノズル	 13	
博物館用建物	建物	（研究所用建物参照）	50 ～ 22	（耐通2-1-1参照）
爆発物用防壁	構築物	鉄骨鉄筋コンクリート造・鉄筋コンクリート造のもの コンクリート造・コンクリートブロック造のもの れんが造のもの 　塩素、クロールスルホン酸その他の著しい腐食性を有する気体の影響を受けるもの 　その他のもの	25 13 7 25	火薬類取締法、高圧ガス取締法等の規定に基づき、火薬、ガス等の爆発による被害を防止するため構築したものがこれに該当する（耐通2-3-16参照）。 （耐通2-3-20参照）

(ハ)

資産の名称	種類	構造又は用途及び細目	耐用年数	備考
		石造のもの 土造のもの 木造のもの	35 17 10	
橋	構築物	鉄骨鉄筋コンクリート造・鉄筋コンクリート造のもの 金属造のもの 　はね上げ橋 　その他のもの 木造のもの	60 25 45 15	
発煙硫酸用貯槽（金属造）	構築物	金属造のもの 　薬品貯槽 　　発煙硫酸用のもの	 8	
発電機（可搬式の小型のもの）	器具備品	「11」その他のもの 　主として金属製のもの	 10	
発電所用建物	建物	（魚市場用建物参照）	38～15	
発電船	船舶	船舶法第4条から第19条までの適用を受ける船舶 　鋼船 　　その他のもの 　　　総トン数が2,000トン以上のもの 　　　総トン数が2,000トン未満のもの 　　　　その他のもの 　木船 　　その他のもの 　軽合金船 　強化プラスチック船 その他のもの 　鋼船 　　発電船 　木船 　　その他のもの 　その他のもの 　　その他のもの	 15 14 10 9 7 8 8 5	船舶法第4条から第19条までの適用を受ける船舶とは、次に掲げる船舶以外の船舶をいう（船舶法第20条参照）。 1　総トン数20トン未満の船舶 2　端舟その他櫓櫂（ろかい）のみをもって運転し、又は櫓櫂（ろかい）をもって運転する舟

資産の名称	種類	構造又は用途及び細目	耐用年数	備考
販売時点情報管理装置 ①光学読取装置 ②電子式金銭登録機	器具備品	 「２」金銭登録機 「２」金銭登録機	 5 5	①及び②は、光学読取装置付の金銭登録機又はこれに類するものと認められる。
繁殖用錦鯉	器具備品	「10」動物 魚類	 2	
番犬	器具備品	「10」動物 その他のもの	 8	
ビチューマルス敷道路	構築物	舗装道路 ビチューマルス敷のもの	 3	基礎工事を全く行わないで砕石とアスファルト乳剤類とで地面を直接舗装したものがこれに該当する（耐通2-3-12参照）。
ビデオコーダー ホテル・旅館業用 ゴルフ練習場用	 器具備品 〃	 「２」放送用設備 「１」テレビジョン・テープレコーダー	 6 5	 各客室のＴＶ受像機を利用して映画フィルムの放映をするためのものがこれに該当する。
ビリヤード用具	器具備品	「９」玉突き用具	8	
ビル中央監視装置	建物附属設備	前掲のもの以外のもの 主として金属製のもの	 18	ビル全体の維持・管理を電子計算機によりコントロールする設備がこれに該当する（**【問３－42】**参照）。
ビル（鉄筋コンクリート造のもの）の屋上の社旗掲揚台（主として金属製）	建物 構築物	鉄筋コンクリート造のもの 事務所用のもの 金属造のもの その他のもの	 50 45	建物の取得価額に含めるのであるが、これを建物から分離して構築物として償却することができる（耐通2-1-22参照）。

(ヒ)

資産の名称	種類	構造又は用途及び細目	耐用年数	備考
ビルの屋上の特殊施設				
危険防止のために設置された金網、さく	建物			建物に含めて償却する(耐通2-1-22参照)。
ゴルフ練習場	構築物	(ゴルフ練習場用設備参照)		(**【問3－46】**参照)
花壇	〃	緑化施設及び庭園 その他の緑化施設及び庭園	 20	
稲荷神社(コンクリート製)	〃	コンクリート造のもの その他のもの	 40	
広告塔	〃	広告用のもの 金属造のもの その他のもの	 20 10	
建物の外窓清掃のために設置された屋上のレール、ゴンドラ支持装置及びこれに係るゴンドラ	建物附属設備	前掲のもの以外のもの 主として金属製のもの その他のもの	 18 10	(耐通2-2-7参照)
避雷針その他の避雷装置	〃	前掲のもの以外のもの 主として金属製のもの その他のもの	 18 10	(耐通2-2-7参照)
ビンゴ器	器具備品	「9」ビンゴ器	2	
PR用映画フィルム	器具備品	「11」映画フィルム	2	その製作費もこれに含まれる。
ピアノ	器具備品	「11」楽器	5	
ピッチングマシン	器具備品	「9」スポーツ具	3	バッティングセンターの諸設備の耐用年数については**【問3－63】**を参照。

資産の名称	種類	構造又は用途及び細目	耐用年数	備考
ひき船	船舶	船舶法第4条から第19条までの適用を受ける船舶 鋼船 その他のもの 総トン数が2,000トン以上のもの 総トン数が2,000トン未満のもの その他のもの 木船 その他のもの 軽合金船 強化プラスチック船 その他のもの 鋼船 ひき船 木船 ひき船 その他のもの その他のもの	 15 14 10 9 7 10 6 5	船舶法第4条から第19条までの適用を受ける船舶とは、次に掲げる船舶以外の船舶をいう（船舶法第20条参照）。 1　総トン数20トン未満の船舶 2　端舟その他櫓櫂（ろかい）のみをもって運転し、又は櫓櫂（ろかい）をもって運転する舟
日よけ設備	建物附属設備	日よけ設備 主として金属製のもの その他のもの	 15 8	
非常通報機	器具備品	「2」その他の通信機器 その他のもの	 10	電話回線による消防・警察署呼出し装置がこれに該当する。
非破壊検査用X線装置	工具	検査工具	5	可搬式のものがこれに該当する。
被けん引車	車両運搬具	運送事業用・貸自動車業用・自動車教習所用のもの 被けん引車 前掲のもの以外のもの その他のもの その他のもの	 4 4	
飛行機	航空機	主として金属製のもの 最大離陸重量が130トンを超えるもの	 10	

(ヒ)

資産の名称	種類	構造又は用途及び細目	耐用年数	備考
		最大離陸重量が130トン以下のもので、5.7トンを超えるもの 最大離陸重量が5.7トン以下のもの その他のもの	8 5 5	
飛行場の滑走路	構築物	(舗装道路参照)	15〜3	
飛行船	航空機	その他のもの その他のもの	5	
避雷針その他の避雷装置	建物附属設備 構築物	前掲のもの以外のもの 主として金属製のもの 金属造のもの その他のもの	18 45	これは建物に取り付けられたものをいう。建物から独立して設置された避雷針は構築物に該当する(耐通2-2-7参照)。
美術館用建物	建物	(研究所用建物参照)	50〜22	
美容機器	器具備品	「7」美容機器	5	
光ファイバーケーブル(電気通信事業用のもの)	構築物	電気通信事業用のもの 通信ケーブル 光ファイバー製のもの	10	
引込線	構築物	送配電用のもの 配電用のもの 引込線	20	配電用構築物の「備考」欄を参照。
引伸機	器具備品	「4」引伸機	8	写真製作用のものがこれに該当する。
表示板(電光式)	器具備品	「2」電話設備その他の通信機器 その他のもの	10	
表面粗さ測定器	工具	測定工具・検査工具	5	
病院用建物	建物	鉄骨鉄筋コンクリート造・鉄筋コンクリート造のもの れんが造・石造・ブロック造のもの	39 36	診療所用及び助産所用の建物もこれに含まれる(耐通2-1-6参照)。

資産の名称	種類	構造又は用途及び細目	耐用年数	備考
		金属造のもの 　骨格材の肉厚が次のもの 　　４㎜超 　　３㎜超４㎜以下 　　３㎜以下 木造・合成樹脂造のもの 木骨モルタル造のもの	 29 24 17 17 15	
屏風	器具備品	「１」室内装飾品 　主として金属製のもの 　その他のもの	 15 8	歴史的価値又は希少価値を有し、代替性のないものや、取得価額が１点100万円以上のものは非減価償却資産に該当する（基通7-1-1、**【問１－７】**参照）。
ファイアウォール装置	器具備品	「２」電子計算機 　その他のもの	 5	
ファイバースコープ	器具備品	「８」光学検査機器 　ファイバースコープ	 6	
ファクシミリ	器具備品	「２」ファクシミリ	5	
フィールドアスレチック	構築物	競技場用のもの 　その他のもの 　　その他のもの 　　　主として木造のもの	 15	
フォークリフト	車両運搬具	前掲のもの以外のもの 　フォークリフト	 4	
フォトオフセット印刷機	機械装置	「７」印刷業又は印刷関連業用設備 　その他の設備	 10	（耐通2-7-5、**【問３－92】**参照）
フォトタイプオフセット印刷機	機械装置	「７」印刷業又は印刷関連業用設備 　その他の設備	 10	（耐通2-7-5、**【問３－92】**参照）

(フ)

資産の名称	種類	構造又は用途及び細目	耐用年数	備考
フロハウス（屋外設置） 　建物部分 　浴槽	 建物 建物附属設備	 （構造、用途、細目別に） 衛生設備	 15	 バーナーを含む。
ブイ（航路標識用）	構築物	金属造のもの 　その他のもの	 45	
V型ブロック	工具	測定工具・検査工具	5	（耐通2-6-1参照）
ブルドーザー	機械装置	「30」総合工事業用設備など	6	（耐通2-5-5参照）
ブロックゲージ	工具	測定工具・検査工具	5	（耐通2-6-1参照）
プール	構築物	競技場用・運動場用のもの 　水泳プール	 30	
プール用建物	建物	体育館用のもの （学校用建物参照）	47 ～ 19	
（強化）プラスチック船	船舶	船舶法第4条から第19条までの適用を受ける強化プラスチック船 その他のもの 　その他のもの 　　モーターボート・搭載漁船 　　その他のもの	7 4 5	船舶法第4条から第19条までの適用を受ける船舶とは、次に掲げる船舶以外の船舶をいう（船舶法第20条参照）。 1　総トン数20トン未満の船舶 2　端舟その他櫓櫂（ろかい）のみをもって運転し、又は櫓櫂（ろかい）をもって運転する舟
プリンター	器具備品	「2」その他の事務機器	5	
プレハブ建物	建物			一般の建物と同様、その構造に応じた耐用年数を適用する。 （【問3－32】参照）
ふっ酸用貯槽（金属造）	構築物	金属造のもの 　薬品貯槽 　　ふっ酸用のもの	 8	生産工程の一部としての機能を有するものは、機械装置に該当する（耐通1-3-2、【問3－43】参照）。

資産の名称	種類	構造又は用途及び細目	耐用年数	備考
フライアッシュ採取設備	機械装置	「55」前掲の機械装置以外のもの その他の設備 主として金属製のもの	17	(耐通2-8-9参照)
ぶらんこ(児童用)	構築物	(運動場用構築物参照)	10	土地に固着したものがこれに該当する。
	器具備品	「9」スポーツ具	3	
風力発電システム	機械装置	「31」電気業用設備 その他の設備 主として金属製のものなど	17	(**【問3−89】**、耐通1-4-2、耐通1-4-5参照)
風呂				(**【問3−40】** 参照)
室内設置の移動容易なもの	器具備品	「1」その他のもの 主として金属製のもの その他のもの	15 8	
社宅に設置の小型浴槽	建物附属設備	衛生設備	15	バーナーを含む。
旅館・ホテルの大浴場の浴槽	建物	(ホテル用建物参照)	39 ~ 15	建物の構造に応じた耐用年数を適用する(**【問3−26】** 参照)。
複写機	器具備品	「2」複写機	5	
覆工板	工具	金属製柱及びカッペ	3	道路工事用道路覆工板がこれに該当する。(耐通2-6-4参照)
噴水池(遊園地内)				噴水関係の機械装置は「構築物」から区分して「機械装置」の耐用年数を適用する。
庭園内のもの	構築物	庭園	20	
独立して構築されているもの	〃	遊園地用 その他のもの その他のもの その他のもの	30	
分類機	器具備品	「2」その他の事務機器	5	

(フ・ヘ・ホ)

資産の名称	種類	構造又は用途及び細目	耐用年数	備考
文書裁断機	器具備品	「2」その他の事務機器	5	事務室等で使用されるものがこれに該当する。
文書資料自動出納設備(ファイルサーバーシステム)	機械装置	「40」倉庫業用設備 「55」前掲の機械装置以外のもの 主として金属製のもの など	12 17	(耐通1-4-2、1-4-3参照)
ヘリコプター	航空機	その他のもの ヘリコプター	 5	
ベッド	器具備品	「1」ベッド	8	
ベータトロン(X線探知機)	器具備品	「11」その他のもの 主として金属製のもの	 10	
ペンチ	工具	前掲のもの以外のもの その他のもの	 3	
塀	構築物	鉄骨鉄筋コンクリート造・鉄筋コンクリート造のもの れんが造のもの 塩素、クロールスルホン酸その他の著しい腐食性を有する気体の影響を受けるもの その他のもの 石造のもの コンクリート造・コンクリートブロック造のもの 土造のもの 金属造・木造のもの	30 7 25 35 15 20 10	(耐通2-3-20参照)
壁画	建物			その建物の構成部分として「建物」に含まれる(**【問3−33】**参照)。
ホテル用建物	建物	鉄骨鉄筋コンクリート造・鉄筋コンクリート造のもの 延面積のうちに占める木造内装部分の面積が3割を超えるもの	 31	木造内装部分が3割を超えるかどうかの判定については耐通2-1-7を参

資産の名称	種類	構造又は用途及び細目	耐用年数	備考
		その他のもの れんが造・石造・ブロック造のもの 金属造のもの 骨格材の肉厚が次のもの 4㎜超 3㎜超4㎜以下 3㎜以下 木造・合成樹脂造のもの 木骨モルタル造のもの	39 36 29 24 17 17 15	照。
ホバークラフト	船舶	船舶法第4条から第19条までの適用を受けるホバークラフト その他のもの 鋼船 その他のもの	8 12	船舶法第4条から第19条までの適用を受けるホバークラフトとは、総トン数20トン以上のものをいう（船舶法第20条を参照）。
ホモジナイザー	機械装置	「30」総合工事業用設備など	6	自走式のものがこれに該当する（耐通2-5-5参照）。
ボウリング場用設備				
温湿度調整設備	建物附属設備	冷房・暖房・通風設備 冷暖房設備（冷凍機の出力が22キロワット以下のもの） その他のもの	 13 15	（耐通2-2-4参照）
ボールポリッシング機 ボールクリーニング機 フロアポリッシング機	器具備品	「1」電気洗濯機に類する電気機器	6	
ボール計量器	〃	「3」度量衡器	5	
テレスコア（スコアプロジェクター）	〃	「4」その他の光学機器	8	

(ホ)

資産の名称	種類	構造又は用途及び細目	耐用年数	備考
ボール・ピン・貸靴	器具備品	「9」スポーツ具	3	
貸靴券自動販売機	〃	「11」自動販売機	5	
スコアラー用いす ボウラー用連結いす 観客用連結いす ボウリングボール整理棚	〃	「11」その他のもの 主として金属製のもの その他のもの	 10 5	
ピンセッター工具	工具	前掲のもの以外のもの その他のもの	 3	
レーンその他	機械装置	「51」娯楽業用設備 ボウリング場用設備	 13	機械装置部分がこれに該当する。
ボウリング場用建物	建物	(学校用建物参照)	47 ~ 19	ボウリング場は、体育館に類するものとする(耐通2-1-5参照)。
ボイラー設備 (ボイラー本体、給炭機、重油供給装置、給水機、これらの附属機器)	建物附属設備 機械装置	ボイラー設備 (その設備の該当する業用設備の耐用年数による。)	15	主として事務所、寄宿舎、病院、劇場等の暖房用、ちゅう房用又は浴場用のボイラーがこれに該当し、浴場業用の浴場ボイラー、飲食店業用のちゅう房ボイラー並びにホテル又は旅館のちゅう房ボイラー及び浴場ボイラーは、「機械及び装置」に該当する(耐通2-2-4、**【問3－84】**参照)。
ボトル車	車両運搬具	前掲のもの以外のもの 自動車 小型車 その他のもの 貨物自動車 その他のもの	 4 5	小型車とは、総排気量が0.66リットル以下のものをいう。

資産の名称	種類	構造又は用途及び細目	耐用年数	備考
ホブ	工具	切削工具	2	
ボンベ	器具備品	「6」ボンベ 溶接製のもの 鍛造製のもの 塩素用のもの その他のもの	 6 8 10	
ポケットベル	器具備品	「1」音響機器	5	
ＰＯＳシステム ①光学読取装置 ②電子式金銭登録機	器具備品	 「2」金銭登録機 「2」金銭登録機	 5 5	①及び②は、光学読取装置付の金銭登録機又はこれに類するものと認められる。
ポリシャー（床掃除機）	器具備品	「1」電気洗濯機に類する電気機器	6	電気式のものがこれに該当する。
保育所用構築物	構築物	（運動場用構築物参照）	45 ～ 10	（耐通2-3-7参照）
保育所用建物	建物	（学校用建物参照）	47 ～ 19	（耐通2-1-4参照）
保冷車	車両運搬具	特殊自動車 特殊車体を架装したもの 小型車 その他のもの	 3 4	小型車とは総排気量が２リットル以下のものをいう。
舗装道路	構築物	コンクリート敷・ブロック敷・れんが敷・石敷 アスファルト敷・木れんが敷 ビチューマルス敷	15 10 3	舗装道路の表面の舗装部分と路床との間にある舗装のための路盤部分をこれに含めることができる（耐通2-3-10、**【問１－48】**参照）。
舗装路面	構築物	（舗装道路参照）	15 ～ 3	工場の構内、作業広場、飛行場の滑走路、駐車場等道路以外の地面の舗装部分がこれに該当する（耐通2-3-11参照）。

(ホ)

資産の名称	種類	構造又は用途及び細目	耐用年数	備考
放射性同位元素取扱室（開発研究用）	建物 建物附属設備	「別表第六」建物 「別表第六」建物附属設備	5 5	建物の全部又は一部を開発研究用の放射性同位元素取扱室にするために特に施設した内部造作部分又は建物附属設備部分がこれに該当する（**【問3－29】**参照）。
放射性同位元素の放射線を直接受ける構築物	構築物	鉄骨鉄筋コンクリート造・鉄筋コンクリート造のもの	15	（耐通2-3-18、2-3-19参照）
放射性同位元素の放射線を直接受ける建物	建物	工場用・倉庫用のもの 鉄骨鉄筋コンクリート造・鉄筋コンクリート造のもの 金属造（骨格材の肉厚4㎜超）のもの	 24 20	（耐通2-1-16、2-1-17参照）
放射線発生装置を使用する建物	建物	（放射性同位元素の放射線を直接受ける建物参照）	24～20	（耐通2-1-17参照）
放射線発生装置の遮へい壁	構築物	鉄骨鉄筋コンクリート造・鉄筋コンクリート造のもの	15	（耐通2-3-18、2-3-19参照）
放送宣伝車	車両運搬具	特殊自動車 放送宣伝車	 5	車体に単にスピーカーを取り付けたにすぎないようなものは、これに該当しない。
放送用構築物	構築物	放送用のもの 鉄塔・鉄柱 円筒空中線式のもの その他のもの 鉄筋コンクリート柱 木塔・木柱・アンテナ・接地線・放送用配線	 30 40 42 10	放送業以外の事業を営む者の有する構築物についてもこの耐用年数を適用する。
放送用設備	器具備品 機械装置	「2」放送用設備 「36」放送業用設備	6 6	

(ホ)

資産の名称	種類	構造又は用途及び細目	耐用年数	備考
放送用配線	構築物	放送用・無線通信用のもの 放送用配線	 10	
報道通信用自動車(二輪・三輪自動車を除く。)	車両運搬具	前掲のもの以外のもの 自動車 小型車 その他のもの 報道通信用のもの	 4 5	小型車とは、総排気量が0.66リットル以下のものをいう。 (耐通2-5-10参照)
防波堤(汽力発電用のものを除く。)	構築物	(堤防参照)	50 ~ 10	(耐通2-3-23、基通7-8-8参照)
防犯監視用カメラ	器具備品	「4」カメラ	5	これは、自動フィルム送り装置付定点カメラと作動スウィッチから成るものである。 監視カメラ、テレビ、ビデオデッキ等が機能的に一体性があるものは、これに該当しない(**【問3−68】**参照)。
防犯用テレビ送受信装置	器具備品	「2」インターホーン及び放送用設備	6	金融機関等に設置されている監視用テレビ、カメラの装置がこれに該当する。
防壁(爆発物用防壁を除く。)	構築物	(堤防参照)	50 ~ 10	延焼防止用の防火壁もこれに含まれる(耐通2-3-16参照)。
防油堤	構築物	鉄骨鉄筋コンクリート造・鉄筋コンクリート造のもの 土造のもの	25 17	危険物の規制に関する政令第11条第1項第15号に規定する「防油堤」がこれに該当する(耐通2-3-17参照)。 (危険物の規制に関する規則第22条第2項第9号では、防油堤は鉄筋コンクリート又は土造に限られている。)

資産の名称	種類	構造又は用途及び細目	耐用年数	備考
望遠鏡	器具備品	「4」望遠鏡	5	
掘立造の建物	建物	簡易建物 掘立造のもの	 7	
本（書籍）	器具備品	「11」その他のもの その他のもの	 5	
盆栽	器具備品	「10」植物 貸付業用のもの その他のもの	 2 15	観賞用、興行用その他これらに準ずる用に供されるものがこれに該当する（耐通2-7-16参照）。
マイクロバス	車両運搬具	運送事業用・貸自動車業用・自動車教習所用車両 自動車 その他のもの 大型乗用車 その他のもの 前掲のもの以外のもの 自動車 その他のもの 報道通信用のもの その他のもの	 5 4 5 6	大型乗用車とは、総排気量が3リットル以上のものをいう。 （耐通2-5-9参照）
マイクロフィルム	器具備品	「11」その他のもの その他のもの	 5	
マイクロホン	器具備品	「1」音響機器	5	
マイクロメーター	工具	測定工具・検査工具	5	（耐通2-6-1参照）
マシンソー	工具	切削工具	2	手引のこも切削工具に該当する。
マスゲームマシン	器具備品	「9」スポーツ具	3	（耐通2-7-14参照）
マットレス	器具備品	「1」寝具	3	
マネキン人形	器具備品	「5」マネキン人形	2	

資産の名称	種類	構造又は用途及び細目	耐用年数	備考
マルチビジョン装置	器具備品	「1」テレビジョン	5	
マンション	建物	(学校用建物参照)	47 ≀ 19	
麻雀牌	器具備品	「9」遊戯具	5	
巻尺	工具	測定工具・検査工具	5	
幕	器具備品	「9」幕	5	
間仕切り(可動のもの)	建物附属設備	可動間仕切り 簡易なもの その他のもの	 3 15	これは、一の事務室等を適宜仕切って使用するために間仕切りとして建物の内部空間に取り付ける資材のうち、取り外して他の場所で再使用することが可能なパネル式又はスタッド式(JIS規格A6512参照)のもの等をいい、「簡易なもの」とは、このうちその材質及び構造が簡易で、容易に撤去することができるものをいう(耐通2-2-6の2、**【問3−39】**参照)。
万力	工具	前掲のもの以外のもの その他のもの	 3	
ミーリング治具	工具	治具	3	
ミシン				
家庭用	器具備品	「1」その他のもの 主として金属製のもの	 15	寮の厚生施設として使用しているもの。
洋服小売店用	〃	「11」その他のもの 主として金属製のもの	 10	洋服小売店等が1～2台程度使用しているもの。
縫製品製造業用	機械装置	「3」繊維工業用設備 その他の設備	 7	

資産の名称	種類	構造又は用途及び細目	耐用年数	備考
ミニカー	器具備品	「９」スポーツ具	3	遊園地内で走行するものがこれに該当する。（耐通2-7-14参照）
未熟児保育器	器具備品	「８」その他のもの その他のもの 陶磁器製・ガラス製のもの 主として金属製のもの その他のもの	 3 10 5	
水飲場（児童用）	構築物	運動場用のもの その他のもの 児童用のもの その他のもの	 15	（耐通2-3-8参照）
無軌条電車	車両運搬具	鉄道用・軌道用車両 無軌条電車	 8	
無響室（開発研究用）	建物 建物附属設備	「別表第六」建物 「別表第六」建物附属設備	5 5	建物の全部又は一部を開発研究用の無響室にするために特に施設した内部造作部分又は建物附属設備部分がこれに該当する（**【問３−29】**参照）。
無人ヘリコプター				（**【問３−76】**参照）
農林業用のもの	機械装置	「25」農業用設備	7	
測量用のもの	器具備品	「11」その他のもの 主として金属製のもの	 10	
無人駐車料金徴収装置（オートロック式パーキング装置）	器具備品	「11」無人駐車管理装置	5	（**【問３−73】**参照）
無線タクシー位置、動態表示装置（AVMシステム）				（**【問３−69】**参照）
移動局信号発生器	車両運搬具	運送事業用 自動車	 5〜3	

資産の名称	種類	構造又は用途 及び細目	耐用 年数	備考
配車指令卓	器具 備品	「2」その他の通信機器 その他のもの	 10	
無線通信用構築物	構築物	（放送用構築物参照）	42 ～ 10	
迷路	構築物	遊園地用のもの その他のもの その他のもの 主として木造のもの その他のもの	 15 30	
メタルソー	工具	切削工具	2	
モーターグレーダー	機械 装置	「30」総合工事業用設備など	6	自走式のものがこれに該当する（耐通2-5-5参照）。
モータースィーパー	車　両 運搬具	特殊自動車 モータースィーパー	 4	
モーターボート	船舶	その他のもの その他のもの モーターボート	 4	
モデルカー・レーシング用具	器具 備品	「9」スポーツ具	3	（耐通2-7-14参照）
モデルハウス	建物	簡易建物 仮設のもの	 7	 （昭54．1．30付直法2-4、**【問3－24】**参照）
モニターテレビ	器具 備品	「1」音響機器	5	
模型	器具 備品	「5」模型	2	
物置（スチール製）	建物 器具 備品	簡易建物 掘立造のもの・仮設のもの 「11」その他のもの 主として金属製のもの	 7 10	 規模等からみて建物に該当しないものに限る。
ヤットコ	工具	前掲のもの以外のもの その他のもの	 3	

資産の名称	種類	構造又は用途及び細目	耐用年数	備考
やぐら	構築物	鉄骨鉄筋コンクリート造・鉄筋コンクリート造のもの コンクリート造・コンクリートブロック造のもの 木造のもの	50 40 15	
やすり	工具	切削工具	2	
屋根付カーポート	構築物	金属造のもの 　その他のもの	45	（**【問３－49】**参照）
屋根の散水装置	建物付属設備	前掲のもの以外のもの 　主として金属製のもの 　その他のもの	18 10	危険物倉庫等の屋根の過熱防止のために設置されたものがこれに該当する（耐通2-2-7参照）。
焼付機	器具備品	「4」焼付機	8	写真製作用のものがこれに該当する。
薬品槽船	船舶	船舶法第４条から第19条までの適用を受ける船舶 　鋼船 　　薬品槽船 　木船 　　薬品槽船 　軽合金船 　強化プラスチック船 その他のもの 　鋼船 　　その他のもの 　木船 　　薬品槽船 　その他のもの 　　その他のもの	10 8 9 7 12 7 5	船舶法第４条から第19条までの適用を受ける船舶とは、次に掲げる船舶以外の船舶をいう（船舶法第20条参照）。 １　総トン数20トン未満の船舶 ２　端舟その他櫓櫂のみをもって運転し、又は櫓櫂をもって運転する舟
薬品タンク車	車両運搬具	鉄道用・軌道用車両 　貨車 　　薬品タンク車	12	液体薬品を専ら輸送するタンク車がこれに該当する（耐通2-5-3参照）。
薬品貯槽	構築物	金属造のもの 　薬品貯槽 　　塩酸、ふっ酸、発煙硫酸、濃硝酸その他の発煙性を有する無機酸用		製造工程中にある中間受槽又はこれに準ずる貯槽は、「構築物」に該当せず、「機械装置」に該当する（耐通1-3-2、**【問３－**

資産の名称	種類	構造又は用途 及び細目	耐用 年数	備考
		のもの 有機酸用又は硫酸、硝酸その他前掲のもの以外の無機酸用のもの アルカリ類用、塩水用、アルコール用その他のもの	8 10 15	**43】** 参照)。
ユニットバス	建物附属設備 建物	衛生設備	15	バーナーを含む。 建物の構造に応じた耐用年数を適用する(**【問3－26】** 参照)。
油槽(金属造)	構築物	金属造のもの 油槽 鋳鉄製のもの 鋼鉄製のもの	 25 15	生産工程の一部としての機能を有するものは、機械装置に該当する(耐通1-3-2、**【問3－43】** 参照)。
油槽船	船舶	船舶法第4条から第19条までの適用を受ける船舶 鋼船 総トン数が2,000トン以上のもの 総トン数が2,000トン未満のもの 木船 その他のもの 軽合金船 強化プラスチック船 その他のもの 鋼船 その他のもの 木船 その他のもの その他のもの その他のもの	 13 11 10 9 7 12 8 5	L.P.G(液化石油ガス)タンカーもこれに該当する(耐通2-4-2参照)。 船舶法第4条から第19条までの適用を受ける船舶とは、次に掲げる船舶以外の船舶をいう(船舶法第20条参照)。 1 総トン数20トン未満の船舶 2 端舟その他櫓櫂(ろかい)のみをもって運転し、又は櫓櫂(ろかい)をもって運転する舟
有機酸用貯槽(金属造)	構築物	金属造のもの 薬品貯槽 有機酸用のもの	 10	

資産の名称	種類	構造又は用途及び細目	耐用年数	備考
有線放送電話線（架設電話線）（木塔・木柱）	構築物	放送用・無線通信用のもの 放送用配線 木塔・木柱	 10 10	 （耐通2-3-4参照）
遊園地用構築物	構築物	（運動場用構築物参照）	45 〜 10	
遊戯場用建物	建物	（小売店舗用建物参照）	39 〜 19	パチンコ店、ゲームセンター等もこれに含まれる（耐通2-1-3参照）。
融雪装置（電気設備に該当するものを除く。）	建物附属設備 構築物	前掲のもの以外のもの 主として金属製のもの その他のもの 舗装道路・舗装路面 コンクリート敷・ブロック敷・れんが敷・石敷のもの アスファルト敷・木れんが敷のもの	 18 10 15 10	融雪装置のうち、建物又は建物への出入を容易にするための通路等に設置された噴水口、配管、ポンプ等は「建物附属設備」に該当し、舗装路面に敷設されたものは「構築物」に該当する（耐通2-2-7参照）。
床磨き機	器具備品	「1」電気洗濯機に類する電気機器	6	電気式のものがこれに該当する。
床用敷物	器具備品	「1」床用敷物 小売業用、接客業用・放送用・レコード吹込用・劇場用のもの その他のもの	 3 6	（耐通2-7-3参照）
用水池	構築物	石造のもの コンクリート造・コンクリートブロック造のもの 土造のもの	50 40 30	
用水用ダム	構築物	鉄骨鉄筋コンクリート造・鉄筋コンクリート造のもの	50	
容器	器具備品	「6」ボンベ 溶接製のもの 鍛造製のもの 塩素用のもの その他のもの	 6 8 10	

資産の名称	種類	構造又は用途及び細目	耐用年数	備考
		「6」ドラム缶、コンテナーその他の容器 大型コンテナー（長さが6メートル以上のものに限る。） その他のもの 金属製のもの その他のもの	 7 3 2	
養鶏用鶏舎	建物 構築物	（魚市場用建物参照） （飼育場参照）	38～15 30～7	鶏舎の内部と外部が隔壁により遮断されている構造で社会通念上建物とみられるものは「建物」の耐用年数を適用し、これ以外のものは「構築物」の耐用年数を適用する。
浴場業用建物（公衆浴場用以外のもの）	建物	（小売店舗用建物参照）	39～19	健康ランド、ヘルスセンター、サウナ風呂その他の特殊浴場業用建物もこれに含まれる（耐通2-1-3、【問３－34】参照）。
ライディング・シミュレーター（自動車教習所で使用）	機械装置	「52」教育業（学校教育業を除く。）又は学習支援業用設備 教習用運転シミュレータ設備	5	（【問３－94】参照）
ライトバン（運送事業用等以外のもの） 自動車登録番号が貨物の運送用の番号であるもの 自動車登録番号が人の運送用の番号であるもの	 車両運搬具 〃	 前掲のもの以外のもの 自動車 その他のもの 貨物自動車 その他のもの 前掲のもの以外のもの 自動車 その他のもの その他のもの	 5 6	小型車（総排気量が0.66リットル以下のもの）に該当する場合には小型車の耐用年数４年を適用する（耐通2-5-8参照）。

(ラ・リ)

資産の名称	種類	構造又は用途及び細目	耐用年数	備考
ラジオ	器具備品	「1」ラジオ	5	
ラジコンヘリコプター	器具備品	「11」その他のもの 主として金属製のもの	10	
ラック倉庫(無人倉庫)				
屋根と側壁を支える柱・棚・屋根・側壁	建物	(工場用建物参照)	38〜7	
搬出入装置・建物に固着していない棚・制御装置	機械装置			
(工場構内)		(「設備の種類」別の耐用年数による。)		工場構内にあって、当該工場に係る原材料、製品等を保管する倉庫用のものがこれに該当する(耐通1-4-5参照)。
(工場構外)		「40」倉庫業用設備など	12	工場構外等にあって、各工場で生産された製品を集・出荷するための、例えば配送センターあるいは、物流センターと称されている事業所の倉庫用のものがこれに該当する(耐通1-4-2参照)。
(卸・小売業用)		「40」倉庫業用設備	12	卸、小売業者所有のもの
ラン(LAN)設備				(**【問3－71】**参照)
リーマ	工具	切削工具	2	
リノリュームの床張り	建物			建物の床の構成部分として「建物」に含まれる(**【問1－44】**参照)。
リピーター	器具備品	「2」電話設備その他の通信機器 その他のもの	10	

資産の名称	種類	構造又は用途及び細目	耐用年数	備考
リヤカー	車両運搬具	運送業用のもの リヤカー 前掲のもの以外のもの その他のもの その他のもの	 2 4	
理（美）容店用建物	建物	（小売店舗用建物参照）	39 ～ 19	（耐通2-1-3参照）
理容機器	器具備品	「7」理容機器	5	
立体駐車場	建物	（魚市場用建物参照）	38 ～ 15	構造体、外壁、屋根その他建物を構成している部分は建物に該当する（耐通2-1-12参照）。
	機械装置	「55」機械式駐車設備	10	機械装置部分がこれに該当する。
硫酸用貯槽（金属造）	構築物	金属造のもの 薬品貯槽 硫酸用のもの	 10	
旅館用建物	建物	（ホテル用建物参照）	39 ～ 15	
緑化施設	構築物	緑化施設 工場緑化施設 その他のもの	 7 20	事務所の正面等に植栽された花壇、芝生、立木等がこれに該当する（耐通2-3-8の2～2-3-8の4参照）。
ルーター	器具備品	「2」電話設備その他の通信機器 その他のもの	 10	
ルームクーラー	建物附属設備	冷房設備 冷暖房設備（冷凍機の出力が22キロワット以下のもの） その他のもの	 13 15	パッケージドタイプのルームクーラーであってもダクトを通じて相当広範囲にわたって冷房するものは「建物附属設備」の「冷房設備」に該当する（耐通2-2-4、**【問３－**
	器具備品	「1」冷房用機器	6	

資産の名称	種類	構造又は用途及び細目	耐用年数	備考
				67】参照)。
留守番電話装置	器具備品	「1」テープレコーダーその他の音響機器	5	(【問1－15】参照)
レール	構築物	鉄道業用・軌道業用のもの 　軌条 その他の鉄道用・軌道用のもの 　軌条	 20 15	
レコード	器具備品	「11」レコード	2	
レコードプレーヤー	器具備品	「1」音響機器	5	
レッカー車	車両運搬具	特殊自動車 　レッカー車 　　小型車 　　その他のもの	 3 4	小型車とは、総排気量が2リットル以下のものをいう。
レンズ磨き機		(玉磨き機参照)	10～3	
レンタカー	車両運搬具	貸自動車業用の車両 　自動車 　　小型車(総排気量が2リットル以下のものをいう。) 　　その他のもの 　　　大型乗用車(総排気量が3リットル以上のものをいう。) 　　　その他のもの	 3 5 4	(耐通2-5-7参照)
レンチ	工具	前掲のもの以外のもの 　その他のもの	 3	
レントゲン(医療用のもの)	器具備品	「8」その他のもの 　レントゲン 　　移動式のもの 　　救急医療用のもの 　　その他のもの	 4 4 6	歯科用のものもこれに該当する(耐通2-7-13参照)。

資産の名称	種類	構造又は用途及び細目	耐用年数	備考
レントゲン車	車両運搬具	特殊自動車 　レントゲン車	 5	レントゲン車に積載しているレントゲンは、レントゲン車に含めて、その耐用年数を適用する（耐通2-7-13参照）。
レントゲンフィルムの現像装置（医療用）	器具備品	「8」その他のもの 　その他のもの 　　主として金属製のもの 　　その他のもの	 10 5	（耐通2-7-13参照）
冷水器	器具備品	「1」電気冷蔵庫に類する電気機器	6	
冷蔵ストッカー	器具備品	「1」冷蔵ストッカー	4	電気式のものは電気冷蔵庫に該当する。
冷蔵倉庫用建物（倉庫事業用のものを除く。）	建物	鉄骨鉄筋コンクリート造・鉄筋コンクリート造のもの れんが造・石造・ブロック造のもの 金属造のもの 　骨格材の肉厚が次のもの 　　4㎜超 　　3㎜超4㎜以下 　　3㎜以下 木造・合成樹脂造のもの 木骨モルタル造のもの	24 22 20 15 12 9 7	冷凍倉庫用、低温倉庫用及び氷の貯蔵庫用の建物もこれに含まれる（耐通2-1-15参照）。
冷暖房設備	建物附属設備	冷房・暖房設備 　冷暖房設備（冷凍機の出力が22キロワット以下のもの） 　その他の設備	 13 15	冷暖房共用のものには冷凍機ボイラー及びこれに附属するすべての機器を含めることができる（耐通2-2-4参照）。
冷凍車	車両運搬具	鉄道用・軌道用車両 　貨車 　　冷凍車	 12	鉄道用・軌道用のものがこれに該当する。

資産の名称	種類	構造又は用途及び細目	耐用年数	備考
冷房設備 （冷凍機、冷却機、送風装置、配管設備、ポンプ、ダクト、冷風発生機器等）	建物附属設備	冷房設備 冷暖房設備（冷凍機に直結する電動機の出力が22キロワット以下のもの） その他のもの	 13 15	パッケージドタイプのエアーコンディショナーであっても、ダクトを通じて相当広範囲にわたって冷房するものは「器具備品」に該当せず、「建物附属設備」に該当する（耐通2-2-4参照）。
冷房用機器	器具備品	「1」冷房用機器	6	
霊きゅう車	車両運搬具	特殊自動車 霊きゅう車 小型車 その他のもの	 3 4	小型車とは、総排気量が2リットル以下のものをいう。
ロータリーラック	機械装置	「40」倉庫業用設備など	12	（耐通1-4-2、耐通1-4-5参照）
ロードスタビライザー	機械装置	「30」総合工事業用設備など	6	自走式のものがこれに該当する（耐通2-5-5参照）。
ロードローラー	機械装置	「30」総合工事業用設備など	6	（耐通2-5-5参照）
ロープ	器具備品	「11」ロープ	2	
ロープウェイ（ゴンドラ部分）	車両運搬具	鉄道用・軌道用車両 架空索道用搬器 閉鎖式のもの その他のもの	 10 5	（耐通2-5-4参照）
ロール	工具	ロール 金属圧延用のもの なっ染ロール 粉砕ロール 混練ロール	 4 3 3 3	移送用ロールは「機械装置」に該当する。 鉄鋼圧延ロール、非鉄金属圧延ロールがこれに該当する。

資産の名称	種類	構造又は用途及び細目	耐用年数	備考
		その他のロール	3	製粉ロール、製麦ロール、火薬製造ロール、塗料製造ロール、ゴム製品製造ロール、菓子製造ロール、製紙ロール等がこれに該当する（耐通2-6-2参照）。
ログローダ	機械装置	「30」総合工事業用設備など	6	（耐通2-5-5参照）
ロッカー	器具備品	「1」キャビネット 主として金属製のもの その他のもの	 15 8	コインロッカーは「11前掲のもの以外のもの」の「その他のもの」の「主として金属製のもの」(10年）に該当する（耐通2-7-18参照）。
ロックビット	工具	前掲のもの以外のもの その他のもの	 3	
ロボット	器具備品 〃 機械装置 〃	「5」その他のもの 主として金属製のもの 「11」その他のもの 主として金属製のもの （「設備の種類」別の耐用年数による。） 「18」生産用機械器具製造業用設備 その他の設備	 10 10 12	（**【問３－83】**参照） 宣伝用として使用するもの 商品の運搬等に使用するもの （耐通1-4-2参照） ロボット製造業者が、性能等を宣伝するために使用するもの
路面清掃車	車両運搬具	特殊自動車 モータースィーパー	 4	
録音テープ	器具備品	「11」磁気テープ	2	
録画テープ	器具備品	「11」磁気テープ	2	
ワードプロセッサー	器具備品	「2」その他の事務機器	5	

参考資料

別表第二　機械及び装置の耐用年数表

（新旧資産区分の耐用年数対照表）

新旧資産区分の耐用年数対照表

改正前の資産区分			改正後の資産区分		
番号	設備の種類及び細目	耐用年数	番号	設備の種類及び細目	耐用年数
1	食肉又は食鳥処理加工設備	9	1	食料品製造業用設備	10
			42	飲食料品卸売業用設備	10
			44	飲食料品小売業用設備	9
			54	その他のサービス業用設備	12
2	鶏卵処理加工又はマヨネーズ製造設備	8	1	食料品製造業用設備	10
3	市乳処理設備及び発酵乳、乳酸菌飲料その他の乳製品製造設備（集乳設備を含む。）	9	1	食料品製造業用設備	10
4	水産練製品、つくだ煮、寒天その他の水産食料品製造設備	8	1	食料品製造業用設備	10
5	つけ物製造設備	7	1	食料品製造業用設備	10
6	トマト加工品製造設備	8	1	食料品製造業用設備	10
7	その他の果実又はそ菜処理加工設備 むろ内用バナナ熟成装置 その他の設備	 6 9	1	食料品製造業用設備	10
			42	飲食料品卸売業用設備	10
8	かん詰又はびん詰製造設備	8	1	食料品製造業用設備	10
9	化学調味料製造設備	7	1	食料品製造業用設備	10
10	味そ又はしよう油（だしの素類を含む。）製造設備 コンクリート製仕込そう その他の設備	 25 9	1	食料品製造業用設備	10
10の2	食酢又はソース製造設備	8	1	食料品製造業用設備	10
11	その他の調味料製造設備	9	1	食料品製造業用設備	10
12	精穀設備	10	1	食料品製造業用設備	10
			42	飲食料品卸売業用設備	10
13	小麦粉製造設備	13	1	食料品製造業用設備	10
14	豆腐類、こんにやく又は食ふ製造設備	8	1	食料品製造業用設備	10
15	その他の豆類処理加工設備	9	1	食料品製造業用設備	10

新旧資産区分の耐用年数対照表

改正前の資産区分			改正後の資産区分		
番号	設備の種類及び細目	耐用年数	番号	設備の種類及び細目	耐用年数
			2	飲料、たばこ又は飼料製造業用設備	10
			42	飲食料品卸売業用設備	10
16	コーンスターチ製造設備	10	1	食料品製造業用設備	10
17	その他の農産物加工設備 粗製でん粉貯そう その他の設備	 25 12	1	食料品製造業用設備	10
18	マカロニ類又は即席めん類製造設備	9	1	食料品製造業用設備	10
19	その他の乾めん、生めん又は強化米製造設備	10	1	食料品製造業用設備	10
20	砂糖製造設備	10	1	食料品製造業用設備	10
21	砂糖精製設備	13	1	食料品製造業用設備	10
22	水あめ、ぶどう糖又はカラメル製造設備	10	1	食料品製造業用設備	10
23	パン又は菓子類製造設備	9	1	食料品製造業用設備	10
24	荒茶製造設備	8	2	飲料、たばこ又は飼料製造業用設備	10
25	再製茶製造設備	10	2	飲料、たばこ又は飼料製造業用設備	10
26	清涼飲料製造設備	10	2	飲料、たばこ又は飼料製造業用設備	10
27	ビール又は発酵法による発ぽう酒製造設備	14	2	飲料、たばこ又は飼料製造業用設備	10
28	清酒、みりん又は果実酒製造設備	12	2	飲料、たばこ又は飼料製造業用設備	10
29	その他の酒類製造設備	10	2	飲料、たばこ又は飼料製造業用設備	10
30	その他の飲料製造設備	12	1	食料品製造業用設備	10
			2	飲料、たばこ又は飼料製造業用設備	10

新旧資産区分の耐用年数対照表

改正前の資産区分			改正後の資産区分		
番号	設備の種類及び細目	耐用年数	番号	設備の種類及び細目	耐用年数
31	酵母、酵素、種菌、麦芽又はこうじ製造設備(医薬用のものを除く。)	9	1	食料品製造業用設備	10
32	動植物油脂製造又は精製設備（マーガリン又はリンター製造設備を含む。）	12	1	食料品製造業用設備	10
33	冷凍、製氷又は冷蔵業用設備 結氷かん及び凍結さら その他の設備	 3 13	2	飲料、たばこ又は飼料製造業用設備	10
			40	倉庫業用設備	12
34	発酵飼料又は酵母飼料製造設備	9	2	飲料、たばこ又は飼料製造業用設備	10
35	その他の飼料製造設備	10	2	飲料、たばこ又は飼料製造業用設備	10
36	その他の食料品製造設備	16	1	食料品製造業用設備	10
36の2	たばこ製造設備	8	2	飲料、たばこ又は飼料製造業用設備	10
37	生糸製造設備 自動繰糸機 その他の設備	 7 10	3	繊維工業用設備 その他の設備	 7
38	繭乾燥業用設備	13	3	繊維工業用設備 その他の設備	 7
39	紡績設備	10	3	繊維工業用設備 その他の設備	 7
42	合成繊維かさ高加工糸製造設備	8	3	繊維工業用設備 その他の設備	 7
43	ねん糸業用又は糸（前号に掲げるものを除く。）製造業用設備	11	3	繊維工業用設備 その他の設備	 7
44	織物設備	10	3	繊維工業用設備 その他の設備	 7
45	メリヤス生地、編み手袋又はくつ下製造設備	10	3	繊維工業用設備 その他の設備	 7
46	染色整理又は仕上設備 圧縮用電極板 その他の設備	 3 7	3	繊維工業用設備 その他の設備	 7

改正前の資産区分			改正後の資産区分		
番号	設備の種類及び細目	耐用年数	番号	設備の種類及び細目	耐用年数
48	洗毛、化炭、羊毛トップ、ラップペニー、反毛、製綿又は再生綿業用設備	10	3	繊維工業用設備 その他の設備	7
			50	その他の生活関連サービス業用設備	6
49	整経又はサイジング業用設備	10	3	繊維工業用設備 その他の設備	7
50	不織布製造設備	9	3	繊維工業用設備 その他の設備	7
51	フエルト又はフエルト製品製造設備	10	3	繊維工業用設備 その他の設備	7
52	綱、網又はひも製造設備	10	3	繊維工業用設備 その他の設備	7
53	レース製造設備 ラッセルレース機 その他の設備	 12 14	3	繊維工業用設備 その他の設備	7
54	塗装布製造設備	14	3	繊維工業用設備 その他の設備	7
55	繊維製又は紙製衛生材料製造設備	9	3	繊維工業用設備 その他の設備	7
			6	パルプ、紙又は紙加工品製造業用設備	12
56	縫製品製造業用設備	7	3	繊維工業用設備 その他の設備	7
			23	輸送用機械器具製造業用設備	9
57	その他の繊維製品製造設備	15	3	繊維工業用設備 その他の設備	7
58	可搬式造林、伐木又は搬出設備 動力伐採機 その他の設備	 3 6	26	林業用設備	5
59	製材業用設備 製材用自動送材装置 その他の設備	 8 12	4	木材又は木製品（家具を除く。）製造業用設備	8

新旧資産区分の耐用年数対照表

改正前の資産区分			改正後の資産区分		
番号	設備の種類及び細目	耐用年数	番号	設備の種類及び細目	耐用年数
60	チップ製造業用設備	8	4	木材又は木製品（家具を除く。）製造業用設備	8
61	単板又は合板製造設備	9	4	木材又は木製品（家具を除く。）製造業用設備	8
62	その他の木製品製造設備	10	4	木材又は木製品（家具を除く。）製造業用設備	8
			5	家具又は装備品製造業用設備	11
			24	その他の製造業用設備	9
63	木材防腐処理設備	13	4	木材又は木製品（家具を除く。）製造業用設備	8
64	パルプ製造設備	12	6	パルプ、紙又は紙加工品製造業用設備	12
65	手すき和紙製造設備	7	6	パルプ、紙又は紙加工品製造業用設備	12
66	丸網式又は短網式製紙設備	12	6	パルプ、紙又は紙加工品製造業用設備	12
67	長網式製紙設備	14	6	パルプ、紙又は紙加工品製造業用設備	12
68	ヴァルカナイズドファイバー又は加工紙製造設備	12	6	パルプ、紙又は紙加工品製造業用設備	12
69	段ボール、段ボール箱又は板紙製容器製造設備	12	6	パルプ、紙又は紙加工品製造業用設備	12
70	その他の紙製品製造設備	10	6	パルプ、紙又は紙加工品製造業用設備	12
71	枚葉紙樹脂加工設備	9	7	印刷業又は印刷関連業用設備 その他の設備	10
72	セロハン製造設備	9	6	パルプ、紙又は紙加工品製造業用設備	12
73	繊維板製造設備	13	6	パルプ、紙又は紙加工品製造業用設備	12

新旧資産区分の耐用年数対照表

改正前の資産区分			改正後の資産区分		
番号	設備の種類及び細目	耐用年数	番号	設備の種類及び細目	耐用年数
74	日刊新聞紙印刷設備 モノタイプ、写真又は通信設備 その他の設備	 5 11	7	印刷業又は印刷関連業用設備 新聞業用設備 モノタイプ、写真又は通信設備 その他の設備	 3 10
75	印刷設備	10	7	印刷業又は印刷関連業用設備 デジタル印刷システム設備 その他の設備	 4 10
76	活字鋳造業用設備	11	7	印刷業又は印刷関連業用設備 その他の設備	 10
77	金属板その他の特殊物印刷設備	11	7	印刷業又は印刷関連業用設備 その他の設備	 10
78	製本設備	10	7	印刷業又は印刷関連業用設備 製本業用設備	 7
79	写真製版業用設備	7	7	印刷業又は印刷関連業用設備 デジタル印刷システム設備	 4
80	複写業用設備	6	7	印刷業又は印刷関連業用設備 その他の設備	 10
81	アンモニア製造設備	9	8	化学工業用設備 その他の設備	 8
82	硫酸又は硝酸製造設備	8	8	化学工業用設備 その他の設備	 8
83	溶成りん肥製造設備	8	8	化学工業用設備 その他の設備	 8
84	その他の化学肥料製造設備	10	8	化学工業用設備 その他の設備	 8
85	配合肥料その他の肥料製造設備	13	2	飲料、たばこ又は飼料製造業用設備	10
86	ソーダ灰、塩化アンモニウム、か性ソーダ又はか性カリ製造設備（塩素処理設備を含む。）	7	8	化学工業用設備 その他の設備	 8
87	硫化ソーダ、水硫化ソーダ、無水ぼう硝、青化ソーダ又は過酸化ソーダ製造設備	7	8	化学工業用設備 その他の設備	 8

改正前の資産区分			改正後の資産区分		
番号	設備の種類及び細目	耐用年数	番号	設備の種類及び細目	耐用年数
88	その他のソーダ塩又はカリ塩（第97号（塩素酸塩を除く。）、第98号及び第106号に掲げるものを除く。）製造設備	9	8	化学工業用設備 その他の設備	8
89	金属ソーダ製造設備	10	8	化学工業用設備 その他の設備	8
90	アンモニウム塩（硫酸アンモニウム及び塩化アンモニウムを除く。）製造設備	9	8	化学工業用設備 その他の設備	8
91	炭酸マグネシウム製造設備	7	8	化学工業用設備 その他の設備	8
92	苦汁製品又はその誘導体製造設備	8	8	化学工業用設備 その他の設備	8
93	軽質炭酸カルシウム製造設備	8	8	化学工業用設備 その他の設備	8
94	カーバイド製造設備（電極製造設備を除く。）	9	8	化学工業用設備 その他の設備	8
95	硫酸鉄製造設備	7	8	化学工業用設備 その他の設備	8
96	その他の硫酸塩又は亜硫酸塩製造設備(他の号に掲げるものを除く。)	9	8	化学工業用設備 その他の設備	8
97	臭素、よう素又は塩素、臭素若しくはよう素化合物製造設備 よう素用坑井設備 その他の設備	 3 7	8	化学工業用設備 臭素、よう素又は塩素、臭素若しくはよう素化合物製造設備	5
98	ふつ酸その他のふつ素化合物製造設備	6	8	化学工業用設備 その他の設備	8
99	塩化りん製造設備	5	8	化学工業用設備 塩化りん製造設備	4
100	りん酸又は硫化りん製造設備	7	8	化学工業用設備 その他の設備	8
101	りん又はりん化合物製造設備（他の号に掲げるものを除く。）	10	8	化学工業用設備 その他の設備	8

新旧資産区分の耐用年数対照表

改正前の資産区分			改正後の資産区分		
番号	設備の種類及び細目	耐用年数	番号	設備の種類及び細目	耐用年数
102	べんがら製造設備	6	8	化学工業用設備 その他の設備	8
103	鉛丹、リサージ又は亜鉛華製造設備	11	8	化学工業用設備 その他の設備	8
104	酸化チタン、リトポン又はバリウム塩製造設備	9	8	化学工業用設備 その他の設備	8
105	無水クロム酸製造設備	7	8	化学工業用設備 その他の設備	8
106	その他のクロム化合物製造設備	9	8	化学工業用設備 その他の設備	8
107	二酸化マンガン製造設備	8	8	化学工業用設備 その他の設備	8
108	ほう酸その他のほう素化合物製造設備(他の号に掲げるものを除く。)	10	8	化学工業用設備 その他の設備	8
109	青酸製造設備	8	8	化学工業用設備 その他の設備	8
110	硝酸銀製造設備	7	8	化学工業用設備 その他の設備	8
111	二硫化炭素製造設備	8	8	化学工業用設備 その他の設備	8
112	過酸化水素製造設備	10	8	化学工業用設備 その他の設備	8
113	ヒドラジン製造設備	7	8	化学工業用設備 その他の設備	8
114	酸素、水素、二酸化炭素又は溶解アセチレン製造設備	10	8	化学工業用設備 その他の設備	8
115	加圧式又は真空式製塩設備	10	8	化学工業用設備 その他の設備	8
116	その他のかん水若しくは塩製造又は食塩加工設備 合成樹脂製濃縮盤及びイオン交換膜 その他の設備	 3 7	8	化学工業用設備 その他の設備	8

新旧資産区分の耐用年数対照表

改正前の資産区分			改正後の資産区分		
番号	設備の種類及び細目	耐用年数	番号	設備の種類及び細目	耐用年数
117	活性炭製造設備	6	8	化学工業用設備 活性炭製造設備	5
118	その他の無機化学薬品製造設備	12	8	化学工業用設備 その他の設備	8
119	石炭ガス、オイルガス又は石油を原料とする芳香族その他の化合物分離精製設備	8	8	化学工業用設備 その他の設備	8
120	染料中間体製造設備	7	8	化学工業用設備 その他の設備	8
121	アルキルベンゾール又はアルキルフェノール製造設備	8	8	化学工業用設備 その他の設備	8
122	カプロラクタム、シクロヘキサノン又はテレフタル酸（テレフタル酸ジメチルを含む。）製造設備	7	8	化学工業用設備 その他の設備	8
123	イソシアネート類製造設備	7	8	化学工業用設備 その他の設備	8
124	炭化水素の塩化物、臭化物又はふつ化物製造設備	7	8	化学工業用設備 その他の設備	8
125	メタノール、エタノール又はその誘導体製造設備（他の号に掲げるものを除く。）	9	8	化学工業用設備 その他の設備	8
126	その他のアルコール又はケトン製造設備	8	8	化学工業用設備 その他の設備	8
127	アセトアルデヒド又は酢酸製造設備	7	8	化学工業用設備 その他の設備	8
128	シクロヘキシルアミン製造設備	7	8	化学工業用設備 その他の設備	8
129	アミン又はメラミン製造設備	8	8	化学工業用設備 その他の設備	8
130	ぎ酸、しゆう酸、乳酸、酒石酸（酒石酸塩類を含む。）、こはく酸、くえん酸、タンニン酸又は没食子酸製造設備	8	8	化学工業用設備 その他の設備	8

新旧資産区分の耐用年数対照表

改正前の資産区分			改正後の資産区分		
番号	設備の種類及び細目	耐用年数	番号	設備の種類及び細目	耐用年数
131	石油又は天然ガスを原料とするエチレン、プロピレン、ブチレン、ブタジエン又はアセチレン製造設備	9	8	化学工業用設備 その他の設備	8
132	ビニールエーテル製造設備	8	8	化学工業用設備 その他の設備	8
133	アクリルニトリル又はアクリル酸エステル製造設備	7	8	化学工業用設備 その他の設備	8
134	エチレンオキサイド、エチレングリコール、プロピレンオキサイド、プロピレングリコール、ポリエチレングリコール又はポリプロピレングリコール製造設備	8	8	化学工業用設備 その他の設備	8
135	スチレンモノマー製造設備	9	8	化学工業用設備 その他の設備	8
136	その他オレフィン系又はアセチレン系誘導体製造設備（他の号に掲げるものを除く。）	8	8	化学工業用設備 その他の設備	8
137	アルギン酸塩製造設備	10	8	化学工業用設備 その他の設備	8
138	フルフラル製造設備	11	8	化学工業用設備 その他の設備	8
139	セルロイド又は硝化綿製造設備	10	8	化学工業用設備 その他の設備	8
140	酢酸繊維素製造設備	8	8	化学工業用設備 その他の設備	8
141	繊維素グリコール酸ソーダ製造設備	10	8	化学工業用設備 その他の設備	8
142	その他の有機薬品製造設備	12	8	化学工業用設備 その他の設備	8

新旧資産区分の耐用年数対照表

改正前の資産区分			改正後の資産区分		
番号	設備の種類及び細目	耐用年数	番号	設備の種類及び細目	耐用年数
143	塩化ビニリデン系樹脂、酢酸ビニール系樹脂、ナイロン樹脂、ポリエチレンテレフタレート系樹脂、ふつ素樹脂又はけい素樹脂製造設備	7	8	化学工業用設備 その他の設備	8
144	ポリエチレン、ポリプロピレン又はポリブテン製造設備	8	8	化学工業用設備 その他の設備	8
145	尿素系、メラミン系又は石炭酸系合成樹脂製造設備	9	8	化学工業用設備 その他の設備	8
146	その他の合成樹脂又は合成ゴム製造設備	8	8	化学工業用設備 その他の設備	8
147	レーヨン糸又はレーヨンステープル製造設備	9	3	繊維工業用設備 その他の設備	7
148	酢酸繊維製造設備	8	3	繊維工業用設備 その他の設備	7
149	合成繊維製造設備	7	3	繊維工業用設備 その他の設備	7
150	石けん製造設備	9	8	化学工業用設備 その他の設備	8
151	硬化油、脂肪酸又はグリセリン製造設備	9	8	化学工業用設備 その他の設備	8
152	合成洗剤又は界面活性剤製造設備	7	8	化学工業用設備 その他の設備	8
153	ビタミン剤製造設備	6	8	化学工業用設備 その他の設備	8
154	その他の医薬品製造設備（製剤又は小分包装設備を含む。）	7	8	化学工業用設備 その他の設備	8
155	殺菌剤、殺虫剤、殺そ剤、除草剤その他の動植物用製剤製造設備	8	8	化学工業用設備 その他の設備	8
156	産業用火薬類（花火を含む。）製造設備	7	8	化学工業用設備 その他の設備	8
			24	その他の製造業用設備	9

改正前の資産区分			改正後の資産区分		
番号	設備の種類及び細目	耐用年数	番号	設備の種類及び細目	耐用年数
157	その他の火薬類製造設備（弾薬装てん又は組立設備を含む。）	6	8	化学工業用設備 その他の設備	8
			19	業務用機械器具（業務用又はサービスの生産の用に供されるもの（これらのものであつて物の生産の用に供されるものを含む。）をいう。）製造業用設備（第17号、第21号及び第23号に掲げるものを除く。）	7
158	塗料又は印刷インキ製造設備	9	8	化学工業用設備 その他の設備	8
159	その他のインキ製造設備	13	8	化学工業用設備 その他の設備	8
160	染料又は顔料製造設備（他の号に掲げるものを除く。）	7	8	化学工業用設備 その他の設備	8
161	抜染剤又は漂白剤製造設備（他の号に掲げるものを除く。）	7	8	化学工業用設備 その他の設備	8
162	試薬製造設備	7	8	化学工業用設備 その他の設備	8
163	合成樹脂用可塑剤製造設備	8	8	化学工業用設備 その他の設備	8
164	合成樹脂用安定剤製造設備	7	8	化学工業用設備 その他の設備	8
165	有機ゴム薬品、写真薬品又は人造香料製造設備	8	8	化学工業用設備 その他の設備	8
166	つや出し剤、研摩油剤又は乳化油剤製造設備	11	8	化学工業用設備 その他の設備	8
167	接着剤製造設備	9	8	化学工業用設備 その他の設備	8
168	トール油精製設備	7	8	化学工業用設備 その他の設備	8
169	りゆう脳又はしよう脳製造設備	9	8	化学工業用設備 その他の設備	8

新旧資産区分の耐用年数対照表

改正前の資産区分			改正後の資産区分		
番号	設備の種類及び細目	耐用年数	番号	設備の種類及び細目	耐用年数
170	化粧品製造設備	9	8	化学工業用設備 その他の設備	8
171	ゼラチン又はにかわ製造設備	6	8	化学工業用設備 ゼラチン又はにかわ製造設備	5
172	写真フイルムその他の写真感光材料（銀塩を使用するものに限る。）製造設備（他の号に掲げるものを除く。）	8	8	化学工業用設備 その他の設備	8
173	半導体用フォトレジスト製造設備	5	8	化学工業用設備 半導体用フォトレジスト製造設備	5
174	磁気テープ製造設備	6	20	電子部品、デバイス又は電子回路製造業用設備 その他の設備	8
175	化工でん粉製造設備	10	8	化学工業用設備 その他の設備	8
176	活性白土又はシリカゲル製造設備	10	8	化学工業用設備 その他の設備	8
177	選鉱剤製造設備	9	8	化学工業用設備 その他の設備	8
178	電気絶縁材料（マイカ系を含む。）製造設備	12	8	化学工業用設備 その他の設備	8
179	カーボンブラック製造設備	8	8	化学工業用設備 その他の設備	8
180	その他の化学工業製品製造設備	13	8	化学工業用設備 その他の設備	8
181	石油精製設備（廃油再生又はグリース類製造設備を含む。）	8	9	石油製品又は石炭製品製造業用設備	7
182	アスファルト乳剤その他のアスファルト製品製造設備	14	9	石油製品又は石炭製品製造業用設備	7
183	ピッチコークス製造設備	7	9	石油製品又は石炭製品製造業用設備	7

新旧資産区分の耐用年数対照表

<table>
<tr><th colspan="3">改正前の資産区分</th><th colspan="3">改正後の資産区分</th></tr>
<tr><th>番号</th><th>設備の種類及び細目</th><th>耐用年数</th><th>番号</th><th>設備の種類及び細目</th><th>耐用年数</th></tr>
<tr><td rowspan="2">184</td><td rowspan="2">練炭、豆炭類、オガライト（オガタンを含む。）又は炭素粉末製造設備</td><td rowspan="2">8</td><td>9</td><td>石油製品又は石炭製品製造業用設備</td><td>7</td></tr>
<tr><td>24</td><td>その他の製造業用設備</td><td>9</td></tr>
<tr><td>185</td><td>その他の石油又は石炭製品製造設備</td><td>14</td><td>9</td><td>石油製品又は石炭製品製造業用設備</td><td>7</td></tr>
<tr><td>186</td><td>タイヤ又はチューブ製造設備</td><td>10</td><td>11</td><td>ゴム製品製造業用設備</td><td>9</td></tr>
<tr><td>187</td><td>再生ゴム製造設備</td><td>10</td><td>11</td><td>ゴム製品製造業用設備</td><td>9</td></tr>
<tr><td>188</td><td>フォームラバー製造設備</td><td>10</td><td>11</td><td>ゴム製品製造業用設備</td><td>9</td></tr>
<tr><td>189</td><td>糸ゴム製造設備</td><td>9</td><td>11</td><td>ゴム製品製造業用設備</td><td>9</td></tr>
<tr><td>190</td><td>その他のゴム製品製造設備</td><td>10</td><td>11</td><td>ゴム製品製造業用設備</td><td>9</td></tr>
<tr><td>191</td><td>製革設備</td><td>9</td><td>12</td><td>なめし革、なめし革製品又は毛皮製造業用設備</td><td>9</td></tr>
<tr><td rowspan="2">192</td><td rowspan="2">機械ぐつ製造設備</td><td rowspan="2">8</td><td>11</td><td>ゴム製品製造業用設備</td><td>9</td></tr>
<tr><td>12</td><td>なめし革、なめし革製品又は毛皮製造業用設備</td><td>9</td></tr>
<tr><td>193</td><td>その他の革製品製造設備</td><td>11</td><td>12</td><td>なめし革、なめし革製品又は毛皮製造業用設備</td><td>9</td></tr>
<tr><td>194</td><td>板ガラス製造設備（みがき設備を含む。）
溶解炉
その他の設備</td><td>
14
14</td><td>13</td><td>窯業又は土石製品製造業用設備</td><td>9</td></tr>
<tr><td rowspan="2">195</td><td rowspan="2">その他のガラス製品製造設備（光学ガラス製造設備を含む。）
るつぼ炉及びデータンク炉
溶解炉
その他の設備</td><td rowspan="2">
3
13
9</td><td>13</td><td>窯業又は土石製品製造業用設備</td><td>9</td></tr>
<tr><td>24</td><td>その他の製造業用設備</td><td>9</td></tr>
<tr><td>196</td><td>陶磁器、粘土製品、耐火物、けいそう土製品、はい土又はうわ薬製造設備
倒炎がま　塩融式のもの
倒炎がま　その他のもの
トンネルがま
その他の炉
その他の設備</td><td>
3
5
7
8
12</td><td>13</td><td>窯業又は土石製品製造業用設備</td><td>9</td></tr>
</table>

新旧資産区分の耐用年数対照表

改正前の資産区分			改正後の資産区分		
番号	設備の種類及び細目	耐用年数	番号	設備の種類及び細目	耐用年数
197	炭素繊維製造設備		3	繊維工業用設備 炭素繊維製造設備	
	黒鉛化炉	4		黒鉛化炉	3
	その他の設備	10		その他の設備	7
197の2	その他の炭素製品製造設備		8	化学工業用設備	
	黒鉛化炉	4		その他の設備	8
	その他の設備	12			
			13	窯業又は土石製品製造業用設備	9
198	人造研削材製造設備		13	窯業又は土石製品製造業用設備	9
	溶解炉	5			
	その他の設備	9			
199	研削と石又は研摩布紙製造設備		13	窯業又は土石製品製造業用設備	9
	加硫炉	8			
	トンネルがま	7			
	その他の焼成炉	5			
	その他の設備	10			
200	セメント製造設備	13	13	窯業又は土石製品製造業用設備	9
201	生コンクリート製造設備	9	13	窯業又は土石製品製造業用設備	9
202	セメント製品（気ほうコンクリート製品を含む。）製造設備		13	窯業又は土石製品製造業用設備	9
	移動式製造又は架設設備及び振動加圧式成形設備	7			
	その他の設備	12			
204	石灰又は苦石灰製造設備	8	13	窯業又は土石製品製造業用設備	9
205	石こうボード製造設備		13	窯業又は土石製品製造業用設備	9
	焼成炉	5			
	その他の設備	12			
206	ほうろう鉄器製造設備		13	窯業又は土石製品製造業用設備	9
	るつぼ炉	3			
	その他の炉	7			
	その他の設備	12			

改正前の資産区分			改正後の資産区分		
番号	設備の種類及び細目	耐用年数	番号	設備の種類及び細目	耐用年数
207	石綿又は石綿セメント製品製造設備	12	13	窯業又は土石製品製造業用設備	9
208	岩綿（鉱さい繊維を含む。）又は岩綿製品製造設備	12	13	窯業又は土石製品製造業用設備	9
209	石工品又は擬石製造設備	12	5	家具又は装備品製造業用設備	11
			13	窯業又は土石製品製造業用設備	9
210	その他の窯業製品又は土石製品製造設備		13	窯業又は土石製品製造業用設備	9
	トンネルがま	12			
	その他の炉	10			
	その他の設備	5			
211	製銑設備	14	14	鉄鋼業用設備	
				その他の設備	14
212	純鉄又は合金鉄製造設備	10	14	鉄鋼業用設備	
				純鉄、原鉄、ベースメタル、フェロアロイ、鉄素形材又は鋳鉄管製造業用設備	9
213	製鋼設備	14	14	鉄鋼業用設備	
				その他の設備	14
214	連続式鋳造鋼片製造設備	12	14	鉄鋼業用設備	
				その他の設備	14
215	鉄鋼熱間圧延設備	14	14	鉄鋼業用設備	
				その他の設備	14
216	鉄鋼冷間圧延又は鉄鋼冷間成形設備	14	14	鉄鋼業用設備	
				その他の設備	14
217	鋼管製造設備	14	14	鉄鋼業用設備	
				その他の設備	14
218	鉄鋼伸線（引き抜きを含む。）設備及び鉄鋼卸売業用シャーリング設備並びに伸鉄又はシャーリング業用設備	11	14	鉄鋼業用設備	
				その他の設備	14
			15	非鉄金属製造業用設備	
				その他の設備	7
			43	建築材料、鉱物又は金属材料等卸売業用設備	
				その他の設備	8

新旧資産区分の耐用年数対照表

改正前の資産区分			改正後の資産区分		
番号	設備の種類及び細目	耐用年数	番号	設備の種類及び細目	耐用年数
218の2	鉄くず処理業用設備	7	14	鉄鋼業用設備 表面処理鋼材若しくは鉄粉製造業又は鉄スクラップ加工処理業用設備	5
			43	建築材料、鉱物又は金属材料等卸売業用設備 その他の設備	8
219	鉄鋼鍛造業用設備	12	14	鉄鋼業用設備 純鉄、原鉄、ベースメタル、フェロアロイ、鉄素形材又は鋳鉄管製造業用設備	9
220	鋼鋳物又は銑鉄鋳物製造業用設備	10	14	鉄鋼業用設備 純鉄、原鉄、ベースメタル、フェロアロイ、鉄素形材又は鋳鉄管製造業用設備	9
221	金属熱処理業用設備	10	16	金属製品製造業用設備 その他の設備	10
222	その他の鉄鋼業用設備	15	14	鉄鋼業用設備 その他の設備	14
223	銅、鉛又は亜鉛製錬設備	9	15	非鉄金属製造業用設備 その他の設備	7
224	アルミニウム製錬設備	12	15	非鉄金属製造業用設備 その他の設備	7
225	ベリリウム銅母合金、マグネシウム、チタニウム、ジルコニウム、タンタル、クロム、マンガン、シリコン、ゲルマニウム又は希土類金属製錬設備	7	15	非鉄金属製造業用設備 その他の設備	7
226	ニッケル、タングステン又はモリブデン製錬設備	10	15	非鉄金属製造業用設備 その他の設備	7
227	その他の非鉄金属製錬設備	12	15	非鉄金属製造業用設備 その他の設備	7
228	チタニウム造塊設備	10	15	非鉄金属製造業用設備 その他の設備	7

新旧資産区分の耐用年数対照表

改正前の資産区分			改正後の資産区分		
番号	設備の種類及び細目	耐用年数	番号	設備の種類及び細目	耐用年数
229	非鉄金属圧延、押出又は伸線設備	12	15	非鉄金属製造業用設備 その他の設備	7
230	非鉄金属鋳物製造業用設備 ダイカスト設備 その他の設備	 8 10	15	非鉄金属製造業用設備 その他の設備	7
231	電線又はケーブル製造設備	10	15	非鉄金属製造業用設備 その他の設備	7
231の2	光ファイバー製造設備	8	15	非鉄金属製造業用設備 その他の設備	7
232	金属粉末又ははく（圧延によるものを除く。）製造設備	8	14	鉄鋼業用設備 表面処理鋼材若しくは鉄粉製造業又は鉄スクラップ加工処理業用設備	5
			15	非鉄金属製造業用設備 その他の設備	7
			16	金属製品製造業用設備 金属被覆及び彫刻業又は打はく及び金属製ネームプレート製造業用設備	6
233	粉末冶金製品製造設備	10	16	金属製品製造業用設備 その他の設備	10
234	鋼索製造設備	13	14	鉄鋼業用設備 その他の設備	14
			16	金属製品製造業用設備 その他の設備	10
235	鎖製造設備	12	16	金属製品製造業用設備 その他の設備	10
236	溶接棒製造設備	11	16	金属製品製造業用設備 その他の設備	10
237	くぎ、リベット又はスプリング製造業用設備	12	14	鉄鋼業用設備 その他の設備	14
			16	金属製品製造業用設備 その他の設備	10

改正前の資産区分			改正後の資産区分		
番号	設備の種類及び細目	耐用年数	番号	設備の種類及び細目	耐用年数
237の2	ねじ製造業用設備	10	16	金属製品製造業用設備 その他の設備	10
238	溶接金網製造設備	11	14	鉄鋼業用設備 その他の設備	14
			16	金属製品製造業用設備 その他の設備	10
239	その他の金網又は針金製品製造設備	14	16	金属製品製造業用設備 その他の設備	10
			24	その他の製造業用設備	9
240	縫針又はミシン針製造設備	13	24	その他の製造業用設備	9
241	押出しチューブ又は自動組立方式による金属かん製造設備	11	16	金属製品製造業用設備 その他の設備	10
242	その他の金属製容器製造設備	14	16	金属製品製造業用設備 その他の設備	10
243	電気錫めつき鉄板製造設備	12	14	鉄鋼業用設備 その他の設備	14
244	その他のめつき又はアルマイト加工設備	7	14	鉄鋼業用設備 表面処理鋼材若しくは鉄粉製造業又は鉄スクラップ加工処理業用設備	5
			16	金属製品製造業用設備 金属被覆及び彫刻業又は打はく及び金属製ネームプレート製造業用設備	6
245	金属塗装設備 脱脂又は洗浄設備及び水洗塗装装置 その他の設備	7 9	16	金属製品製造業用設備 金属被覆及び彫刻業又は打はく及び金属製ネームプレート製造業用設備	6
245の2	合成樹脂被覆、彫刻又はアルミニウムはくの加工設備 脱脂又は洗浄設備及び水洗塗装装置 その他の設備	7 11	14	鉄鋼業用設備 表面処理鋼材若しくは鉄粉製造業又は鉄スクラップ加工処理業用設備	5

新旧資産区分の耐用年数対照表

改正前の資産区分			改正後の資産区分		
番号	設備の種類及び細目	耐用年数	番号	設備の種類及び細目	耐用年数
			16	金属製品製造業用設備 金属被覆及び彫刻業又は打はく及び金属製ネームプレート製造業用設備	6
246	手工具又はのこぎり刃その他の刃物類（他の号に掲げるものを除く。）製造設備	12	16	金属製品製造業用設備 その他の設備	10
247	農業用機具製造設備	12	16	金属製品製造業用設備 その他の設備	10
248	金属製洋食器又はかみそり刃製造設備	11	16	金属製品製造業用設備 その他の設備	10
249	金属製家具若しくは建具又は建築金物製造設備 めつき又はアルマイト加工設備 溶接設備 その他の設備	 7 10 13	5	家具又は装備品製造業用設備	11
			16	金属製品製造業用設備 その他の設備	10
250	鋼製構造物製造設備	13	16	金属製品製造業用設備 その他の設備	10
251	プレス、打抜き、しぼり出しその他の金属加工品製造業用設備 めつき又はアルマイト加工設備 その他の設備	 7 12	16	金属製品製造業用設備 その他の設備	10
251の2	核燃料物質加工設備	11	15	非鉄金属製造業用設備 核燃料物質加工設備	11
252	その他の金属製品製造設備	15	15	非鉄金属製造業用設備 その他の設備	7
			16	金属製品製造業用設備 その他の設備	10

改正前の資産区分			改正後の資産区分		
番号	設備の種類及び細目	耐用年数	番号	設備の種類及び細目	耐用年数
			19	業務用機械器具（業務用又はサービスの生産の用に供されるもの（これらのものであつて物の生産の用に供されるものを含む。）をいう。）製造業用設備（第17号、第21号及び第23号に掲げるものを除く。）	7
			24	その他の製造業用設備	9
253	ボイラー製造設備	12	17	はん用機械器具（はん用性を有するもので、他の器具及び備品並びに機械及び装置に組み込み、又は取り付けることによりその用に供されるものをいう。）製造業用設備（第20号及び第22号に掲げるものを除く。）	12
254	エンジン、タービン又は水車製造設備	11	17	はん用機械器具（はん用性を有するもので、他の器具及び備品並びに機械及び装置に組み込み、又は取り付けることによりその用に供されるものをいう。）製造業用設備（第20号及び第22号に掲げるものを除く。）	12
			23	輸送用機械器具製造業用設備	9
255	農業用機械製造設備	12	18	生産用機械器具（物の生産の用に供されるものをいう。）製造業用設備（次号及び第21号に掲げるものを除く。） その他の設備	12
256	建設機械、鉱山機械又は原動機付車両（他の号に掲げるものを除く。）製造設備	11	18	生産用機械器具（物の生産の用に供されるものをいう。）製造業用設備（次号及び第21号に掲げるものを除く。） その他の設備	12

新旧資産区分の耐用年数対照表

改正前の資産区分			改正後の資産区分		
番号	設備の種類及び細目	耐用年数	番号	設備の種類及び細目	耐用年数
			19	業務用機械器具（業務用又はサービスの生産の用に供されるもの（これらのものであつて物の生産の用に供されるものを含む。）をいう。）製造業用設備（第17号、第21号及び第23号に掲げるものを除く。）	7
			23	輸送用機械器具製造業用設備	9
257	金属加工機械製造設備	10	18	生産用機械器具（物の生産の用に供されるものをいう。）製造業用設備（次号及び第21号に掲げるものを除く。） 金属加工機械製造設備	9
258	鋳造用機械、合成樹脂加工機械又は木材加工用機械製造設備	12	18	生産用機械器具（物の生産の用に供されるものをいう。）製造業用設備（次号及び第21号に掲げるものを除く。） その他の設備	12
259	機械工具、金型又は治具製造業用設備	10	16	金属製品製造業用設備 その他の設備	10
			17	はん用機械器具（はん用性を有するもので、他の器具及び備品並びに機械及び装置に組み込み、又は取り付けることによりその用に供されるものをいう。）製造業用設備（第20号及び第22号に掲げるものを除く。）	12
			18	生産用機械器具（物の生産の用に供されるものをいう。）製造業用設備（次号及び第21号に掲げるものを除く。） その他の設備	12

新旧資産区分の耐用年数対照表

改正前の資産区分			改正後の資産区分		
番号	設備の種類及び細目	耐用年数	番号	設備の種類及び細目	耐用年数
260	繊維機械（ミシンを含む。）又は同部分品若しくは附属品製造設備	12	18	生産用機械器具（物の生産の用に供されるものをいう。）製造業用設備（次号及び第21号に掲げるものを除く。） その他の設備	12
261	風水力機器、金属製弁又は遠心分離機製造設備	12	17	はん用機械器具（はん用性を有するもので、他の器具及び備品並びに機械及び装置に組み込み、又は取り付けることによりその用に供されるものをいう。）製造業用設備（第20号及び第22号に掲げるものを除く。）	12
			18	生産用機械器具（物の生産の用に供されるものをいう。）製造業用設備（次号及び第21号に掲げるものを除く。） その他の設備	12
261の2	冷凍機製造設備	11	17	はん用機械器具（はん用性を有するもので、他の器具及び備品並びに機械及び装置に組み込み、又は取り付けることによりその用に供されるものをいう。）製造業用設備（第20号及び第22号に掲げるものを除く。）	12
262	玉又はコロ軸受若しくは同部分品製造設備	10	17	はん用機械器具（はん用性を有するもので、他の器具及び備品並びに機械及び装置に組み込み、又は取り付けることによりその用に供されるものをいう。）製造業用設備（第20号及び第22号に掲げるものを除く。）	12

改正前の資産区分			改正後の資産区分		
番号	設備の種類及び細目	耐用年数	番号	設備の種類及び細目	耐用年数
263	歯車、油圧機器その他の動力伝達装置製造業用設備	10	17	はん用機械器具（はん用性を有するもので、他の器具及び備品並びに機械及び装置に組み込み、又は取り付けることによりその用に供されるものをいう。）製造業用設備（第20号及び第22号に掲げるものを除く。）	12
263の2	産業用ロボット製造設備	11	18	生産用機械器具（物の生産の用に供されるものをいう。）製造業用設備（次号及び第21号に掲げるものを除く。） その他の設備	12
264	その他の産業用機器又は部分品若しくは附属品製造設備	13	17	はん用機械器具（はん用性を有するもので、他の器具及び備品並びに機械及び装置に組み込み、又は取り付けることによりその用に供されるものをいう。）製造業用設備（第20号及び第22号に掲げるものを除く。）	12
			18	生産用機械器具（物の生産の用に供されるものをいう。）製造業用設備（次号及び第21号に掲げるものを除く。） その他の設備	12
265	事務用機器製造設備	11	19	業務用機械器具（業務用又はサービスの生産の用に供されるもの（これらのものであつて物の生産の用に供されるものを含む。）をいう。）製造業用設備（第17号、第21号及び第23号に掲げるものを除く。）	7
			24	その他の製造業用設備	9
266	食品用、暖ちゆう房用、家庭用又はサービス用機器（電気機器を除く。）製造設備	13	16	金属製品製造業用設備 その他の設備	10

新旧資産区分の耐用年数対照表

<table>
<tr><th colspan="3">改正前の資産区分</th><th colspan="3">改正後の資産区分</th></tr>
<tr><th>番号</th><th>設備の種類及び細目</th><th>耐用年数</th><th>番号</th><th>設備の種類及び細目</th><th>耐用年数</th></tr>
<tr><td rowspan="2"></td><td rowspan="2"></td><td rowspan="2"></td><td>18</td><td>生産用機械器具（物の生産の用に供されるものをいう。）製造業用設備（次号及び第21号に掲げるものを除く。）
その他の設備</td><td>12</td></tr>
<tr><td>19</td><td>業務用機械器具（業務用又はサービスの生産の用に供されるもの（これらのものであつて物の生産の用に供されるものを含む。）をいう。）製造業用設備（第17号、第21号及び第23号に掲げるものを除く。）</td><td>7</td></tr>
<tr><td>267</td><td>産業用又は民生用電気機器製造設備</td><td>11</td><td>21</td><td>電気機械器具製造業用設備</td><td>7</td></tr>
<tr><td rowspan="3">268</td><td rowspan="3">電気計測器、電気通信用機器、電子応用機器又は同部分品（他の号に掲げるものを除く。）製造設備</td><td rowspan="3">10</td><td>20</td><td>電子部品、デバイス又は電子回路製造業用設備
その他の設備</td><td>8</td></tr>
<tr><td>21</td><td>電気機械器具製造業用設備</td><td>7</td></tr>
<tr><td>22</td><td>情報通信機械器具製造業用設備</td><td>8</td></tr>
<tr><td rowspan="2">268の2</td><td rowspan="2">フラットパネルディスプレイ又はフラットパネル用フィルム材料製造設備</td><td rowspan="2">5</td><td>8</td><td>化学工業用設備
フラットパネル用カラーフィルター、偏光板又は偏光板用フィルム製造設備</td><td>5</td></tr>
<tr><td>20</td><td>電子部品、デバイス又は電子回路製造業用設備
フラットパネルディスプレイ、半導体集積回路又は半導体素子製造設備</td><td>5</td></tr>
<tr><td>268の3</td><td>光ディスク（追記型又は書換え型のものに限る。）製造設備</td><td>6</td><td>20</td><td>電子部品、デバイス又は電子回路製造業用設備
光ディスク（追記型又は書換え型のものに限る。）製造設備</td><td>6</td></tr>
<tr><td>269</td><td>交通信号保安機器製造設備</td><td>12</td><td>22</td><td>情報通信機械器具製造業用設備</td><td>8</td></tr>
</table>

新旧資産区分の耐用年数対照表

改正前の資産区分			改正後の資産区分		
番号	設備の種類及び細目	耐用年数	番号	設備の種類及び細目	耐用年数
270	電球、電子管又は放電燈製造設備	8	20	電子部品、デバイス又は電子回路製造業用設備 その他の設備	8
			21	電気機械器具製造業用設備	7
			24	その他の製造業用設備	9
271	半導体集積回路（素子数が五百以上のものに限る。）製造設備	5	20	電子部品、デバイス又は電子回路製造業用設備 フラットパネルディスプレイ、半導体集積回路又は半導体素子製造設備	5
271の2	その他の半導体素子製造設備	7	20	電子部品、デバイス又は電子回路製造業用設備 フラットパネルディスプレイ、半導体集積回路又は半導体素子製造設備	5
272	抵抗器又は蓄電器製造設備	9	20	電子部品、デバイス又は電子回路製造業用設備 その他の設備	8
			21	電気機械器具製造業用設備	7
272の2	プリント配線基板製造設備	6	20	電子部品、デバイス又は電子回路製造業用設備 プリント配線基板製造設備	6
272の3	フェライト製品製造設備	9	20	電子部品、デバイス又は電子回路製造業用設備 その他の設備	8
273	電気機器部分品製造設備	12	20	電子部品、デバイス又は電子回路製造業用設備 その他の設備	8
			21	電気機械器具製造業用設備	7
274	乾電池製造設備	9	21	電気機械器具製造業用設備	7
274の2	その他の電池製造設備	12	21	電気機械器具製造業用設備	7
275	自動車製造設備	10	23	輸送用機械器具製造業用設備	9
276	自動車車体製造又は架装設備	11	23	輸送用機械器具製造業用設備	9

新旧資産区分の耐用年数対照表

改正前の資産区分			改正後の資産区分		
番号	設備の種類及び細目	耐用年数	番号	設備の種類及び細目	耐用年数
277	鉄道車両又は同部分品製造設備	12	23	輸送用機械器具製造業用設備	9
278	車両用エンジン、同部分品又は車両用電装品製造設備（ミッション又はクラッチ製造設備を含む。）	10	17	はん用機械器具（はん用性を有するもので、他の器具及び備品並びに機械及び装置に組み込み、又は取り付けることによりその用に供されるものをいう。）製造業用設備（第20号及び第22号に掲げるものを除く。）	12
			21	電気機械器具製造業用設備	7
			23	輸送用機械器具製造業用設備	9
279	車両用ブレーキ製造設備	11	23	輸送用機械器具製造業用設備	9
280	その他の車両部分品又は附属品製造設備	12	16	金属製品製造業用設備 その他の設備	10
			19	業務用機械器具（業務用又はサービスの生産の用に供されるもの（これらのものであつて物の生産の用に供されるものを含む。）をいう。）製造業用設備（第17号、第21号及び第23号に掲げるものを除く。）	7
			23	輸送用機械器具製造業用設備	9
281	自転車又は同部分品若しくは附属品製造設備 めつき設備	7	23	輸送用機械器具製造業用設備	9
	その他の設備	12	24	その他の製造業用設備	9
282	鋼船製造又は修理設備	12	23	輸送用機械器具製造業用設備	9
283	木船製造又は修理設備	13	23	輸送用機械器具製造業用設備	9
284	舶用推進器、甲板機械又はハッチカバー製造設備 鋳造設備	10	23	輸送用機械器具製造業用設備	9
	その他の設備	12			

新旧資産区分の耐用年数対照表

改正前の資産区分			改正後の資産区分		
番号	設備の種類及び細目	耐用年数	番号	設備の種類及び細目	耐用年数
285	航空機若しくは同部分品（エンジン、機内空気加圧装置、回転機器、プロペラ、計器、降着装置又は油圧部品に限る。）製造又は修理設備	10	19	業務用機械器具（業務用又はサービスの生産の用に供されるもの（これらのものであつて物の生産の用に供されるものを含む。）をいう。）製造業用設備（第17号、第21号及び第23号に掲げるものを除く。）	7
			23	輸送用機械器具製造業用設備	9
286	その他の輸送用機器製造設備	13	17	はん用機械器具（はん用性を有するもので、他の器具及び備品並びに機械及び装置に組み込み、又は取り付けることによりその用に供されるものをいう。）製造業用設備（第20号及び第22号に掲げるものを除く。）	12
			23	輸送用機械器具製造業用設備	9
287	試験機、測定器又は計量機製造設備	11	19	業務用機械器具（業務用又はサービスの生産の用に供されるもの（これらのものであつて物の生産の用に供されるものを含む。）をいう。）製造業用設備（第17号、第21号及び第23号に掲げるものを除く。）	7
288	医療用機器製造設備	12	19	業務用機械器具（業務用又はサービスの生産の用に供されるもの（これらのものであつて物の生産の用に供されるものを含む。）をいう。）製造業用設備（第17号、第21号及び第23号に掲げるものを除く。）	7

改正前の資産区分			改正後の資産区分		
番号	設備の種類及び細目	耐用年数	番号	設備の種類及び細目	耐用年数
288の2	理化学用機器製造設備	11	19	業務用機械器具（業務用又はサービスの生産の用に供されるもの（これらのものであつて物の生産の用に供されるものを含む。）をいう。）製造業用設備（第17号、第21号及び第23号に掲げるものを除く。）	7
289	レンズ又は光学機器若しくは同部分品製造設備	10	19	業務用機械器具（業務用又はサービスの生産の用に供されるもの（これらのものであつて物の生産の用に供されるものを含む。）をいう。）製造業用設備（第17号、第21号及び第23号に掲げるものを除く。）	7
			24	その他の製造業用設備	9
290	ウオッチ若しくは同部分品又は写真機用シャッター製造設備	10	19	業務用機械器具（業務用又はサービスの生産の用に供されるもの（これらのものであつて物の生産の用に供されるものを含む。）をいう。）製造業用設備（第17号、第21号及び第23号に掲げるものを除く。）	7
			24	その他の製造業用設備	9
291	クロック若しくは同部分品、オルゴールムーブメント又は写真フイルム用スプール製造設備	12	24	その他の製造業用設備	9
292	銃弾製造設備	10	19	業務用機械器具（業務用又はサービスの生産の用に供されるもの（これらのものであつて物の生産の用に供されるものを含む。）をいう。）製造業用設備（第17号、第21号及び第23号に掲げるものを除く。）	7

改正前の資産区分			改正後の資産区分		
番号	設備の種類及び細目	耐用年数	番号	設備の種類及び細目	耐用年数
293	銃砲、爆発物又は信管、薬きようその他の銃砲用品製造設備	12	19	業務用機械器具（業務用又はサービスの生産の用に供されるもの（これらのものであつて物の生産の用に供されるものを含む。）をいう。）製造業用設備（第17号、第21号及び第23号に掲げるものを除く。）	7
			24	その他の製造業用設備	9
294	自動車分解整備業用設備	13	53	自動車整備業用設備	15
295	前掲以外の機械器具、部分品又は附属品製造設備	14	17	はん用機械器具（はん用性を有するもので、他の器具及び備品並びに機械及び装置に組み込み、又は取り付けることによりその用に供されるものをいう。）製造業用設備（第20号及び第22号に掲げるものを除く。）	12
			19	業務用機械器具（業務用又はサービスの生産の用に供されるもの（これらのものであつて物の生産の用に供されるものを含む。）をいう。）製造業用設備（第17号、第21号及び第23号に掲げるものを除く。）	7
296	機械産業以外の設備に属する修理工場用又は工作工場用機械設備	14	24	その他の製造業用設備	9
297	楽器製造設備	11	24	その他の製造業用設備	9
298	レコード製造設備		24	その他の製造業用設備	9
	吹込設備	8			
	その他の設備	12			
299	がん具製造設備		24	その他の製造業用設備	9
	合成樹脂成形設備	9			
	その他の設備	11			
300	万年筆、シャープペンシル又はペン先製造設備	11	24	その他の製造業用設備	9

新旧資産区分の耐用年数対照表

改正前の資産区分			改正後の資産区分		
番号	設備の種類及び細目	耐用年数	番号	設備の種類及び細目	耐用年数
301	ボールペン製造設備	10	24	その他の製造業用設備	9
302	鉛筆製造設備	13	24	その他の製造業用設備	9
303	絵の具その他の絵画用具製造設備	11	24	その他の製造業用設備	9
304	身辺用細貨類、ブラシ又はシガレットライター製造設備 製鎖加工設備 その他の設備 前掲の区分によらないもの	 8 12 11	24	その他の製造業用設備	9
305	ボタン製造設備	9	24	その他の製造業用設備	9
306	スライドファスナー製造設備 自動務歯成形又はスライダー製造機 自動務歯植付機 その他の設備	 7 5 11	24	その他の製造業用設備	9
307	合成樹脂成形加工又は合成樹脂製品加工業用設備	8	10	プラスチック製品製造業用設備（他の号に掲げるものを除く。）	8
			11	ゴム製品製造業用設備	9
308	発ぽうポリウレタン製造設備	8	10	プラスチック製品製造業用設備（他の号に掲げるものを除く。）	8
309	繊維壁材製造設備	9	24	その他の製造業用設備	9
310	歯科材料製造設備	12	19	業務用機械器具（業務用又はサービスの生産の用に供されるもの（これらのものであつて物の生産の用に供されるものを含む。）をいう。）製造業用設備（第17号、第21号及び第23号に掲げるものを除く。）	7
311	真空蒸着処理業用設備	8	24	その他の製造業用設備	9
312	マッチ製造設備	13	24	その他の製造業用設備	9
313	コルク又はコルク製品製造設備	14	4	木材又は木製品（家具を除く。）製造業用設備	8
314	つりざお又は附属品製造設備	13	24	その他の製造業用設備	9
315	墨汁製造設備	8	24	その他の製造業用設備	9

新旧資産区分の耐用年数対照表

改正前の資産区分			改正後の資産区分		
番号	設備の種類及び細目	耐用年数	番号	設備の種類及び細目	耐用年数
316	ろうそく製造設備	7	8	化学工業用設備 その他の設備	8
317	リノリウム、リノタイル又はアスファルトタイル製造設備	12	24	その他の製造業用設備	9
318	畳表製造設備 織機、い草選別機及びい割機 その他の設備	 5 14	24	その他の製造業用設備	9
319	畳製造設備	5	24	その他の製造業用設備	9
319の2	その他のわら工品製造設備	8	24	その他の製造業用設備	9
320	木ろう製造又は精製設備	12	8	化学工業用設備 その他の設備	8
321	松脂その他樹脂の製造又は精製設備	11	26	林業用設備	5
322	蚕種製造設備 人工ふ化設備 その他の設備	 8 10	25	農業用設備	7
323	真珠、貴石又は半貴石加工設備	7	24	その他の製造業用設備	9
324	水産物養殖設備 竹製のもの その他のもの	 2 4	28	水産養殖業用設備	5
324の2	漁ろう用設備	7	27	漁業用設備（次号に掲げるものを除く。）	5
325	前掲以外の製造設備	15	24	その他の製造業用設備	9
326	砂利採取又は岩石の採取若しくは砕石設備	8	13	窯業又は土石製品製造業用設備	9
			29	鉱業、採石業又は砂利採取業用設備 その他の設備	6
327	砂鉄鉱業設備	8	29	鉱業、採石業又は砂利採取業用設備 その他の設備	6

新旧資産区分の耐用年数対照表

<table>
<tr><th colspan="3">改正前の資産区分</th><th colspan="3">改正後の資産区分</th></tr>
<tr><th>番号</th><th>設備の種類及び細目</th><th>耐用年数</th><th>番号</th><th>設備の種類及び細目</th><th>耐用年数</th></tr>
<tr><td>328</td><td>金属鉱業設備（架空索道設備を含む。）</td><td>9</td><td>29</td><td>鉱業、採石業又は砂利採取業用設備
その他の設備</td><td>
6</td></tr>
<tr><td>329</td><td>石炭鉱業設備（架空索道設備を含む。）
採掘機械及びコンベヤ
その他の設備
前掲の区分によらないもの</td><td>
5
9
8</td><td>29</td><td>鉱業、採石業又は砂利採取業用設備
その他の設備</td><td>
6</td></tr>
<tr><td>330</td><td>石油又は天然ガス鉱業設備
坑井設備
掘さく設備
その他の設備</td><td>
3
5
12</td><td>29</td><td>鉱業、採石業又は砂利採取業用設備
石油又は天然ガス鉱業用設備
坑井設備
掘さく設備
その他の設備</td><td>

3
6
12</td></tr>
<tr><td>331</td><td>天然ガス圧縮処理設備</td><td>10</td><td>29</td><td>鉱業、採石業又は砂利採取業用設備
石油又は天然ガス鉱業用設備
その他の設備</td><td>

12</td></tr>
<tr><td>332</td><td>硫黄鉱業設備（製錬又は架空索道設備を含む。）</td><td>6</td><td>29</td><td>鉱業、採石業又は砂利採取業用設備
その他の設備</td><td>
6</td></tr>
<tr><td>333</td><td>その他の非金属鉱業設備（架空索道設備を含む。）</td><td>9</td><td>29</td><td>鉱業、採石業又は砂利採取業用設備
その他の設備</td><td>
6</td></tr>
<tr><td rowspan="4">334</td><td rowspan="4">ブルドーザー、パワーショベルその他の自走式作業用機械設備</td><td rowspan="4">5</td><td>26</td><td>林業用設備</td><td>5</td></tr>
<tr><td>30</td><td>総合工事業用設備</td><td>6</td></tr>
<tr><td>41</td><td>運輸に附帯するサービス業用設備</td><td>10</td></tr>
<tr><td>55</td><td>前掲の機械及び装置以外のもの並びに前掲の区分によらないもの</td><td>8</td></tr>
</table>

新旧資産区分の耐用年数対照表

改正前の資産区分			改正後の資産区分		
番号	設備の種類及び細目	耐用年数	番号	設備の種類及び細目	耐用年数
335	その他の建設工業設備		30	総合工事業用設備	6
	排砂管及び可搬式コンベヤ	3			
	ジーゼルパイルハンマー	4			
	アスファルトプラント及びバッチャープラント	6			
	その他の設備	7			
336	測量業用設備		46	技術サービス業用設備（他の号に掲げるものを除く。）	
	カメラ	5			
	その他の設備	7		その他の設備	14
337	鋼索鉄道又は架空索道設備		38	鉄道業用設備	
	鋼索	3		その他の設備	12
	その他の設備	12			
338	石油又は液化石油ガス卸売用設備（貯そうを除く。）	13	43	建築材料、鉱物又は金属材料等卸売業用設備	
				石油又は液化石油ガス卸売用設備（貯そうを除く。）	13
338の2	洗車業用設備	10	53	自動車整備業用設備	15
339	ガソリンスタンド設備	8	45	その他の小売業用設備	
				ガソリン又は液化石油ガススタンド設備	8
339の2	液化石油ガススタンド設備	8	45	その他の小売業用設備	
				ガソリン又は液化石油ガススタンド設備	8
339の3	機械式駐車設備	15	55	前掲の機械及び装置以外のもの並びに前掲の区分によらないもの	
				機械式駐車設備	10
340	荷役又は倉庫業用設備及び卸売又は小売業の荷役又は倉庫用設備		39	道路貨物運送業用設備	12
	移動式荷役設備	7	40	倉庫業用設備	12
	くん蒸設備	10	41	運輸に附帯するサービス業用設備	10
	その他の設備	12			
341	計量証明業用設備	9	41	運輸に附帯するサービス業用設備	10
			46	技術サービス業用設備（他の号に掲げるものを除く。）	
				計量証明業用設備	8

新旧資産区分の耐用年数対照表

改正前の資産区分			改正後の資産区分		
番号	設備の種類及び細目	耐用年数	番号	設備の種類及び細目	耐用年数
342	船舶救難又はサルベージ設備	8	41	運輸に附帯するサービス業用設備	10
343	国内電気通信事業用設備 デジタル交換設備及び電気通信処理設備 アナログ交換設備 その他の設備	 6 16 9	35	通信業用設備	9
343の2	国際電気通信事業用設備 デジタル交換設備及び電気通信処理設備 アナログ交換設備 その他の設備	 6 16 7	35	通信業用設備	9
344	ラジオ又はテレビジョン放送設備	6	36	放送業用設備	6
345	その他の通信設備（給電用指令設備を含む。）	9	35	通信業用設備	9
346	電気事業用水力発電設備	22	31	電気業用設備 電気業用水力発電設備	 22
347	その他の水力発電設備	20	31	電気業用設備 その他の水力発電設備	 20
348	汽力発電設備	15	31	電気業用設備 汽力発電設備	 15
349	内燃力又はガスタービン発電設備	15	31	電気業用設備 内燃力又はガスタービン発電設備	 15
350	送電又は電気事業用変電若しくは配電設備 需要者用計器 柱上変圧器 その他の設備	 15 18 22	31	電気業用設備 送電又は電気業用変電若しくは配電設備 需要者用計器 柱上変圧器 その他の設備	 15 18 22
351	鉄道又は軌道事業用変電設備	20	31	電気業用設備 鉄道又は軌道業用変電設備	 15
351の2	列車遠隔又は列車集中制御設備	12	38	鉄道業用設備 その他の設備	 12

新旧資産区分の耐用年数対照表

改正前の資産区分			改正後の資産区分		
番号	設備の種類及び細目	耐用年数	番号	設備の種類及び細目	耐用年数
352	蓄電池電源設備	6	55	前掲の機械及び装置以外のもの並びに前掲の区分によらないもの その他の設備 主として金属製のもの その他のもの	 17 8
353	フライアッシュ採取設備	13	55	前掲の機械及び装置以外のもの並びに前掲の区分によらないもの その他の設備 主として金属製のもの その他のもの	 17 8
354	石炭ガス、石油ガス又はコークス製造設備（ガス精製又はガス事業用特定ガス発生設備を含む。）	10	9	石油製品又は石炭製品製造業用設備	7
			32	ガス業用設備 製造用設備	 10
356	ガス事業用供給設備 ガス導管　鋳鉄製のもの ガス導管　その他のもの 需要者用計量器 その他の設備	 22 13 13 15	32	ガス業用設備 供給用設備 鋳鉄製導管 鋳鉄製導管以外の導管 需要者用計量器 その他の設備	 22 13 13 15
357	上水道又は下水道業用設備	12	34	水道業用設備	18
358	ホテル、旅館又は料理店業用設備及び給食用設備 引湯管 その他の設備	 5 9	47	宿泊業用設備	10
			48	飲食店業用設備	8
359	クリーニング設備	7	49	洗濯業、理容業、美容業又は浴場業用設備	13
360	公衆浴場設備 かま、温水器及び温かん その他の設備	 3 8	49	洗濯業、理容業、美容業又は浴場業用設備	13
360の2	故紙梱包設備	7	43	建築材料、鉱物又は金属材料等卸売業用設備 その他の設備	 8

新旧資産区分の耐用年数対照表

改正前の資産区分			改正後の資産区分		
番号	設備の種類及び細目	耐用年数	番号	設備の種類及び細目	耐用年数
361	火葬設備	16	50	その他の生活関連サービス業用設備	6
362	電光文字設備	10	55	前掲の機械及び装置以外のもの並びに前掲の区分によらないもの その他の設備 主として金属製のもの その他のもの	 17 8
363	映画製作設備（現像設備を除く。） 照明設備 撮影又は録音設備 その他の設備	 3 6 8	37	映像、音声又は文字情報制作業用設備	8
364	天然色写真現像焼付設備	6	50	その他の生活関連サービス業用設備	6
365	その他の写真現像焼付設備	8	50	その他の生活関連サービス業用設備	6
366	映画又は演劇興行設備 照明設備 その他の設備	 5 7	51	娯楽業用設備 映画館又は劇場用設備	 11
367	遊園地用遊戯設備（原動機付のものに限る。）	9	51	娯楽業用設備 遊園地用設備	 7
367の2	ボウリング場用設備 レーン その他の設備	 5 10	51	娯楽業用設備 ボウリング場用設備	 13
368	種苗花き園芸設備	10	25	農業用設備	7
369	前掲の機械及び装置以外のもの並びに前掲の区分によらないもの 主として金属製のもの その他のもの	 17 8	31	電気業用設備 その他の設備 主として金属製のもの その他のもの	 17 8
			32	ガス業用設備 その他の設備 主として金属製のもの その他のもの	 17 8

新旧資産区分の耐用年数対照表

<table>
<tr><th colspan="3">改正前の資産区分</th><th colspan="3">改正後の資産区分</th></tr>
<tr><th>番号</th><th>設備の種類及び細目</th><th>耐用年数</th><th>番号</th><th>設備の種類及び細目</th><th>耐用年数</th></tr>
<tr><td rowspan="8"></td><td rowspan="2">前掲の機械及び装置以外のもの並びに前掲の区分によらないもの
主として金属製のもの</td><td rowspan="2">17</td><td>33</td><td>熱供給業用設備</td><td>17</td></tr>
<tr><td>38</td><td>鉄道業用設備
自動改札装置</td><td>5</td></tr>
<tr><td rowspan="2">前掲の機械及び装置以外のもの並びに前掲の区分によらないもの
主として金属製のもの
その他のもの</td><td rowspan="2">17
8</td><td>45</td><td>その他の小売業用設備
その他の設備
主として金属製のもの
その他のもの</td><td>17
8</td></tr>
<tr><td>51</td><td>娯楽業用設備
その他の設備
主として金属製のもの
その他のもの</td><td>17
8</td></tr>
<tr><td>前掲の機械及び装置以外のもの並びに前掲の区分によらないもの
主として金属製のもの</td><td>17</td><td>52</td><td>教育業（学校教育業を除く。）又は学習支援業用設備
教習用運転シミュレータ設備</td><td>5</td></tr>
<tr><td rowspan="2">前掲の機械及び装置以外のもの並びに前掲の区分によらないもの
主として金属製のもの
その他のもの</td><td rowspan="2">17
8</td><td>52</td><td>教育業（学校教育業を除く。）又は学習支援業用設備
その他の設備
主として金属製のもの
その他のもの</td><td>17
8</td></tr>
<tr><td>55</td><td>前掲の機械及び装置以外のもの並びに前掲の区分によらないもの
その他の設備
主として金属製のもの
その他のもの</td><td>17
8</td></tr>
<tr><td>旧別表第七</td><td>電動機</td><td>10</td><td>25</td><td>農業用設備</td><td>7</td></tr>
<tr><td>〃</td><td>内燃機関、ボイラー及びポンプ</td><td>8</td><td>25</td><td>農業用設備</td><td>7</td></tr>
<tr><td>〃</td><td>トラクター
歩行型トラクター
その他のもの</td><td>
5
8</td><td>25</td><td>農業用設備</td><td>7</td></tr>
<tr><td>〃</td><td>耕うん整地用機具</td><td>5</td><td>25</td><td>農業用設備</td><td>7</td></tr>
<tr><td>〃</td><td>耕土造成改良用機具</td><td>5</td><td>25</td><td>農業用設備</td><td>7</td></tr>
<tr><td>〃</td><td>栽培管理用機具</td><td>5</td><td>25</td><td>農業用設備</td><td>7</td></tr>
<tr><td>〃</td><td>防除用機具</td><td>5</td><td>25</td><td>農業用設備</td><td>7</td></tr>
</table>

新旧資産区分の耐用年数対照表

改正前の資産区分			改正後の資産区分		
番号	設備の種類及び細目	耐用年数	番号	設備の種類及び細目	耐用年数
旧別表第七	穀類収穫調製用機具 自脱型コンバイン、刈取機（ウインドロウアーを除くものとし、バインダーを含む。）、稲わら収集機（自走式のものを除く。）及びわら処理カッター その他のもの	 5 8	25	農業用設備	7
〃	飼料作物収穫調製用機具 モーア、ヘーコンディショナー（自走式のものを除く。）、ヘーレーキ、ヘーテッダー、ヘーテッダーレーキ、フォレージハーベスター（自走式のものを除く。）、ヘーベーラー（自走式のものを除く。）、ヘープレス、ヘーローダー、ヘードライヤー（連続式のものを除く。）、ヘーエレベーター、フォレージブロアー、サイレージディストリビューター、サイレージアンローダー及び飼料細断機 その他のもの	5 8	25	農業用設備	7
〃	果樹、野菜又は花き収穫調製用機具 野菜洗浄機、清浄機及び掘取機 その他のもの	5 8	25	農業用設備	7
〃	その他の農作物収穫調製用機具 い苗分割機、い草刈取機、い草選別機、い割機、粒選機、収穫機、掘取機、つる切機及び茶摘機 その他のもの	5 8	25	農業用設備	7

新旧資産区分の耐用年数対照表

改正前の資産区分			改正後の資産区分		
番号	設備の種類及び細目	耐用年数	番号	設備の種類及び細目	耐用年数
旧別表第七	農産物処理加工用機具（精米又は精麦機を除く。） 花莚織機及び畳表織機 その他のもの	 5 8	25	農業用設備	7
〃	家畜飼養管理用機具 自動給じ機、自動給水機、搾乳機、牛乳冷却機、ふ卵機、保温機、畜衡機、牛乳成分検定用機具、人工授精用機具、育成機、育すう機、ケージ、電牧器、カウトレーナー、マット、畜舎清掃機、ふん尿散布機、ふん尿乾燥機及びふん焼却機 その他のもの	 5 8	25	農業用設備	7
〃	養蚕用機具 条桑刈取機、簡易保温用暖房機、天幕及び回転まぶし その他のもの	 5 8	25	農業用設備	7
〃	運搬用機具	4	25	農業用設備	7
〃	造林又は伐木用機具 自動穴掘機、自動伐木機及び動力刈払機 その他のもの	 3 6	26	林業用設備	5
〃	その他の機具 その他のもの　主として金属製のもの その他のもの　その他のもの	 10 5	25	農業用設備	7
〃	その他の機具 乾燥用バーナー その他のもの　主として金属製のもの その他のもの　その他のもの	 5 10 5	26	林業用設備	5

◆編者及び執筆者
早　子　　　忠
中　山　ち　え
槇　原　　　裕
保　名　博　貴
無量井　嘉　治
中　村　拓　史
今　子　美　佳

令和６年12月改訂　減価償却実務問答集

2024年12月25日　発行

編　者　早子　忠

発行者　新木 敏克

発行所　公益財団法人 納税協会連合会
〒540-0012 大阪市中央区谷町１－５－４　電話（編集部）06(6135)4062

発売所　株式会社 清文社
大阪市北区天神橋２丁目北２－６（大和南森町ビル）
〒530-0041　電話 06(6135)4050　FAX 06(6135)4059
東京都文京区小石川１丁目３－25（小石川大国ビル）
〒112-0002　電話 03(4332)1375　FAX 03(4332)1376
URL https://www.skattsei.co.jp/

印刷：㈱広済堂ネクスト

■本書の内容に関するお問い合わせは編集部までFAX(06-6135-4063)又はe-mail(edit-w@skattsei.co.jp)でお願いします。
＊本書の追録情報等は、発売所（清文社）のホームページ（https://www.skattsei.co.jp）をご覧ください。

ISBN978-4-433-70034-8

別 表

付表７(2)　定率法未償却残額表（平成19年４月１日から平成24年３月31日まで取得分）

経過年数＼耐用年数	3	4	5	6	7	8	9	10	11	12	13	14	15	16	17	18	19	20	21	22	23	24	25	26
償却率	0.833	0.625	0.500	0.417	0.357	0.313	0.278	0.250	0.227	0.208	0.192	0.179	0.167	0.156	0.147	0.139	0.132	0.125	0.119	0.114	0.109	0.104	0.100	0.096
改定償却率	1.000	1.000	1.000	0.500	0.500	0.334	0.334	0.334	0.250	0.250	0.200	0.200	0.200	0.167	0.167	0.143	0.143	0.143	0.125	0.125	0.112	0.112	0.112	0.100
1年	0.167	0.375	0.500	0.583	0.643	0.687	0.722	0.750	0.773	0.792	0.808	0.821	0.833	0.844	0.853	0.861	0.868	0.875	0.881	0.886	0.891	0.896	0.900	0.904
2	0.028	0.141	0.250	0.340	0.413	0.472	0.521	0.563	0.598	0.627	0.653	0.674	0.694	0.712	0.728	0.741	0.753	0.766	0.776	0.785	0.794	0.803	0.810	0.817
3	0.000	0.053	0.125	0.198	0.266	0.324	0.376	0.422	0.462	0.497	0.528	0.553	0.578	0.601	0.621	0.638	0.654	0.670	0.684	0.696	0.707	0.719	0.729	0.739
4		0.000	0.063	0.116	0.171	0.223	0.272	0.316	0.357	0.393	0.426	0.454	0.481	0.507	0.529	0.550	0.568	0.586	0.602	0.616	0.630	0.645	0.656	0.668
5			0.000	0.058	0.110	0.153	0.196	0.237	0.276	0.312	0.344	0.373	0.401	0.428	0.452	0.473	0.493	0.513	0.531	0.546	0.562	0.577	0.590	0.604
6				0.000	0.055	0.102	0.142	0.178	0.213	0.247	0.278	0.306	0.334	0.361	0.385	0.407	0.428	0.449	0.468	0.484	0.500	0.517	0.531	0.546
7					0.000	0.051	0.094	0.133	0.165	0.195	0.225	0.251	0.278	0.305	0.329	0.351	0.371	0.393	0.412	0.429	0.446	0.464	0.478	0.493
8						0.000	0.047	0.089	0.124	0.155	0.182	0.206	0.232	0.257	0.280	0.302	0.322	0.344	0.363	0.380	0.397	0.415	0.430	0.446
9							0.000	0.044	0.082	0.116	0.145	0.169	0.193	0.217	0.239	0.260	0.280	0.301	0.320	0.336	0.354	0.372	0.387	0.403
10								0.000	0.041	0.077	0.109	0.136	0.161	0.183	0.204	0.224	0.243	0.263	0.282	0.298	0.315	0.333	0.349	0.364
11								11年	0.000	0.039	0.073	0.102	0.129	0.153	0.174	0.193	0.211	0.230	0.248	0.264	0.281	0.299	0.314	0.330
12								12		0.000	0.036	0.068	0.097	0.122	0.145	0.165	0.183	0.201	0.219	0.234	0.250	0.268	0.282	0.298
13								13			0.000	0.034	0.064	0.092	0.116	0.138	0.157	0.176	0.193	0.207	0.223	0.240	0.254	0.269
14								14				0.000	0.032	0.061	0.087	0.110	0.131	0.151	0.169	0.184	0.199	0.215	0.229	0.243
15								15					0.000	0.030	0.058	0.083	0.104	0.126	0.144	0.161	0.176	0.193	0.206	0.220
16								16						0.000	0.029	0.055	0.078	0.101	0.120	0.138	0.154	0.171	0.185	0.199
17								17							0.000	0.027	0.052	0.075	0.096	0.115	0.132	0.149	0.165	0.179
18								18								0.000	0.026	0.050	0.072	0.092	0.110	0.128	0.144	0.159
19								19									0.000	0.025	0.048	0.069	0.087	0.106	0.123	0.139
20								20										0.000	0.024	0.046	0.065	0.085	0.102	0.119
21																		21年	0.000	0.023	0.043	0.063	0.082	0.099
22																		22		0.000	0.021	0.042	0.061	0.080
23																		23			0.000	0.020	0.040	0.060
24																		24				0.000	0.019	0.040
25																		25					0.000	0.020
26																		26						0.000
27																		27						
28																		28						
29																		29						
30																		30						
31																								
32																								
33																								
34																								
35																								
36																								
37																								
38																								
39																								
40																								
41																								
42																								
43																								
44																								
45																								
46																								
47																								
48																								
49																								
50																								

経過年数＼耐用年数	27	28	29	30	31	32	33	34	35	36	37	38	39	40	41	42	43	44	45	46	47	48	49	50
償却率	0.093	0.089	0.086	0.083	0.081	0.078	0.076	0.074	0.071	0.069	0.068	0.066	0.064	0.063	0.061	0.060	0.058	0.057	0.056	0.054	0.053	0.052	0.051	0.050
改定償却率	0.100	0.091	0.091	0.084	0.084	0.084	0.077	0.077	0.072	0.072	0.072	0.067	0.067	0.067	0.063	0.063	0.059	0.059	0.059	0.056	0.056	0.053	0.053	0.053
1年	0.907	0.911	0.914	0.917	0.919	0.922	0.924	0.926	0.929	0.931	0.932	0.934	0.936	0.937	0.939	0.940	0.942	0.943	0.944	0.946	0.947	0.948	0.949	0.950
2	0.823	0.830	0.835	0.841	0.845	0.850	0.854	0.857	0.863	0.867	0.869	0.872	0.876	0.878	0.882	0.884	0.887	0.889	0.891	0.895	0.897	0.899	0.901	0.903
3	0.746	0.756	0.764	0.771	0.776	0.784	0.789	0.794	0.802	0.807	0.810	0.815	0.820	0.823	0.828	0.831	0.836	0.839	0.841	0.847	0.849	0.852	0.855	0.857
4	0.677	0.689	0.698	0.707	0.713	0.723	0.729	0.735	0.745	0.751	0.755	0.761	0.768	0.771	0.777	0.781	0.787	0.791	0.794	0.801	0.804	0.808	0.811	0.815
5	0.614	0.627	0.638	0.648	0.656	0.666	0.674	0.681	0.692	0.699	0.703	0.711	0.718	0.722	0.730	0.734	0.742	0.746	0.750	0.758	0.762	0.766	0.770	0.774
6	0.557	0.572	0.583	0.595	0.602	0.614	0.622	0.630	0.643	0.651	0.655	0.664	0.672	0.677	0.685	0.690	0.699	0.703	0.708	0.717	0.721	0.726	0.730	0.735
7	0.505	0.521	0.533	0.545	0.554	0.566	0.575	0.584	0.597	0.606	0.611	0.620	0.629	0.634	0.644	0.648	0.658	0.663	0.668	0.678	0.683	0.688	0.693	0.698
8	0.458	0.474	0.487	0.500	0.509	0.522	0.531	0.541	0.555	0.564	0.569	0.579	0.589	0.594	0.604	0.610	0.620	0.625	0.631	0.641	0.647	0.652	0.658	0.663
9	0.415	0.432	0.445	0.458	0.468	0.481	0.491	0.501	0.515	0.525	0.531	0.541	0.551	0.557	0.568	0.573	0.584	0.590	0.595	0.607	0.613	0.618	0.624	0.630
10	0.377	0.394	0.407	0.420	0.430	0.444	0.454	0.464	0.479	0.489	0.494	0.505	0.516	0.522	0.533	0.539	0.550	0.556	0.562	0.574	0.580	0.586	0.592	0.599
11	0.342	0.359	0.372	0.386	0.395	0.409	0.419	0.429	0.445	0.455	0.461	0.472	0.483	0.489	0.500	0.506	0.518	0.524	0.531	0.543	0.549	0.556	0.562	0.569
12	0.310	0.327	0.340	0.354	0.363	0.377	0.387	0.397	0.413	0.424	0.430	0.441	0.452	0.458	0.470	0.476	0.488	0.494	0.501	0.514	0.520	0.527	0.534	0.540
13	0.281	0.298	0.311	0.324	0.334	0.348	0.358	0.368	0.384	0.395	0.400	0.412	0.423	0.429	0.441	0.447	0.460	0.466	0.473	0.486	0.493	0.499	0.506	0.513
14	0.255	0.271	0.284	0.297	0.306	0.321	0.331	0.341	0.357	0.368	0.373	0.384	0.396	0.402	0.414	0.421	0.433	0.440	0.446	0.460	0.467	0.474	0.481	0.488
15	0.231	0.247	0.260	0.273	0.282	0.296	0.306	0.316	0.331	0.342	0.348	0.359	0.371	0.377	0.389	0.395	0.408	0.415	0.421	0.435	0.442	0.449	0.456	0.463
16	0.210	0.225	0.237	0.250	0.259	0.273	0.282	0.292	0.308	0.319	0.324	0.335	0.347	0.353	0.365	0.372	0.384	0.391	0.398	0.411	0.418	0.426	0.433	0.440
17	0.190	0.205	0.217	0.229	0.238	0.251	0.261	0.271	0.286	0.297	0.302	0.313	0.325	0.331	0.343	0.349	0.362	0.369	0.375	0.389	0.396	0.403	0.411	0.418
18	0.171	0.186	0.198	0.210	0.219	0.232	0.241	0.251	0.266	0.276	0.282	0.293	0.304	0.310	0.322	0.328	0.341	0.348	0.354	0.368	0.375	0.382	0.390	0.397
19	0.152	0.168	0.180	0.193	0.201	0.214	0.223	0.232	0.247	0.257	0.262	0.273	0.285	0.290	0.302	0.309	0.321	0.328	0.335	0.348	0.355	0.363	0.370	0.377
20	0.133	0.149	0.162	0.175	0.184	0.197	0.206	0.215	0.229	0.239	0.245	0.255	0.266	0.272	0.284	0.290	0.303	0.309	0.316	0.329	0.337	0.344	0.351	0.358
21	0.114	0.130	0.144	0.157	0.167	0.181	0.190	0.199	0.213	0.223	0.228	0.238	0.249	0.255	0.267	0.273	0.285	0.292	0.298	0.312	0.319	0.326	0.333	0.341
22	0.095	0.112	0.126	0.140	0.150	0.164	0.174	0.184	0.198	0.207	0.212	0.223	0.233	0.239	0.250	0.256	0.269	0.275	0.281	0.295	0.302	0.309	0.316	0.324
23	0.076	0.093	0.108	0.122	0.133	0.147	0.158	0.168	0.182	0.193	0.198	0.208	0.218	0.224	0.235	0.241	0.253	0.259	0.266	0.279	0.286	0.293	0.300	0.307
24	0.057	0.074	0.090	0.104	0.117	0.131	0.142	0.153	0.167	0.178	0.184	0.194	0.204	0.210	0.221	0.227	0.238	0.245	0.251	0.264	0.271	0.278	0.285	0.292
25	0.038	0.056	0.072	0.087	0.100	0.114	0.127	0.138	0.152	0.163	0.169	0.180	0.191	0.197	0.207	0.213	0.225	0.231	0.237	0.250	0.256	0.263	0.270	0.277
26	0.019	0.037	0.054	0.069	0.083	0.098	0.111	0.122	0.136	0.148	0.155	0.166	0.177	0.183	0.194	0.200	0.212	0.217	0.224	0.236	0.243	0.249	0.256	0.264
27	0.000	0.018	0.036	0.051	0.066	0.081	0.095	0.107	0.121	0.133	0.141	0.152	0.163	0.170	0.181	0.188	0.199	0.205	0.211	0.223	0.230	0.237	0.243	0.250
28		0.000	0.018	0.034	0.049	0.065	0.079	0.092	0.106	0.118	0.127	0.138	0.150	0.157	0.168	0.175	0.187	0.193	0.199	0.211	0.218	0.224	0.231	0.238
29			0.000	0.016	0.032	0.048	0.063	0.076	0.090	0.103	0.112	0.124	0.136	0.144	0.155	0.162	0.174	0.181	0.187	0.199	0.206	0.213	0.219	0.226
30				0.000	0.015	0.032	0.047	0.061	0.075	0.088	0.098	0.110	0.122	0.131	0.142	0.150	0.162	0.169	0.176	0.188	0.195	0.201	0.208	0.215
31				31年	0.000	0.015	0.031	0.046	0.060	0.073	0.084	0.097	0.109	0.118	0.129	0.137	0.149	0.157	0.164	0.176	0.183	0.190	0.197	0.204
32				32		0.000	0.016	0.030	0.044	0.058	0.070	0.083	0.095	0.104	0.116	0.124	0.137	0.145	0.152	0.164	0.172	0.179	0.186	0.193
33				33			0.000	0.015	0.029	0.043	0.055	0.069	0.081	0.091	0.103	0.112	0.124	0.132	0.140	0.152	0.160	0.167	0.175	0.182
34				34				0.000	0.014	0.028	0.041	0.055	0.067	0.078	0.090	0.099	0.112	0.120	0.129	0.140	0.148	0.156	0.164	0.171
35				35					0.000	0.013	0.027	0.041	0.054	0.065	0.077	0.087	0.099	0.108	0.117	0.128	0.137	0.145	0.153	0.161
36				36						0.000	0.013	0.027	0.040	0.052	0.064	0.074	0.087	0.096	0.105	0.117	0.125	0.134	0.142	0.150
37				37							0.000	0.013	0.026	0.039	0.051	0.061	0.074	0.084	0.093	0.105	0.114	0.122	0.131	0.139
38				38								0.000	0.013	0.025	0.038	0.049	0.062	0.072	0.082	0.093	0.102	0.111	0.120	0.128
39				39									0.000	0.012	0.024	0.036	0.049	0.060	0.070	0.081	0.091	0.100	0.109	0.117
40				40										0.000	0.011	0.024	0.037	0.048	0.058	0.069	0.079	0.089	0.098	0.107
41														41年	0.000	0.011	0.024	0.036	0.046	0.057	0.068	0.077	0.087	0.096
42														42		0.000	0.012	0.024	0.035	0.046	0.056	0.066	0.076	0.085
43														43			0.000	0.011	0.023	0.034	0.045	0.055	0.065	0.074
44														44				0.000	0.011	0.022	0.033	0.044	0.054	0.063
45														45					0.000	0.010	0.021	0.032	0.043	0.053
46														46						0.000	0.010	0.021	0.032	0.042
47														47							0.000	0.010	0.021	0.031
48														48								0.000	0.010	0.020
49														49									0.000	0.009
50														50										0.000

（備考）

1　この表は、定率法によって償却をする場合の各経過年数における未償却残額割合 $\left(\frac{\text{未償却残額}}{\text{取得価額}}\right)$ を示したものである。

2　この表は、耐用年数省令別表第九に掲げる定率法の償却率、改定償却率及び保証率に基づき計算したものである。なお、算出された未償却残額割合は小数第4位を四捨五入したものによった。

3　経過年数を求める方式は次の例による。

〔例示〕

法定耐用年数15年　取得価額100,000円　変更時の帳簿価額22,150円

(1)　変更時の帳簿価額22,150円÷取得価額100,000円＝0.222（小数第4位を四捨五入）

(2)　「0.222」は、「耐用年数15年」の欄の「0.232」と「0.193」の中間に位するから、下位の「0.193」に応ずる「経過年数9年」を経過年数とする。

別　表

付表７(1)　旧定率法未償却残額表（平成19年３月31日以前取得分）

経過年数＼耐用年数	3	4	5	6	7	8	9	10	11	12	13	14	15	16	17	18	19	20	21	22	23	24	25	26	27	28	29	30	31	32	33	34	35	36	37	38	39	40	41	42	43	44	45	46	47	48	49	50
償却率	0.536	0.438	0.369	0.319	0.280	0.250	0.226	0.206	0.189	0.175	0.162	0.152	0.142	0.134	0.127	0.120	0.114	0.109	0.104	0.099	0.095	0.092	0.088	0.085	0.082	0.079	0.076	0.074	0.072	0.069	0.067	0.066	0.064	0.062	0.060	0.059	0.057	0.056	0.055	0.053	0.052	0.051	0.050	0.049	0.048	0.047	0.046	0.045
1年	0.464	0.562	0.631	0.681	0.720	0.750	0.774	0.794	0.811	0.825	0.838	0.848	0.858	0.866	0.873	0.880	0.886	0.891	0.896	0.901	0.905	0.909	0.912	0.915	0.918	0.921	0.924	0.926	0.928	0.931	0.933	0.935	0.936	0.938	0.940	0.941	0.943	0.944	0.945	0.947	0.948	0.949	0.950	0.951	0.952	0.953	0.954	0.955
2	0.215	0.316	0.398	0.464	0.518	0.562	0.599	0.631	0.658	0.681	0.702	0.720	0.736	0.750	0.763	0.774	0.785	0.794	0.803	0.811	0.819	0.825	0.832	0.838	0.843	0.848	0.853	0.858	0.862	0.866	0.870	0.873	0.877	0.880	0.883	0.886	0.889	0.891	0.894	0.896	0.898	0.901	0.903	0.905	0.907	0.909	0.910	0.912
3	0.100	0.178	0.251	0.316	0.373	0.422	0.464	0.501	0.534	0.562	0.588	0.611	0.631	0.649	0.666	0.681	0.695	0.708	0.720	0.731	0.741	0.750	0.759	0.767	0.774	0.781	0.788	0.794	0.800	0.806	0.811	0.816	0.821	0.825	0.830	0.834	0.838	0.841	0.845	0.848	0.852	0.855	0.858	0.861	0.863	0.866	0.869	0.871
4	0.050	0.100	0.158	0.215	0.268	0.316	0.359	0.398	0.433	0.464	0.492	0.518	0.541	0.562	0.582	0.599	0.616	0.631	0.645	0.658	0.670	0.681	0.692	0.702	0.711	0.720	0.728	0.736	0.743	0.750	0.756	0.763	0.769	0.774	0.780	0.785	0.790	0.794	0.799	0.803	0.807	0.811	0.815	0.819	0.822	0.825	0.829	0.832
5	0.040	0.056	0.100	0.147	0.193	0.237	0.278	0.316	0.351	0.383	0.412	0.439	0.464	0.487	0.508	0.527	0.546	0.562	0.578	0.593	0.606	0.619	0.631	0.642	0.653	0.663	0.672	0.681	0.690	0.698	0.705	0.713	0.720	0.726	0.733	0.739	0.744	0.750	0.755	0.760	0.765	0.770	0.774	0.779	0.783	0.787	0.791	0.794
6	0.030	0.050	0.063	0.100	0.139	0.178	0.215	0.251	0.285	0.316	0.346	0.373	0.398	0.422	0.444	0.464	0.483	0.501	0.518	0.534	0.548	0.562	0.575	0.588	0.599	0.611	0.621	0.631	0.640	0.649	0.658	0.666	0.674	0.681	0.688	0.695	0.702	0.708	0.714	0.720	0.725	0.731	0.736	0.741	0.745	0.750	0.754	0.759
7	0.020	0.040	0.050	0.068	0.100	0.133	0.167	0.200	0.231	0.261	0.289	0.316	0.341	0.365	0.387	0.408	0.428	0.447	0.464	0.481	0.496	0.511	0.525	0.538	0.550	0.562	0.574	0.584	0.595	0.604	0.614	0.622	0.631	0.639	0.647	0.654	0.661	0.668	0.675	0.681	0.687	0.693	0.699	0.704	0.710	0.715	0.720	0.724
8	0.010	0.030	0.040	0.050	0.072	0.100	0.129	0.158	0.187	0.215	0.242	0.268	0.293	0.316	0.338	0.359	0.379	0.398	0.416	0.433	0.449	0.464	0.479	0.492	0.505	0.518	0.530	0.541	0.552	0.562	0.572	0.582	0.591	0.599	0.608	0.616	0.624	0.631	0.638	0.645	0.652	0.658	0.664	0.670	0.676	0.681	0.687	0.692
9	0.000	0.020	0.030	0.040	0.052	0.075	0.100	0.126	0.152	0.178	0.203	0.228	0.251	0.274	0.296	0.316	0.336	0.355	0.373	0.390	0.406	0.422	0.437	0.451	0.464	0.477	0.489	0.501	0.512	0.523	0.534	0.544	0.553	0.562	0.571	0.580	0.588	0.596	0.603	0.611	0.618	0.624	0.631	0.637	0.643	0.649	0.655	0.661
10		0.010	0.020	0.030	0.050	0.056	0.077	0.100	0.123	0.147	0.170	0.193	0.215	0.237	0.258	0.278	0.298	0.316	0.334	0.351	0.367	0.383	0.398	0.412	0.426	0.439	0.452	0.464	0.476	0.487	0.498	0.508	0.518	0.527	0.537	0.546	0.554	0.562	0.570	0.578	0.585	0.593	0.599	0.606	0.613	0.619	0.625	0.631
11		0.000	0.010	0.020	0.040	0.050	0.060	0.079	0.100	0.121	0.143	0.164	0.185	0.205	0.225	0.245	0.264	0.282	0.299	0.316	0.332	0.348	0.363	0.378	0.391	0.405	0.418	0.430	0.442	0.453	0.464	0.475	0.485	0.495	0.504	0.513	0.522	0.531	0.539	0.547	0.555	0.562	0.570	0.577	0.583	0.590	0.596	0.603
12			0.000	0.010	0.030	0.040	0.050	0.063	0.081	0.100	0.119	0.139	0.158	0.178	0.197	0.215	0.234	0.251	0.268	0.285	0.301	0.316	0.331	0.346	0.359	0.373	0.386	0.398	0.410	0.422	0.433	0.444	0.454	0.464	0.474	0.483	0.492	0.501	0.510	0.518	0.526	0.534	0.541	0.548	0.555	0.562	0.569	0.575
13				0.000	0.020	0.030	0.040	0.0501	0.066	0.083	0.100	0.118	0.136	0.154	0.172	0.190	0.207	0.224	0.240	0.257	0.272	0.287	0.302	0.316	0.330	0.343	0.356	0.369	0.381	0.392	0.404	0.415	0.425	0.435	0.445	0.455	0.464	0.473	0.482	0.490	0.499	0.506	0.514	0.522	0.529	0.536	0.543	0.550
14					0.010	0.020	0.030	0.050	0.053	0.068	0.084	0.100	0.117	0.133	0.150	0.167	0.183	0.200	0.215	0.231	0.246	0.261	0.275	0.289	0.303	0.316	0.329	0.341	0.353	0.365	0.376	0.387	0.398	0.408	0.418	0.428	0.438	0.447	0.456	0.464	0.473	0.481	0.489	0.496	0.504	0.511	0.518	0.525
15					0.000	0.010	0.020	0.040	0.050	0.056	0.070	0.085	0.100	0.115	0.131	0.147	0.162	0.178	0.193	0.208	0.223	0.237	0.251	0.265	0.278	0.291	0.304	0.316	0.328	0.340	0.351	0.362	0.373	0.383	0.393	0.403	0.412	0.422	0.431	0.439	0.448	0.456	0.464	0.472	0.480	0.487	0.494	0.501
16						0.000	0.010	0.030	0.040	0.050	0.059	0.072	0.086	0.100	0.115	0.129	0.144	0.158	0.173	0.187	0.202	0.215	0.229	0.242	0.255	0.268	0.281	0.293	0.305	0.316	0.327	0.338	0.349	0.359	0.369	0.379	0.389	0.398	0.407	0.416	0.425	0.433	0.441	0.449	0.457	0.464	0.472	0.479
17							0.000	0.020	0.030	0.040	0.050	0.061	0.074	0.087	0.100	0.114	0.127	0.141	0.155	0.169	0.182	0.196	0.209	0.222	0.235	0.247	0.259	0.271	0.283	0.294	0.305	0.316	0.327	0.337	0.347	0.357	0.367	0.376	0.385	0.394	0.402	0.411	0.419	0.427	0.435	0.442	0.450	0.457
18								0.010	0.020	0.030	0.040	0.052	0.063	0.075	0.087	0.100	0.113	0.126	0.139	0.152	0.165	0.178	0.191	0.203	0.215	0.228	0.239	0.251	0.263	0.274	0.285	0.296	0.306	0.316	0.326	0.336	0.346	0.355	0.364	0.373	0.381	0.390	0.398	0.406	0.414	0.422	0.429	0.436
19								0.000	0.010	0.020	0.030	0.050	0.054	0.065	0.076	0.088	0.100	0.112	0.125	0.137	0.149	0.162	0.174	0.186	0.198	0.210	0.221	0.233	0.244	0.255	0.266	0.276	0.287	0.297	0.307	0.316	0.326	0.335	0.344	0.353	0.362	0.370	0.378	0.386	0.394	0.402	0.410	0.417
20									0.000	0.010	0.020	0.040	0.050	0.056	0.067	0.077	0.089	0.100	0.112	0.123	0.135	0.147	0.158	0.170	0.182	0.193	0.204	0.215	0.226	0.237	0.248	0.258	0.268	0.278	0.288	0.298	0.307	0.316	0.325	0.334	0.343	0.351	0.359	0.367	0.375	0.383	0.391	0.398
21									21年	0.000	0.010	0.030	0.040	0.050	0.058	0.068	0.078	0.089	0.100	0.111	0.122	0.133	0.145	0.156	0.167	0.178	0.189	0.200	0.210	0.221	0.231	0.241	0.251	0.261	0.271	0.280	0.289	0.299	0.307	0.316	0.325	0.333	0.341	0.350	0.357	0.365	0.373	0.380
22									22		0.000	0.020	0.030	0.040	0.051	0.060	0.070	0.079	0.090	0.100	0.111	0.121	0.132	0.143	0.153	0.164	0.174	0.185	0.195	0.205	0.215	0.225	0.235	0.245	0.254	0.264	0.273	0.282	0.291	0.299	0.308	0.316	0.324	0.332	0.340	0.348	0.356	0.363
23									23			0.010	0.020	0.030	0.050	0.053	0.062	0.071	0.080	0.090	0.100	0.110	0.120	0.130	0.141	0.151	0.161	0.171	0.181	0.191	0.201	0.211	0.220	0.230	0.239	0.248	0.257	0.266	0.275	0.283	0.292	0.300	0.308	0.316	0.324	0.332	0.339	0.347
24									24			0.000	0.010	0.020	0.040	0.050	0.055	0.063	0.072	0.081	0.090	0.100	0.110	0.119	0.129	0.139	0.149	0.158	0.168	0.178	0.187	0.197	0.206	0.215	0.225	0.234	0.242	0.251	0.260	0.268	0.277	0.285	0.293	0.301	0.309	0.316	0.324	0.331
25									25				0.000	0.010	0.030	0.040	0.050	0.056	0.064	0.073	0.082	0.091	0.100	0.109	0.119	0.128	0.137	0.147	0.156	0.165	0.175	0.184	0.193	0.202	0.211	0.220	0.229	0.237	0.246	0.254	0.262	0.270	0.278	0.286	0.294	0.301	0.309	0.316
26									26					0.000	0.020	0.030	0.040	0.0501	0.058	0.066	0.074	0.083	0.091	0.100	0.109	0.118	0.127	0.136	0.145	0.154	0.163	0.172	0.181	0.190	0.198	0.207	0.215	0.224	0.232	0.240	0.249	0.256	0.264	0.272	0.280	0.287	0.295	0.302
27									27						0.010	0.020	0.030	0.050	0.052	0.059	0.067	0.075	0.083	0.092	0.100	0.109	0.117	0.126	0.135	0.143	0.152	0.161	0.169	0.178	0.186	0.195	0.203	0.211	0.220	0.228	0.236	0.243	0.251	0.259	0.266	0.274	0.281	0.288
28									28						0.000	0.010	0.020	0.040	0.050	0.053	0.061	0.068	0.076	0.084	0.092	0.100	0.108	0.117	0.125	0.133	0.142	0.150	0.158	0.167	0.175	0.183	0.191	0.200	0.208	0.215	0.223	0.231	0.239	0.246	0.254	0.261	0.268	0.275
29									29							0.000	0.010	0.030	0.040	0.050	0.055	0.062	0.069	0.077	0.084	0.092	0.100	0.108	0.116	0.124	0.132	0.140	0.148	0.156	0.164	0.172	0.180	0.188	0.196	0.204	0.212	0.219	0.227	0.234	0.242	0.249	0.256	0.263
30									30								0.000	0.020	0.030	0.040	0.050	0.056	0.063	0.070	0.077	0.085	0.092	0.100	0.108	0.115	0.123	0.131	0.139	0.147	0.155	0.162	0.170	0.178	0.185	0.193	0.201	0.208	0.215	0.223	0.230	0.237	0.244	0.251
31									31									0.010	0.020	0.030	0.040	0.051	0.058	0.064	0.071	0.078	0.085	0.093	0.100	0.107	0.115	0.123	0.130	0.138	0.145	0.153	0.160	0.168	0.175	0.183	0.190	0.197	0.205	0.212	0.219	0.226	0.233	0.240
32									32									0.000	0.010	0.020	0.030	0.050	0.052	0.059	0.065	0.072	0.079	0.086	0.093	0.100	0.107	0.115	0.122	0.129	0.136	0.144	0.151	0.158	0.166	0.173	0.180	0.187	0.194	0.202	0.209	0.215	0.222	0.229
33									33										0.000	0.010	0.020	0.040	0.050	0.054	0.060	0.066	0.073	0.079	0.086	0.093	0.100	0.107	0.114	0.121	0.128	0.135	0.143	0.150	0.157	0.164	0.171	0.178	0.185	0.192	0.199	0.205	0.212	0.219
34									34											0.000	0.010	0.030	0.040	0.050	0.055	0.061	0.067	0.074	0.080	0.087	0.093	0.100	0.107	0.114	0.121	0.127	0.134	0.141	0.148	0.155	0.162	0.169	0.176	0.182	0.189	0.196	0.202	0.209
35									35												0.000	0.020	0.030	0.040	0.051	0.056	0.062	0.068	0.074	0.081	0.087	0.093	0.100	0.107	0.113	0.120	0.127	0.133	0.140	0.147	0.153	0.160	0.167	0.173	0.180	0.187	0.193	0.200
36																					36年	0.010	0.020	0.030	0.050	0.052	0.057	0.063	0.069	0.075	0.081	0.087	0.094	0.100	0.106	0.113	0.119	0.126	0.132	0.139	0.145	0.152	0.158	0.165	0.171	0.178	0.184	0.191
37																					37	0.000	0.010	0.020	0.040	0.050	0.053	0.058	0.064	0.070	0.076	0.082	0.088	0.094	0.100	0.106	0.113	0.119	0.125	0.132	0.138	0.144	0.151	0.157	0.163	0.169	0.176	0.182
38																					38		0.000	0.010	0.030	0.040	0.050	0.054	0.059	0.065	0.071	0.076	0.082	0.088	0.094	0.100	0.106	0.112	0.118	0.125	0.131	0.137	0.143	0.149	0.155	0.162	0.168	0.174
39																					39			0.000	0.020	0.030	0.040	0.0501	0.055	0.060	0.066	0.071	0.077	0.083	0.088	0.094	0.100	0.106	0.112	0.118	0.124	0.130	0.136	0.142	0.148	0.154	0.160	0.166
40																					40				0.010	0.020	0.030	0.050	0.051	0.056	0.061	0.067	0.072	0.077	0.083	0.089	0.094	0.100	0.106	0.112	0.117	0.123	0.129	0.135	0.141	0.147	0.153	0.158
41																					41				0.000	0.010	0.020	0.040	0.050	0.052	0.057	0.062	0.067	0.073	0.078	0.083	0.089	0.094	0.100	0.106	0.111	0.117	0.123	0.128	0.134	0.140	0.146	0.151
42																					42					0.000	0.010	0.030	0.040	0.050	0.053	0.058	0.063	0.068	0.073	0.078	0.084	0.089	0.095	0.100	0.106	0.111	0.117	0.122	0.128	0.133	0.139	0.145
43																					43						0.000	0.020	0.030	0.040	0.050	0.054	0.059	0.064	0.069	0.074	0.079	0.084	0.089	0.095	0.100	0.105	0.111	0.116	0.122	0.127	0.133	0.138
44																					44							0.010	0.020	0.030	0.040	0.051	0.055	0.060	0.065	0.070	0.074	0.079	0.085	0.090	0.095	0.100	0.105	0.111	0.116	0.121	0.127	0.132
45																					45							0.000	0.010	0.020	0.030	0.050	0.052	0.056	0.061	0.065	0.070	0.075	0.080	0.085	0.090	0.095	0.100	0.105	0.110	0.115	0.121	0.126
46																					46								0.000	0.010	0.020	0.040	0.050	0.053	0.057	0.062	0.066	0.071	0.076	0.080	0.085	0.090	0.095	0.100	0.105	0.110	0.115	0.120
47																					47									0.000	0.010	0.030	0.040	0.050	0.054	0.058	0.062	0.067	0.071	0.076	0.081	0.085	0.090	0.095	0.100	0.105	0.110	0.115
48																					48										0.000	0.020	0.030	0.040	0.0504	0.055	0.059	0.063	0.068	0.072	0.077	0.081	0.086	0.090	0.095	0.100	0.105	0.110
49																					49											0.010	0.020	0.030	0.050	0.051	0.055	0.060	0.064	0.068	0.073	0.077	0.081	0.086	0.091	0.095	0.100	0.105
50																					50											0.000	0.010	0.020	0.040	0.050	0.052	0.056	0.060	0.064	0.069	0.073	0.077	0.082	0.086	0.091	0.095	0.100
51																																51年	0.000	0.010	0.030	0.040	0.050	0.053	0.057	0.061	0.065	0.069	0.074	0.078	0.082	0.087	0.091	0.095
52																																52		0.000	0.020	0.030	0.040	0.0501	0.054	0.058	0.062	0.066	0.070	0.074	0.078	0.083	0.087	0.091
53																																53			0.010	0.020	0.030	0.050	0.051	0.055	0.059	0.062	0.066	0.070	0.075	0.079	0.083	0.087
54																																54			0.000	0.010	0.020	0.040	0.050	0.052	0.055	0.059	0.063	0.067	0.071	0.075	0.079	0.083
55																																55				0.000	0.010	0.030	0.040	0.050	0.053	0.056	0.060	0.064	0.068	0.071	0.075	0.079
56																																56					0.000	0.020	0.030	0.040	0.050	0.053	0.057	0.061	0.064	0.068	0.072	0.076
57																																57						0.010	0.020	0.030	0.040	0.051	0.054	0.058	0.061	0.065	0.069	0.072
58																																58						0.000	0.010	0.020	0.030	0.050	0.051	0.055	0.058	0.062	0.066	0.069
59																																59							0.000	0.010	0.020	0.040	0.050	0.052	0.056	0.059	0.063	0.066
60																																60								0.000	0.010	0.030	0.040	0.050	0.053	0.056	0.060	0.063
61																																								61年	0.000	0.020	0.030	0.040	0.0504	0.054	0.057	0.060
62																																								62		0.010	0.020	0.030	0.050	0.051	0.054	0.058
63																																								63		0.000	0.010	0.020	0.040	0.050	0.052	0.055
64																																								64			0.000	0.010	0.030	0.040	0.050	0.052
65																																								65				0.000	0.020	0.030	0.040	0.0501
66																																								66					0.010	0.020	0.030	0.050
67																																								67					0.000	0.010	0.020	0.040
68																																								68						0.000	0.010	0.030
69																																								69							0.000	0.020
70																																								70								0.010
71																																								71								0.000

（備考）

1　この表は、旧定率法によって償却をする場合の各経過年末における未償却残額割合 $\left(\frac{\text{未償却残高}}{\text{取得価額}}\right)$ を示したものである。

2　この表は、次の算式によって求めたものであるが、(1)の計算の基礎となる償却率は、小数第６位を四捨五入したものにより、算出された未償却残額割合は、小数第４位を四捨五入したものによった。ただし、小数第４位を四捨五入した割合が0.050となる場合には、小数第５位を四捨五入したものによった。

(2)の算式の到達後経過年数は、未償却残額割合が5%に到達した翌事業年度以後の経過年数をいう。

(1)　未償却残額割合　＞　5%　の場合

未償却残額割合＝$(1-\text{旧定率法償却率})^{\text{経過年数}}$

(2)　未償却残額割合　≦　5%　の場合

未償却残額割合＝0.050－（0.050×12÷60）×到達後経過年数

3　経過年数を求める方式は次の例による。

〔例示〕

法定耐用年数15年　取得価額100,000円　変更時の帳簿価額22,150円

(1)　変更時の帳簿価額22,150円÷取得価額100,000円＝0.222（小数第４位を四捨五入）

(2)　「0.222」は、「耐用年数15年」の欄の「0.251」と「0.215」の中間に位するから、下位の「0.215」に応ずる「経過年数10年」を経過年数とする。

付表７⑶　定率法未償却残額表（平成24年４月１日以後取得分）

経過年数＼耐用年数	3	4	5	6	7	8	9	10	11	12	13	14	15	16	17	18	19	20	21	22	23	24	25	26
償却率	0.667	0.500	0.400	0.333	0.286	0.250	0.222	0.200	0.182	0.167	0.154	0.143	0.133	0.125	0.118	0.111	0.105	0.100	0.095	0.091	0.087	0.083	0.080	0.077
改定償却率	1.000	1.000	0.500	0.334	0.334	0.334	0.250	0.250	0.200	0.200	0.167	0.167	0.143	0.143	0.125	0.112	0.112	0.112	0.100	0.100	0.091	0.084	0.084	0.084
1年	0.333	0.500	0.600	0.667	0.714	0.750	0.778	0.800	0.818	0.833	0.846	0.857	0.867	0.875	0.882	0.889	0.895	0.900	0.905	0.909	0.913	0.917	0.920	0.923
2	0.111	0.250	0.360	0.445	0.510	0.563	0.605	0.640	0.669	0.694	0.716	0.734	0.752	0.766	0.778	0.790	0.801	0.810	0.819	0.826	0.834	0.841	0.846	0.852
3	0.000	0.125	0.216	0.297	0.364	0.422	0.471	0.512	0.547	0.578	0.605	0.629	0.652	0.670	0.686	0.703	0.717	0.729	0.741	0.751	0.761	0.771	0.779	0.786
4		0.000	0.108	0.198	0.260	0.316	0.366	0.410	0.448	0.481	0.512	0.539	0.565	0.586	0.605	0.625	0.642	0.656	0.671	0.683	0.695	0.707	0.716	0.726
5			0.000	0.099	0.173	0.237	0.285	0.328	0.366	0.401	0.433	0.462	0.490	0.513	0.534	0.555	0.574	0.590	0.607	0.621	0.634	0.648	0.659	0.670
6				0.000	0.086	0.158	0.214	0.262	0.300	0.334	0.367	0.396	0.425	0.449	0.471	0.494	0.514	0.531	0.549	0.564	0.579	0.595	0.606	0.618
7					0.000	0.079	0.143	0.197	0.240	0.278	0.310	0.340	0.368	0.393	0.415	0.439	0.460	0.478	0.497	0.513	0.529	0.545	0.558	0.571
8						0.000	0.071	0.131	0.180	0.223	0.258	0.291	0.319	0.344	0.366	0.390	0.412	0.430	0.450	0.466	0.483	0.500	0.513	0.527
9							0.000	0.066	0.120	0.167	0.207	0.242	0.274	0.301	0.323	0.347	0.368	0.387	0.407	0.424	0.441	0.458	0.472	0.486
10								0.000	0.060	0.111	0.155	0.194	0.228	0.258	0.283	0.308	0.330	0.349	0.369	0.385	0.402	0.420	0.434	0.449
11								11年	0.000	0.056	0.103	0.145	0.182	0.215	0.242	0.269	0.293	0.314	0.334	0.350	0.367	0.386	0.400	0.414
12								12年		0.000	0.051	0.097	0.137	0.172	0.202	0.230	0.256	0.279	0.300	0.318	0.335	0.354	0.368	0.382
13								13年			0.000	0.048	0.091	0.129	0.162	0.191	0.219	0.244	0.267	0.286	0.305	0.324	0.338	0.353
14								14年				0.000	0.045	0.086	0.121	0.153	0.182	0.208	0.233	0.255	0.274	0.294	0.310	0.326
15								15年					0.000	0.043	0.081	0.114	0.145	0.173	0.200	0.223	0.244	0.264	0.281	0.298
16								16年						0.000	0.040	0.075	0.108	0.138	0.167	0.191	0.213	0.235	0.253	0.271
17								17年							0.000	0.036	0.071	0.103	0.133	0.159	0.183	0.205	0.225	0.244
18								18年								0.000	0.034	0.068	0.100	0.127	0.152	0.175	0.196	0.216
19								19年									0.000	0.033	0.067	0.095	0.122	0.146	0.168	0.189
20								20年										0.000	0.033	0.064	0.091	0.116	0.139	0.162
21																		21年	0.000	0.032	0.061	0.086	0.111	0.134
22																		22年		0.000	0.030	0.057	0.083	0.107
23																		23年			0.000	0.027	0.054	0.079
24																		24年				0.000	0.026	0.052
25																		25年					0.000	0.025
26																		26年						0.000
27																		27年						
28																		28年						
29																		29年						
30																		30年						
31																								
32																								
33																								
34																								
35																								
36																								
37																								
38																								
39																								
40																								
41																								
42																								
43																								
44																								
45																								
46																								
47																								
48																								
49																								
50																								

経過年数＼耐用年数	27	28	29	30	31	32	33	34	35	36	37	38	39	40	41	42	43	44	45	46	47	48	49	50
償却率	0.074	0.071	0.069	0.067	0.065	0.063	0.061	0.059	0.057	0.056	0.054	0.053	0.051	0.050	0.049	0.048	0.047	0.045	0.044	0.043	0.043	0.042	0.041	0.040
改定償却率	0.077	0.072	0.072	0.072	0.067	0.067	0.063	0.063	0.059	0.059	0.056	0.056	0.053	0.053	0.050	0.050	0.048	0.046	0.046	0.044	0.044	0.044	0.042	0.042
1年	0.926	0.929	0.931	0.933	0.935	0.937	0.939	0.941	0.943	0.944	0.946	0.947	0.949	0.950	0.951	0.952	0.953	0.955	0.956	0.957	0.957	0.958	0.959	0.960
2	0.857	0.863	0.867	0.870	0.874	0.878	0.882	0.885	0.889	0.891	0.895	0.897	0.901	0.903	0.904	0.906	0.908	0.912	0.914	0.916	0.916	0.918	0.920	0.922
3	0.794	0.802	0.807	0.812	0.817	0.823	0.828	0.833	0.839	0.841	0.847	0.849	0.855	0.857	0.860	0.863	0.866	0.871	0.874	0.876	0.876	0.879	0.882	0.885
4	0.735	0.745	0.751	0.758	0.764	0.771	0.777	0.784	0.791	0.794	0.801	0.804	0.811	0.815	0.818	0.821	0.825	0.832	0.835	0.839	0.839	0.842	0.846	0.849
5	0.681	0.692	0.699	0.707	0.715	0.722	0.730	0.738	0.746	0.750	0.758	0.762	0.770	0.774	0.778	0.782	0.786	0.794	0.799	0.803	0.803	0.807	0.811	0.815
6	0.630	0.643	0.651	0.660	0.668	0.677	0.685	0.694	0.703	0.708	0.717	0.721	0.730	0.735	0.740	0.744	0.749	0.759	0.763	0.768	0.768	0.773	0.778	0.783
7	0.584	0.597	0.606	0.615	0.625	0.634	0.644	0.653	0.663	0.668	0.678	0.683	0.693	0.698	0.704	0.709	0.714	0.724	0.730	0.735	0.735	0.741	0.746	0.751
8	0.541	0.555	0.564	0.574	0.584	0.594	0.604	0.615	0.625	0.631	0.641	0.647	0.658	0.663	0.669	0.675	0.680	0.692	0.698	0.704	0.704	0.709	0.715	0.721
9	0.501	0.515	0.525	0.536	0.546	0.557	0.568	0.579	0.590	0.595	0.607	0.613	0.624	0.630	0.636	0.642	0.648	0.661	0.667	0.673	0.673	0.680	0.686	0.693
10	0.464	0.479	0.489	0.500	0.511	0.522	0.533	0.544	0.556	0.562	0.574	0.580	0.592	0.599	0.605	0.611	0.618	0.631	0.638	0.644	0.644	0.651	0.658	0.665
11	0.429	0.445	0.455	0.466	0.477	0.489	0.500	0.512	0.524	0.531	0.543	0.549	0.562	0.569	0.575	0.582	0.589	0.603	0.610	0.617	0.617	0.624	0.631	0.638
12	0.397	0.413	0.424	0.435	0.446	0.458	0.470	0.482	0.494	0.501	0.514	0.520	0.534	0.540	0.547	0.554	0.561	0.575	0.583	0.590	0.590	0.598	0.605	0.613
13	0.368	0.384	0.395	0.406	0.417	0.429	0.441	0.454	0.466	0.473	0.486	0.493	0.506	0.513	0.520	0.528	0.535	0.550	0.557	0.565	0.565	0.572	0.580	0.588
14	0.341	0.357	0.368	0.379	0.390	0.402	0.414	0.427	0.440	0.446	0.460	0.467	0.481	0.488	0.495	0.502	0.510	0.525	0.533	0.540	0.540	0.548	0.557	0.565
15	0.315	0.331	0.342	0.353	0.365	0.377	0.389	0.402	0.415	0.421	0.435	0.442	0.456	0.463	0.471	0.478	0.486	0.501	0.509	0.517	0.517	0.525	0.534	0.542
16	0.288	0.305	0.318	0.330	0.341	0.353	0.365	0.378	0.391	0.398	0.411	0.418	0.433	0.440	0.448	0.455	0.463	0.479	0.487	0.495	0.495	0.503	0.512	0.520
17	0.262	0.280	0.293	0.306	0.318	0.331	0.343	0.356	0.369	0.375	0.389	0.396	0.411	0.418	0.426	0.433	0.441	0.457	0.465	0.474	0.474	0.482	0.491	0.500
18	0.236	0.254	0.268	0.282	0.295	0.309	0.321	0.335	0.348	0.354	0.368	0.375	0.390	0.397	0.405	0.413	0.420	0.437	0.445	0.453	0.453	0.462	0.471	0.480
19	0.210	0.228	0.244	0.258	0.273	0.286	0.300	0.314	0.327	0.335	0.348	0.355	0.370	0.377	0.385	0.393	0.401	0.417	0.425	0.434	0.434	0.443	0.451	0.460
20	0.183	0.203	0.219	0.235	0.250	0.264	0.278	0.293	0.307	0.315	0.329	0.337	0.351	0.358	0.366	0.374	0.382	0.398	0.407	0.415	0.415	0.424	0.433	0.442
21	0.157	0.177	0.194	0.211	0.227	0.242	0.257	0.271	0.286	0.295	0.309	0.318	0.332	0.341	0.348	0.356	0.364	0.380	0.389	0.397	0.397	0.406	0.415	0.424
22	0.131	0.151	0.170	0.187	0.204	0.220	0.235	0.250	0.266	0.275	0.290	0.299	0.314	0.323	0.331	0.339	0.347	0.363	0.372	0.380	0.380	0.389	0.398	0.407
23	0.105	0.126	0.145	0.164	0.181	0.198	0.213	0.229	0.245	0.256	0.270	0.280	0.295	0.304	0.313	0.322	0.330	0.346	0.355	0.364	0.364	0.373	0.382	0.391
24	0.078	0.100	0.120	0.140	0.158	0.176	0.192	0.208	0.225	0.236	0.251	0.261	0.277	0.286	0.296	0.305	0.313	0.330	0.339	0.348	0.348	0.357	0.366	0.375
25	0.052	0.074	0.096	0.116	0.135	0.153	0.170	0.187	0.204	0.216	0.231	0.242	0.258	0.268	0.279	0.288	0.297	0.313	0.323	0.332	0.333	0.342	0.351	0.360
26	0.026	0.049	0.071	0.092	0.113	0.131	0.149	0.166	0.184	0.196	0.212	0.223	0.239	0.250	0.261	0.271	0.280	0.296	0.306	0.316	0.318	0.327	0.336	0.346
27	0.000	0.023	0.047	0.069	0.090	0.109	0.127	0.145	0.163	0.177	0.192	0.205	0.221	0.232	0.244	0.254	0.264	0.280	0.290	0.300	0.302	0.312	0.322	0.331
28		0.000	0.022	0.045	0.067	0.087	0.105	0.124	0.143	0.157	0.173	0.186	0.202	0.214	0.226	0.237	0.247	0.263	0.274	0.284	0.287	0.297	0.307	0.317
29			0.000	0.021	0.044	0.065	0.084	0.103	0.122	0.137	0.153	0.167	0.184	0.196	0.209	0.220	0.230	0.246	0.257	0.268	0.272	0.282	0.292	0.302
30				0.000	0.021	0.043	0.062	0.082	0.102	0.117	0.134	0.148	0.165	0.178	0.192	0.203	0.214	0.230	0.241	0.252	0.256	0.267	0.277	0.288
31				31年	0.000	0.021	0.040	0.061	0.081	0.098	0.114	0.129	0.146	0.160	0.174	0.186	0.197	0.213	0.225	0.236	0.241	0.252	0.263	0.273
32				32年		0.000	0.019	0.039	0.061	0.078	0.095	0.110	0.128	0.142	0.157	0.169	0.180	0.196	0.208	0.220	0.226	0.237	0.248	0.259
33				33年			0.000	0.018	0.040	0.058	0.075	0.092	0.109	0.124	0.139	0.152	0.164	0.179	0.192	0.204	0.210	0.222	0.233	0.244
34				34年				0.000	0.019	0.038	0.056	0.073	0.091	0.106	0.122	0.136	0.147	0.163	0.176	0.188	0.195	0.207	0.218	0.230
35				35年					0.000	0.019	0.036	0.054	0.072	0.088	0.104	0.119	0.130	0.146	0.159	0.172	0.180	0.192	0.204	0.215
36				36年						0.000	0.017	0.035	0.053	0.070	0.087	0.102	0.114	0.129	0.143	0.156	0.164	0.177	0.189	0.201
37				37年							0.000	0.016	0.035	0.052	0.070	0.085	0.097	0.113	0.126	0.140	0.149	0.161	0.174	0.186
38				38年								0.000	0.016	0.034	0.052	0.068	0.080	0.096	0.110	0.124	0.134	0.146	0.159	0.172
39				39年									0.000	0.016	0.035	0.051	0.064	0.079	0.094	0.108	0.118	0.131	0.145	0.157
40				40年										0.000	0.017	0.034	0.047	0.062	0.077	0.092	0.103	0.116	0.130	0.143
41														41年	0.000	0.017	0.031	0.046	0.061	0.076	0.088	0.101	0.115	0.128
42														42年		0.000	0.014	0.029	0.045	0.060	0.072	0.086	0.100	0.113
43														43年			0.000	0.012	0.028	0.044	0.057	0.071	0.086	0.099
44														44年				0.000	0.012	0.028	0.042	0.056	0.071	0.084
45														45年					0.000	0.012	0.026	0.041	0.056	0.070
46														46年						0.000	0.011	0.026	0.041	0.055
47														47年							0.000	0.011	0.027	0.041
48														48年								0.000	0.012	0.026
49														49年									0.000	0.012
50														50年										0.000

（備考）

1　この表は、定率法によって償却をする場合の各経過年数における未償却残額割合（未償却残額／取得価額）を示したものである。

2　この表は、耐用年数省令別表第十に掲げる定率法の償却率、改定償却率及び保証率に基づき計算したものである。なお、算出された未償却残額割合は小数第4位を四捨五入したものによった。

3　経過年数を求める方式は次の例による。

〔例示〕

法定耐用年数15年　取得価額　100,000円　変更時の帳簿価額　22,150円

(1)　変更時の帳簿価額　22,150円÷取得価額　100,000円＝0.222（小数第4位を四捨五入）

(2)　「0.222」は、「耐用年数15年」の欄の「0.228」と「0.182」の中間に位するから、下位の「0.182」に応ずる「経過年数11年」を経過年数とする。

別表第七　平成19年３月31日以前に取得をされた減価償却資産の償却率表

耐用年数	旧定額法の償却率	旧定率法の償却率	耐用年数	旧定額法の償却率	旧定率法の償却率
年			51 年	0.020	0.044
2	0.500	0.684	52	0.020	0.043
3	0.333	0.536	53	0.019	0.043
4	0.250	0.438	54	0.019	0.042
5	0.200	0.369	55	0.019	0.041
6	0.166	0.319	56	0.018	0.040
7	0.142	0.280	57	0.018	0.040
8	0.125	0.250	58	0.018	0.039
9	0.111	0.226	59	0.017	0.038
10	0.100	0.206	60	0.017	0.038
11	0.090	0.189	61	0.017	0.037
12	0.083	0.175	62	0.017	0.036
13	0.076	0.162	63	0.016	0.036
14	0.071	0.152	64	0.016	0.035
15	0.066	0.142	65	0.016	0.035
16	0.062	0.134	66	0.016	0.034
17	0.058	0.127	67	0.015	0.034
18	0.055	0.120	68	0.015	0.033
19	0.052	0.114	69	0.015	0.033
20	0.050	0.109	70	0.015	0.032
21	0.048	0.104	71	0.014	0.032
22	0.046	0.099	72	0.014	0.032
23	0.044	0.095	73	0.014	0.031
24	0.042	0.092	74	0.014	0.031
25	0.040	0.088	75	0.014	0.030
26	0.039	0.085	76	0.014	0.030
27	0.037	0.082	77	0.013	0.030
28	0.036	0.079	78	0.013	0.029
29	0.035	0.076	79	0.013	0.029
30	0.034	0.074	80	0.013	0.028
31	0.033	0.072	81	0.013	0.028
32	0.032	0.069	82	0.013	0.028
33	0.031	0.067	83	0.012	0.027
34	0.030	0.066	84	0.012	0.027
35	0.029	0.064	85	0.012	0.026
36	0.028	0.062	86	0.012	0.026
37	0.027	0.060	87	0.012	0.026
38	0.027	0.059	88	0.012	0.026
39	0.026	0.057	89	0.012	0.026
40	0.025	0.056	90	0.012	0.025
41	0.025	0.055	91	0.011	0.025
42	0.024	0.053	92	0.011	0.025
43	0.024	0.052	93	0.011	0.025
44	0.023	0.051	94	0.011	0.024
45	0.023	0.050	95	0.011	0.024
46	0.022	0.049	96	0.011	0.024
47	0.022	0.048	97	0.011	0.023
48	0.021	0.047	98	0.011	0.023
49	0.021	0.046	99	0.011	0.023
50	0.020	0.045	100	0.010	0.023

別表第八　平成19年４月１日以後に取得をされた減価償却資産の定額法の償却率表

耐用年数	償却率	耐用年数	償却率
年		51 年	0.020
2	0.500	52	0.020
3	0.334	53	0.019
4	0.250	54	0.019
5	0.200	55	0.019
6	0.167	56	0.018
7	0.143	57	0.018
8	0.125	58	0.018
9	0.112	59	0.017
10	0.100	60	0.017
11	0.091	61	0.017
12	0.084	62	0.017
13	0.077	63	0.016
14	0.072	64	0.016
15	0.067	65	0.016
16	0.063	66	0.016
17	0.059	67	0.015
18	0.056	68	0.015
19	0.053	69	0.015
20	0.050	70	0.015
21	0.048	71	0.015
22	0.046	72	0.014
23	0.044	73	0.014
24	0.042	74	0.014
25	0.040	75	0.014
26	0.039	76	0.014
27	0.038	77	0.013
28	0.036	78	0.013
29	0.035	79	0.013
30	0.034	80	0.013
31	0.033	81	0.013
32	0.032	82	0.013
33	0.031	83	0.013
34	0.030	84	0.012
35	0.029	85	0.012
36	0.028	86	0.012
37	0.028	87	0.012
38	0.027	88	0.012
39	0.026	89	0.012
40	0.025	90	0.012
41	0.025	91	0.011
42	0.024	92	0.011
43	0.024	93	0.011
44	0.023	94	0.011
45	0.023	95	0.011
46	0.022	96	0.011
47	0.022	97	0.011
48	0.021	98	0.011
49	0.021	99	0.011
50	0.020	100	0.010

別表第九　平成19年４月１日から平成24年３月31日までの間に取得をされた減価償却資産の定率法の償却率、改定償却率及び保証率の表

耐用年数	償却率	改定償却率	保証率	耐用年数	償却率	改定償却率	保証率
年				51年	0.049	0.050	0.01053
2	1.000	—	—	52	0.048	0.050	0.01036
3	0.833	1.000	0.02789	53	0.047	0.048	0.01028
4	0.625	1.000	0.05274	54	0.046	0.048	0.01015
5	0.500	1.000	0.06249	55	0.045	0.046	0.01007
6	0.417	0.500	0.05776	56	0.045	0.046	0.00961
7	0.357	0.500	0.05496	57	0.044	0.046	0.00952
8	0.313	0.334	0.05111	58	0.043	0.044	0.00945
9	0.278	0.334	0.04731	59	0.042	0.044	0.00934
10	0.250	0.334	0.04448	60	0.042	0.044	0.00895
11	0.227	0.250	0.04123	61	0.041	0.042	0.00892
12	0.208	0.250	0.03870	62	0.040	0.042	0.00882
13	0.192	0.200	0.03633	63	0.040	0.042	0.00847
14	0.179	0.200	0.03389	64	0.039	0.040	0.00847
15	0.167	0.200	0.03217	65	0.038	0.039	0.00847
16	0.156	0.167	0.03063	66	0.038	0.039	0.00828
17	0.147	0.167	0.02905	67	0.037	0.038	0.00828
18	0.139	0.143	0.02757	68	0.037	0.038	0.00810
19	0.132	0.143	0.02616	69	0.036	0.038	0.00800
20	0.125	0.143	0.02517	70	0.036	0.038	0.00771
21	0.119	0.125	0.02408	71	0.035	0.036	0.00771
22	0.114	0.125	0.02296	72	0.035	0.036	0.00751
23	0.109	0.112	0.02226	73	0.034	0.035	0.00751
24	0.104	0.112	0.02157	74	0.034	0.035	0.00738
25	0.100	0.112	0.02058	75	0.033	0.034	0.00738
26	0.096	0.100	0.01989	76	0.033	0.034	0.00726
27	0.093	0.100	0.01902	77	0.032	0.033	0.00726
28	0.089	0.091	0.01866	78	0.032	0.033	0.00716
29	0.086	0.091	0.01803	79	0.032	0.033	0.00693
30	0.083	0.084	0.01766	80	0.031	0.032	0.00693
31	0.081	0.084	0.01688	81	0.031	0.032	0.00683
32	0.078	0.084	0.01655	82	0.030	0.031	0.00683
33	0.076	0.077	0.01585	83	0.030	0.031	0.00673
34	0.074	0.077	0.01532	84	0.030	0.031	0.00653
35	0.071	0.072	0.01532	85	0.029	0.030	0.00653
36	0.069	0.072	0.01494	86	0.029	0.030	0.00645
37	0.068	0.072	0.01425	87	0.029	0.030	0.00627
38	0.066	0.067	0.01393	88	0.028	0.029	0.00627
39	0.064	0.067	0.01370	89	0.028	0.029	0.00620
40	0.063	0.067	0.01317	90	0.028	0.029	0.00603
41	0.061	0.063	0.01306	91	0.027	0.027	0.00649
42	0.060	0.063	0.01261	92	0.027	0.027	0.00632
43	0.058	0.059	0.01248	93	0.027	0.027	0.00615
44	0.057	0.059	0.01210	94	0.027	0.027	0.00598
45	0.056	0.059	0.01175	95	0.026	0.027	0.00594
46	0.054	0.056	0.01175	96	0.026	0.027	0.00578
47	0.053	0.056	0.01153	97	0.026	0.027	0.00563
48	0.052	0.053	0.01126	98	0.026	0.027	0.00549
49	0.051	0.053	0.01102	99	0.025	0.026	0.00549
50	0.050	0.053	0.01072	100	0.025	0.026	0.00546

別表第十　平成24年４月１日以後に取得をされた減価償却資産の定率法の償却率、改定償却率及び保証率の表

耐用年数	償却率	改定償却率	保証率	耐用年数	償却率	改定償却率	保証率
年				51 年	0.039	0.040	0.01422
2	1.000	—	—	52	0.038	0.039	0.01422
3	0.667	1.000	0.11089	53	0.038	0.039	0.01370
4	0.500	1.000	0.12499	54	0.037	0.038	0.01370
5	0.400	0.500	0.10800	55	0.036	0.038	0.01337
6	0.333	0.334	0.09911	56	0.036	0.038	0.01288
7	0.286	0.334	0.08680	57	0.035	0.036	0.01281
8	0.250	0.334	0.07909	58	0.034	0.035	0.01281
9	0.222	0.250	0.07126	59	0.034	0.035	0.01240
10	0.200	0.250	0.06552	60	0.033	0.034	0.01240
11	0.182	0.200	0.05992	61	0.033	0.034	0.01201
12	0.167	0.200	0.05566	62	0.032	0.033	0.01201
13	0.154	0.167	0.05180	63	0.032	0.033	0.01165
14	0.143	0.167	0.04854	64	0.031	0.032	0.01165
15	0.133	0.143	0.04565	65	0.031	0.032	0.01130
16	0.125	0.143	0.04294	66	0.030	0.031	0.01130
17	0.118	0.125	0.04038	67	0.030	0.031	0.01097
18	0.111	0.112	0.03884	68	0.029	0.030	0.01097
19	0.105	0.112	0.03693	69	0.029	0.030	0.01065
20	0.100	0.112	0.03486	70	0.029	0.030	0.01034
21	0.095	0.100	0.03335	71	0.028	0.029	0.01034
22	0.091	0.100	0.03182	72	0.028	0.029	0.01006
23	0.087	0.091	0.03052	73	0.027	0.027	0.01063
24	0.083	0.084	0.02969	74	0.027	0.027	0.01035
25	0.080	0.084	0.02841	75	0.027	0.027	0.01007
26	0.077	0.084	0.02716	76	0.026	0.027	0.00980
27	0.074	0.077	0.02624	77	0.026	0.027	0.00954
28	0.071	0.072	0.02568	78	0.026	0.027	0.00929
29	0.069	0.072	0.02463	79	0.025	0.026	0.00929
30	0.067	0.072	0.02366	80	0.025	0.026	0.00907
31	0.065	0.067	0.02286	81	0.025	0.026	0.00884
32	0.063	0.067	0.02216	82	0.024	0.024	0.00929
33	0.061	0.063	0.02161	83	0.024	0.024	0.00907
34	0.059	0.063	0.02097	84	0.024	0.024	0.00885
35	0.057	0.059	0.02051	85	0.024	0.024	0.00864
36	0.056	0.059	0.01974	86	0.023	0.023	0.00885
37	0.054	0.056	0.01950	87	0.023	0.023	0.00864
38	0.053	0.056	0.01882	88	0.023	0.023	0.00844
39	0.051	0.053	0.01860	89	0.022	0.022	0.00863
40	0.050	0.053	0.01791	90	0.022	0.022	0.00844
41	0.049	0.050	0.01741	91	0.022	0.022	0.00825
42	0.048	0.050	0.01694	92	0.022	0.022	0.00807
43	0.047	0.048	0.01664	93	0.022	0.022	0.00790
44	0.045	0.046	0.01664	94	0.021	0.021	0.00807
45	0.044	0.046	0.01634	95	0.021	0.021	0.00790
46	0.043	0.044	0.01601	96	0.021	0.021	0.00773
47	0.043	0.044	0.01532	97	0.021	0.021	0.00757
48	0.042	0.044	0.01499	98	0.020	0.020	0.00773
49	0.041	0.042	0.01475	99	0.020	0.020	0.00757
50	0.040	0.042	0.01440	100	0.020	0.020	0.00742